ANNÉE ZÉRO

Jeff Long

Traduit de l'anglais
par Carole BENTON

City Editions
THRILLERS

À mon père, qui m'a sauvé du gouffre en Asie.

Cette édition est publiée avec l'accord de l'éditeur Pocket Books, une division de Simon and Schuster, Inc., New York
Publié aux Etats-Unis sous le titre *Year Zero*

Couverture : Davidpaire.com
ISBN : 978-2-35288-254-1
Code Hachette : 50 6445 6

Rayon : Thrillers
Collection dirigée par Christian English & Frédéric Thibaud

Catalogue et manuscrits : www.city-editions.com

Dépôt légal : premier semestre 2009
Imprimé en France par CPI - France Quercy, Mercuès - n° 90566/

Aimer et supporter ; espérer jusqu'à ce que l'Espoir crée de sa propre épave l'objet de sa contemplation.

Percy Bysshe Shelley,
Prométhée délivré

PROLOGUE

Faux anges

Jérusalem

La blessure leur montrait le chemin.

Sanglé dans le ventre de l'hélicoptère cargo, Nathan Lee Swift, accompagné d'une douzaine d'autres archanges, contemplait le peu qu'il restait. Un tremblement de terre se voit surtout à ce qui n'est plus. Des villes et des villages entiers s'étaient tout simplement volatilisés dans un nuage de poussière, rayés à jamais de la carte. Même les ruines avaient disparu.

L'air était brûlant et sous l'horizon bouché, les sables s'enfonçaient dans la brume. Nathan Lee éprouvait le sentiment d'être enchaîné au géant assis près de lui, son ancien professeur, David Ochs. Après avoir rechigné à quitter le pays, il ne voulait pas y revenir. Pas comme ça.

Partis de la base militaire américaine en Turquie, ils volaient vers le sud, parallèlement à la vallée d'effondrement. Tel un immense raft dérivant loin du rivage, l'Afrique se détachait de l'Eurasie. Rien de nouveau sous le soleil. Les photos satellites relevaient à peine la dernière brèche géologique et depuis les fenêtres en plexiglas rayé de l'hélicoptère, les ravages paraissaient étrangement insignifiants. La terre s'était ouverte et refermée.

Nathan Lee peinait à se repérer. Pourtant, quelques semaines plus tôt, il se trouvait encore là, quelque part, fouillant d'arrache-pied l'ancienne Alep, terminant ses recherches sur le terrain. Aujourd'hui, les ruines s'étaient volatilisées et sa thèse avec elles. Seul l'amour, ou plutôt la luxure, lui avait épargné ce désastre. Si Lydia Ochs ne l'avait pas rejoint dans sa tente par une chaude nuit arabique cinq mois auparavant, il serait peut-être mort dans les sables. Il devait donc la vie au ventre fertile de la jeune sœur du professeur.

Profitant de ses vacances d'hiver, cette dernière avait en effet décidé d'accompagner son frère à Alep où le professeur venait contrôler ses étudiants et sécuriser ses subventions. Nathan Lee, qui la voyait pour la première fois de sa vie, s'imagina n'avoir été pour elle qu'une aventure sans lendemain, une conquête dans le désert – son grimpeur himalayen des sables – jusqu'à ce qu'il reçoive sa lettre. De retour dans le Missouri, elle lui avouait une grossesse de cinq mois. Ils étaient mariés depuis dix jours et comme ce mariage éclair l'avait sauvé de la mort, sa belle-famille criait au miracle – un terme un peu fort pour qualifier ce qui relevait moins de la main de Dieu que des effets combinés d'un Wonderbra, de la pleine lune et d'une bonne bouteille de Beaujolais. Mais il n'avait pas jugé indispensable de rectifier.

La soudaineté des événements l'avait quand même quelque peu abasourdi. L'alliance brillait sur son doigt bronzé comme une excroissance étrange. À vingt-cinq ans, il se considérait comme très jeune. Il lui fallait encore trouver sa voie, se faire un nom, voir le monde… et le revoir. Son miroir lui renvoyait l'image d'un jeune homme sérieux avec des lunettes à la John Lennon, de solides épaules et quelques poils sur la poitrine. Mais tout cela manquait de forme, comme si ses molécules n'avaient pas fini de s'assembler.

Cela tenait peut-être au fait d'avoir passé les deux dernières années dans une quasi-solitude au milieu des sables, mais il lui semblait parfois que l'empreinte de ses pas s'effaçait presque instantanément et que son ombre se modifiait constamment. Ou d'avoir enterré ses parents bohèmes des deux côtés de la planète – sa mère au Kenya et son père au Kansas – ce qui devait sûrement fausser son sens de l'orientation. Il aurait pu aller où il voulait. Il aurait pu être n'importe qui. Et voilà qu'il se retrouvait à la case départ avec une thèse inachevée, des prêts étudiant par-dessus la tête et une paternité toute proche.

Il aurait pu détester cette grossesse, mais il était anthropologue et superstitieux. Et il fallait bien reconnaître que cet enfant lui avait déjà sauvé la vie. Lydia avait su choisir un prénom approprié pour leur future fille : Grace.

— Dites-moi, mes amis, lança soudain le spécialiste en démolition de Bagdad qui portait un casque argenté. Qu'est-ce qui peut bien pousser deux anthropologues américains à se précipiter dans une zone sinistrée ? Et avec des sacs mortuaires pour seuls bagages qui plus est. Laissez-moi deviner, médecins légistes ?

Solidement arrimées au sol, cinq caisses de vingt sacs mortuaires occupaient l'allée. Ces modèles économiques en vinyle blanc sans poignées coûtaient quatorze dollars pièce. Pourtant, de façon inattendue, ils leur avaient facilité le voyage. Leur prétendue mission humanitaire était devenue une petite légende – Ochs avait fait ce qu'il fallait pour cela. Le fret pour la cargaison leur avait été offert, ils s'étaient retrouvés en première classe et la TWA avait retardé son vol Heathrow-Athènes pour permettre aux deux Américains d'attraper leur correspondance. Et pour couronner le tout, une hôtesse de l'air avec de très longues jambes avait passé plus d'une heure assise sur l'accoudoir du siège de Nathan Lee. Ils étaient si courageux, si humanitaires…

— Nous sommes archéologues, répondit Ochs. Ses épaules, ses bras et son ventre que Falstaff n'aurait pas renié, menaçaient de faire exploser son T-shirt qui arborait la mention *Balénoptère* en taille XXXL. Sa voix couvrait le bruit des moteurs. Université de George Washington. Je suis spécialiste en archéologie biblique jusqu'à l'époque d'Hadrien.

On faisait difficilement mieux comme mensonge par omission, car si jusqu'au semestre dernier, le professeur Ochs avait bien occupé une chaire à George Washington, son passé l'avait depuis rattrapé. Un de ses anciens élèves l'avait en effet attaqué en justice pour lui avoir imposé des relations sexuelles en échange de son diplôme. Déjà soupçonné de contrebande d'antiquités, Ochs avait coulé comme une pierre. D'où Jérusalem en compagnie de son nouveau beau-frère. Nathan Lee voulait croire qu'il avait surmonté le pire, mais il se mentait. Il n'était pas à sa place. Pas de cette façon, pas dans cette mission. Il avait l'impression d'être tiré vers le fond par un homme en train de se noyer.

— Archéologie biblique…

L'ingénieur réagit aussitôt.

— Projet Année Zéro. La recherche de Jésus-Christ.

— C'est relié, répondit calmement Ochs. Mais ne vous y trompez pas. L'Année Zéro est basé sur des recherches scrupuleuses. Rien à voir avec la découverte des manuscrits de la mer Morte. La Smithsonian Institution et la fondation Gates ont commandé une étude détaillée et une collection d'objets et de matières organiques datant de deux mille ans.

— Des matières organiques ?

L'ingénieur n'était pas stupide.

— Du pollen, des textiles, des os, des tissus momifiés.

— Des os et de la chair, je comprends parfaitement.

— Cibler l'Année Zéro était totalement arbitraire, une concession au calendrier occidental.

— Un pur hasard. La Terre sainte au début de l'ère chrétienne, remarqua l'ingénieur avec un sourire indulgent.

Comme beaucoup d'autres musulmans levantins, la situation le déconcertait. Les croisades ne s'étaient jamais vraiment terminées. Aujourd'hui, l'Occident combattait avec des truelles et des pioches.

— La date frappe l'imagination du public, poursuivit

Ochs. Et celle des fondations qui attribuent les subventions. Loin de toute controverse et superstition, nous ne faisons que rassembler des preuves d'un lieu dans le temps. Malheureusement, l'imagination des gens s'est emballée et nous nous retrouvons aujourd'hui avec cette absurdité d'une chasse au Jésus historique.

— Absurdité ?

L'ingénieur feignit la surprise.

— Réfléchissez. Les croyants rejettent les « os du Christ » comme une contradiction dans les termes. Si le Christ est monté au ciel, il ne peut pas y avoir de cadavre. Quant aux non-croyants, ils s'en moquent.

En fait, malgré leur sophistication, David, Lydia et tout le clan des Ochs possédaient de solides racines pentecôtistes avec serpents, langues et tout le tintouin. Nathan Lee ne s'en était jamais douté. D'où le refus d'un avortement. Le mariage dans le Missouri avait paru dater de la guerre de Sécession, tout en dentelles et draps noirs.

— Et dans quelle catégorie vous classez-vous, Monsieur ? demanda l'ingénieur. Le croyant qui ne croit pas ou le non-croyant qui s'en moque ?

— Posez la question à mon étudiant ici présent. Il affirme que Jésus est une saucisse.

Les sourcils de l'ingénieur remontèrent sous son casque.

— Ma langue s'emballe parfois, reconnut Nathan Lee en arabe.

— Mais une saucisse ! Quelle image !

— Une peau humaine bourrée de mythes et de prophéties, expliqua Ochs.

Cette définition amusa l'ingénieur.

— Dans ce cas, pourquoi vous consacrer à l'Année Zéro ?

— Le professeur fait appel à moi de temps en temps, répondit Nathan Lee. Ma thèse se concentre sur le nord de la Syrie au VIIe siècle. J'étudie la disparition des familles romaines de ce que l'on appelle les villes mortes. Des villes prospères et solidement enracinées dont les maisons possèdent des sols en mosaïques et des fenêtres qui s'ouvrent sur des oasis. Pourtant, un jour, ces familles ont brusquement disparu.

— Une guerre ? proposa l'ingénieur.

— Il n'y a aucun signe de violence, pas de cendres.

L'ingénieur indiqua d'un geste le paysage en dessous d'eux.

— Un tremblement de terre ?

— Les maisons sont toujours là. Les bergers les utilisent pour abriter leurs chèvres.

— Que s'est-il passé alors ?

— Un rien probablement. Une cassure dans le rythme. Une mauvaise récolte ou la rupture d'un canal d'irrigation. Un hiver rigoureux ou un été sec. Une invasion d'insectes ou un rat porteur d'une puce atteinte d'une quelconque grippe exotique. Les civilisations sont tellement fragiles.

Quelqu'un dans l'avion cria « Damas », et ils regardèrent tous par les fenêtres. Damas n'était pas différente de Halab, Hims ou d'autres villes qui avaient jalonné leur route. De cette hauteur, sans la limite extérieure du camp de réfugiés, Nathan Lee aurait cru la cité morte depuis des siècles. Rien ne la distinguait des milliers d'autres levantins, un énième tas gris d'histoire et de poussière.

— *Allah irrahamhum*, déclara un physicien irakien. *Puisse Dieu avoir pitié d'eux*.

Ils laissèrent la ville derrière eux et l'ingénieur reprit la conversation.

— Pourquoi venir maintenant, alors que la catastrophe est si récente ? demanda-t-il. Et pourquoi Jérusalem ?

Nathan Lee détourna le regard.

— Le mot juste est : opportunisme, confessa Ochs d'un air solennel. Avec la ville sens dessus dessous, le passé se retrouve exposé. D'une certaine façon, nous sommes venus procéder à une autopsie.

— Vous voulez fouiller les décombres ? C'est très dangereux à cause des risques de répliques du séisme. Et des épidémies. Cela fait une semaine maintenant. Les chiens doivent tous être enragés. Les lieux ne seront pas sûrs tant que la ville n'aura pas été rasée.

— C'est la raison pour laquelle nous sommes venus si vite, dit Ochs. Avant que vous ne commenciez votre travail.

L'ingénieur prit cela comme un compliment.

— Évidemment. Et que comptez-vous faire des sacs mortuaires ?

— Notre petite contribution.

L'ingénieur regarda Nathan Lee.

— Vous ne devez pas vous sentir coupable, dit-il.

— Coupable ?

— C'est écrit sur votre visage.

— Ne vous occupez pas de lui, intervint Ochs.

Mais l'ingénieur, un homme compatissant, semblait apprécier Nathan Lee. Il indiqua d'un geste les autres passagers.

— Chacun de nous ici possède un talent particulier. Certains viennent pour nourrir les gens, d'autres pour les soigner, d'autres encore pour s'occuper des cadavres. Je viens achever la destruction à coup de bulldozers pour permettre la reconstruction. Et vous êtes venus chercher des réponses dans les os. Soyez fort, jeune homme. Interpréter la vengeance de Dieu demande beaucoup d'amour.

Nathan ne sut pas que répondre.

— Merci, dit-il à tout hasard.

Alors qu'ils approchaient d'Israël, les conditions de vol changèrent brusquement. Malgré leurs efforts, les pilotes ne purent éviter les fortes ascendances thermiques au-dessus des sables du désert. Les vents les enveloppèrent et attaquèrent férocement. Sous la puissance des rafales, l'hélicoptère vibra et se cabra avant de plonger brutalement. Loin en dessous d'eux, des tornades spontanées tournoyaient, traçant sur le sable de mystérieuses arabesques.

Les pilotes déportèrent l'appareil sur le côté, cherchant un passage. Mais rien à faire. Quand les vents ne les repoussaient pas en direction du soleil, ils les projetaient vers le sol et ils devaient lutter pour reprendre de l'altitude. Solidement attachés à l'arrière, les passagers souffraient de cette entrée mouvementée en Terre sainte. Ochs vomit, mais Nathan Lee ne lui manifesta aucune sympathie. Ils n'avaient rien à faire ici.

Remontant ses lunettes sur son nez, Nathan Lee ferma les yeux et pensa à Grace. Ses nausées s'apaisèrent. À qui allait-elle ressembler ? Il pria pour qu'elle hérite des cheveux couleur miel de sa mère. Pour sa part, il se considérait comme un homme banal avec un visage fin et des yeux étroits. Il n'avait d'ailleurs toujours pas compris pourquoi Lydia avait choisi sa tente cette nuit-là. L'influence de la pleine lune, probablement. À moins qu'elle n'ait voulu ajouter un nomade à sa liste de conquêtes. Même parmi les excentriques qui campaient au département anthropologie, il jouissait d'une certaine notoriété pour chasser et jouer au boucher avec des silex néolithiques.

Nathan Lee espérait quand même que sa fille tirerait quelque chose de son côté de l'équation. Un peu de plomb dans la cervelle pour tempérer le côté versatile de Lydia – pour ne pas dire caustique. Finie la lune de miel. L'amoureuse au sang chaud s'était révélée froide et moderne, exigeant une connexion électrique vingt-quatre heures sur vingt-quatre. Leur nuit de noces s'était passée à discuter de questions d'argent. Elle se dirigeait vers un MBA. Il prenait la direction de… Jérusalem.

Finalement, ils atteignirent le plateau du Golan, abandonnant derrière eux les thermiques du désert. Mais, alors qu'ils survolaient la longue faille de la mer Morte, Nathan Lee constata que la destruction n'en était qu'à ses débuts. Tous les écoliers de la planète savaient maintenant, grâce à la télévision, que le tremblement de terre avait libéré 800 000 mégatonnes d'énergie, soit une puissance 1 600 fois supérieure à celle de toutes les explosions nucléaires réalisées jusqu'à ce jour en temps de guerre et de paix. Des tsunamis avaient dévasté la bande de Gaza. Comme l'ancienne Alexandrie, Tel Aviv gisait sous la Méditerranée. La mer de Galilée s'était vidée, noyant le Jourdain. Le fond de la mer Morte avait baissé de quinze mètres et ses eaux ne parvenaient qu'à mi-chemin du golfe d'Aqaba.

L'appareil n'avait pas l'air conditionné. Ils descendirent lentement en dessous du niveau de la mer, volant entre deux parois de calcaire. De chaque côté, les routes et les chemins s'arrêtaient brusquement en plein ciel. C'était le printemps. Les arbres bourgeonnaient et les agneaux bondissaient autour de leurs mères. Finalement, ils bifurquèrent vers l'ouest et remontèrent des profondeurs.

Les ruines de Jérusalem s'étendaient devant eux. À la différence des villes syriennes, son agonie se prolongeait. De la fumée noire planait au-dessus des décombres, et là où les canalisations de gaz avaient explosé, les flammes montaient à l'assaut du ciel.

Ochs abattit sa main aussi grande qu'une patte d'ours sur la cuisse de Nathan Lee. Il exultait. Nathan Lee, lui, était choqué.

— *Haram*, murmura-t-il.

Ce mot, universel dans cette partie du monde, signifiait *interdit* ou *pitié*. Plus classiquement, il se traduisait par tombeau.

L'ingénieur l'entendit et leurs regards se croisèrent. Bizarrement, il lui donna sa bénédiction.

— Conservez votre cœur pur.

Nathan Lee détourna les yeux.

L'hélicoptère survolait le périmètre accidenté. Les tentes blanches se succédaient, surmontées de croix ou de croissants rouges. Les toits en plastique bleu des Nations unies frémissaient sous les remous des rotors.

Soudain, l'appareil plongea vers le sol et Ochs agrippa le bras de Nathan Lee. Ils se posèrent brutalement sur la colline sud du mont des Oliviers.

Personne ne les attendait. Les Samaritains débarquèrent donc tranquillement dans la chaleur intense sur une route qui dominait la ville. On pouvait à peine apercevoir Jérusalem sous l'épaisse couche de fumée noire. Des commandos israéliens en tenue de camouflage et bérets surgirent de la poussière jaune pour les accompagner jusqu'au Camp 23.

Les caisses de sacs mortuaires furent débarquées. Ochs en ouvrit une, prit quelques sacs et abandonna le reste sur la route avant d'entraîner Nathan Lee loin de leur cheval de Troie. La ruse avait fonctionné. Ils étaient dans les lieux.

Pendant qu'Ochs dormait pour se remettre du décalage horaire, Nathan Lee entreprit de visiter le Camp 23 pour apprendre à s'orienter, écouter les rumeurs et récolter des informations. L'aube ne tarderait pas à se lever.

Six jours plus tôt, ce camp n'existait pas. Aujourd'hui, il recouvrait les pentes du mont des Oliviers, véritable point de rassemblement palestinien. Avant le tremblement de terre, les habitants de la ville empruntaient la route sinueuse pour venir ici pique-niquer et contempler la ville. Aujourd'hui, 55 000 fantômes hantaient ce panorama de fumée noire. Les survivants déambulaient, blanchis par la poussière, les yeux rougis par la chaux. Leurs voix montaient en chœur comme celles des cigales dans la chaleur. *Allah*, *Allah*, *Allah*. Les femmes ululaient.

Ils tendaient leurs mains sales, mais Nathan Lee évitait leurs regards. Il se sentait démuni, n'ayant rien à leur offrir. Certains seraient bientôt morts. Le sol était boueux, non pas de la pluie, mais des égouts. Le choléra n'allait pas tarder à se déchaîner. Tous les travailleurs humanitaires l'affirmaient.

Une équipe de sauveteurs originaires de Virginie lui prêta deux casques. Ils étaient décharnés et l'un d'eux avait le bras en écharpe. Leur calendrier ne se comptait plus en jours, mais en heures. Pour eux, le temps avait commencé à s'écouler à l'instant de la première secousse, il y avait 171 heures. En règle générale, après quarante-huit heures, les chances de retrouver des survivants devenaient nulles. Leur travail était terminé. Ils rentraient au pays. Nathan Lee leur demanda conseil.

— Ne descendez pas, répliqua l'un d'eux. Ne provoquez pas les dieux.

Il le considérait avec le mépris d'un soldat pour un civil. Pour lui, si vous n'étiez pas d'ici, vous n'aviez rien à y faire.

— Et les lions ? renchérit un autre. On vous a parlé des lions ?

— Vous plaisantez ? demanda Nathan Lee.

Il ne s'agissait sûrement que d'une légende. *Ici, se trouvent les dragons...*

— Du zoo, cracha l'homme.

— Ils ont trouvé un corps dans le quartier arménien, reprit son collègue. Déchiqueté, une jambe arrachée. Ce qui signifie qu'ils nous ont goûtés. Ils sont devenus mangeurs d'hommes.

À l'aube, la fumée prit une couleur bronze.

Nathan Lee retrouva Ochs étendu sur un matelas sous la tente, torse nu. Il avait vu des photos de lui du temps où il soulevait ses 180 kg en développé-couché. Un véritable adonis sous stéroïdes. Là, il contemplait les ravages de la bière. La sueur brillait sur la toison poivre et sel de sa poitrine.

— Réveille-toi, cria-t-il.

Ochs grogna, mais se redressa.

— Nous n'aurions jamais dû venir, dit Nathan Lee. C'est trop dangereux. De plus, le couvre-feu est instauré de la tombée de la nuit au lever du jour et ils tirent pour tuer.

— Donne-moi une minute, gronda Ochs.

— C'est une zone de guerre. Personne ne commande ici. Ils se bouffent les uns les autres. Le Hamas et le Hezbollah, l'ALP, l'armée israélienne et les milices des kibboutz.

— Et alors ? coupa Ochs en colère. Qu'espérais-tu ? 9,1 sur l'échelle de Richter. D'ici à Istanbul, tout n'est que ruines.

— Je n'aime pas ça.

— Il ne s'agit pas d'aimer.

Ochs secoua la tête comme un boxeur à l'échauffement et ses vertèbres craquèrent.

— Demain à cette heure, nous serons sur le chemin du retour. Considère cela comme ta première contribution à l'argent de l'université. Pour Grace, ajouta-t-il. Pas pour toi. Le moment est venu de dépasser tes ambitions académiques.

Ochs se servait de l'enfant à naître comme d'un otage et Nathan Lee ne savait pas comment s'en sortir. Cette conspiration entre le frère et la sœur commençait à l'effrayer.

— Tu n'as pas besoin de moi, dit-il.

— Si justement. Mais que cela ne te monte pas à la tête. Tu es seulement plus jeune que moi et tu as des capacités. Nous formons une équipe.

— Il ne s'agit pas d'un match de base-ball. Nous violons le passé. Les légendes. Chacun de nos gestes pourrait altérer le cours de l'histoire, influer sur les religions.

— Depuis quand es-tu devenu bigot ? Quoi qu'il en soit, tu as des responsabilités.

— C'est toi qui m'as appris à respecter l'intégrité d'un site.

— Les temps ont changé.

— Tu cherches seulement à te venger.

— Je cherche seulement de l'argent, répondit Ochs. Et toi, Nathan Lee ? Ne te sens-tu pas un peu seul ici ?

Ils se dirigèrent vers la tente réfectoire qui débordait de travailleurs humanitaires à divers stades de fatigue et s'exprimant dans une multitude de langues. Ils bénéficiaient d'une meilleure nourriture que les rescapés. À la place des barres protéinées et des bouteilles d'eau, ils recevaient du ragoût d'agneau, du couscous et des bonbons. Ochs se précipita sur la caféine.

Nathan Lee sortit avec son assiette en carton et s'assit par terre. Ochs le rejoignit.

— Finies les tergiversations, lança-t-il. C'est oui ou c'est non.

Nathan ne dit pas oui, mais il ne dit pas non, non plus. Ochs n'en demandait pas plus.

À la tombée de la nuit, ils se faufilèrent hors du Camp 23.

Ils portaient des masques en coton, des brassières de la Croix-Rouge, les casques que Nathan Lee avait empruntés et des Jungle boots de l'époque du Vietnam dont les semelles étaient doublées d'une plaque de métal. Ochs les avait dénichées dans un magasin de surplus de l'armée à Georgetown.

En théorie, les camps étaient fermés pendant la nuit et des barbelés, des sacs de sable et de féroces Israéliens gardaient l'entrée principale. Mais Nathan Lee avait découvert qu'il n'y avait pas de mur à l'arrière du camp. La porte était virtuelle. Nathan Lee et Ochs sortirent donc tranquillement et s'enfoncèrent dans la nuit.

Abandonnant derrière eux lampes à arc et générateurs au diesel, ils dépassèrent les fous et les mourants. Nathan Lee se représentait ainsi le dernier cercle de l'enfer.

La colline descendait en pente douce, coupée par des terrasses. Nathan Lee prit la tête. Ils avaient emporté des lampes, mais ne les utilisèrent pas. Cela rappela à Nathan Lee ses randonnées dans l'Himalaya ou à Chamonix avec son père. Les alpinistes appelaient cela un démarrage alpin – un départ dans la nuit quand la montagne dort encore. D'autres sens entrent alors en jeu : la vision nocturne, différentes sortes de perceptions, comme celle des mouvements sous les pieds. Le monde perd ses frontières. Au cœur de la terre, les couches profondes claquent comme des os. Le monde souterrain bat à travers la peau. Il le ressentait ce soir. Les pas lourds d'Ochs frappaient le sol. Même les étoiles vibraient.

Nathan Lee leva les yeux au-dessus du brouillard sale. L'énorme lune blanche avait fini de s'extraire du désert voisin. Il ne l'avait jamais vue aussi grosse.

— Ralentis, lança Ochs.

Nathan Lee l'entendait haleter derrière lui... en descente.

Mauvais signe. La nuit ne faisait que commencer. Il ne l'attendit pas, mais veilla à ne pas prendre trop d'avance.

Ils continuèrent leur route dans l'obscurité. Ochs trébuchait et ne tarda pas à réclamer une halte. Nathan Lee l'obligea à répéter trois fois sa requête avant de s'arrêter. Ochs le rattrapa et se laissa tomber sur un rocher. Il mit sa fatigue sur le compte de ses genoux amochés et sur la cadence de Nathan Lee.

— Je sais que tu cherches à m'épuiser, mais cela ne marchera pas, dit-il.

Ils reprirent leur marche parmi les figuiers et les pistachiers. Les branches d'oliviers semblaient figées. À travers son masque en coton, Nathan Lee pouvait sentir les fleurs qui brillaient comme des boules de Noël. Mais leur parfum ne parvenait pas à cacher l'odeur de viande pourrie, même à cette distance.

Ils atteignirent le nuage de pollution qu'ils pénétrèrent. La lune prit une couleur brune. Dans la masse, ils traversèrent un cimetière chrétien avec ses pierres tombales et ses croix effondrées. Puis, sous le nuage, ils découvrirent soudain les murs de la vieille ville.

Le monde était différent sous la masse. Des flammes vertes et orange coupaient le ciel bas. Elles montaient, traversant la fumée pour réapparaître dans le firmament boueux. Pendant la nuit, ces gaz enflammés rappelaient les piliers de feu de la Bible. Nathan Lee regarda Ochs. Sous son masque blanc, noir de suie, il ressemblait à une hyène.

L'intemporelle Jérusalem s'étendait devant eux. Parce qu'elle était construite sur une colline, ils pouvaient apercevoir les quartiers supérieurs par-dessus les murs. Nathan Lee commença à distinguer les détails dans les ruines. À la place des rues, se trouvaient maintenant de véritables artères et dans ces artères, des lumières se déplaçaient. Des haines plus vieilles que l'Amérique étaient à l'œuvre. Ici et là, les flèches lumineuses des balles traçantes décrivaient un arc de cercle entre les bâtiments plats. Dans la ville, c'était chacun pour soi : les milices, les sectes, les rebelles et les prédateurs.

Nathan Lee avait peur. Pas le genre de montée d'adrénaline qu'il éprouvait lors de l'escalade d'un long couloir de glace. Non. Une crainte plus insidieuse, plus éprouvante. D'autant qu'il y avait maintenant une grande différence. Il serait bientôt papa et pour lui, cela signifiait quelque chose. Sa vie comptait.

Au loin, en équilibre sur l'horizon déchiqueté, le dôme du Rocher avait résisté. Cette vue lui fit un effet particulier. C'était une des bizarreries des tremblements de terre dans les vieilles villes où les constructions modernes s'écroulaient et les anciens bâtiments résistaient. La cathédrale de Mexico en était un exemple, de même que la basilique Sainte-Sophie à Istanbul. Et maintenant la mosquée sur le mont du Temple. Le dôme luisait sous l'éclat des flammes comme une lune dorée tombée sur terre.

Ils descendirent dans la vallée de Cédron, puis remontèrent jusqu'au mur qu'ils suivirent vers le sud avant de bifurquer vers l'ouest, le long de la pire zone de bagarre. Les quartiers musulmans et juifs grondaient à l'intérieur. Pas de repos pour les braves. Les combats se poursuivaient au milieu de l'apocalypse. Balles et éclats d'obus grésillaient au-dessus de l'esplanade du mont du Temple. Après une vingtaine de minutes de marche, ils atteignirent une abbaye effondrée et l'extrémité du mur qu'ils contournèrent vers la droite pour suivre le mur byzantin d'origine.

La banlieue n'était plus que ruines. Les immeubles éviscérés vacillaient au-dessus de montagnes de débris. Les bulldozers n'avaient pas encore atteint cette partie de la cité. Les rues disparaissaient sous les décombres et Nathan Lee suivait de vagues traces. À peine un sentier dans les gravats qui, lissé par les allées et venues, brillait légèrement.

Passant sous l'arche de la porte de Jaffa, ils pénétrèrent finalement dans la vieille ville où ils se débarrassèrent aussitôt de leur déguisement. À l'intérieur des murs, les travailleurs humanitaires devenaient des cibles pour les snipers. Ils ôtèrent donc leurs bavettes de la Croix-Rouge et leurs masques en coton. Ochs avait enduit son visage de peinture de camouflage.

Les chemins s'enfonçaient parmi les ruines, se scindant en douzaines d'embranchements. Ochs donnait son avis, mais s'en remettait toujours à l'instinct de Nathan Lee. Ce dernier se sentait chez lui. À ses yeux, un étranger avait toujours un avantage dans le chaos. Il ne pouvait pas perdre son chemin, seulement le trouver. Les gens nés sur place se reposaient sur leurs repères : coins de rues, devantures de magasins, adresses. Pas lui. La clé résidait dans votre esprit. *Commence au commencement…* Un truc que lui avait enseigné son père, le guide de montagne. Le reste lui venait de sa mère, la femme-singe. Au lieu de frères et sœurs, Nathan Lee avait grandi en compagnie d'une bande de babouins en liberté. *Si tu veux connaître une chose, pénètre-la*, lui avait-elle dit. Elle et son montagnard de mari avaient été de purs produits de leur génération, débordant d'envies de voyages et de paroles zen. Ils l'avaient élevé pour percevoir les mondes à l'intérieur du monde.

Ochs ne cessait de trébucher. Les lignes de téléphones arrachées s'enroulaient autour de leurs jambes. Des blocs de calcaire roulaient sous leurs pieds. Deux fois, le professeur manqua s'embrocher sur des tiges de ferraille. Il devait se reposer plus souvent.

À côté d'une Toyota écrasée, gisait le cadavre d'un cheval à moitié éventré par des prédateurs. Des minarets bloquaient le passage. Des immeubles de cinq ou six étages s'étaient écroulés et Nathan Lee dut se frayer un chemin au milieu d'une petite forêt d'antennes de télévision.

Une vieille femme surgit soudain de la nuit, les faisant sursauter. Nathan Lee découvrit ainsi le pistolet d'Ochs, une petite arme qu'il pointa sur elle. Celle-ci les maudit en russe avant de s'éloigner.

— Où t'es-tu procuré ça ? chuchota Nathan Lee.

— Nous devrions l'arrêter, répondit Ochs. Elle va nous trahir.

— Elle est folle. Tu n'as pas vu ses yeux ?

— Tu nous fais tourner en rond, grogna Ochs.

En état d'hypoglycémie et sous l'effet du décalage horaire, il devenait dangereux.

Nathan Lee leva la main pour le faire taire.

Ochs le poussa, puis il entendit à son tour – ou plutôt, il sentit. Les vibrations remontaient le long de leurs jambes. Des gens approchaient. Une patrouille ou une milice. Des tueurs. Des anges de la nuit.

Nathan Lee ne perdit pas de temps en conjectures et escalada un tas de débris enchevêtrés, se glissant d'une ombre à l'autre. Ochs le suivit en grognant, pistolet en main. Parvenu en haut des décombres, Nathan Lee s'arrêta. L'église du Saint-Sépulcre se dressait sous lui. Ils avaient atteint le quartier chrétien. Il y était déjà venu. En fait, l'endroit abritait plusieurs monuments : les tours des croisés à côté des dômes byzantins construits sur les ruines d'un temple romain de Vénus. Ici, rassemblés sous un même toit, se trouvaient les traces légendaires de la mort du Christ, de la pierre du Calvaire jusqu'à la tombe de sa résurrection. Certaines des constructions périphériques s'étaient écroulées, mais la plupart avaient résisté. Même les petites croix au sommet des dômes.

Ochs le rejoignit et découvrit l'église.

— Tu vois ? dit-il dans un souffle. Tu vois ?

Puis Nathan Lee entendit les voix au-dessous d'eux. Sans un mot, il se baissa et se cacha dans un trou au milieu des débris. Ochs se serra contre lui.

— Intact ! dit ce dernier. Juste comme on l'a vu sur CNN.

Nathan Lee recula dans l'ombre et appuya sa joue contre un bloc de béton. Les pas approchaient, les vibrations s'amplifiaient. La sueur d'Ochs puait.

Puis ils apparurent, ou du moins leurs ombres. Nathan Lee distingua des formes, pas des hommes. De grandes ombres qui se dessinaient sur les pans de mur toujours debout. Il aperçut l'éclat des fusils. Les yeux d'Ochs luisaient, ronds et blancs dans l'obscurité. Ses bajoues étaient barrées de bandes noires et vert olivâtre. Il leva son arme.

Les tueurs s'éloignèrent.

Ochs se redressa.

— Viens, lança-t-il.

Nathan Lee ne bougea pas.

— Il y a quelque chose là, dit-il.

La chose dépassait à côté de la botte d'Ochs.

Nathan Lee crut d'abord qu'il s'agissait d'un petit arbre en pot enfoui dans les débris. Il se rapprocha pour mieux l'examiner et laissa échapper un cri. Une main. Les doigts flétris, le poignet fin sur lequel brillait une montre de femme. Les ongles laqués de rouge rubis. L'alliance en or neuve. Il souhaita du fond de son cœur que ce soit la main d'un mannequin tout en sachant que ce n'était pas le cas.

— Regarde, murmura-t-il.

Ochs alluma sa lampe.

— C'est une femme.

Ils avaient respiré la mort toute la nuit. Une odeur qui s'échappait des ruines. Nathan Lee avait commencé à croire qu'ils pourraient s'en tirer sans rencontrer de cadavres.

— D'accord, tu en as trouvé un, dit Ochs. Continuons maintenant.

Nathan Lee ne bougea pas. La main pendait mollement, l'index légèrement pointé comme sur le tableau *La Création d'Adam* de Michel Ange. Les beaux ongles peints étaient ébréchés et sales comme si elle avait gratté la terre pour essayer de sortir de sa tombe. Cela toucha Nathan Lee. Elle avait refusé de se rendre.

— Tu entends ces grattements ?

Depuis qu'ils étaient entrés dans la ville, ils montaient vers eux. Des murmures, des pleurs, des coups. Ils avaient fait de leur mieux pour se convaincre qu'il ne s'agissait que du bruit des ruines s'écrasant sur elles-mêmes. Mais Nathan Lee ne pouvait se mentir plus longtemps.

— Tu t'imagines des choses, dit Ochs. Elle est morte. La ville est bonne à mettre à la casse. Viens.

Nathan Lee se pencha et colla son oreille contre le sol. Quelque chose grattait là-dessous. Il pouvait s'agir de pierres qui frottaient les unes contre les autres. Ou d'ongles qui griffaient la terre.

— Des chiens, lança Ochs. Ou des chats. Ils sont pires, à ce qu'on raconte. Ils vous sautent au visage.

Nathan Lee entreprit de dégager les pierres.

— Que fais-tu ?

— Il y a peut-être un enfant là-dessous.

— Un enfant ? Tu as perdu la tête ?

— Pourquoi pas ?

Nathan Lee ôta une pierre, mais une autre glissa à sa place. Il en prit une autre, mais là encore les débris dégringolèrent pour combler l'espace dégagé. Comme un puzzle qui refuse de se défaire, les ruines refusaient de relâcher leurs proies.

— Tu ne peux pas changer les choses, dit Ochs. Nous sommes déjà en danger.

Une mitraillette crépita au loin.

Nathan Lee prit la main de la femme dans la sienne. Elle était flexible, pas encore froide.

Il la pressa doucement.

— Bon sang, cherche son pouls et qu'on en finisse, s'énerva Ochs.

Il se pencha et posa un doigt à l'intérieur du poignet de la femme.

Les doigts bougèrent, serrant la main de Nathan Lee.

— Mon Dieu ! cria-t-il.

Il tenta de dégager sa main, mais elle tenait bon. Puis la poigne se relâcha lentement. Nathan Lee fixa sa main.

— Une contraction nerveuse, dit Ochs.

— Qu'en sais-tu ?

— Les pattes de grenouilles font la même chose.

Ochs pressa le poignet et la main de la femme se serra en poing avant de se rouvrir. Une poupée décérébrée.

— Arrête, ordonna Nathan Lee.

Il reprit la main dans la sienne, mais cette fois, elle demeura inerte. Il posa ses doigts sur le poignet. S'agissait-il d'un pouls ou des vibrations de la terre ? Sa chaleur, un vestige de la journée ? Il recommença à dégager les pierres.

— Aide-moi, dit-il.

— Nous ne pouvons pas rester ici, dit Ochs. Si les répliques du séisme ne nous tuent pas, les animaux ou les soldats s'en chargeront. Tu ne trouveras pas ta conscience dans la terre, tu sais.

Au loin, un homme cria. En peine, blessé ou fou. Le cri cessa brusquement.

— Vas-y, dit Nathan Lee. C'est l'église que tu cherchais. Je reste ici. Je ne partirai pas sans toi.

— J'ai besoin de toi. Le fossé est profond.

Quel fossé ? Ochs ne lui avait fourni aucune indication sur ce qu'il cherchait, autre que le nom de l'église.

— Alors aide-moi, répéta-t-il.

— D'accord, mais après. Nous allons d'abord à l'église récupérer ce que nous sommes venus chercher. Cela nous prendra une demi-heure. Ensuite, tu pourras revenir ici et creuser autant que tu veux, dit Ochs.

— Et tu m'aideras, cria Nathan Lee.

— Oui. Si quelqu'un demande ce que nous transportons dans le sac mortuaire, nous dirons la vérité. Des restes humains.

Un autre indice, pensa Nathan Lee. Il marqua l'emplacement de la main avec un petit cairn. Puis il entraîna Ochs jusqu'à la cour en bas des décombres.

Une des grandes portes en bois était ouverte. Ils pénétrèrent dans l'église et se retrouvèrent dans un havre de paix relative. Des carreaux avaient éclaté ici ou là et du verre coloré craquait sous leurs pas. Des bougies gisaient renversées et tordues. À part cela, l'intérieur paraissait intact.

C'était comme marcher dans un rêve le long des autels et des icônes sombres sur les murs. La rotonde était plus grande que dans son souvenir, probablement en raison de l'absence de pèlerins. Des piliers et des arches les entouraient. La lumière des flammes éclairait les vitraux abîmés. Pas une âme dans cet abri.

— Qu'est-ce que je t'avais dit ? lança Ochs. Tout à nous.

La tranquillité des lieux le mettait à l'aise.

— La tombe de Jésus, annonça-t-il en s'avançant vers une forme carrée au centre de la rotonde.

À l'intérieur du cénotaphe, petit édifice en marbre, poli par des siècles de caresses et de baisers respectueux, se trouvait une petite ouverture permettant d'apercevoir le rocher. Dans les souvenirs de Nathan Lee, la roche était couverte de coulées de cire blanches et roses. Ce qui pourrait expliquer le marteau de géologue et les burins que transportait Ochs, mais pas les « restes humains ».

— Que cherchons-nous ? demanda-t-il.

Il se sentait désorienté. Des escaliers de pierre montaient d'un côté et descendaient de l'autre. Dans l'éclat des lampes de poche, les chandeliers de métal se balançaient légèrement au bout de leurs lourdes chaînes. La terre n'en finissait pas de se calmer.

Ochs prit son temps. Il gagna un endroit à l'écart et Nathan Lee le suivit. Une fenêtre horizontale donnait sur un rocher déformé.

— Le rocher du Calvaire, annonça Ochs. Golgotha en araméen. La grotte du crâne d'Adam, à ce qu'on raconte. La colline sur laquelle serait mort le Christ.

— J'ai déjà visité, dit Nathan Lee.

Le rocher en calcaire malaki de couleur crème appelé *mizzi hilu,* une des roches préférées des carriers de l'âge de fer, faisait approximativement douze mètres de haut. Cette butte avait été laissée en place parce qu'elle présentait à la cime une fissure bien antérieure à l'ère chrétienne. Était-ce ce que recherchait Ochs ? Un morceau de la colline du Christ ? Mais quel musée s'intéresserait à ça ?

— Regarde comme le sommet est étroit, fit remarquer Ochs. Il n'y a guère de place pour mettre deux croix supplémentaires comme celles des voleurs, n'est-ce pas ? Et abrupt. As-tu vu la représentation de Gibson et Taylor ? La pente est escarpée à l'arrière. Un alpiniste comme toi pourrait peut-être la gravir avec une croix sur le dos, mais un homme qui vient juste d'être flagellé ? Une croix complète pesait dans les quatre-vingt-dix kilos. Même si Jésus ne portait que la traverse, cela représentait encore au bas mot une bonne vingtaine de kilos. D'ailleurs, les Évangiles ne précisent pas que Jésus a été crucifié sur une colline, seulement dans un *topo*, un lieu. Selon Jérémie, *golgotha* était le terme généralement utilisé pour désigner les sites de crucifixion. Le crâne fait référence aux restes non enterrés. Rien d'étonnant à ce que les intellectuels aient rejeté l'endroit.

— Nous n'avons pas de temps à perdre, dit Nathan Lee.

Il regarda autour de lui, cherchant une chose précieuse susceptible d'intéresser Ochs. Mais il n'y avait que des babioles sans importance. Qu'était-il donc venu chercher ici ?

— Une chose est sûre, reprit ce dernier. Là où se trouve un golgotha, des milliers d'exécutions ont dû avoir lieu au cours des années. Varus crucifia près de deux mille personnes en l'an 4 avant Jésus-Christ. Florus, pour sa part, en crucifia presque deux fois plus au début de la première révolte juive. Et quelques années plus tard, Titus crucifiait cinq cents personnes par jour. Mais t'es-tu déjà demandé où se trouvaient les cadavres de tous ces morts ? Ne devrait-il pas rester quelques ossements ? Dans toutes les fouilles autour de Jérusalem, un seul squelette de crucifié a été retrouvé.

Nathan Lee connaissait ce squelette… de nom. Yehochanan, un homme de vingt-cinq ans, d'un mètre soixante-dix. Probablement un rebelle. Sa petite sœur avait dû être tuée sous ses yeux pendant qu'il était sur la croix. En tout cas, les os de la fillette avaient été retrouvés mélangés aux siens. Une pointe sortait de son talon. Ils avaient enterré Yehochanan avec le clou dans une tombe au nord de la ville.

Nathan Lee ne put s'empêcher de répondre.

— Les os ont été déterrés quand ils ont étendu les murs

de la vieille ville, dit-il. Selon la loi *halakhic*, aucune carcasse, tombe ou tannerie ne pouvait se trouver à moins de cinquante coudées de la ville.

— La sagesse populaire, reprit Ochs. Mais les juifs n'étaient pas en charge de l'expansion de la ville, tu te souviens ? C'étaient les Romains. Et ils se moquaient bien des règles juives.

— Alors, les os sont tombés en poussière. Je ne sais pas. Ils ont disparu. Quelle importance ?

— Voyons, dit Ochs d'un ton désapprobateur.

Les choses se mirent brusquement en place.

— Il y a des restes ?

— Sous tes propres pieds.

— Mais j'en aurais entendu parler.

— La découverte date du mois dernier, expliqua Ochs. Faite par une équipe du *Studium Biblicum Franciscanum*. Des gens du Vatican. Tu sais combien ils affectionnent les secrets.

Ochs frotta son pouce et son index.

— Le lucre, encore et toujours. Je sais que tu te crois audessus des autres, mais même toi, tu as un prix.

Nathan Lee rougit. Ochs prit la tête de la marche et descendit l'escalier de pierre qui aboutissait à une grille munie d'un verrou en titane.

— La grotte de l'Invention de la Croix, annonça-t-il en pointant sa lampe torche vers les ténèbres.

Selon la légende, la vraie croix aurait été découverte ici, en 327, par la mère de l'empereur Constantin, nouvellement convertie. En un sens, elle fut l'ancêtre des archéologues, fouillant, déterrant des objets et reconstituant le récit de la Passion, l'histoire de la mort de Jésus. Ce fut elle qui nomma le rocher, le Golgotha, une tombe, La Tombe, et qui décida que la croix de Jésus avait été enterrée dans cette crypte. La croix en bois avait disparu depuis longtemps. Deux fois, elle fut emportée par les conquérants musulmans, les Perses d'abord, puis Saladin, le grand chef kurde. Chaque fois, elle fut retrouvée pour être lentement réduite en morceaux par des chrétiens croyants. Si « l'arbre » du Christ a effectivement existé, il se trouve aujourd'hui disséminé dans le monde, enfermé dans des reliquaires.

Ochs secoua les barreaux, puis ôta son sac à dos. Armé d'une barre de fer, il attaqua le verrou qui résista. Il ressemblait à un énorme rat rongeant une porte.

— Le burin, vite, dit-il.

Nathan Lee se débarrassa de son sac. Les boulons des charnières ne semblaient pas très solides. Il les décapita et la porte s'ouvrit.

Du haut de l'escalier, Nathan Lee percevait déjà l'odeur de terre fraîche, preuve d'une fouille récente. Ils descendirent et se retrouvèrent dans une salle avec un autel érigé contre un mur. À côté de lui, s'ouvrait l'entrée d'un tunnel étroit. Sur le sol de cette chapelle souterraine, une bâche recouverte de débris. Dans un coin, des tamis côtoyaient des grilles de relevés, des déplantoirs et divers outils de fouille.

— Après toi, fit Ochs en indiquant le tunnel.

Nathan Lee alluma sa lampe frontale. Elle avait appartenu à son père et il en prenait grand soin. *Finissons-en*, pensa-t-il. Il dut se baisser pour pénétrer dans le tunnel. Les Franciscains en avaient consolidé les parois et le plafond à l'aide d'échafaudages et de poutres qui semblaient avoir résisté aux secousses. La présence d'Ochs, collé à ses basques, ajoutait à sa claustrophobie.

— Méfie-toi, dit Ochs. Après une douzaine de mètres, le conduit tourne à droite et dégringole de neuf mètres.

— Ça descend ? Je croyais qu'il s'agissait de soubassements ?

— Comme tout le monde. Mais grâce à un sonar, ils ont découvert cette nouvelle cavité. La vieille carrière est plus profonde qu'on ne le pensait. Avance.

Une poutre s'était affaissée. Ochs continuait ses explications.

— Quand les Romains ont entrepris de construire leur temple de Vénus, ils ont dû combler les puits et les anfractuosités. Pour ce faire, ils ont utilisé tout ce qui leur tombait sous la main : terre, détritus, fragments de poteries et…

Nathan Lee atteignit la fosse. Les murs étaient hérissés de bâtons blancs et bruns.

— … d'os humains, ajouta-t-il.

Un petit surplomb avait été taillé au bord de la fosse et une échelle de corde s'enfonçait dans les profondeurs. Ochs se rapprocha de Nathan Lee. De leurs lampes, ils éclairèrent l'enchevêtrement d'os qui dépassaient des parois du puits.

— Il faudra des années pour fouiller la grotte, dit Ochs. Puis des années encore pour reconstituer les squelettes. Pour le moment, ils se sont contentés de creuser ce puits. Ils ont quand même pris la peine de dater et de déterminer le sexe de ce qui leur tombait sous la main. Tous les cadavres sont des hommes. La majorité date du premier siècle ou même avant. Quant à la cause de la mort, aucun doute n'est permis.

— Les crucifiés disparus, murmura Nathan Lee.

— Nous nous trouvons dans un immense ossuaire. D'après les estimations, il y aurait des dizaines de milliers de fragments d'os. Ils ont même trouvé des morceaux de bois, des clous, des cordes. Et des fioles de larmes abandonnées par les proches des défunts. Oublie le rocher du Calvaire. Le Golgotha est ici, juste à l'extérieur des vieilles portes, au bord de la route de Jaffa pour que chaque voyageur puisse constater la colère de Rome.

— C'est incroyable. Cela pourrait changer toute l'histoire.

— Tout comme les manuscrits de la mer Morte. Mais tu as vu combien de temps le Vatican a caché leur découverte. Des dizaines d'années. Sans ce chercheur isolé qui a fait des photocopies, le reste du monde n'en aurait jamais rien su.

— Donc, piller est un service public.

— C'est l'idée.

— Mais tu vas détruire le site.

— C'est ça l'archéologie. Creuser, c'est détruire. De toute façon, tout pourrait s'écrouler de nouveau à la moindre secousse.

— Quelqu'un va s'en apercevoir.

— Personne ne verra rien. Ils ignorent ce qui se trouve ici. Comment pourraient-ils connaître ce qui n'existe pas ?

Ochs tendit à Nathan Lee le sac mortuaire enfermé dans une enveloppe en plastique.

— Remplis-le.

— C'est idiot. Qui achèterait un tas d'os ?

— À ton avis, qui paie pour que tu fouilles la terre ? L'Université. D'où tire-t-elle son argent ? Des fondations. Qui sont-ils ? Des aristocrates. Garde cela en tête. L'aristocratie est le moteur qui alimente les fouilles archéologiques. Les collections privées, les musées, le *cognoscenti*. Sans eux, les objets tomberaient simplement en poussière.

Il n'y avait rien à ajouter. Nathan Lee descendit le long de l'échelle de corde. Les barreaux de chanvre tressé craquaient sous son poids. Il ne s'était jamais senti si lourd. En bas, il entreprit de dégager les morts.

Il était près de quatre heures du matin quand il acheva sa collecte. Les os s'entrechoquaient dans le sac. Ils reprirent le chemin inverse à travers l'église et jusqu'en haut de la butte où Nathan Lee avait laissé le cairn.

Mais la main avait disparu.

Il chercha. Il était toujours possible qu'un animal l'ait arrachée ou que les pierres l'aient ensevelie. Mais il n'y avait pas de sang. C'était comme si la femme avait emmené sa main avec elle dans l'autre monde. Loin de lui.

PREMIÈRE PARTIE

Quatre ans plus tard

L'an un

1.

Le collectionneur

Île de Corfou, Grèce
Mars

Les deux vieux et leurs femmes pénétrèrent dans le grand salon et Nikos les entraîna jusqu'à la baie vitrée. Perchée au sommet d'une haute falaise, la pièce donnait à l'ouest où, au même instant, le soleil s'enfonçait dans la mer. Surpris, le chirurgien égyptien et sa femme reculèrent derrière la fenêtre qui surplombait le précipice. L'abîme baignait dans une lumière incandescente.

L'Égyptien comprit que Nikos avait calculé leur entrée avec précision pour obtenir un effet maximum. Un mot résumait la force qui habitait cet homme : la beauté, son véritable moteur. Derrière ses banques, son empire de marine marchande et d'import-export se cachait non pas l'argent ou le pouvoir, mais un coucher de soleil comme celui-ci.

L'Égyptien constata que Nikos avait rassemblé dans cette pièce certaines de ses passions, exposées de façon typiquement spartiate. Un Koons sur un mur, spectaculaire et obscène. Des oranges posées sur une assiette près d'une fenêtre. Dans un coin, un inestimable bouclier en bronze datant de la guerre de Troie. Et, bien sûr, sa femme. Trois fois plus jeune que lui, d'une beauté presque surnaturelle avec des yeux gris en amande saisissants. L'Égyptien remarqua que sa propre femme, elle-même très élégante, était impressionnée. Il n'avait pas fini d'entendre parler de cette soirée. Nikos n'était pas quelqu'un qu'on oubliait facilement.

— Où sont tes masques mortuaires en or ? demanda-t-il. Les stèles et les amphores ? Ton buste d'Achille ? Les épées et les roues de chariot ?

— J'ai laissé de côté l'armure, répondit tranquillement Nikos avec une modestie inhabituelle. Que les autres découvrent par eux-mêmes la justesse d'Homère. J'ai découvert une mythologie plus grande pour prouver le vrai.

— Plus grande qu'Homère ? plaisanta l'Égyptien.

Il observa son ami à la dérobée. L'homme arborait toujours une carrure de marin et pouvait encore casser des noix entre ses doigts ou manger de la viande, mais des taches de vieillesse constellaient ses mains recouvertes de cicatrices et ses avant-bras épais sous les poils blancs. Des traînées de pâte d'oxyde d'aluminium trahissaient le cancer de la peau que son merveilleux soleil avait généré, et sa colonne vertébrale s'inclinait vers la gauche. C'était comme regarder une imposante statue s'effriter lentement.

— Dans quelle nouvelle aventure t'es-tu encore lancé ? demanda-t-il.

Nikos lui jeta un regard en coin.

— Ton appétit pourra-t-il résister une heure de plus ?

L'Égyptien se tourna vers sa femme qui baissa la tête pour plaisanter, comme si elle s'inclinait devant les ordres de son maître.

— À ton service, répondit-il alors.

— Parfait.

Cela semblait très important pour lui.

— Pendant ce temps, les dames apprécieraient peut-être une visite. Médée ?

La jeune femme n'eut pas besoin de plus d'informations. S'emparant du bras de l'épouse de l'Égyptien, elle l'entraîna hors de la pièce. Sitôt les femmes sorties, Nikos se dirigea vers le mur du fond et fit glisser les panneaux qui recouvraient la paroi du sol au plafond. Derrière eux, d'épaisses vitres protégeaient une pièce intérieure. L'Égyptien sourit devant le caractère théâtral de la présentation. Aucune femme n'était autorisée à voir ça. C'était sa tanière.

Il toucha la vitre du bout du doigt. Froide. L'antre secret de Nikos était réfrigéré. À l'intérieur, se trouvaient des vitrines en acier inoxydable avec des étagères en verre éclairées par l'arrière. Il tenta de voir ce qui reposait dessus, mais les vitres nappées d'une couche de givre dissimulaient leurs trésors. Seule certitude : cette pièce devait contenir des bizarreries de la nature.

Ouvrant la porte, Nikos poussa un interrupteur et la lumière inonda les lieux.

— Viens, dit-il.

La pièce renfermait des reliques. Des reliques chrétiennes. Il y en avait des tas. L'Égyptien ne put s'empêcher d'être déçu. C'était donc ça la nouvelle passion de Nikos ? Le vieux pirate avait découvert Dieu.

— Impressionnant, dit-il finalement.

Ses paroles s'envolèrent devant lui dans un nuage de givre.

— Dis ce que tu penses vraiment. *Nikos, tu te ramollis.*

— Nous sommes de vieux bonhommes, répondit l'Égyptien, diplomate. Nous avons le droit de choisir nos dieux.

Un sourire rusé restaura l'air mystérieux de Nikos. Il cachait quelque chose.

— Quoi ? demanda l'Égyptien, non sans éprouver un certain soulagement. De quoi s'agit-il ?

Nikos se rapprocha des étagères glacées.

— De doute, dit-il.

La lumière blanche transformait le givre en une forêt de cristaux brillants derrière lesquels les étagères en verre et leurs montures d'acier étincelaient. Les objets semblaient suspendus dans les airs.

— Sais-tu ce que sont ces objets ? demanda Nikos.

— J'ai déjà vu de telles choses dans les églises coptes d'Alexandrie et du Caire. Des reliques religieuses. Elles contiennent les restes des martyrs… Éclats d'os, morceaux de chair momifiée.

— Peut-être. Peut-être pas.

Nikos s'empara d'un récipient octogonal aux parois transparentes et le tendit à son ami.

— J'ai dû apprendre tout un nouveau vocabulaire, dit-il. Cet emballage particulier est appelé un *ostensoir* ou *ostensorium*. Les médaillons sont des *tecta*. Le terme général est *domo* ou maison. Des judas sur le divin. Ils sont souvent fabriqués en or ou en argent incrusté de pierres précieuses. Mais leur valeur est à l'intérieur. Tu vois cette capsule en verre ? Cette mignonne petite maison en argent a été fabriquée dans l'unique but de la protéger. Mais même cela est accessoire. Parce que son âme se trouve dans la capsule. Dans la relique elle-même.

Nikos était-il devenu un collectionneur d'âmes défuntes ? L'Égyptien leva l'ostensoir devant ses yeux, examinant la capsule à l'intérieur.

— Je distingue quelque chose, dit-il. L'os d'un saint ?

— Ou d'un chien.

Nikos reposa l'ostensoir et s'empara d'un récipient en forme de croix. Cette fois, l'Égyptien aperçut une petite étiquette rouge sur la vitre. La croix portait le numéro 127.

Nikos souleva le haut de l'objet comme le couvercle d'une boîte de cigares. À l'intérieur, se trouvait une petite mèche de cheveux noirs.

— Quand les croisés sont arrivés à Jérusalem, ils ont répandu des tas de contrefaçons. Ils ont noyé l'Europe d'objets sans valeur. Pour cette raison, je dois m'en remettre à la science. Tous mes prélèvements partent pour des laboratoires à Tel Aviv, Stuttgart, Paris, Tokyo et Glasgow pour être datés et leurs génotypes déterminés. Je ne fais plus confiance aux Italiens. Trop crédules. Chuchote le mot *martyr* et leurs plus grands chercheurs se mettent à pleurer dans leurs micros. Leurs tests ne sont rien d'autres que des prières. Sans intérêt.

L'Égyptien fut réconforté par l'irrévérence de Nikos. Mais du coup, cette collection en devenait d'autant plus surprenante. L'hagiographie était un hobby de converti, pas la grande quête dont Nikos se vantait, sa preuve d'une mythologie supérieure, quoi que cela puisse signifier.

— Les prélèvements varient, dit Nikos. Certains viennent de corps, humains ou animaux, d'autres du lieu des dernières souffrances. *Ex ossibus* signifie que la relique est un morceau d'os. *Ex carne*, de chair. *Pelle*, de peau. *Praecordis*, d'estomac ou d'intestin.

Nikos toucha la mèche de cheveux noirs.

— Celle-ci se nomme *ex capillis*. Elle appartenait à une femme de descendance franche ou romaine, âgée d'une vingtaine d'années quand la mèche a été coupée. D'après son analyse génétique, elle vivait au XIVe siècle.

— Mais bien sûr. Une mèche de cheveux de Jeanne d'Arc, proposa l'Égyptien en espérant que son ami n'allait pas tenter de le convertir. Cela deviendrait ennuyeux.

— Jeanne d'Arc ! XIVe siècle !

Nikos referma la croix d'un geste brusque.

— Je recherche mieux que cela.

L'Égyptien était intrigué. Nikos lui expliqua que l'idée de cette collection lui était venue dans un rêve. Depuis lors, il poursuivait son but avec une persévérance sans faille.

— Au début, j'étais naïf comme tous les nouveaux collectionneurs, dit-il. J'ai dépensé beaucoup d'argent dans des contrefaçons, anciennes et modernes. J'ai été trompé. Aujourd'hui, je suis plus expérimenté et je détecte aussitôt les faux. Les vendeurs font attention à ce qu'ils me proposent.

— Tu veux dire qu'il existe un marché pour ces morceaux de cimetière ?

— Oui, et un marché très actif. Des ventes aux enchères sont organisées. Silencieuses, impitoyables. Les prix fluctuent. Mes principaux concurrents ne sont pas les églises, mais les Japonais et, depuis peu, les Chinois, descendants des seigneurs de guerre maoïstes. Sous leur impulsion, les prix s'envolent. J'en suis venu à préférer d'autres méthodes. J'ai déployé mes agents dans toute l'Europe de l'Est et en Russie où les troubles politiques ont forcé les églises et les monastères orthodoxes à brader leurs richesses. La plupart des reliquaires ont été analysés. Pour l'essentiel, ne restent que des objets sans intérêt : crânes ou fioles contenant du lait de la Vierge ou des doigts amputés de saints célèbres. Mes plus belles acquisitions arrivent la nuit.

L'Égyptien sourit devant ce flibustier d'un autre âge.

— Tu voles des reliques saintes ?

— Je m'approprie des orphelins, corrigea Nikos. Une activité aussi vieille que les reliques elles-mêmes et connue sous le nom de *Furta sacra*. Le vol de reliques saintes est une tradition consacrée. Pendant plus de mille ans, des moines, des évêques, des chevaliers – et de vulgaires voleurs – ont « transféré » les reliques d'un endroit à un autre. D'une certaine façon, le vol redonne une valeur à ce qui n'est que morceau d'os ou de tissu. Il en fait des objets de désir.

Il continua ainsi, décrivant un monde de cadavres, de crânes et de miracles, un monde que l'Égyptien croyait disparu depuis le Moyen Âge. Quoi qu'il en soit, originaire de la terre des momies et des viscères en bouteille, il n'était pas surpris de cette éternelle fascination de l'homme pour le morbide. La théorie de Nikos qui reliait vol et désir lui paraissait cohérente. Pendant des millénaires, les momies avaient reposé, inutiles, au fond de leurs tombeaux. Mais depuis quelques siècles, les Européens avaient restauré leur grandeur, les remontant à la lumière pour les exposer dans des musées ou les réduire à l'état de potions médicinales.

Au bout d'une rangée, Nikos ouvrit un tiroir. Chaque objet possédait son propre dossier numéroté. Nikos en sortit quelques-uns au hasard. Certains contenaient des documents officiels de l'Église – des « authentiques » – qui déclaraient la relique d'origine et en donnaient la date ainsi qu'une description. Chaque objet avait sa propre histoire que Nikos avait consciencieusement reportée en détail, notant chaque anecdote ou spécificité. Dans chaque dossier également, il y avait les rapports des laboratoires internationaux qui se lisaient comme des antécédents médicaux.

— L'Église a développé trois catégories de reliques, expliqua Nikos. La première contient des objets d'origine organique, des morceaux du corps lui-même. La seconde regroupe les objets ayant été en contact avec le martyr, des vêtements, par exemple. La troisième catégorie est insignifiante. Il s'agit de bouts de tissus ou de toiles ayant été en contact avec des objets des deux premières classes.

— J'imagine que tu t'intéresses surtout à la première catégorie. Le corps lui-même, dit l'Égyptien.

— Ce serait une hérésie compte tenu de ma proie, répondit Nikos les yeux brillants.

L'Égyptien grogna de plaisir. Proie ? Le corps considéré comme une hérésie ? Il adorait les énigmes.

— Ah, le Saint Graal.

— Une telle chose n'existe pas, déclara Nikos, catégorique, avant d'étaler ses connaissances. Le respect de l'Égyptien comptait beaucoup pour lui.

— La Bible n'a jamais mentionné un Graal. En fait, il fut évoqué en 717 par un ermite qui aurait eu une vision. Mais l'idée a acquis une telle notoriété au travers des poèmes, des romans et aujourd'hui, grâce à Hollywood, que les gens considèrent cette fable comme véridique. J'ai appris à me méfier des légendes.

— Pas de Graal ? Pas de voile ? Pas de crèche ?

Nikos sourit.

— Ma quête concerne les instruments de torture et de mort. Il existe un terme pour eux également. *Ex stipite affixionis* se rapporte aux poteaux où étaient attachés les condamnés au fouet. La couronne d'épines est appelée *Coronse spinse*. Le buisson épineux pousse toujours sur les collines d'Israël ou du Liban. Des botanistes l'ont reconnu sous le nom de *Zizyphus bulgaris lam*, un arbuste qui peut atteindre six mètres de haut. Ses épines vont par paires. Ce que nous appelons une couronne était probablement une espèce de coiffe qui recouvrait toute la tête. Celle utilisée pour

Jésus aurait soi-disant compté soixante ou soixante-dix épines. Lorsqu'elle fut retrouvée par la mère de Constantin, la plupart des épines furent détachées et distribuées comme reliques – elle les offrait comme des bonbons. Elles furent ensuite transmises de génération en génération. L'histoire raconte que l'empereur Justinien en aurait donné une à saint Germain, évêque de Paris, en 565. Mary, reine d'Écosse, en offrit une à un comte. La cathédrale d'Oviedo en possédait huit jusqu'à la guerre civile espagnole. Seules cinq ont survécu à la destruction.

Nikos baissa la voix.

— Et j'en possède deux.

L'Égyptien tentait de concilier tous ces indices, mais sans y parvenir.

Nikos continua la visite, montrant tel ou tel objet. Celui qu'il avait acheté à un soldat britannique qui l'avait lui-même volé dans une cathédrale pendant son service en Irlande du Nord. Un autre acquis auprès d'un musée de Berlin juste après la chute du mur. Des os volés lors du pillage d'une église arménienne à Jérusalem après le terrible tremblement de terre de la faille de la mer Morte. D'autres pièces chapardées dans la célèbre collection de l'Année Zéro. Toute une collection constituée grâce aux catastrophes naturelles et aux schismes provoqués par l'homme.

L'Égyptien remarqua que toutes les boîtes avaient été ouvertes et leur contenu replacé ensuite dedans ou couché à côté. Des douzaines d'ampoules ou de capsules en verre de différentes couleurs avaient été cassées, puis déposées sur des morceaux de gaze comme de précieux cocons. Derrière chaque *domo* se trouvait un petit râtelier d'éprouvettes fermées avec des bouchons rouges, jaunes ou bleus, chacune portant une étiquette.

À l'intérieur, un morceau d'os, de bois ou de poussière, une mèche de cheveux ou une esquille.

L'Égyptien renonça à deviner où Nikos voulait en venir.

— Je ne comprends pas, dit-il. Tu as accumulé une somme de connaissances impressionnante sur les débuts du christianisme et rassemblé tous ces objets vieux de deux mille ans pour ensuite les détruire.

Il s'empara d'un petit objet en or et cristal dont l'ouverture à l'arrière béait comme une blessure. Soudain, un éclair de compréhension le traversa.

— Attends. Tu veux dire que tu…

— Oui, avoua Nikos. Je cherche Jésus.

L'Égyptien toussa, sidéré. Excité. Il frissonna. Quelle audace. Il n'y avait que Nikos pour cela.

— Ta proie est le Christ lui-même ?

Nikos agita un doigt.

— Pas le Christ. Jésus.

— C'est la même chose.

— Pas du tout. Le Christ est foi. Jésus est histoire. Je veux creuser parmi deux mille ans de superstitions, de mythes et de babioles religieuses pour trouver la preuve de son existence.

— Une telle chose est-elle possible ?

— Les gens affirmaient que Troie n'était qu'un mythe, Agamemnon et Nestor, des inventions. Plus maintenant.

— Mais ils ont laissé derrière eux des ruines et de l'or. Qu'est-ce qu'un paysan aurait pu laisser qui…

L'Égyptien s'arrêta net.

— Du sang, dit-il dans un souffle.

— Oui, confirma Nikos. L'ADN de Dieu.

L'Égyptien contempla le reliquaire réfrigéré et comprit. Les objets, les traces de sang, les laboratoires. Le challenge relevé par Nikos l'électrisait, l'attirait dans son mystère. Mille questions lui venaient.

— Il faut être prudent, reprit Nikos. Jésus était malin. Il s'est caché derrière des conteurs qui pendant des milliers d'années ont enrichi leurs histoires. Je recherche une preuve irréfutable.

Il attrapa une petite boîte métallique décorée d'une gravure chrétienne.

— Voici un de mes premiers achats, dit-il en soulevant le couvercle. C'était très excitant.

À l'intérieur, se trouvait une petite croix rudimentaire de cinq centimètres.

— Les tests préliminaires laissaient penser qu'elle provenait de la vraie Croix. Le bois date du Ier siècle. De plus, il s'agit d'une variété de pin qui ne pousse qu'à trois cents mètres au-dessus du niveau de la mer. Elle porte des traces de sang, tu vois ? Le génotype est levantin. Sémite. Malheureusement, il provient d'une femme. Et, sauf si Jésus avait des seins, un utérus… et un chromosome XX…, mon petit souvenir est un faux. J'en ai quand même tiré une leçon. La route sera longue.

— Mais comment feras-tu pour reconnaître le sang de Jésus, à supposer que tu le trouves ?

— Ne sais-tu pas ? Le sang de Jésus est de groupe AB.

— Tu plaisantes ?

Le visage de Nikos demeura impassible.

— D'après la légende, au VIIIe siècle, dans le monastère de Saint Longinus, du nom du centurion romain qui transperça de sa lance le flanc de Jésus sur la croix, l'ostie et le vin sont devenus la chair et le sang. Ce dernier s'est figé en cinq boulettes. Le morceau de chair a séché en un disque fin. En 1970, deux professeurs d'anatomie humaine ont été autorisés à analyser les reliques. Leurs conclusions ? Le disque de chair provenait du tissu musculaire strié de la paroi d'un cœur humain. Le sang était de groupe AB.

Il se tut, puis sourit.

— Évidemment, les professeurs étaient italiens.

— Et donc, je maintiens ma question, renchérit l'Égyptien. Même si tu trouves le sang de Jésus sur une esquille de bois, comment sauras-tu qu'il s'agit bien du sien ?

— Je ne le saurai pas, admit Nikos d'un air sombre. Mais au moins, je saurai que ce n'est pas un faux.

— Dans ce cas, pourquoi ne pas abandonner et laisser aux croyants leurs visions et leurs miracles ?

— Un homme de science comme toi devrait comprendre. La profanation est connaissance, le doute est foi.

— Oui, pour quelqu'un qui recherche le centre de l'univers ou la structure de l'atome.

— Comme moi, mon ami.

— Mais tu l'as dit toi-même. Même si tu trouves ce que tu cherches, tu ne pourras jamais avoir de certitude.

— Mais je l'aurai touché, même sans le savoir.

— Tu te contredis.

L'Égyptien ne savait qu'en conclure. Malgré son scepticisme de rationaliste, il ne pouvait s'empêcher d'envisager un sens caché derrière les choses. Il tenta de se remémorer Homère, à moins que ce ne soit Tennyson. Ulysse qui part, une rame sur l'épaule. Qui se lance dans une quête sans fin.

— J'ai froid, dit-il au bout d'un moment.

— Oh, pardonne-moi.

Navré de ses mauvaises manières, Nikos s'empressa de l'entraîner vers la sortie. Près de la porte, il s'arrêta à côté d'une petite caisse en bois posée par terre.

— Une de mes dernières acquisitions, arrivée il y a deux jours. Très ancienne. J'y ai jeté un coup d'œil, puis j'ai décidé d'attendre avant de l'ouvrir. Cela pourrait t'intéresser. Aimerais-tu m'aider ? Dans le salon où il fait plus chaud.

L'Égyptien fut touché de cette offre. Il tint la porte ouverte pour permettre à Nikos de passer avec la caisse. Les derniers rayons de soleil brillaient d'un éclat glorieux. Nikos posa la caisse sur la table loin des fenêtres et alluma une lampe. Ils s'assirent. Dans un tiroir, Nikos récupéra ses outils et un kit pour les échantillons. L'Égyptien constata qu'il était particulièrement bien équipé.

Ensemble, ils retirèrent de la caisse une croix or et argent d'une trentaine de centimètres, creuse à l'intérieur. Nikos la dépoussiéra en vaporisant un produit en aérosol avant de la déposer sur une feuille de polystyrène blanc.

— Elle se trouvait dans une église serbe du Kosovo pillée par l'ALK[1]. Ils en demandaient 1,8 million de dollars US.

1. Armée de Libération du Kosovo.

Mon agent a proposé 125 000 dollars et ils ont sauté dessus. Ils n'en connaissaient pas la valeur réelle. Moi non plus.

— Elle est magnifique, commenta l'Égyptien.

Nikos l'évalua plus froidement, prenant des notes sur un carnet. Sur chaque face des bras de la croix, différents saints avaient été dessinés en deux dimensions dans un style du début de l'ère byzantine, et nimbés d'argent. Les dessins ressortaient avec leurs incrustations noires sur le support en or. D'après l'iconographie, Nikos estima que la croix datait de l'an 300. Ce qui ne l'impressionna guère.

— Reste à espérer que le contenu est plus vieux de deux siècles, dit-il.

Contrairement aux autres objets, la croix n'offrait aucune petite fenêtre permettant de voir la relique qu'elle contenait.

— Et si elle ne contient rien ? demanda l'Égyptien.

Nikos reposa son crayon.

— Alors, nous dînerons plus tôt que prévu, répondit-il avec bonne humeur.

Il attira une lampe loupe au-dessus de la croix.

— Voyons maintenant comment pénétrer dans ses entrailles, dit-il.

Il tourna et retourna la croix plusieurs fois. Au milieu de son dos, se trouvait une goutte de cire rouge portant le sceau d'un évêque que Nikos ne reconnut pas. Il en prit plusieurs clichés, puis ôta la cire. En dessous, la surface était vierge.

— On ne sait jamais où se trouve la porte, dit-il. Souvent, le *domo* possède de petits gonds sur un côté. Ou encore son couvercle se soulève. Mais certains – surtout ceux de cette époque – peuvent présenter des mécanismes très élaborés. De véritables puzzles fabriqués par des maîtres.

Avec des outils de bijoutiers, Nikos tapota la croix en divers endroits, appuyant sur les pierres précieuses qui décoraient l'un des côtés.

— Les plus vieilles reliques possèdent parfois des mécanismes de fermeture secrets, des cachettes et même de fausses capsules, expliqua-t-il. Je l'ai appris à mes dépens. Ma maladresse en a détruit plusieurs. Cela demande beaucoup de patience. Il faut apprendre à penser comme un concepteur de puzzle. C'est un jeu. Lui contre nous.

Il regarda l'Égyptien.

— Aimerais-tu essayer ? Cherche un loquet, un bouton ou un point de pression.

L'Égyptien se redressa plein d'enthousiasme.

— Et si je l'abîme ? demanda-t-il.

— Dans ce cas, je l'aurais sûrement abîmée moi aussi. C'est toi le chirurgien. Je ne suis qu'un modeste marin.

L'Égyptien attrapa une petite pique de dentiste et une longue aiguille de dissection. Puis il se pencha sur la loupe. Il avait remarqué de la rouille sur le bord de l'escarboucle d'améthyste au centre de la partie supérieure de la croix.

— Que penses-tu de ceci ? demanda-t-il.

Nikos se pencha par-dessus son épaule.

— Tu as un don naturel, constata-t-il. Il y a là quelque chose.

— Tu devrais peut-être me remplacer.

— Quoi ? Mais non, c'est ta découverte.

L'Égyptien rayonnait. Cette recherche l'excitait. Il gratta les traces de rouilles. Un métal différent apparut sous l'améthyste. Du fer. Il pressa doucement la pierre, mais rien ne se produisit.

— Je m'y prends mal ? demanda-t-il.

— Qui sait ? Ces boîtes peuvent être compliquées. Continue.

— Merveilleux, souffla l'Égyptien.

Il appuya de nouveau sur la pierre qui refusa de bouger. Il abandonna. Il ne pourrait jamais se pardonner de casser le trésor de son ami.

— Tiens, dit-il. À ton tour.

— Nous allons le faire ensemble, proposa Nikos.

Il prit une seringue remplie d'huile, puis déposa délicatement quelques gouttes autour de l'améthyste. En attendant que le produit pénètre, Nikos reprit ses explications.

— Comme tu le sais peut-être, les juifs, comme les protestants, rejetaient catégoriquement la pratique des reliques saintes. Et pourtant, dans le livre des Rois, dans l'Ancien Testament, ils décrivaient la miraculeuse résurrection d'un soldat mort lorsque son corps avait touché les os du prophète Elie. Les premiers israélites attribuaient des pouvoirs magiques à leurs saints morts – leurs prophètes – des siècles avant la naissance de Jésus. Ce qui m'a fait réfléchir. Allez, essaye à nouveau.

L'Égyptien appuya sur la pierre, plus fort cette fois. Là encore, rien ne se produisit. Nikos reprit la seringue et ajouta de l'huile autour de l'améthyste tout en reprenant sa narration.

— Tout art dérive d'un autre.

Il indiqua une peinture sur le mur.

— Koons s'est inspiré de Rubens qui avait lui-même emprunté à d'autres artistes avant lui. L'art mortuaire n'est pas différent. J'ai réalisé que lorsqu'ils créaient ces tombes miniatures, les premiers chrétiens vivaient sous l'Empire romain. Des artisans de douzaines de pays différents se retrouvaient à Rome – et même des artisans de ton propre pays – apportant leurs talents ancestraux dans le pays même où les chrétiens étaient persécutés.

L'Égyptien toucha la croix.

— Tu penses qu'un de mes ancêtres aurait pu la fabriquer ? demanda-t-il.

C'était une éventualité étonnante.

— Peut-être pas cet objet-là, répondit Nikos. Mais quelqu'un a enseigné aux chrétiens comment fabriquer ces casse-tête. Quelqu'un de particulièrement expérimenté dans l'art de la mort. L'art de conserver les morts. Ce qui expliquerait pourquoi certains des tous premiers *domos* sont si compliqués. Comme vos tombeaux et vos pyramides, ils ont été conçus pour déjouer les efforts des visiteurs indésirables.

— Eh bien, il semblerait que nous ayons oublié nos talents, fit remarquer l'Égyptien. Je ne trouve pas la clé de ta boîte.

Nikos sourit. Retournant son crayon, il donna un simple coup sur l'améthyste. La gomme rose frappa au centre de la pierre qui s'enfonça sur elle-même. À l'intérieur, un clic retentit et une petite trappe se souleva au sommet de la croix.

— Nous sommes entrés, annonça Nikos.

Ils étaient comme deux gamins devant une maquette d'avion, sauf que là, ils la démontaient. Aucun d'eux ne prêta attention au crépuscule qui descendait sur la mer sombre d'Homère. Après avoir ôté le couvercle, ils dirigèrent la lampe vers l'intérieur. À la base d'un petit puits en métal de cinq centimètres carrés, se trouvait un trou de serrure.

— Et maintenant ? demanda l'Égyptien.

Pendant dix minutes, Nikos tenta d'ouvrir la serrure avec différents outils de serrurier. Finalement, après une nouvelle injection d'huile, la serrure céda. Un deuxième couvercle se souleva qu'ils détachèrent avec précaution au moyen d'une pince. Nikos glissa ensuite un miroir de dentiste dans l'ouverture et découvrit un petit crochet dissimulé sous une saillie.

Étape par étape, ils démontèrent la boîte dotée d'un dispositif extrêmement ingénieux. Mais Nikos se révéla être un véritable maître, déjouant les pièges et les traquenards. Après une heure de labeur, ils entendirent trois claquements distincts.

— Oh, non, souffla Nikos. Un système d'autodestruction. Ils sont parfois truqués pour écraser les capsules et leur contenu.

Mais en fait, les bruits ne correspondaient qu'à l'ouverture de loquets. Tout le devant de la croix se souleva soudain de quelques centimètres. Nikos échangea un regard avec son ami avant de l'enlever complètement.

À l'intérieur, toute l'ingéniosité de l'artisan était exposée, tous ses secrets, un assemblage minutieux de câbles, de loquets et de leviers.

— Je n'ai jamais vu une telle chose, dit Nikos. Elle ne contient pas une, mais quatre capsules. Quelle découverte extraordinaire !

Aux quatre coins de la croix, prisonnière comme une mouche sur une toile d'araignée, se trouvait une capsule de verre retenue par un fil rouge. L'Égyptien pouvait à peine contenir son excitation. Nikos traça un diagramme grossier de la croix sur son carnet et donna une lettre à chaque coin, partant de A jusqu'à D. Puis il écrivit en dessous « A » et posa son crayon.

Utilisant un scalpel, il coupa le fil qui retenait la capsule du haut. L'ampoule oblongue était marbrée de volutes bleues et blanches.

— Du verre romain, constata-t-il. Ce sont les Grecs qui ont appris aux Romains comment sceller hermétiquement des objets à l'intérieur d'une bulle de verre.

— À ton avis, qu'y a-t-il à l'intérieur ?

— Ce pourrait être n'importe quoi. Mais il n'y a qu'une seule façon de le savoir. Nous devons la casser comme un œuf.

L'Égyptien s'attendait presque à le voir prendre un marteau. Au lieu de cela, Nikos plaça la capsule entre les dents d'un étau matelassé et fixa dessus un appareil.

— Un coupe-verre, annonça-t-il en le calibrant.

Posant ensuite l'extrémité en diamant sur la capsule, il la fit doucement glisser en cercle autour du sommet de l'ampoule. Le coupe-verre passa une douzaine de fois, s'enfonçant un peu plus à chaque passage. Enfin, Nikos s'arrêta. La coupe était presque terminée.

— Approche-toi, dit-il. C'est une récompense inattendue. Cela ne dure que quelques secondes quand le verre cède. Tiens-toi prêt.

— À quoi ?

— À respirer l'air à l'intérieur. Une atmosphère vieille de vingt siècles.

L'Égyptien hocha la tête et se pencha. Leurs têtes se touchaient.

— Prêt ? demanda Nikos.

Ensemble, ils vidèrent leurs poumons, puis Nikos fit effectuer un dernier tour au coupe-verre. Avec un instrument collant de bijoutier, il souleva enfin le haut de la capsule et les deux hommes inspirèrent.

L'Égyptien ferma les yeux en souriant. L'odeur était vieille. Un parfum d'herbe et d'huile. Après avoir laissé l'air descendre par ses narines jusqu'à ses poumons, il le relâcha, le goûtant. Il comprit alors pourquoi Nikos ne lui avait pas offert à manger. Un tel festin s'appréciait mieux l'estomac vide.

Quand l'Égyptien rouvrit les yeux, Nikos observait l'intérieur de la capsule. Il était vide à l'exception d'un liquide séreux au fond.

— La relique s'est peut-être désintégrée, dit-il. Cela arrive parfois, surtout lorsqu'elle est de caractère organique. Cela ne fait rien, les laboratoires pourront quand même déterminer la nature des résidus.

Six fois, une pour chaque laboratoire et une pour lui, il trempa un coton-tige dans la coquille de verre. Les bouts ressortirent bruns et poisseux. Chaque coton-tige fut ensuite glissé dans une éprouvette.

Quand il en eut terminé avec les prélèvements, Nikos toucha du bout du doigt le bord du verre et frotta le liquide entre ses doigts. Il le renifla et posa son doigt sur sa langue. L'Égyptien ne l'imita pas. Nikos nota plusieurs choses à côté de la lettre A, puis écrivit B et détacha la seconde capsule.

Ils recommencèrent la procédure trois fois, inspirant à chaque fois le premier souffle d'air. Une seule capsule contenait un objet. De la capsule C, au pied de la croix, ils retirèrent un éclat de métal plat.

— Du fer, constata Nikos. Peut-être un éclat de clou. Qu'en penses-tu ? Ou de lance. S'il y a des traces de sang, les laboratoires le verront.

Il cassa plusieurs éclats du métal qu'il plaça également dans des éprouvettes que l'Égyptien ouvrait et fermait pour lui. Puis, il déposa ce qui restait du métal sur un morceau de gaze. Quand ils eurent fini, cinq lots de quatre tubes à essai étaient prêts à partir, portant l'adresse de laboratoires en Europe, en Israël et en Afrique du Sud. Nikos plaça sur un plateau le *domo* et les capsules ouvertes et rapporta le tout dans sa pièce réfrigérée. Puis il referma les panneaux de la chambre.

L'Égyptien se sentait fatigué, mais plein d'énergie.

— Quand recevras-tu les résultats des laboratoires ? demanda-t-il.

— Dans la semaine. Je suis un bon client.

— Il faudra me dire ce qu'ils ont trouvé.

— Je suis optimiste, dit Nikos. J'ai l'impression que ce *domo* est spécial.

Ils se sentaient d'humeur à célébrer leur découverte.

— Médée, appela-t-il. Apporte-nous du vin et venez nous rejoindre.

Les deux femmes revinrent avec une bouteille de Chardonnay que Nikos déboucha et servit. Puis il embrassa son épouse. Il se sentait merveilleusement bien.

Ensemble, ils portèrent un toast.

— Aux mystères de la vie.

Nikos n'avait jamais réfléchi au terme « événement extinction ». Et tandis qu'il dégustait son vin, il aurait sans doute considéré comme absolument inconcevable l'idée qu'il venait juste de sonner le glas de l'humanité.

2.

Genèse

Ile du Mont Désert, Maine
Avril

Sauvez-nous, mon Père. Miranda priait face à la mer noire.

Plus bas, les vagues se fracassaient contre les rochers. L'adolescente frissonna en cherchant la lumière. Elle en avait tellement besoin ce matin.

À un million de kilomètres de là, une petite brèche s'ouvrit au bord de l'infini. L'aube pointait son nez. Miranda n'était pas superstitieuse, mais elle sentit son espoir renaître. Peut-être ne tueraient-ils pas son monstre.

Rassérénée, elle fit demi-tour et s'éloigna de la falaise, traversant rapidement le parking et Crooked road. À l'exception de son vélo Schwinn à dix vitesses attaché à un piquet, l'endroit était désert. La saison estivale était loin. L'ère glaciaire sévissait : le printemps dans le Maine.

Elle s'élança sur le sentier qui montait raide au milieu des pins balayés par le vent du nord-est. Le froid blanchissait son souffle qui s'envolait en volutes pâles pour se perdre parmi les branches dénudées comme dans un conte de fées. Elle se retourna, mais ses traces de pas sur la gelée blanche étaient ses seuls compagnons.

Elle avançait d'un bon pas, sans courir. Au début de ses visites à la carrière, le trajet lui prenait quarante pénibles minutes. Aujourd'hui, après trois mois de treks biquotidiens, elle l'effectuait en quatorze minutes chrono. Ses mollets et ses cuisses s'étaient développés – elle allait peut-être perdre son corps androgyne finalement – et elle commençait à attirer le regard des garçons. Des regards lubriques. Comme si elle avait le temps.

Le ciel virait au gris. Parvenue à la carrière, elle s'approcha directement du bord. Dans le temps, des hommes avaient ici creusé le sol pour extraire le granite noir utilisé dans la construction des banques, des bibliothèques ou des monuments nationaux. Aujourd'hui, noyée sous un siècle d'eau, elle avait retrouvé son état naturel.

— Winston ? appela-t-elle.

Une couche de glace recouvrait la surface de l'étang. Pas un mouvement là-dessous, pas un bruit, à l'exception de sa voix désespérée qui se répercutait dans le silence.

Une légende locale racontait qu'une fille de la ville, le cœur brisé, se serait jetée dans le lac. Son fantôme hanterait ces eaux. Vrai ou faux, la carrière était déserte. Pas d'amoureux aux alentours. Pas de soirées du samedi soir ou de bain de minuit. Depuis 153 jours, l'endroit lui appartenait. À elle et à son petit Winston. Ce n'était que la veille au soir que Miranda avait remarqué les traces de pneus sur la vieille route du feu et des empreintes de pas fraîches sur la boue gelée. Beaucoup d'empreintes.

Elle ne s'était toujours pas remise du choc qu'elle avait ressenti. Ils l'avaient trouvé. *Vous l'avez tué*, se désespérait-elle.

Depuis l'âge de quatre ans, Miranda avait été entraînée, par des professeurs soigneusement sélectionnés et extrêmement spécialisés, à toujours se dépasser, sans repos. Sur ordre de son père, ils ne la quittaient pas d'une semelle, lui servant de mentors, mais pas de nurses ou d'amis. Personne ne lui avait jamais demandé de ralentir, de se rebeller, de prendre le temps de sentir les roses. Il était connu qu'elle atteindrait son apogée jeune. Elle s'était documentée, elle avait parlé avec des psychologues, espionné les *chats* de la Mensa. Les génies de son acabit brûlaient vite et fort. Elle faisait partie de ce royaume particulier des gens extraordinairement beaux, déclenchant l'admiration des étrangers. La différence était qu'elle ne voyait aucune beauté dans son miroir, seulement des cernes noirs sous ses yeux, conséquences de ses insomnies.

Elle éprouvait un sentiment d'exil dans cette lumière nordique bien qu'elle ne soit pas seule, loin de là. Le Jax, comme on appelait le Jackson Laboratory, employait près de mille personnes tout au long de l'année. Mais il était de notoriété que la vie insulaire rendait nerveux une fois l'hiver venu. Le taux de suicides et de femmes battues augmentait en même temps que la note de gaz. Elle se retrouvait piégée au milieu des étudiants diplômés qui la traitaient comme une petite sœur. En ville, les gamins de son âge lui paraissaient aussi étrangers que des extraterrestres. Elle pouvait expliquer la théorie des cordes, mais pas danser, faire du snowboard ou mettre du mascara. Ce n'était pas faute d'avoir essayé. Avec une détermination impitoyable, elle avait dévoré *Cosmo* et *Talk*, arboré tresses et piercings et mémorisé tous les tubes à la mode. Mais rien à faire. Les chansons pop n'avaient aucun sens pour elle et les vêtements ne lui allaient pas. Lorsqu'elle naviguait sur le Net à la recherche d'une âme sœur, elle ne tombait que sur des adeptes du sexe virtuel. Elle pouvait ouvrir une cellule humaine et en extraire le mystère de la vie, mais bizarrement elle ne savait pas vivre.

Maintenant qu'ils avaient découvert Winston, les joutes psychologiques sur la frontière entre intelligence et aliénation mentale allaient se déchaîner. Elle s'était habituée à n'avoir aucune intimité, sauf à l'intérieur de sa tête. Et encore. À l'âge de neuf ans, elle comprit qu'ils contrôlaient ce qu'elle tapait sur son clavier d'ordinateur. À dix ans, elle avait forcé le coffre qui contenait ses dossiers médicaux et psychologiques et avait eu l'impression de lire la biographie d'une malade mental.

Winston constituait son premier véritable acte de rébellion. Elle avait cru prendre toutes les précautions, mais ils avaient fini par le découvrir.

Miranda descendit l'escalier taillé dans la pierre qui conduisait au bord de l'eau. Puis, elle tira de son sac à dos trois paquets de poissons crus enveloppés dans du papier journal. Il devrait déjà être là. Il était 6 h 30 et ils avaient leurs habitudes. *Où es-tu, bébé* ?

Pendant un instant, elle redouta qu'ils ne l'aient déjà capturé. Puis une autre pensée lui vint. La physiologie de Winston avait peut-être pris le dessus. Elle ne savait pas encore lequel de ses états physiologiques dominait, mais il était possible qu'il ait commencé à hiberner. Et dans ce cas-là, sauf à vider la carrière, ils ne l'attraperaient pas avant les beaux jours.

Miranda n'était pas une nageuse et encore moins une plongeuse, mais elle avait visité son nid sous-marin en imagination. Ce devait être un trou douillet avec sa propre poche d'air, des arêtes de poisson et tous ses jouets préférés. Depuis qu'elle l'avait transporté ici, elle avait remarqué à quel point il aimait collectionner. Il laissait des tas de cailloux brillants sur diverses saillies au bord de l'étang. Il rassemblait les feuilles de chênes jaunes et rouges qui flottaient à la surface de l'eau, puis les séparait par couleur. Elle aimait à imaginer son nid meublé de toutes sortes d'objets récupérés au fond de l'eau : bouteilles de coca-cola ou cannettes de bière, outils rouillés des tailleurs de pierre. Peut-être même le crâne de cette pauvre fille.

Le soleil continuait son ascension et des flèches de lumière transperçaient l'écran de la forêt. La couche de glace commençait à s'ouvrir, s'évaporant en une brume blanche et glacée.

— Winston ? appela-t-elle d'une voix suppliante.

— Ne me dis pas que tu as donné un nom à cette chose ?

La voix venait de la forêt. Le cœur de Miranda fit un bond. Cette voix avait un poids et un rythme dignes d'un acteur shakespearien. Et d'ailleurs, par bien des aspects, Paul Abbot s'apparentait à un acteur. En plus de jouer les faiseurs de rois pour les scientifiques et les sorciers pour les politiciens, il incarnait son père. Pas son meilleur rôle.

Elle se retourna. Il se tenait au bord de la carrière, son Burberry ouvert tombant comme une cape sur ses larges épaules. Il avait un aspect léonin. Difficile de dire depuis combien de temps il attendait dans l'ombre, mais il ne semblait pas essoufflé et son pantalon en tweed ne portait aucune trace d'humidité. Il n'avait donc pas emprunté le chemin. Ils avaient dû ouvrir la barrière et passer par la vieille route.

— Je ne pensais pas que tu arriverais à temps, dit-elle.

Et c'était vrai. Elle ignorait toujours où ses coups de fil occasionnels le trouveraient : Washington, Tokyo, Londres, Atlanta. Mais il était là.

— En fait, ma visite n'a que trop tardé, répliqua-t-il d'un ton sévère. S'il te plaît, remonte ici. Éloigne-toi de l'eau.

Il savait. Impossible de garder un secret dans son monde. Ses cachettes ou ses cachotteries finissaient toujours par être découvertes.

— Depuis combien de temps es-tu au courant ? demanda-t-elle.

Quelle erreur avait-elle commise ?

— Des mois. Nous ne connaissons pas encore tous les détails de la technique que tu as employée ou de ton timing, mais dès que tu as installé ce… Winston… dans l'aquarium de ta chambre, les preuves se sont accumulées.

Le secret avait donc été gardé de la conception jusqu'à la naissance. Miranda repassa dans sa tête les mois suivants, septembre, octobre et novembre. Elle fouilla dans sa mémoire à la recherche d'indices et décréta qu'ils n'avaient probablement rien su avant octobre. Sinon, ils auraient réagi à ce moment-là.

— Pourquoi maintenant ? demanda-t-elle.

— Nous avons perdu sa trace, expliqua son père. Personne ne s'attendait à ce que tu le déplaces. Nous avons d'abord cru qu'il était mort. Puis les rapports ont commencé à arriver. Finalement, ils l'ont retrouvé. Hier.

— Hier !

Winston avait donc été en sécurité jusque-là. Miranda devait pourtant admettre qu'elle éprouvait un certain soulagement de voir son secret éventé. Franchement, elle était fatiguée.

— Qui te l'a dit ? demanda-t-elle.

— Quelle importance ?

Il avait raison. Aucune importance. D'aussi loin qu'elle s'en souvienne, il y avait toujours eu des gens puissants pour rapporter ses faits et gestes à son père, le « tsar de la science ». Le docteur Abbot, prix Nobel et conseiller des présidents, dirigeait l'Académie nationale des sciences d'une main de fer.

Personne n'avait rien à gagner à lui cacher les actes de sa fille. Au contraire, les bourses d'études avaient tendance à fleurir dans son sillage.

— Ils ont analysé tes équipements de laboratoire. Procédé à des prélèvements de tissus sur tes appareils. Trouvé ton utérus artificiel, fabriqué sur le modèle de Yosinari Kawabara. Au fait, je l'ai appelé à Tokyo. Il affirme ne t'avoir jamais parlé.

— Ce n'était pas très difficile à comprendre, dit-elle non sans fierté.

— Ce que je veux dire, c'est que les chercheurs de Jax avaient peut-être une longueur de retard sur toi, mais qu'ils ne sont pas aveugles pour autant. Notre laboratoire est spécialisé dans le clonage des souris pour la recherche médicale et tu y as introduit *Rana sylvatica*. Croyais-tu vraiment que cela passerait inaperçu ?

— *Rana pipiens*, corrigea-t-elle avec satisfaction.

Finalement, leur travail de détective manquait de précision. La *rana sylvatica* vivait dans les bois. Miranda avait spécifiquement choisi la *rana pipiens* – la grenouille léopard – pour l'étang. Un choix qui, lors de l'étape théorique, lui avait semblé optimal pour contrôler sa création. Et jusque-là, elle ne pouvait que s'en féliciter. La carrière n'était qu'un grand aquarium et Winston n'avait manifesté aucun désir de s'en échapper.

— Des grenouilles, en effet, dit son père. Tu as commencé par mélanger des pommes et des oranges, avant de faire l'imbécile avec les gènes.

Elle n'en revenait pas. C'était tout ce qu'ils avaient découvert ? Les grenouilles ?

— Personne ne l'a vu, n'est-ce pas ? demanda-t-elle. Ils n'ont aucune photo, aucun visuel.

— Ils ont tiré des conclusions. Tu as créé une nouvelle espèce, un recombinant un carnivore dérivé d'un amphibien. Et tu as contaminé ton matériel de laboratoire.

— Quoi ?

— Tu t'es coupée. Ton ADN se trouvait sur tous les prélèvements.

Ils étaient à des années-lumière de la vérité. Puis sa colère prit le dessus. Depuis quand détenaient-ils son ADN ?

— Je ne me suis pas coupée, dit-elle.

Elle attendit que ses paroles fassent leur effet.

Son père réagit terriblement vite et la vérité le frappa de plein fouet.

— Tu n'as pas fait ça, murmura-t-il.

Mathématicien de formation, la biologie cellulaire n'était même pas une de ses spécialités. Ni d'ailleurs l'astronomie, la physique des particules, la médecine ou la chimie atmosphérique.

Mais son esprit absorbait tout. Il savait énormément de choses dans tous les domaines.

Elle hocha la tête.

— Qu'as-tu fait?

— Ce fut assez facile. J'ai attendu le bon moment du mois, puis j'ai récupéré un de mes propres ovocytes.

— Pourquoi ne pas avoir utilisé un œuf de souris ou de grenouille ?

Il réagissait comme s'il s'agissait d'une violation personnelle, comme si elle s'était glissée dans son lit. Elle lui donnait l'impression d'être indécente.

— C'est ma créature, dit-elle en relevant le menton.

En fait, un œuf de grenouille aurait été beaucoup plus

facile à manipuler car il est beaucoup plus gros qu'un œuf humain. Mais elle avait préféré choisir un de ses propres œufs comme une déclaration de principe, pour affirmer sa foi dans son travail. Son engagement. Bizarrement, alors qu'elle récupérait une de ses gamètes dans son flux menstruel, en extrayait le noyau pour le remplacer par celui d'un œuf de grenouille, Miranda avait eu l'impression de sortir d'elle-même pour devenir partie intégrante d'un magnifique et vaste projet. Une sorte de révélation.

— Cela n'explique toujours pas la présence de ton ADN dans les prélèvements, fit-il remarquer. Si tu avais correctement énucléé ton ovocyte, il serait devenu une coquille vide et le clone serait une grenouille.

Elle frissonna et sentit peser sur ses épaules le poids d'une vie de culpabilité enracinée en elle par ses tuteurs. Ils avaient bien fait leur travail, transformant l'enfant qui leur avait été confié en un animal de race, surdoué et névrosé.

— Je n'ai pas extrait la totalité du noyau, reconnut-elle.

Il grogna.

— J'ai salopé le travail et un peu de moi est resté à l'intérieur.

— Beaucoup ?

— Plus que je ne croyais.

Miranda se rappela ses nombreuses erreurs. D'abord, elle n'avait pas retiré la totalité du noyau, laissant dans son ovule de l'ADN humain. Puis elle avait récupéré un noyau dans la paroi interne de l'intestin d'un têtard. Trop tard, elle avait appris que chez les grenouilles, les spermatozoïdes et les ovules se forment dans l'estomac avant de se diriger vers les gonades pour être stockés. Sans le faire exprès, elle avait récupéré le noyau d'un spermatozoïde. En conclusion, elle avait fertilisé son propre ovule. Techniquement, Winston n'était pas un vrai clone, mais un enfant monstrueux, assemblé dans une éprouvette, et un mélange original d'acides aminés.

— Une chimère, dit-il. Tu as violé la frontière des espèces. Avec des gènes humains !

Elle s'était attendue aux reproches de l'Ancien Testament, mais elle détecta plus dans sa voix. De la peur. Il était choqué.

— Il est inoffensif, dit-elle.

— Miranda, cette chose est une abomination.

Elle eut envie de rire, mais se retint.

— Tu ne l'as même pas vu. Il est extraordinaire. Tu ne peux pas imaginer. C'est une chose merveilleuse.

Sa colère fondit. Miranda devina sa curiosité, mais resta sur ses gardes. Bien que curieux, Paul Abbot, contrairement à beaucoup de scientifiques, possédait suffisamment de self-control pour se détacher intellectuellement avant de trop s'engager. Autant qu'elle ait pu en juger jusque-là, sa carapace ne présentait aucune faille. Elle en était d'ailleurs venue à le plaindre. Une fille devrait avoir quelques pouvoirs sur son père. Pas elle.

— Monte, s'il te plaît. Éloigne-toi de l'eau.

Qu'y avait-il avec l'eau ?

— Tu m'écouteras ? demanda-t-elle. Sans préjugés, avec un esprit ouvert ?

Elle le rejoignit en haut des marches avec ses paquets de poissons.

Face à face, ils furent tous les deux surpris. Miranda avait beaucoup grandi et pouvait maintenant le regarder dans les yeux. Il fit un geste qui pouvait s'interpréter à la fois comme une ébauche de la prendre dans ses bras ou tout simplement comme une façon de se ressaisir. Avec lui, amour et dignité se confondaient. Miranda laissa le bras hésiter un instant avant de se pencher. Elle l'embrassa rapidement en prenant soin de se placer de côté de façon à ce qu'il ne remarque pas sa poitrine naissante. Sa féminité ne le concernait pas.

— Tu as encore changé de coiffure, remarqua-t-il.

Depuis huit mois. Une coiffure un peu folle. Très Einstein.

— Tu as remarqué, dit-elle.

Il releva sa manche pour regarder l'heure.

— Dix minutes, annonça-t-il avant de lever le bras et d'ouvrir deux fois sa main. Dix.

C'était un signal. Elle se tourna vers la forêt, cherchant

à voir celui ou ceux qui l'avaient accompagné – son chauffeur, ses assistants ou le directeur du laboratoire – et qui restaient hors de vue pendant son petit entretien avec la fille prodigue.

Elle remarqua ensuite un mouvement de l'autre côté de la carrière. Des hommes en tenue de camouflage. Des soldats ou des braconniers.

Elle ouvrit un des paquets. De la morue.

— Attrape, dit-elle en lançant le poisson à son père qui le récupéra in extremis à quelques centimètres de son pantalon.

— Bien, dit-il. Et maintenant ?

Ils étaient plus à l'aise ainsi, lui rongeant son frein, elle désinvolte et en mode auto-défense maximum.

— On appelle cela un petit-déjeuner, expliqua-t-elle. Lance-le.

Il jeta le poisson sur la mince couche de glace et ils attendirent. Pas de Winston.

— Il est probablement effrayé, dit-elle. Il n'a encore jamais vu d'homme.

— Il nous regarde ? À travers la glace ?

Son père recula de quelques pas.

— Ne t'inquiète pas. Il ne mange pas les hommes.

— Pas encore.

— Ne sois pas bête. Winston est essentiellement un homme poisson.

— Tu n'as donc pas encore vu les restes d'animaux ?

Il ne lui posait pas une question. Il lui tendait un piège.

— De quoi parles-tu ?

— Les os, les carcasses, les coquilles d'œufs et les plumes. Partout dans la forêt. Winston est un sacré chasseur. La liste des espèces est impressionnante. Exhaustive. Il a littéralement stérilisé la forêt sur un rayon de huit cents mètres. Tout ce qui vit : souris, écureuils et ratons laveur, en passant par les chouettes et les geais. Même un cerf, encore qu'il est difficile de savoir si l'animal avait été blessé pendant la saison de chasse ou s'il l'a tué lui-même.

Miranda se tourna vers l'étang, cherchant à dissimuler sa surprise.

Winston avait quitté la carrière ? Il avait remonté la chaîne alimentaire ? Il pouvait grimper aux arbres ? Marcher ? Tuer ? Ce qui la troublait était de découvrir qu'il avait une vie secrète dont elle ignorait tout.

— Il ne pèse que dix-huit kilos, fit-elle remarquer.

— Il doit faire plus d'efforts, mais il est évident que ta création s'enhardit. Elle élargit son champ d'action en cercles concentriques. Au début, elle s'est montrée prudente, ne s'éloignant guère. Mais ses dernières proies se trouvaient à plus d'un kilomètre. Pour tout t'avouer, c'est ce qui nous a permis de localiser la carrière. Une propriétaire a appelé le shérif hier matin après avoir découvert les restes. Son Golden Retriever venait juste de mettre bas. Winston a tué la mère et dévoré presque toute la portée.

— Je ne te crois pas, dit-elle automatiquement. Il y a d'autres animaux sauvages sur l'île. Toutes sortes de prédateurs. Des renards, des coyotes.

— Miranda, il a rapporté un des chiots avec lui pour jouer.

Son père indiqua un des arbres le long de l'étang. Miranda tressaillit en découvrant le chiot qui ressemblait à une poupée désarticulée, accroché dans un bouleau.

— Il lui a brisé les pattes avant de le déposer dans la fourche d'une branche. Pourquoi s'est-il donné tout ce mal ? Un trophée ? Un encas peut-être ?

Le poisson, encore chaud après être resté dans son sac, fumait légèrement sur la glace.

— Je n'ai jamais trouvé la moindre preuve, dit-elle finalement.

— Peut-être parce que tu n'étais pas censée en voir.

Elle fronça les sourcils.

— Tout le terrain le long du sentier est propre. Il cherchait à te dissimuler ses nouveaux talents.

Bizarrement... À tort, mais elle ne pouvait pas s'en empêcher... Elle sentit son horreur diminuer.

— Winston ! murmura-t-elle pour elle-même, avant de s'adresser à son père.

— Sais-tu ce que cela signifie ? demanda-t-elle.

— Pour te dire la vérité, je n'en ai pas la moindre idée.

— Timidité. Intelligence.

— Ça suffit, Miranda.

— Tu ne t'imagines pas... Ses fonctions cognitives sont… irréelles.

Au même instant, une forme sombre passa sous la glace. Elle se déplaçait en silence, son dos brillant pourpre et orange. Plus esprit que corps. Son père la montra du doigt et Miranda hocha la tête. C'était lui.

Brusquement, l'ombre fendit la surface une fraction de seconde et le poisson disparut. Cela se passa très vite et tout ce qui resta ensuite fut un trou dans la glace.

Son père paraissait sidéré.

— Va-t-il revenir ? demanda-t-il.

— Oui.

Miranda savait quoi chercher et elle aperçut les bulles d'air qui remontaient se coller sous la glace. Sa venue la remplissait d'un tel bonheur que cela lui coupait le souffle. De toute évidence, ce n'était pas la nourriture qui l'attirait des profondeurs – puisqu'il savait maintenant comment satisfaire ses besoins – mais l'aube. Winston adorait la lumière du soleil. Et elle aussi. Elle se demanda à quoi ressemblait le premier rayon de soleil sous la glace. À un arc-en-ciel, décida-t-elle.

En même temps, elle se sentait trahie par ses chasses. Non, plutôt par sa maturité. Elle lui avait donné la vie et voilà qu'il avait grandi plus vite qu'elle ne le pensait. Il ne dépendait plus d'elle.

— Où est-il ? demanda son père.

À cet instant, Winston bondit au milieu d'une gerbe d'eau et resta suspendu en l'air. Son ventre avait la couleur d'un citron trop mûr. Puis il se cabra et retomba, brisant la glace avant de disparaître à nouveau.

— Mon Dieu, murmura le père de Miranda.

Bien joué, Winston, pensa Miranda.

— Il est beau, n'est-ce pas ?

— Sa tête, dit-il l'air choqué.

Il avait vu.

— Il est très expressif, expliqua-t-elle très vite.

Souligne le positif. Gagne du temps. Laisse-les s'habituer l'un à l'autre.

— Il sourit, fronce les sourcils, montre sa peur, sa peine.

Miranda ouvrit le deuxième paquet. Il s'agissait d'un homard, son plat préféré.

— Winston, appela-t-elle en le jetant haut en l'air.

Le monstre apparut aussitôt, sautant pour l'attraper. Une nouvelle fois, la lumière du soleil illumina sa peau lisse et brillante, ses pieds palmés poussant l'eau, ses bras tendus. Sa grâce naturelle ne faisait que renforcer son aspect grotesque. Avec sa tête de singe, totalement imberbe, il représentait un mélange d'êtres vivants, ni tout à fait l'un ni tout à fait l'autre. Il attrapa le homard entre ses mains courtes aux ongles cireux, aux bouts des doigts rouges et aux paumes blanches. Elle avait touché ses doigts. Ils possédaient des sillons. Winston avait des empreintes digitales. Et de brillants yeux vert jade.

Au sommet de son élan, il les regarda, ses oreilles, des petits bouts de chair autour d'un trou, pointés dans leur direction. Il jaugeait l'étranger. Une expression de… bonheur… traversa son visage. Puis il replongea dans l'eau.

— Tu l'as vraiment fait, n'est-ce pas ? marmonna son père.

Il tremblait. Il avait vu les yeux. C'était ceux de Miranda. Mais également ceux de la femme dont ni l'un ni l'autre ne prononçaient jamais le nom.

— Tu as osé.

— Il y a plus, dit-elle calmement.

Elle savait que son monde allait changer. Un fatalisme vieux comme le monde. Le seul point d'interrogation concernait les intentions de son père pour Winston.

— J'en ai assez vu.

— Non. Pour une fois, garde l'esprit ouvert.

Il agita la main.

— Tu es transférée. Tu es devenue incontrôlable. Quelqu'un aurait dû veiller sur toi de plus près. Te guider. T'enseigner le respect. J'ai parlé avec une vieille amie.

Il avait toujours de vieux amis, ses gardiens.

— De qui s'agit-il cette fois ? demanda-t-elle.

— Élise Golding.

— Élise ? répéta Miranda dans un souffle.

C'était elle qui, à l'enterrement, s'était baissée près de la petite fille effrayée pour serrer ses mains et lui chuchoter à l'oreille les paroles d'une prière. Pendant que Paul Abbot sanglotait, elle avait aidé Miranda à dire au revoir à sa mère.

— Elle est prête à t'accueillir à condition que tu promettes…

Miranda n'en écouta pas plus. Des conditions, les menaces préférées de son père. Élise l'accepterait sans condition, elle le savait et se sentit rassérénée.

— Tu partiras aujourd'hui. Ce matin, conclut son père. Tu as causé suffisamment de problèmes comme ça. Le directeur du laboratoire a accepté de tout régler et s'est chargé du shérif. Rien de tout cela n'est jamais arrivé.

— Ce matin ?

— Tes valises sont prêtes.

— Tu ne peux pas faire cela.

— Tu pars pour Los Alamos. L'Université de Californie supervise les opérations là-bas. Élise t'a trouvé un coin. Ils disent que tu as des doigts d'or.

— Mais Winston…, commença-t-elle.

— Je ne peux sauver que toi.

— Je ne peux pas l'abandonner comme cela. Il a besoin de moi.

— Tu seras plus en sécurité là-bas, Miranda.

— Il ne me ferait jamais de mal.

— Ce n'est pas ta créature qui m'inquiète.

Elle hésita. Sa voix avait changé. De nouveau, elle la perçut. Sa peur. Une peur profonde.

— As-tu entendu parler de ces micro-épidémies en Europe ? Un mystérieux virus ?

— En Afrique du Sud également, dit-elle. Mais c'était il y a des semaines. Et elles se limitaient à l'enceinte de quelques laboratoires. C'est terminé maintenant. L'Ebola frappe de temps en temps, ajouta-t-elle malicieusement, avec un haussement d'épaule.

— Ce n'était pas l'Ebola.

Chacune de ces épidémies avait frappé des laboratoires réputés, spécialisés dans les analyses d'ADN, pas dans la recherche de maladies contagieuses. Aucun d'eux ne bénéficiait donc de mesures de biosécurité sophistiquées. Personne ne comprenait encore pourquoi ces laboratoires en étaient venus à manipuler des virus. Des rumeurs circulaient, affirmant que des prélèvements mortels auraient été expédiés par des éco-terroristes. D'après les bruits de couloir, les épidémies se caractérisaient par une fièvre hémorragique, probablement l'Ebola. Transmission par contact, mais peut-être aussi par aérosol. Les autorités s'étaient retranchées derrière une attitude défensive, sans confirmer ni infirmer les accidents, laissant les tabloïds s'en donner à cœur joie et exagérer la situation à outrance, si bien que le public avait bien vite cessé d'y croire et Miranda de s'y intéresser.

— Ils sont parvenus à les enrayer, fit-elle remarquer.

— Complètement, affirma son père d'un ton catégorique. Mais ça n'est pas passé loin.

Elle devina une trace de peur.

— De quoi s'agissait-il ?

— Nous n'en sommes pas encore sûrs. Cela attaque la peau avant de monter directement au cerveau.

Elle y réfléchit un instant. La peau, puis le cerveau. Quel rapport ? Les symptômes débutaient par l'organe le plus externe avant de s'en prendre au plus interne.

— Évidemment, comprit-elle. Les deux proviennent du même tissu.

Elle voulait résoudre cette énigme, démontrer sa virtuosité. Son père l'observait.

— Au cours des premières étapes du développement, les couches extérieures de l'embryon subissent une invagination. Les cellules de surface pénètrent à l'intérieur de la blastula. Dans l'ectoderme se forme alors le tube neural qui sera à l'origine de la moelle épinière et du cerveau. Au niveau cellulaire, il n'y a pas de différence entre la peau et le système nerveux. C'est la raison pour laquelle le mélanome est si mortel. Il apparaît sur la peau et fonce directement sur les cellules nerveuses.

Elle l'avait impressionné, elle le voyait. Mais cela suffirait-il pour qu'il lui accorde une chance et l'autorise à poursuivre ses recherches ?

— C'est probablement ce qui se passe avec cette nouvelle épidémie, reconnut-il.

— Transmission par la peau, par le contact. Y a-t-il également transmission par aérosol ? Le virus est-il véhiculé par le sang ou par l'eau ? Combien de temps survit-il hors de son hôte ? D'où vient-il ? Avez-vous déterminé ses protéines ?

Les questions fusaient.

— Nous n'avons pas encore trouvé son réservoir naturel, répondit son père. Personne ne l'a vu. Nous ne savons même pas s'il s'agit d'un virus. Nous sommes dans l'ignorance la plus complète.

Ce n'est sûrement pas faute d'avoir essayé, pensa Miranda.

L'effort international avait dû être fantastique – et inutile – pour que son père soit aussi inquiet.

— De quoi pourrait-il s'agir d'autre ? demanda-t-elle. Les bactéries et les rickettsies sont bien trop visibles pour passer inaperçues. Un prion, peut-être ? Le dernier gadget en matière de contagion.

— Pour l'instant, je ne veux plus que tu travailles avec des animaux, déclara son père.

Le sujet était clos.

— Je comprends ton inquiétude à propos de cette épidémie, mais Winston n'a rien à voir avec ça. Il ne pose aucun problème.

— Comme les virus, il constitue un territoire inconnu. Nous ne savons pas ce qu'il est et en conséquence, il représente un danger. Fin de la discussion.

— Il y a autre chose que tu dois savoir, dit-elle très vite. Au sujet de Winston. C'est important.

Les yeux de son père retournèrent se poser sur l'étang.

— Comment résumer cela ? J'ai accéléré son développement, dit-elle. Dans l'utérus. Winston est né comme tu viens de le voir. Même taille, même poids. Il est né totalement formé.

Toujours aussi réductionniste, son père minimisa l'information.

— Tu l'as porté à maturité ? Dans un aquarium ? Impossible ?

— J'ai accéléré son développement. La difficulté ne résidait pas là.

— Quelle était la difficulté alors ?

— Arrêter le processus. Autrement, il serait mort de vieillesse, il y a un mois. J'ai dû trouver un moyen de stopper le processus au niveau génétique.

— Miranda, tu as dû arrêter quoi ? demanda son père en détachant bien ses mots.

— Le vieillissement. La mort.

— Quoi ?

— J'ai trouvé le frein. Je l'ai fabriqué.

Son père la fixait.

— Impossible, dit-il.

— Pourquoi pas ? Parce que c'est moi qui l'ai trouvé ?

— Parce que l'état actuel des connaissances ne le permet pas. Ça sort de nulle part. Et oui, parce que c'est toi, une gamine de seize ans, qui n'a jamais rien publié, qui n'a pas de bourse, qui travaille en secret, toute seule dans son coin, sans aucune aide, avec quelques instruments volés, hors du contrôle de la communauté scientifique, sans règles ni supervision.

— Pour ton information, j'ai dix-sept ans, l'interrompit-elle. Depuis deux semaines.

La bouche de son père s'ouvrit et se referma. En général, une de ses secrétaires se chargeait du cadeau d'anniversaire pour lui. Quelques roses et un chèque. Elle observa sa contrariété, un simple réflexe musculaire.

— Si ce que tu dis est vrai, reprit-il, tu as sauté toutes les étapes du processus.

Elle *avait* effectivement bouleversé leur chronologie. Et alors ?

— Il n'y a rien de mystique là-dedans, dit-elle très vite – ses dix minutes étaient presque écoulées. C'est aussi naturel que la nature elle-même. Tout le monde est si occupé à dresser une carte des gènes et à cloner les souris que personne n'a pris la peine de procéder à des essais sur le code. Moi si.

Elle avait maintenant son entière attention.

— Il faut que tu le voies par toi-même. Nous devons nous approcher.

Elle descendit d'une marche.

— Remonte, Miranda. C'est dangereux.

— Juste un peu plus près pour qu'il puisse mieux te voir. Alors, tu comprendras.

— Tu ignores de quoi il est capable.

— Ne t'inquiète pas. C'est un vrai miracle. Tu connais la loi des conséquences imprévues. Les résultats que tu obtiens sans les avoir cherchés.

Quelque chose – sa conviction, sa curiosité – le décida. Il la rejoignit. Miranda descendit encore d'une marche et il la suivit. Elle resta là.

Elle défit alors son troisième paquet, un autre homard qu'elle jeta sur la glace.

— Winston, appela-t-elle.

Le monstre apparut. C'était un nageur puissant et sa nageoire vert citron soulevait une petite traînée d'eau derrière lui. Cette fois, pas de saut de dauphin ou de parade. Il s'arrêta juste derrière le homard et hissa sa tête et ses épaules hors de l'eau, en face d'eux.

Le visage de Winston était si fantastique qu'on ne pouvait le qualifier ni de repoussant, ni d'extraordinairement beau. Il n'existait pas de critères pour le décrire. Sa tête était plus large que haute, les narines dilatées et noires, sa peau lisse. Sa bouche rappelait celle d'un être humain avec des lèvres totalement dénuées de couleurs. Ses dents, plantées dans des gencives trop faibles pour les maintenir, étaient cassées d'avoir mordu dans des os. Les cheveux voulaient pousser, mais ses gènes de grenouille les retenaient, ce qui donnait des follicules boutonneux. À moitié sorti de l'eau, il attrapa le homard et commença à le dépouiller de sa carcasse. Puis il plongea dans la chair qu'il retira par lambeaux comme des spaghettis. Pendant tout ce temps, il fit comme s'il ne les voyait pas.

— Hello, Winston, lança Miranda.

Les oreilles pivotèrent.

— Comment va mon petit prince ?

Le monstre parla. Il n'aboya pas, ni ne hulula. Les sons qu'il émettait ressemblaient à des paroles humaines, une série de gargarismes et de coups de glotte. Il racontait quelque chose avec beaucoup de concentration.

— C'est un vrai langage, expliqua Miranda à son père. Si tu écoutes bien, tu distingueras des mots de temps en temps. Presque de l'anglais. L'os hyoïde doit être mal formé, ce qui l'empêche de façonner les sons. Mais il a de toute évidence des choses à dire. Et il me comprend.

— Tu t'es fabriqué un animal domestique. Un perroquet. Tu lui as appris des mots.

— C'est cela qui est bizarre. Il savait déjà parler quand il est né. Il est sorti de l'incubateur avec un vocabulaire complet.

— Assez ! coupa son père.

— C'est ce que j'ai dit. Je ne voulais pas y croire. Mais cela se produisait toujours.

— Quoi ?

— Il se souvenait de choses.

— Miranda, ricana son père.

— De vieilles choses. Des choses de mon passé.

— Arrête.

— Des souvenirs. Mes souvenirs. J'ai apporté de la maison certains de mes jouets et je les ai mélangés avec d'autres. Il a reconnu les miens.

— Tu veux dire que notre mémoire serait gravée sur le disque dur de notre code génétique.

— Pourquoi pas ? Les maladies génétiques le sont. Elles se transmettent au niveau cellulaire. Circuit métabolique. Câblage cellulaire, appelle ça comme tu veux.

— La mémoire serait donc une maladie génétique ?

— C'est une façon cynique de voir les choses.

— J'en ai assez entendu, dit-il en faisant demi-tour.

— Quel est mon nom, Winston ? demanda-t-elle soudain.

Son père s'arrêta.

Le monstre releva la tête. Ses yeux verts brillaient d'une lueur heureuse.

— Mirn...dot, dit-il.

— Et lui ? Qui est-il ? demanda-t-elle en montrant son père qui secoua tristement sa tête.

Winston connaissait la réponse.

— Pa...pa, dit-il.

— Un truc, déclara son père. Tu lui as montré ma photo.

Miranda se tourna vers lui, les mâchoires serrées. D'un mot, il pouvait empêcher le massacre, mais il allait lâcher ses sbires. Son petit Winston n'était déjà plus qu'un souvenir. Ils allaient répandre du poison dans l'étang ou l'endormir et le mettre en cage. Elle avait raté sa création. Un froid familier se répandit dans son cœur.

— Il n'y a qu'un seul inconvénient avec cette explication, dit-elle.

Il attendit.

— Je n'ai aucune photo de toi à lui montrer.

Elle visa la jugulaire.

— Il y a longtemps que je les ai toutes jetées.

Il se retrancha derrière sa carapace glaciale. Pas un tressaillement.

— Je suis désolé que cela te blesse autant, dit-il.

C'était vrai. Cela faisait mal. Et puis, non. L'amour ne servait à rien. Une simple imposture. Alors, elle ne dit pas adieu à sa création. Se détournant pour cacher ses larmes, elle marcha vers la forêt.

3.

La chute

Dans l'Himalaya
Mai

Mon Dieu !
La main de Nathan Lee sursauta.
Il le regardait, son visage blanc surmonté d'une couronne de fourrure.
Le téléobjectif bougea et il perdit son yéti. *Metoh-kangmi*, comme les réfugiés tibétains l'avaient surnommé ou *yerin* selon le terme chinois. Dès le départ, il avait cru que tout ceci ne serait probablement qu'une perte de temps. Les probabilités étaient grandes pour que, même s'il trouvait un corps, celui-ci soit sans intérêt : un ascète gelé ou un gardien de yacks. Mais c'était réel. Dans ce simple échange de regards, il avait reconnu quelque chose d'insaisissable et de totalement primitif.
Tremblant, Nathan Lee fouilla de nouveau la montagne, mais ses yeux étaient fatigués. Il jeta un coup d'œil à sa montre. À plus de sept mille mètres au-dessus du niveau de la mer, le Makalu La – le col entre le Makalu et le sommet voisin – manquait de confort et n'invitait guère au repos.

Vous ne passiez par là que pour vous rendre d'un côté ou de l'autre de la frontière népalaise. Au nord, le mythique plateau tibétain s'étendait en République populaire de Chine avec, en arrière-plan, l'énorme face ouest du Makalu, balayée par les vents matinaux. À une dizaine de kilomètres à l'ouest, le sommet de l'Everest baignait dans la lumière orangée du lever de soleil, au-dessus d'une mer d'obscurité.

Il jeta un coup d'œil sur la piste en dessous de lui. Ochs et un porteur du nom de Rinchen avaient finalement quitté le camp de la nuit, une petite tente bleue blottie sous un abri de rochers. Ils ressemblaient à des fourmis sur le sentier de montagne. Nathan Lee cria et ils relevèrent la tête. Il leur indiqua un point plus haut. Ochs fit un signe de la main et reprit sa marche bovine. Sa seule vue déprimait Nathan Lee. Ochs et lui semblaient devenus les acteurs d'un film qui rejouait sans cesse la même histoire de voleurs.

Après Jérusalem, les pillages s'étaient succédé : au Guatemala, puis sur les fouilles de Noco au Pérou, d'autres raids sur des sites de l'Année Zéro détruits par le tremblement de terre près de Qumran, et même quelques cambriolages dans des monastères ou des églises de l'ex-Union soviétique. Le tout financé par des clients particuliers ou des musées. Les paysages changeaient, mais la quête restait la même : la contrebande d'antiquités.

Rinchen suivait Ochs avec cette patience infinie du peuple himalayen. Il fumait et de petits nuages s'échappaient de sa bouche. Le vieux berger vivait de la chasse aux léopards des neiges qu'il revendait sur le marché noir chinois. Il avait des dents en or, parlait quelques mots d'anglais et affirmait connaître le terrain, mais de toute évidence pas celui-ci car, autant que Nathan Lee ait pu en juger, l'homme n'avait jamais mis les pieds au Makalu La. Il n'était qu'un autre hors-la-loi qui s'était joint à eux pour la balade.

Les deux dernières semaines avaient été pénibles, ponctuées de plaisanteries grasses. Nathan Lee avait pris l'habitude de se lever tôt et de partir devant tout seul, laissant Ochs partager la route avec Rinchen. Il avait tenté en vain de se séparer du pilleur de tombe et du braconnier. Mais Ochs avait deviné son dégoût de lui-même. Autour du feu de camp, il s'en délectait. *Celui qui combat les démons devrait craindre d'en devenir un lui-même,* raillait-il au-dessus des flammes.

Nathan Lee se concentra sur le yéti. Sa caméra bien calée sur un rocher, il balaya méthodiquement la crête qui longeait le col. La lumière changea, les ombres s'élargirent. Les montagnes avaient l'habitude de glisser sous vos pieds à cette hauteur. Il fallait lutter pour résister au dragon.

Et il le retrouva. Les réfugiés avaient pu repérer le corps à l'œil nu. Lui avec une lentille extrêmement puissante était passé dessus une douzaine de fois sans le remarquer. Le corps se trouvait sur une corniche, blanc et noir sur les rochers blancs et noirs, invisible bien qu'offert à la vue. Le visage n'avait pas bougé et regardait toujours dans sa direction. Grâce au téléobjectif, Nathan Lee mémorisa soigneusement le chemin pour monter jusqu'à lui.

Puis il se redressa et rassembla ses affaires, posant sa caméra à côté du sac mortuaire – le même que celui qu'ils avaient utilisé pour sortir les os de Jérusalem. Quatre années s'étaient écoulées depuis cette époque, mais c'était comme si le temps s'était arrêté. Il n'avait aucun titre, aucune carrière, aucune existence dans le monde. Tout ce qu'il avait gagné, c'était une réputation de pilleur de tombes et des droits de visite pour Grace que Lydia et ses requins d'avocats s'efforçaient de faire annuler pendant qu'il traînait son frère dans l'Himalaya.

Il attacha son casque rouge et se mit en marche. Le casque était inutile ici. La montée était aisée, mais Nathan Lee ne voulait prendre aucun risque. Il adorait la haute montagne, mais en était venu à détester le danger. Une conséquence de la paternité.

Il se fraya un chemin dans les éboulis. Bientôt, la pente se raidit et les éboulis cédèrent la place à des saillies couvertes de fossiles de petits animaux marins. Le glacier Chago béait trois mille mètres plus bas.

Comme prévu par un conservateur ambitieux du musée national de l'Homme du Smithsonian, le but était de trouver le corps, s'il existait vraiment, puis de le transporter sur plusieurs kilomètres vers le sud, loin à l'intérieur du Népal, à bonne distance de la frontière et de toutes réclamations de la République populaire de Chine. Dans le monde des musées, tous se souvenaient de la bataille rangée entre l'Italie et l'Autriche au sujet de l'homme des neiges découvert sur leur frontière alpine commune. Le Smithsonian ne souhaitait pas se compliquer la vie avec de tels détails.

Deux jours plus tôt, dans la vallée, Nathan Lee avait découvert une grotte utilisée au cours des siècles par les ermites bouddhistes. Elle était vide aujourd'hui et ils y avaient caché équipement pour le trek. Ils avaient décidé qu'elle constituerait une planque idéale pour cacher leur homme des neiges avant de le « découvrir ». En plus d'éviter une lutte internationale acharnée, cela permettrait au Smithsonian de négocier avec les autorités népalaises qui étaient encore plus corrompues que les « cocos karaoké », comme Ochs appelait les généraux chinois qui contrôlaient le Tibet. Ce dernier destinait l'argent qu'il en retirerait à l'achat d'une toile de Hockney. La part de Nathan Lee irait à Lydia et aux avocats. *Tout pour la famille*, pensa-t-il.

Après une demi-heure de montée, Nathan Lee entreprit de mettre en place une main courante pour Ochs et le khampa. Elle permettrait surtout de descendre le corps. Il déroula la corde rose qu'il portait et en attacha un bout autour d'un rocher et l'autre autour de sa taille. La corde était légère et fine – à peine sept millimètres d'épaisseur – mais très solide et longue de près de cent cinquante mètres. Il perdit de vue la corniche avec le corps, mais suivit ses repères. D'abord, le piton cassé, puis la traînée noire. Au détour d'un virage, il se retrouva sur un rebord plat. Et il était là.

Il ignorait pourquoi, mais il avait escompté trouver un homme, comme la mâchoire forte et les énormes pieds et mains auraient pu le laisser croire. Mais impossible d'ignorer la poitrine exposée, même ratatinée et réduite à deux poches vides. Ce cadavre n'avait rien à faire ici. Et pas parce qu'il s'agissait d'une femme. Lorsque le Smithsonian avait entendu parler de la présence d'un corps, ils avaient tous pensé qu'il s'agissait d'un autre égaré du néolithique. Personne n'aurait pu deviner que se trouvait là une femme du Neandertal, vieille de trente ou cinquante mille ans.

Aucun *Homo neandertalis* n'avait jamais été trouvé dans cette partie du monde. Aucun spécimen complet n'avait jamais été découvert nulle part. Nathan Lee ne bougeait plus, comme s'il craignait de l'affoler. Parfaitement momifiée, elle était assise, affaissée contre la montagne, face au Makalu.

Étrangement, les goraks – ces corbeaux avec d'immenses ailes noires pour planer sur l'air rare – n'avaient pas arraché ses yeux qu'il apercevait laiteux et minéralisés sous les paupières à moitié baissées bordées de longs cils blanchis par le soleil. Ses lèvres desséchées dévoilaient ses gencives. Elle était intacte sauf sur le côté exposé au vent où une partie de sa chevelure et de sa joue avait été érodée. La brise soulevait légèrement ses longs cheveux noirs.

Nathan Lee se rappela la corde attachée autour de sa taille. Il la détacha et l'accrocha autour d'un rocher avec un nœud en huit. Il se retourna ensuite vers le corps, presque intimidé. C'était une découverte incroyable. Il restait encore de la chair sur les os !

Hébété par l'énormité de l'événement, l'archéologue refit surface en lui, se posant mille questions. Que faisait une créature du Neandertal dans l'Himalaya ? De l'exploration ? Une migration ? La recherche des dieux ? Ses restes laissaient supposer qu'une poche isolée avait survécu dans un quelconque sanctuaire de montagne, une race perdue au cœur de Shangri-la.

De plus, comment expliquer sa présence à cet endroit extrêmement difficile d'accès. Il avait lu tout ce qui était paru sur les hommes des neiges et leurs épouses retrouvés dans les Andes, et rien ne correspondait. D'abord, il ne voyait aucune trace de violence ou d'étranglement sur son cou, rien qui suggérât un meurtre rituel. Doucement, il palpa son crâne. Aucun trou ou creux, aucune trace de chute accidentelle ou d'un coup de hache donné par un chaman. Et dans le cas d'un enterrement, le corps aurait été allongé et enveloppé.

Il se redressa et l'examina. Apparemment, elle était vivante à son arrivée sur la corniche. Cela se devinait à la façon dont elle était assise, dans le creux d'une roche, protégée du vent. Elle s'était installée confortablement. Il lui vint soudain à l'esprit qu'elle avait peut-être choisi ce lieu pour y mourir. Mais pourquoi ici et pourquoi mourir ? S'agissait-il d'un suicide ? S'était-elle sacrifiée à un quelconque dieu ? Bizarrement, sa présence réconfortait Nathan Lee et lui redonnait même espoir.

Au loin, des nuages de mousson blancs flottaient comme de la fumée au-dessus des plaines indiennes. Une autre demi-heure s'écoula. Presque midi et toujours pas d'Ochs et de Rinchen.

Depuis Jérusalem, il cherchait un moyen de s'en sortir et venait peut-être de le trouver. Pourquoi pas ? Il pouvait encore changer, restaurer sa réputation, sortir de l'ombre, obtenir son doctorat. Les possibilités s'offraient à lui, infinies.

Son entraînement prit le dessus. Le site était essentiel et il commença à traiter la corniche comme une scène de crime. Il recula et sortit sa caméra. Puis, après avoir changé les lentilles, il mitrailla la scène dans toutes les directions. Après seulement, il s'autorisa à approcher.

Du bout des doigts, Nathan Lee suivit les rides profondes sur le front. Aucune des dents ne manquait ou était abîmée. La femme paraissait en bonne santé, sans aucun signe de maladie ou de blessure. Ce n'était pas une vieille femme abandonnée par sa tribu. C'était une fille robuste dans la fleur de l'âge.

Soudain, sa décision fut prise. Ochs ne devait rien savoir. Il suffisait de la recouvrir de pierres avant son arrivée et de battre en retraite. Il ôterait la corde, effacerait ses traces et dans trois mois, il reviendrait… libéré de la « franchise » Ochs.

Il tomba à genoux. Cela faisait des années qu'il n'avait pas eu l'esprit aussi clair. Sa carrière de voyou était terminée. Il commença à entasser les pierres sur les jambes de la femme, travaillant vite, empilant au hasard. Encore quelques minutes...

— Mon Dieu !

Nathan Lee se figea, une pierre à la main.

La tête et les épaules massives d'Ochs dépassaient au bord de la corniche. Il était dans un état lamentable, sa barbe et sa poitrine striées de bave et de morve. Attachée sur son sac à dos, la pointe de son piolet dépassait au-dessus de sa tête comme un point d'interrogation.

— Nous nous sommes trompés, dit très vite Nathan Lee. Ce n'est qu'un pauvre réfugié.

— Tu parles, grogna Ochs.

Même en état d'hypoxie, cherchant l'air comme un poisson hors de l'eau, il ne s'en laissait pas conter. Aussitôt, l'esprit des lieux parut souillé.

— Nous devons redescendre, dit Nathan Lee. Un orage arrive.

La corde se tendit et Rinchen apparut, calme comme un soupir. Les yeux cachés derrière de vieilles lunettes de glacier à monture d'acier, la bouche en O, il ressemblait à un plongeur dans un roman de Jules Verne. Un goitre gonflait sa gorge et des cicatrices barraient une de ses joues.

Rinchen jeta un regard à la femme et se pétrifia, l'air affligé. Puis ses grandes mains noueuses de paysan se serrèrent et il se mit à prier. Nathan Lee réalisa qu'il ne priait pas pour la femme, mais qu'il la priait, elle.

— Quelle belle salope, gazouilla Ochs. La reine de glace. Ça sonne bien. La déesse de l'au-delà.

Il tapota sa tête.

— Unnh, grogna Rinchen devant ce geste irrespectueux.

Ochs n'eut même pas l'air de l'entendre. Il dégageait déjà les pierres entassées, les jetant dans le vide, prenant d'une seule main des roches que Nathan Lee avait eu du mal à soulever. Les pierres ricochaient le long de la paroi avant de disparaître en bas dans le glacier.

Une rafale de vent balaya la montagne et les cheveux noirs de la femme s'animèrent soudain, se soulevant sur ses épaules.

— Laisse-la, dit Nathan Lee.

— Quoi ?

— Encore une journée.

Ochs ricana. Il en avait assez des hauteurs, du manque d'air et des campements. Il ne parlait que de rentrer, de retrouver ses tableaux et son appartement de Dupont Circle[1]. En guise de réponse, il attrapa le bras de la femme et tira. Mais le bras refusa de bouger. La femme était accrochée, son dos ayant pratiquement fusionné avec la roche. Ochs fit une nouvelle tentative, en vain.

Nathan Lee tenta sa chance, son rêve présent à l'esprit.

— Nous pouvons repartir. Recommencer.

— Rentrer dans le droit chemin ?

— Quelque chose comme cela.

Ochs le regarda.

— Aussi simple que cela ? lâcha-t-il.

Il s'empara du sac mortuaire.

— Tu n'écoutes pas, intervint Nathan Lee en lui arrachant le sac des mains.

Ochs résista, tirant de son côté. Après quelques secondes de lutte, le paquet leur échappa et s'envola par-dessus le bord de la corniche. Ils le regardèrent tomber.

Il heurta un rocher et le plastique se déchira. Le sac se gonfla alors comme un ballon. Cette vue réconforta Nathan Lee.

— C'est fini, dit-il d'un ton ferme.

Mais Ochs secoua la tête.

---

1. Quartier bohème de Washington, regorgeant de boutiques et de galeries d'art.

— Tu as franchi la ligne. Il est trop tard pour faire marche arrière.

— Pour toi peut-être.

Ochs lui fit face.

— Tu en as peut-être fini avec Lydia, mais pas avec moi. Toi et moi, nous sommes partenaires.

— Non, c'est terminé pour moi.

— Ne me brise pas le cœur, mec.

— C'est terminé. Et elle reste ici.

— Ou sinon ?

Nathan Lee ne répondit pas. Le ciel s'en chargea. Le tonnerre gronda. Ochs se retourna et jura. Les lointains nuages s'étaient rassemblés dans la vallée. Il semblait incroyable qu'ils aient pu se déplacer aussi vite. Nathan Lee sentit l'ozone et un éclair zébra le ciel menaçant.

— Il faut redescendre, dit Nathan Lee. Si nous partons tout de suite, nous pouvons encore battre l'orage de vitesse.

Les prières de Rinchen se firent plus fortes. De toute évidence, pour lui, l'orage témoignait de la colère de la déesse. Nathan Lee regarda par-dessus le bord. Leur tente paraissait minuscule à côté du glacier. Lorsqu'il se retourna, Ochs avait détaché son piolet.

— Que fais-tu ?

Sans répondre, Ochs glissa la lame derrière l'épaule de la femme et força. À l'intérieur de la peau tannée, les os craquèrent. Mais le corps ne bougea pas.

— Arrête, cria Nathan Lee.

Ochs enfonça de nouveau la lame le long du dos de la momie et un craquement sinistre retentit. Il tira de tout son poids, mais rien à faire.

Nathan Lee le repoussa. Ochs dégagea le piolet et le brandit haut au-dessus de sa tête.

Nathan Lee recula, mais l'arme ne lui était pas destinée. Ochs la planta jusqu'à la garde dans la clavicule de la femme, la retira et frappa à nouveau, visant cette fois le cou de la momie.

— Assez, cria Rinchen.

Nathan Lee s'interposa lors du troisième frappé et arracha le piolet des mains gantées d'Ochs.

— Nous l'avons gagnée, cria ce dernier.

— Gagné quoi ?

— La tête. Nous pouvons au moins prendre ça. Donne-moi ce piolet.

Nathan lança le piolet dans le vide.

— À ton aise, dit Ochs.

Nathan Lee crut qu'il capitulait. Mais Ochs se baissa et, de ses mains nues, arracha la mâchoire inférieure du cadavre qui se détacha avec un craquement sinistre. La langue asséchée était collée contre les dents du haut.

— Tu n'as jamais eu le cran de le faire, dit-il en fourrant le trophée dans sa veste.

Personne ne s'attendait à ce qui se passa ensuite. Sans un mot, Rinchen sauta sur Ochs, le projetant contre la paroi rocheuse. Ochs se débattit, mais le vieux chasseur n'avait pas peur. Il ramassa une pierre. Nathan Lee tenta de se mettre à l'abri, mais la corniche n'était pas large. Autant pour se protéger que pour mettre fin au combat, il frappa Ochs à la tête et de l'autre main, repoussa Rinchen en arrière.

Ochs s'écroula sur les jambes de la femme, braillant, avant de se redresser, le nez cassé. Du sang goûtait sur sa barbe et sur le devant de sa veste. Puis, une expression d'étonnement remplaça la rage sur son visage.

Nathan Lee regarda autour de lui. Rinchen avait disparu. Il se pencha sur le vide.

— Non, murmura-t-il.

Loin en dessous, Rinchen rebondissait sur la pente. Une de ses jambes se tordit vers l'arrière, cassée, puis son bras battit l'air comme désarticulé. Nathan Lee ne pouvait pas le quitter des yeux, persuadé qu'il allait descendre jusqu'en bas, une chute de huit cents mètres à la verticale. Mais après cent cinquante mètres, la corde tendue par Nathan Lee arrêta net sa chute.

Ochs se pencha à son tour, le visage figé par la peur.

— Tu as bien fait, dit-il.
— Quoi ?
— Il voulait me tuer.
— Il voulait que tu arrêtes.
— Il est mort.

Apparemment non. L'homme bougea. Il souleva sa tête et leva un bras avant de s'immobiliser de nouveau.

Nathan Lee attrapa son sac.

— Que fais-tu ? demanda Ochs.
— Il est toujours vivant.
— Tu l'as tué. C'est terminé.

Nathan devina où il voulait en venir et son ventre se contracta.

— Il est tombé, dit-il calmement.
— Bien sûr.
— C'était un accident et tu le sais.
— Personne ne le regrettera. Pourquoi irais-je en parler à qui que ce soit ?

Nathan Lee sentit le danger. Ochs allait le faire chanter. Il se reprit. Il aurait le temps d'y penser plus tard. Un homme blessé attendait. Il enjamba le bord de la corniche.

— Je vais l'aider, dit-il.
— Et ensuite ?
— Ensuite, nous nous séparerons, répondit-il.
— Comment ça ?
— J'arrête. Tu me laisses tranquille ou je raconte tout. Je te dénoncerai, tu m'entends ? C'est terminé.
— J'entends, dit doucement Ochs.

Nathan Lee ne remarqua pas le changement de ton dans sa voix et sentit à peine la poussée dans son dos. Brusquement, il bascula.

Rien de comparable avec ses précédentes chutes. Sur une falaise, vous tombez dans le vide, accrochant peut-être une pierre ou deux avant que la corde ne vous arrête. Mais cette fois, pas de corde et pas de chute libre. La paroi était inclinée et les rochers saillaient. Il dégringola, heurta un affleurement, ralentit, tenta de s'accrocher, puis repartit frapper contre un deuxième affleurement avant de prendre de la vitesse sur une pente de glace. Son seul espoir était de garder ses pieds en dessous de lui, le visage en l'air. C'était comme tenter de courir à la vitesse limite. Il cherchait à s'accrocher sans parvenir à attraper quoi que ce soit. Il fit la roue et une goutte de son sang s'envola dans les airs.

Il encaissait les coups avec un temps de retard. Il se demanda quand il allait perdre connaissance avant de comprendre que ce ne serait pas si facile. Les terribles craquements qu'il entendait n'étaient pas le tonnerre, mais son casque frappant sur les rochers. Il allait être le témoin de sa propre exécution.

La douleur commença à se manifester. Elle n'était pas localisée sur une partie du corps, mais le traversait avec la fulgurance d'un éclair. En esprit, il se vit se casser en morceaux. Il entendit la voix de sa fille qui chantonnait. *Fais de doux rêves.*

Il arriva sur une longue plaque de glace, mais cette fois, au lieu de tenter de s'accrocher, il chercha à se diriger, plantant une paume ici, un talon là. Sur la gauche, un peu plus bas, il aperçut une bande de rochers gris. Au-delà, la pente plongeait dans le vide. C'était sa dernière chance.

Rassemblant ses forces, il poussa sur ses mains et se catapulta en direction des éboulis. Il s'envola, bras écartés, abandonnant son corps à la chance, et atterrit sur les roches où il s'écrasa durement.

Retenez-moi, pria-t-il.

Les cailloux l'entendirent et le freinèrent. Il s'arrêta.

Dans l'immobilité soudaine, il eut l'impression d'être cloué sur la montagne. Ses oreilles bourdonnaient. En dessous de lui, la bouche béante du glacier réclamait sa proie.

Il perdit connaissance, reprenant conscience par vague. La terre tanguait sous lui comme une mer. Il ne bougeait pas.

Il ignorait s'il était vivant ou mort. Probablement mort à en croire la cendre qui tombait sur lui. Il réalisa soudain qu'il s'agissait de flocons de neige.

Lorsque Nathan Lee ouvrit de nouveau les yeux, il aperçut Ochs au loin sur le chemin de montagne. Il était parvenu à rejoindre un terrain plus sûr et courait pratiquement au milieu de l'orage. Nathan Lee n'appela pas. L'homme avait déjà tenté de le tuer une fois. Quelques minutes plus tard, Ochs disparut de sa vue.

L'horizon s'assombrit. La roche et la glace, le ciel et la terre, tout semblait fusionner. La neige s'accrochait. Il ouvrit la bouche et tira la langue. Les flocons coulaient sur son visage comme des larmes. Fondus par la chaleur de son corps comprit-il. Il était vivant.

Finalement, il tenta de soulever un bras. Lentement. Son gant avait été pelé par les frottements, sa peau également. Il rapprocha sa main de son visage et examina ses doigts qu'il plia un à un. Petit à petit, il fit l'inventaire de son corps. Au prix de gros efforts, il réussit à s'asseoir. Il dégrafa son casque rouge rayé et défoncé, fendu tout du long.

Sa jambe gauche était pliée et son genou enflé.

Nathan Lee l'attrapa et tenta de la remettre droite, mais à chaque fois, la douleur l'arrêtait. Finalement, coinçant son pied entre deux rochers, il tira d'un coup sec. L'articulation glissa dans un bruit de succion et le genou reprit sa place avec un claquement sec.

Quand il rouvrit les yeux, la nuit arrivait. La neige tombait en abondance et les éclairs zébraient le ciel comme des serpents électriques. Nathan s'assoupit.

Le bruit d'un morceau de plastique qui claquait le réveilla. Quelques minutes plus tard, le bruit se répéta, familier. Le vent sur une toile de tente. Pendant un instant, il crut qu'Ochs avait eu des remords et était remonté le rechercher. Puis il constata qu'il se trouvait toujours sur sa bande de rocher, frigorifié.

Une forme fantomatique s'agitait dans l'obscurité. De nouveau, ce bruit de plastique. Il se rapprocha en rampant de la chose. Le sac mortuaire. À moitié gonflé, maintenu au sol par la neige, il semblait prêt à s'envoler d'une minute à l'autre. Nathan Lee s'empressa de l'attraper. Puis, nauséeux et en état de choc, il ouvrit lentement la fermeture Éclair de ses doigts engourdis. Avec ce qui lui restait de force, il se glissa à l'intérieur et le rabattit sur ses jambes. Enfin, il remonta la fermeture Éclair, ne laissant qu'une petite ouverture pour respirer.

* * *

Il se réveilla en manque d'air et dans le noir. Un monstre était couché sur sa poitrine et le lacérait de ses griffes. Paniqué, il ne se souvenait de rien et n'avait plus aucune idée de l'endroit où il se trouvait ou de ce qui lui était arrivé. Il se débattit. Sa main rencontra la fermeture Éclair qu'il déchira en tirant dessus. Il battit des bras, repoussant la couverture de neige et l'air lui caressa le visage. Il emplit ses poumons.

Il réussit à s'asseoir et se retrouva dans un monde en pente, recouvert d'une neige lourde. Le ciel était sombre, dénué de couleurs. Les montagnes le cernaient de toutes parts, leurs sommets émergeant du vide. La lumière était si uniforme que Nathan Lee avait l'impression d'être aveugle. Sa montre indiquait une heure. Le lendemain.

Il resta là, les bras dans la neige, la tête lourde, la gorge irritée. Les doigts d'une de ses mains ressemblaient à des saucisses. Il tenta de remuer sa jambe, mais la douleur arrêta net son geste et lui coupa l'envie de recommencer.

Il se mit à pleurer. Se rappelant soudain la photo de sa fille dans la poche de sa chemise, il fouilla l'intérieur de sa veste. Ses ongles, arrachés pour la plupart, rendaient la tâche malaisée, mais il réussit à la sortir et le monde retrouva ses couleurs. Grace posait dans un champ de tournesols jaune vif et portait des collants avec des cœurs rouges. Derrière elle, le ciel était d'un bleu profond. Il se souvenait de cette journée. Il lui avait demandé de sourire et, comme d'habitude, elle avait choisi une expression de gravité intense. Ses yeux gris ardoise semblaient le regarder au-delà de l'appareil.

Nathan Lee caressa le visage de sa fille et essuya ses larmes. Pour elle, il devait se battre

Il remit soigneusement la photo dans sa poche, puis entreprit de se dégager, furieux contre lui-même de son apitoiement. Une poignée de neige à la fois, il se libéra, ouvrant sa tombe. Cela lui demanda près de deux heures.

Son genou avait maintenant la taille de sa cuisse. Nathan Lee commença à ramper. Après avoir glissé le sac mortuaire sous sa jambe blessée pour s'en servir de luge, il se propulsa à la force de ses bras.

Au bout d'une heure, il arriva sur un terrain plus plat. Il se redressa alors et tenant son genou à deux mains, avança en traînant la patte. Il retrouva le chemin qui descendait jusqu'à leur campement. De là, il voyait le mur qui protégeait la tente. Lorsqu'il y parvint, il ramassa une pierre, fermement décidé à casser la jambe d'Ochs si celui-ci le menaçait. Et si cela ne suffisait pas, il fracasserait la tête de ce salopard.

Mais derrière le mur, la tente avait disparu.

Il lui fallut cinq jours pour traverser une moraine qui ne demandait qu'une demi-journée de marche. Nathan Lee trouva un bâton de porteur dans les rochers et s'en servit de béquille. La faim diminuait ses forces et son genou ne cessait d'enfler. La première vague de la mousson avait reculé et la neige fondait, lui permettant de boire. Les rigoles d'eau des glaciers se rejoignaient pour former de petits torrents.

La moraine céda la place à la vallée avec ses fleurs sauvages. Il couvrit une dizaine de kilomètres en trois jours, perdant régulièrement de l'altitude. L'air se réchauffa. Les rhododendrons brillaient au milieu des sapins. Il essaya de manger les feuilles vertes et l'écorce des sapins, mais cela le rendit malade. Il remplissait donc son estomac avec l'eau des glaciers. En dépit de sa faim, Nathan Lee se sentait de plus en plus lucide, un mauvais signe, il le savait.

Le jour suivant, il atteignit la grotte des ermites sur la pente d'une colline. Vide bien sûr. Ochs avait pillé leur cache, se reposant et dévorant toute la nourriture avant de poursuivre sa route. La seule chose que Ochs avait laissée était un sac de *tsampa*[1] de deux kilos. Au début de leur trek, il avait déclaré cette bouillie immangeable. Mélangé à de l'eau, elle formait une pâte marron collante que Nathan Lee accueillit comme un don de Dieu.

Un autre col à franchir. Le col de Shipton se trouvait à moins de cinq mille mètres, mais Nathan Lee était faible et souffrait d'une migraine tenace. Il lui fallut une semaine pour grimper à travers le brouillard glacé et une semaine encore pour redescendre de l'autre côté. Il connut son altitude lorsque les sangsues entreprirent de le saigner. Les *Hirudinea suvanjieff* ne survivaient pas au-dessus de deux mille mètres. Elles surgissaient de dessous les feuilles et les branches comme des doigts noirs et collants et il devait les détacher toutes les demi-heures de ses chevilles et de ses bras. Il en mangea quelques-unes, goûtant son propre sang.

Finalement, il atteignit la passerelle qui se balançait au-dessus de la rivière Arun, bouillonnante, qui descendait du Makalu.

Il arriva bientôt à un village du nom de Khandbari. La rue était déserte. Il apprendrait par la suite qu'ils étaient tous occupés à tuer un chien enragé, ce qui consistait à rester chez soi après avoir disséminé partout de grandes feuilles contenant du riz empoisonné. Pendant qu'il traversait le village, les gens l'observaient derrière leurs fenêtres. Il n'osait imaginer l'allure qu'il devait avoir avec sa barbe, sa béquille et son espèce de poncho fabriqué avec le sac mortuaire. Nathan Lee avait tellement faim qu'il se baissa pour manger le riz sur une des feuilles. Mais les gens l'en empêchèrent en criant.

Il s'assit alors sur un banc en face d'une petite école. Au bout d'un moment, deux policiers en uniforme brun, des Nike aux pieds, s'approchèrent de lui. Le plus jeune avait l'air terrifié. Nathan Lee crut d'abord qu'il redoutait de voir apparaître le chien enragé. Puis il comprit que c'était de lui que l'homme avait peur.

1. Plat traditionnel tibétain à base de farine d'orge grillée mélangée à du thé au beurre salé.

Le vieux policier avait un bâton sous son bras.

— Puis-je voir votre passeport, Monsieur ? demanda-t-il.

— Je ne l'ai plus.

— Êtes-vous l'homme du Makalu ?

Ils le connaissaient. Soudain, ses dernières forces l'abandonnèrent. Ochs était passé par là et avait commencé à débiter son histoire selon laquelle, évidemment, il était une victime qui avait échappé à une mort violente. Nathan Lee se sentait trop fatigué pour rectifier la vérité.

— Puis-je avoir un peu de *chai*, s'il vous plaît ?

Le jeune policier courut chercher du thé.

— Que va-t-il se passer maintenant ? demanda Nathan Lee.

— Tout ira bien, Monsieur.

Le policier revint avec une tasse de thé au lait largement sucré et dans l'autre main, une paire de vieilles chaînes.

Nathan Lee but le thé, puis les regarda tranquillement passer les chaînes autour de sa cheville valide. Ce n'était qu'un cauchemar et il allait se réveiller. Il avait une fille qui l'attendait et il n'était pas un méchant homme. Ils allaient se rendre compte de leur erreur. *Tout ira bien*, avait dit le policier.

Par compassion, ils ne passèrent pas les chaînes autour de sa jambe enflée. Pour eux, la bête avait été capturée.

4.

Dimanche

Kerkyra, Corfou

Après la messe, les fidèles s'étaient rassemblés dans le parc pour discuter avec leurs amis et profiter de leur dernière heure de tranquillité avant l'arrivée des touristes. Pâques était passé. On avait promené le corps momifié du saint de l'île dans les rues de la ville avant de le rendre à l'église.

Dans le musée, la statue de la gorgone Méduse, vieille de deux mille six cents ans, avait été époussetée. La saison de l'argent pouvait commencer.

Dans quarante minutes, le ferry accosterait au port en provenance d'Italie. Les premières hordes d'anglais et d'Allemands au teint pâle débarqueraient. Avant la fin de l'été, des dizaines de milliers de visiteurs arriveraient ainsi, certains en route vers d'autres îles, d'autres encore venus s'allonger sur les plages de Corfou. Tous passeraient par la capitale de l'île et la ville les attendait, fin prête. Les *rembetis* avaient accordé leurs bouzoukis, les cafés et les restaurants rempli leurs réserves. Les prostituées, les chauffeurs de taxis et les hôteliers piétinaient d'impatience.

C'était une belle matinée et le soleil brillait, haut et chaud, sur la mer bleue. Du basilic, du thym, du romarin et de l'origan recouvraient les collines qui dominaient la ville. Les chats, assommés par la chaleur, sommeillaient près des jardinières sur le rebord des fenêtres.

Soudain, un cri retentit en haut d'une ruelle, puis un autre encore.

— Ralentis, idiot, cria quelqu'un.

Un jeune homme aux yeux fous dévalait la rue, à peine capable de diriger son vélo. Un pêcheur costaud parvint à l'intercepter avant qu'il ne fonce dans la foule du dimanche. Le vélo heurta le mur et le jeune homme tomba sur les pavés.

— Ce n'est que Spyros, s'exclamèrent les témoins.

La moitié des hommes de l'île se prénommait ainsi du nom de leur saint, Spyridon. Mais celui-ci ne ressemblait pas aux autres. C'était Spyros le simplet, un employé de ferme.

— La Madone, la Madone, répétait-il.

Il portait des pantalons en toile grossière et rapiécée et un T-shirt usé des Rolling Stones. Les larmes inondaient son visage.

— De quoi s'agit-il, cette fois, Spyros ?

Ce dernier se remit sur ses pieds et commença à débiter des propos incohérents sur une apparition.

— Tais-toi, cria une femme. Tu vas faire peur aux enfants.

Mais il continua. Un ange lui était apparu sur la colline.

— La Vierge elle-même.

Un voyou du coin le poussa.

— Ne blasphème pas.

Mais le pêcheur s'interposa.

— Laissez-le tranquille. Il n'a pas toute sa tête.

— Alors qu'il se taise. Il va faire fuir les touristes.

— Elle arrive, dit Spyros.

Il jetait des coups d'œil terrifiés derrière lui. Les gens regardèrent, mais ne virent rien.

Quelqu'un lui lança un caillou comme pour éloigner un chien. D'autres pierres suivirent. Certains ricanaient, sifflaient ou crachaient.

— Elle arrive du Paradis, insistait le jeune garçon.

— Retourne à tes chèvres, Spyros.

— Sa famille ne m'a jamais inspiré confiance, confia un homme. Regardez ces yeux bleus. Il descend des turcs.

Puis, ils prirent conscience de sa présence. Elle était sortie de l'ombre au coin de la ruelle et descendait lentement vers eux. Peut-être avait-elle suivi Spyros. À moins qu'elle n'ait été attirée par le son des cloches de l'église.

— Seigneur Dieu, tout-puissant, murmura quelqu'un.

Elle avançait sur deux jambes, mais n'avait pas l'air humaine. Nue comme un fantôme, elle semblait faite de glace. À distance, son corps donnait une impression d'irréalité. Elle se rapprocha de façon hésitante, à la vitesse d'une somnambule.

Lorsqu'elle passa, Spyros mit les mains sur sa tête et se recroquevilla contre le mur. Le pêcheur la fixa un moment, incrédule, avant d'ôter sa casquette d'un air incertain et de se signer. Elle passa devant eux sans un regard.

— Qu'est-ce que c'est que ça ? murmura quelqu'un.

La route s'ouvrait devant elle, la foule s'écartant pour se presser contre les murs. *Qui était-elle* ? *D'où venait-elle* ?

En plein soleil, elle paraissait encore plus fantastique. Sa peau, pratiquement transparente, laissait apparaître ses veines, ses organes et ses os. Et pourtant, cette vue n'avait rien d'effrayant. Au contraire. Malgré son apparence, la beauté de la femme était évidente. Elle avait de longs cheveux noirs, à l'exception des racines transparentes, avec des fleurs et des feuilles tressées dedans. Son corps était voluptueux, sa poitrine lumineuse et ses hanches larges.

Elle s'arrêta. Qu'un remarqua le bas de ses jambes où la peau était arrachée. Les chiens de berger l'avaient mordue. Des épines avaient griffé ses pieds. Si cet être transfiguré descendait du paradis, sa marche avait de toute évidence été longue.

L'odeur de la mer l'avait peut-être arrêtée ou la vue de l'église. Personne ne comprit pourquoi elle s'immobilisa soudain parmi eux. Elle toussa légèrement.

— Quel est votre nom ? demanda quelqu'un.

Rien sur son visage radieux ne montra qu'elle avait entendu. Elle ignora la question. Son calme était étonnant.

— Pourquoi êtes-vous venue ici ? interrogea un autre.

Sa bouche s'ouvrit, mais aucune parole n'en sortit. Seulement un son, un peu comme le début d'une chanson. Son innocence les impressionnait. Ils écoutèrent cette simple note qui continuait encore et encore.

Elle leva les bras de côté et une chose merveilleuse se produisit. Dans le mouvement, des ailes de couleurs apparurent et disparurent. Sa peau se transforma en un prisme. Elle regarda le soleil et son corps tout entier s'embrasa comme un arc-en-ciel.

— Quel genre de créature est-ce là ?

Quelqu'un l'aurait reconnue si elle était née sur l'île. Mais personne ici n'avait jamais rencontré Médée, la cinquième épouse de Nikos Engatromenos.

Une vieille femme vêtue de noir, son chapelet à la main, s'enhardit et toucha l'ange. L'étrange créature tourna légèrement la tête dans sa direction et un murmure traversa la foule.

La vieille femme la regarda de plus près et prit sa décision. Elle s'agenouilla.

— *Evloyite*, dit-elle.

Normalement, il s'agissait d'une parole d'accueil destinée aux moines. Elle la répéta.

— Bénissez-moi.

Des arcs en ciel balayèrent sa robe noire.

Soudain, la foule réagit.

Dans son inconscient collectif, elle reconnut dans la femme un ange tombé du ciel. Le mot circula et des centaines de personnes s'approchèrent pour faire la génuflexion et la toucher. Les plus proches se signèrent après avoir humidifié le bout de leurs doigts de sa sueur. D'autres déchirèrent des morceaux de leurs vêtements pour les presser contre sa peau miraculeuse.

Au loin, une trompe résonna sur la mer. Le ferry de 12 h 10 en provenance de Brindisi approchait. Les dockers, les chauffeurs de taxi et les cafetiers sortirent de la foule et se précipitèrent pour accueillir les touristes.

Derrière eux, Médée chanta. Elle étincelait. Avec ses ailes de lumière, la peste était venue à la rencontre de ses messagers.

5.

Passer le cap

Nouveau Mexique
Septembre, quatre mois plus tard

Le car jaune, ordinairement réservé au ramassage scolaire, sortit de la foule constellé d'éclaboussures d'œufs, de sang et de peintures fluo qui lui donnaient un aspect psychédélique. Abbot observa les passagers qui jetaient des coups d'œil inquiets par les fenêtres. Même si certains auraient pu passer pour des hippies avec leurs cheveux filandreux et leurs vieux jeans, ils étaient tous des scientifiques de renommée internationale en route pour la mesa, plus connue sous le nom de Laboratoire national de Los Alamos.

Jeune ou vieux, riche ou pauvre, bizarre ou normal, chacun d'eux se distinguait dans son domaine de recherches. Abbot les voyait du fond : cheveux blonds décolorés et oreilles percées, crânes rasés de moines, épaules de déménageur, crinières de savant fou ou brushings, hommes et femmes. Des intellectuels policés rodés aux conversations de salon côtoyaient des timides patentés. Certains ne juraient que par Bach, d'autres par Puff Daddy. Plusieurs jouissaient de carrières universitaires ou dirigeaient des laboratoires publics ou privés. Certains avaient empoché des millions de dollars en créant et revendant leur propre start-up de biotechnologie. La majorité était des biologistes, réputés plus sociables que les mathématiciens ou les physiciens. Probablement parce que plus proches des êtres vivants, même si ceux qu'ils manipulaient étaient minuscules. D'une façon ou d'une autre, tous jouaient avec la mort, un moyen comme un autre de garder le contact avec la réalité.

En sa qualité de patron de l'Académie nationale des sciences, Abbot était directement visé par l'émeute. C'était lui qui avait organisé cette tranquille retraite au Rancho Encantado, un hôtel situé au nord de Santa Fe. Le dalaï-lama lui-même y avait séjourné – une photo de lui avec un chapeau de cow-boy figurait en bonne place dans l'entrée. Au cours des deux premières journées, les scientifiques avaient présenté leurs documents, montré des photos et fait du cheval. Ce matin, ils s'étaient levés tôt, et après avoir avalé un petit-déjeuner de pancakes et d'œufs, avaient pris place dans le car scolaire. Pour se retrouver au milieu de cette foule hurlante qui les attendait sur l'autoroute 40.

La haine des manifestants était évidente. Ils avaient dû laisser les œufs pourrir au soleil pendant des jours et les policiers antiémeutes accroupis sur les côtés ou sur le marchepied de la porte empestaient le sulfure d'hydrogène. Leurs armures de tortue Ninja dégoulinaient de peinture et les scientifiques se tenaient à distance. Abbot trouvait la peinture et les œufs espiègles, mais considérait le sang comme de la pure malveillance. Il s'agissait de sang humain donné par les anarchistes radicaux. En ces temps de SIDA, jeter du sang représentait un véritable acte terroriste.

Les journaux allaient traiter cela comme une manifestation de plus contre les généticiens. Les pacifiques convaincus protesteraient devant cette violence aveugle, mais en profiteraient pour dénoncer les chercheurs diaboliques. Le shérif insisterait sur sa maîtrise de la situation et le gouverneur présenterait ses excuses. Toute une chorégraphie bien étudiée. Abbot savait comment ces choses-là fonctionnaient. Quelqu'un de très haut placé avait autorisé la manifestation pour rappeler aux distingués membres du XIe Symposium sur le génome humain qu'ils devaient craindre Dieu.

Abbot passa en revue ses ennemis. Une sale bataille faisait rage au Sénat sur la question des coupes de budget. La science était traitée en parasite. Au nom de ses partisans créationnistes, le sénateur du Texas, Jimmy Rollins, se manifestait de nouveau, l'écume aux lèvres. Un esprit médiocre et un plagiaire de bas étage. Et il ne fallait pas oublier le lobby de l'Union européenne qui cherchait à bloquer l'arrivée sur ses rives d'aliments génétiquement modifiés. Sans parler des syndicats d'agriculteurs qui voulaient faire pression.

— Arrête de gigoter, protesta sa voisine.

Son badge indiquait *Elise Golding/UC*. Le simple « UC » ne rendait pas grâce à l'Université de Californie qui représentait en fait un véritable empire, incluant même Los Alamos. Élise tapota son bras.

— C'est l'époque, Paul, dit-elle.

Elle avait attaché ses cheveux poivre et sel en queue-de-cheval et le soleil bas lissait les lignes de son visage, gommant les rides. L'espace d'un instant, elle parut trente ans plus jeune et il retrouva la jeune femme qu'il avait rencontrée pour la première fois, ironiquement, au cours d'une protestation contre la guerre du Vietnam. Elle suivait alors des études à Cornell et lui, au MIT. Tout le monde débordait d'audace ce jour-là. Et cette nuit-là.

— Il ne s'agit pas seulement de fondamentalistes et d'opposants à l'avortement, grogna-t-il. Tu as vu leurs pancartes. Tous les luddites sont là : Greenpeace, les écologistes d'Earth First, WAAKE-UP, les défenseurs des droits des animaux, les casseurs de la Confédération syndicale des travailleurs.

— Et tu l'as bien cherché, fit-elle remarquer.

— Bon sang, Élise. Ils viennent juste d'attaquer un car de transport scolaire.

— Ils s'en sont pris à une idée.

— Influencés par les démagogues et les âneries répandues par les radios et les tabloïds.

— Reconnais-le, Paul, tu es en colère parce que ton plan a échoué.

— Quel plan ?

— Tu nous as utilisés.

Ses yeux brillaient d'un éclat gris acier. Elle supportait mal ce qu'elle qualifiait de combines. C'était d'ailleurs la raison pour laquelle il lui avait confié Miranda. Élise incarnait l'éthique.

— Tu as tracé une ligne dans le sable et ils l'ont franchie. C'est aussi simple que cela. De la politique. Tu es aussi coupable qu'eux. Tu voulais faire passer un message et il t'est revenu dans la figure. Les choses ont dégénéré, mais Dieu merci, personne n'a été blessé. Ces fenêtres ne sont pas à l'épreuve des balles, tu sais.

— Allons-nous devoir demander la permission à la populace pour faire des recherches ? Quelqu'un se doit de réagir, Élise. Ils ne s'opposent pas seulement à la génétique et tu le sais. Toutes les sciences sont concernées. Cela se sent dans les éditoriaux, les coupes de budgets et les salles de classe vides. Nous revenons au Moyen Âge. Bientôt, ils brûleront les livres. Et nous avec.

— Tu voudrais qu'ils t'aiment.

— Bien sûr que non.

— Si. Tu voudrais qu'ils soient impressionnés par les étincelles de la découverte et qu'ils te remercient. Et un jour, ils le feront. Peut-être découvrirons-nous une nouvelle source d'énergie, un nouveau remède ou un vaccin pour cette chose en Méditerranée. La roue tourne. Mais tu dois comprendre que pour chaque alunissage d'un Apollo, il y a un Galilée incompris. Pour chaque Salk ou Curie, il y a un Darwin. Pour chaque Carl Sagan ou Stephen Hawking tentant d'instruire les masses, il y a un Mengele ou un Teller qui leur donne des cauchemars. Nous ne sommes pas en phase de félicitations pour l'instant, c'est tout. Et tenir une convention de généticiens dans leurs jardins ne t'aidera pas.

— Leur jardin ? Nous sommes au milieu de nulle part.

— Tu sais très bien ce que je veux dire. Tu as fait les gros titres. Tu as donné une interview à cette journaliste de *20/20* la semaine dernière. Tu aurais pu te focaliser sur la recherche d'un vaccin pour ce virus méditerranéen. Tu aurais pu nous faire passer pour des héros. Au lieu de cela tu as parlé d'évolution. Où voulais-tu en venir avec tout ce baratin sur les mutations comme plan de Dieu ? Et pourquoi choisir un ranch perdu dans le désert au lieu d'installer tranquillement ces gens à Los Alamos où ils auraient été à l'abri ?

La veille, Abbot avait lu un rapport confidentiel de l'Agence nationale de sécurité recommandant la fermeture immédiate et pour trois mois de toutes les frontières américaines. Il se trouvait à l'origine de cette décision. Ce serait une mesure draconienne – pas de déplacements par air, terre ou mer, pas de fret, pas de voyages d'affaires à Paris, pas de vacances de printemps à Cancun – qui devait être prise par décision présidentielle. Les politiciens et les bureaucrates la bloqueraient jusqu'au jour du Jugement Dernier. L'économie allait s'effondrer. Le président hésitait. Mais l'épidémie de fièvre aphteuse et la crise de la vache folle en Europe il y a quelques années, et plus récemment, les cas d'anthrax en Amérique, jouaient en faveur d'une riposte rapide. Le président était prêt à signer la directive. Mais pour l'instant, aucune raison de semer la panique parmi la population comme on en était convenu dans les hautes sphères. Même Élise n'était pas dans le coup.

— L'épidémie sévit en Méditerranée, à des milliers de kilomètres des Américains. D'ailleurs, les Européens s'en occupent. Cela ne nous concerne pas. C'est un pays libre, Élise. La science fait encore partie du monde.

— Et c'est pour nous en convaincre que tu nous mets en danger. Nous avons eu de la chance.

Elle marquait un point. Dans un sens, il considérait chacun d'eux comme sa propriété, des biologistes aux astronomes, en passant par les grosses têtes de la robotique et les chasseurs de papillons. En sa qualité de tsar de la science, il les entretenait grâce aux bourses et autres subventions qu'il obtenait du Congrès, des entreprises ou des vrais partisans. Il orientait leurs recherches et récompensait leur génie. Même des étrangers venaient se glisser dans son orbite. Il se sentait coupable de cette émeute. Il était leur roi et se devait donc de veiller à leur sécurité. Élise avait raison, ils avaient eu de la chance, ces projectiles de peinture auraient pu être des balles.

— J'aime cette heure matinale, déclara-t-elle soudain, et il l'observa.

Au cours des années, Abbot s'était souvent demandé pourquoi ils ne s'étaient pas mariés. Ils en parlaient de temps en temps. *Si seulement tu avais dit ceci ou fait cela.* Mais quelle qu'en soit la raison, ils ne l'avaient pas fait. Ils avaient dérivé vers d'autres personnes, avaient trouvé un compagnon, fondé une famille, puis perdu leurs compagnons. La mort avait emporté son Victor six mois plus tôt et avait failli l'avoir aussi. Les chirurgiens avaient réparé son cœur brisé, mais elle était toujours fragile. Abbot eut soudain envie de prendre sa main dans la sienne, mais il ne le fit pas. S'ils avaient été plus jeunes peut-être, mais aucun d'eux ne se remarierait. Alors à quoi bon…

Le car montait en direction de la mesa. Ils traversèrent Los Alamos avec ses immeubles et son parc vert qui rappelaient une ville d'Amérique centrale des années 1970. C'était un centre d'affaires. Son domaine d'activité : les sciences.

Le car s'arrêta à l'entrée d'un pont au-dessus d'un profond canyon. Le trafic était normalement fluide pour pénétrer dans le centre de recherches. Mais ce matin, après la démonstration devant le Rancho Encantado, des soldats lourdement armés veillaient, prêts à en découdre. Un officier muni d'une écritoire à pinces monta dans le car et suivit l'allée jusqu'aux sièges d'Abbot et de Golding qui signa le document qu'il lui tendit. Après l'avoir remerciée, il entreprit de distribuer des badges et des dosimètres. Puis les soldats firent signe au chauffeur d'avancer et le véhicule franchit les barricades de fortune. L'atmosphère se détendit nettement dès qu'ils traversèrent le pont. La vue de mitrailleuses montées sur des Hummers était une nouveauté pour la plupart des scientifiques qui traitaient leurs badges de sécurité et leurs détecteurs de radiations comme des tickets pour un parc d'attraction à la James Bond.

S'étendant sur plus de cinquante kilomètres carrés, le terrain se divisait en zones techniques regroupant centres de recherches et immeubles de bureau. Dans les années cinquante, la Commission pour l'Énergie atomique américaine avait reçu pour mission d'étudier les mutations causées par les radiations ionisantes – s'il envisageait de lâcher des bombes H et de construire des réacteurs nucléaires, le gouvernement voulait en connaître les conséquences. Avec le temps, la mesa s'était transformée. La Commission de l'énergie atomique avait été rebaptisée Département de l'énergie, la ville de Los Alamos était passée sous la tutelle de l'Université de Californie et la recherche génétique se concentrait maintenant sur le Projet de génome humain. Aujourd'hui, deux anciens pacifistes, Élise Golding et Paul Abbot, se trouvaient à la tête du berceau de la Bombe.

Le car s'arrêta sur un parking vide en face d'une nouvelle structure qui portait le nom de LABORATOIRE ALPHA. Une silhouette solitaire les attendait, recroquevillée dans un fauteuil roulant hérissé de gadgets et de manettes et muni d'un ordinateur intégré.

— Cavendish, souffla un des passagers.

— Le prince noir.

Il n'avait guère changé depuis la dernière fois qu'Abbot l'avait rencontré aux séances de la Commission à Washington, deux ou trois ans plus tôt. Pas de boutons : un col roulé. Des pantoufles. Son petit menton bien rasé.

La raison de cette première audition par le Congrès avait été le monstrueux « arbre à viande » qu'il avait conçu. Financé par Burger King, Cavendish, enfermé dans un laboratoire privé du Nebraska, avait créé un troupeau de vaches sans tête. En fait, les vaches de Cavendish avaient une tête, mais génétiquement débarrassée du superflu. Il ne s'agissait que d'une petite boîte osseuse avec un trou pour la respiration et un autre pour le tube qui les nourrissait. Pas d'yeux, d'oreilles, de mâchoires ou de cornes, tout ce qui était inutile pour une existence rudimentaire. Techniquement parlant, chaque animal possédait un cerveau, un bout de cervelle qui gérait la respiration des poumons et la digestion des aliments.

Jusque-là, personne n'avait jamais entendu parler d'Edward Cavendish. Mais cela devait changer. Négligeant la voie académique, Cavendish informa directement le public de sa création publiant des photos qui choquèrent le monde entier. Il justifiait ses arbres à viande par toutes sortes d'arguments. Ils seraient des sources de protéines bon marché pour le tiers-monde. Enfermés dans des usines, ils épargneraient la forêt tropicale et permettraient de rendre les pâturages américains aux buffles. Et comme ses mutants naissaient dans un état comateux, ils ne souffraient pas. Pas plus qu'ils n'avaient de conscience ou d'« âme », ce qui signifiait que même les végétaliens pourraient manger leur viande sans scrupule.

Les experts ne mirent pas longtemps à souligner les dangers d'une telle chose. Si on pouvait créer des vaches sans tête, pourquoi pas des hommes sans tête pour les greffes d'organes ? Pendant quelques semaines, Cavendish mobilisa l'attention internationale, reléguant en dernière page un typhon au Bangladesh ou l'explosion d'un bus au Québec. Les tabloïds aiguillonnaient l'hystérie collective. Tout le monde avait un avis, du cow-boy prédisant la fin des paysans aux curés et philosophes qui maudissaient son esprit tordu. En conclusion, l'incident n'avait été qu'un one-man-show, un brutal « coming-out » et le Congrès vota rapidement une loi contre les arbres à viande. Mais Cavendish n'avait pas dit son dernier mot.

La seconde rencontre d'Abbot avec Cavendish eut lieu après l'incident du Neandertal. Utilisant l'ADN extraite du nerf gelé d'une dent sur une mâchoire et « utilisant » une vache à lait de Jersey pour l'utérus, il avait cloné un enfant néandertalien. De nouveau, sa création choqua le monde entier. Comme *Homo neandertalis* n'était pas, au sens strict du terme un *Homo sapiens*, Cavendish était parvenu à dépasser le tabou du clonage humain sans pour autant le briser. Mais la barrière psychologique était franchie. Le clonage humain avait fait son apparition.

Une commission présidée par Abbot avait écouté avec attention les moralistes. Pendant les auditions, Abbot en était venu à respecter Cavendish. Le mépris du jeune homme pour les recherches timorées trouvait son origine dans une profonde misanthropie. Il était intelligent et avait des *cojones* en plus de la ruse d'un jeune turc. D'une certaine façon, il ressemblait à Abbot lui-même avant qu'il ne comprenne que le public n'était pas un outil, mais la boîte à outils.

— Je le croyais interdit de séjour ? fit remarquer un des scientifiques.

— Il a seulement reçu un blâme, rectifia une femme. Il a toujours le droit de bidouiller. Ici même et subventionné par l'argent du contribuable !

Cavendish devait à Abbot sa « retraite » à Los Alamos après l'affaire du Neandertal. Élise méprisait l'homme, mais comprenait le raisonnement d'Abbot. La science ne pouvait pas se permettre de perdre un cerveau comme celui de Cavendish. Et elle ne pouvait pas non plus le laisser se déchaîner seul dans le monde. À Los Alamos, son génie pouvait – en théorie – être canalisé et placé sous la surveillance attentive de son plus grand critique : elle-même. Sauf qu'elle avait cinquante autres projets à superviser, sans parler des réunions budgétaires et d'un système universitaire à administrer. Sa crise cardiaque avait stoppé net sa surveillance et personne ne savait exactement ce que trafiquait Cavendish depuis six mois. Abbot avait entendu parler d'un projet d'utérus artificiel en cours de fabrication auquel Miranda participait.

Il la chercha du regard. Sa fille rebelle lui manquait de plus en plus. Mais il ne fut pas surpris de constater qu'elle n'était pas venue l'accueillir. Froide et hautaine Miranda. Fille d'un père froid et hautain. Élise devina sa déception.

— Nous la trouverons, dit-elle. Elle veut te voir.

— Ne raconte pas d'histoires, s'il te plaît.

— Accepte ses règles pour commencer. Sois fier d'elle.

— Tu penses que je ne le suis pas ?

— Paul, Miranda n'est pas ton ennemie.

— Quoi ?

Mais Élise garda le silence.

Grognant sous le poids de leurs armes et de leurs tenues de combat, les policiers descendirent les premiers et prirent position. Comme des enfants lors d'un voyage d'études, les scientifiques les suivirent en file indienne. Septembre venait de commencer et l'air était vif à cette altitude. Ils se regroupèrent d'un air hésitant, certains enveloppés dans des couvertures en laine portant le logo du Rancho Encantado.

— Bonjour, lança Cavendish d'un ton joyeux, sans s'adresser à personne en particulier.

Ses yeux les passèrent en revue pour les compter. Il remarqua Abbot et Golding et reconnut le pouvoir.

— 'Jour, répondit l'un d'entre eux.

Les passagers contemplaient d'un air choqué les dégâts subis par le car scolaire.

Cavendish ne sembla pas les remarquer.

— Suivez-moi, dit-il. Vous êtes en retard. C'est presque l'heure.

— Il vaudrait mieux que ça en vaille la peine, fit remarquer une voix de femme.

— Ouais, ça vaudrait foutrement mieux, renchérit un autre.

Abbot comprit que leur grossièreté cachait une curiosité qu'ils refusaient d'admettre. Et peut-être aussi la peur que Cavendish leur inspirait. Le groupe se dirigea vers le bâtiment. Cavendish attendit Abbot qui aidait Élise à gravir les marches.

— Toujours convalescente, docteur Golding ? remarqua aimablement Cavendish.

Ses yeux bleu-gris étaient bordés de longs cils noirs. Malheureusement cette touche de joliesse ne faisait que souligner la déformation de son visage en un masque crispé.

Abbot sentit Élise se raidir à son bras.

— Navrée de vous décevoir, docteur Cavendish, répliqua-t-elle. Les chirurgiens sont intervenus à temps. Vous allez devoir patienter encore quelques années avant d'avoir mon poste.

— Vous m'avez mal compris. Je m'inquiétais. L'air est plus rare à cette altitude et les nouveaux venus ont des problèmes les premiers jours.

— Je ne suis pas une nouvelle venue.

Que se passe-t-il ici ? pensa Abbot. Cet échange dépassait la simple friction de bureau. Il ouvrit la bouche pour intervenir, puis décida de ne pas s'en mêler.

— Mais nous ne vous avons pas vue depuis près de six mois, renchérit Cavendish.

— Ce qui explique pourquoi j'ai demandé à chaque département de me faire parvenir un rapport mensuel. Et vous avez refusé. Vous avez gardé le silence sur ce projet et je n'aime pas les surprises.

Cavendish refusait de capituler. De toute évidence, il souhaitait échapper à son contrôle. L'homme voulait son propre royaume.

Ils prirent un ascenseur. Bien que le panneau de contrôle indiquât trois étages en hauteur et trois en sous-sol, ils descendirent jusqu'au niveau - 4 et il y avait probablement d'autres étages en dessous, ce qui n'étonna pas Abbot. Pendant la guerre froide, Los Alamos avait été construite de façon à pouvoir résister à une attaque nucléaire.

Les portes de l'ascenseur s'ouvrirent sur un petit couloir carrelé de rouge et de blanc, sur lequel donnaient plusieurs portes. Ils pénétrèrent dans un sas à pression d'air positive. L'air chaud intérieur caressa le visage d'Abbot comme une brise tropicale. À mi-chemin dans le sas, il reconnut une porte à rayons ultraviolets, lesquels balayèrent chaque visiteur d'un bain de radiations de faible intensité destinées à tuer tout microbe sur leurs vêtements et leur peau.

— La salle d'accouchement, annonça Cavendish.

La porte du fond s'ouvrit.

Ils eurent l'impression de sortir sous la mer. La pièce ressemblait à une caverne de dix mètres de haut, baigné d'une lumière bleu-vert. Deux des murs étaient truffés de postes de travail, chacun disposant de son propre lot d'échelles et de passerelles, et le troisième présentait une rangée de bureaux vitrés. Au centre de la pièce, trônait un grand aquarium circulaire en verre bordé de métal. Un battement rythmé résonnait.

— Nous sommes dans la dernière étape de notre processus d'utérus artificiel. Ce bruit que vous entendez provient du système de contrôle du cœur fœtal.

Abbot collecta aussitôt les indices. Les battements cardiaques, s'ils étaient humains, ne correspondaient pas à ceux d'un enfant. Le bleu lumineux de l'eau suggérait du liquide amniotique synthétique. Trois hommes et une femme en tenue de plongée ajustaient leurs masques et leurs bouteilles sur la plateforme surplombant l'eau. Une naissance se préparait.

— Comment vous êtes-vous procuré tout ceci ? demanda Golding, sidérée. Je n'ai jamais rien vu de tel dans le budget.

— Mon pique-assiette l'a obtenu auprès des autres laboratoires, expliqua Cavendish. Nous possédions du matériel qui leur faisait défaut, alors nous avons fait un échange tout simplement. Pas d'argent. Pas de paperasse. Pas de trace dans le budget.

— Votre pique-assiette ?

— Un acheteur, si vous préférez. J'avais déjà fait appel à lui dans le passé. Il traîne par ici, quelque part. Un grand bonhomme, plein de ressources. J'ai décidé de le mettre à contribution.

— Que se passe-t-il exactement ici ?

— On se débrouille, docteur, répondit Cavendish. On se débrouille.

Un assistant se précipita, un relevé d'électrocardiogramme à la main, marqué de traits rouges et bleus. Cavendish étala le papier sur ses genoux.

— Nous sommes dans les temps, annonça-t-il. Si vous voulez bien rejoindre les autres. Nous allons commencer.

Abbot et Golding traversèrent une passerelle métallique et retrouvèrent les autres près des postes d'observation à mi-hauteur de l'aquarium. Ils entendirent un éclaboussement et un des plongeurs apparut dans un nuage de bulles blanches.

— Elle ressemble à sa mère, dit Élise.

Sursautant, Abbot reconnut Miranda.

Les autres plongeurs la rejoignirent et ils flottèrent en cercle. Quelques instants plus tard, une boîte en plexiglas de la taille d'une petite cabine téléphonique descendit dans l'eau. Les plongeurs s'en approchèrent et l'ouvrirent rapidement, révélant un sac opaque. Un câble ou une corde souple y était attaché. Les plongeurs attrapèrent chacun un côté du sac, faisant attention à ne pas accrocher les câbles colorés qui remontaient jusqu'à la surface. Abbot estima que l'un d'entre eux devait être relié au moniteur cardiaque et les autres chargés de contrôler les diverses fonctions vitales.

Puis ils découvrirent ce que le sac contenait.

Éclairée par des lampes sous-marines, la silhouette était recroquevillée dans la position du Penseur. Les scientifiques tremblaient d'excitation. Ils se trouvaient devant un utérus flottant. L'organe palpitait.

Mais la forme dans le sac paraissait trop grande. Enroulée en position fœtale, elle avait presque la taille des plongeurs autour d'elle. L'enfant néandertalien ne faisait qu'un quart de cette taille. Avaient-ils créé un géant ?

— Cavendish ! s'exclama une voix indignée parmi les scientifiques. Où êtes-vous, bon sang ?

— Ici. Je suis toujours avec vous.

Ils relevèrent la tête. Après avoir emprunté un petit ascenseur, Cavendish se trouvait maintenant au-dessus d'eux, près de l'aquarium, le visage verdi par l'écran de son ordinateur.

— Il y a treize semaines, un embryon cloné a été implanté dans l'utérus synthétique que vous voyez maintenant suspendu dans notre aquarium.

Il parlait d'une voix rapide et claire interdisant la moindre question.

Treize semaines ! s'étonna Abbot. *Trois mois seulement de la conception à la naissance ?* Puis il pensa : *Miranda.* Il se rappela son petit monstre, Winston, né en état de pleine maturité.

— Notre utérus représente une avancée révolutionnaire, reprit Cavendish. Le sac est fabriqué en nylon pour sa résistance élastique et à partir du propre ADN de l'embryon. Il grandit en même temps que le fœtus. L'ombilic est composé d'ADN embryonnaire recombiné avec les gênes de la soie d'araignée pour permettre la fixation d'un tube plastique. Pendant la gestation, les substances nutritives – là encore tirées des propres cellules souches de l'embryon – sont introduites par le tube qui est également connectée à un cœur artificiel. Ce qui a permis d'oxygéner le sang et d'en éliminer les impuretés. L'environnement du fœtus est maintenu à une température de 37 °C.

L'auditoire manifesta sa colère.

— Ce salaud l'a fait, gronda un homme.

— Mais treize semaines ?

Cavendish ignora le brouhaha.

— La naissance – au fait, c'est un garçon. Désolé de vous gâcher la surprise – a été programmée pour se faire en votre présence. Je suis heureux de vous annoncer que le moment est venu.

— Arrêtez ! cria une voix. Arrêtez avant d'aller trop loin.

La foule s'écarta devant Sir Benjamin Barnes, un vieil anglais qui s'appuyait sur une canne en racine de bruyère. Après avoir reçu le prix Nobel pour ses travaux sur l'ADN, celui-ci s'en était servi pour se constituer une fortune personnelle, coucher avec des beautés internationales et, d'une manière générale, saboter les travaux de tous ceux qui se lançaient sur ses traces.

— Votre exhibition de monstres sera notre perte… Si vous aviez reçu une formation convenable, vous sauriez que la science demande de la patience et des précautions. Il faut donner aux gens le temps de comprendre nos découvertes, de les assimiler.

Cavendish, qui avait conservé un sourire de Mona Lisa pendant la tirade, redressa la tête, écoutant les battements de cœur qui s'accéléraient.

— Pas le temps de discuter, j'en ai peur, dit-il. Sauf si vous voulez tuer cet être innocent avec vos vertus.

Le vieux Barnes frappa le sol de sa canne, mais le bout caoutchouté en amortit le bruit.

— C'est de la coercition, hurla-t-il. Je proteste. Je proteste énergiquement !

Les battements s'accéléraient encore.

— Sir Benjamin vote donc pour la mort. Et les autres ? demanda Cavendish.

Abbot observa le bras de fer dont il connaissait déjà l'issue. L'enfant naîtrait. Mais pas avant que Cavendish ne les ait ralliés à sa cause, bousculant leur hypocrisie. Depuis des années, le clonage humain se trouvait en suspension. Ils possédaient la technologie, la carte génétique, les compétences… mais pas le culot.

Les chercheurs gardaient le silence. Le cœur battait de plus en plus vite dans les haut-parleurs, avec urgence, intensité. Élise reprit la parole.

— Vous avez détourné la nature, dit-elle.

— Qu'y a-t-il là de nouveau ? rétorqua Cavendish. C'est notre rôle.

— Non, justement. Sir Benjamin a raison.

Abbot attendit. Cavendish allait-il hausser les épaules ? Les traiter d'imbéciles ? Il était plus intelligent que cela.

— D'après ce que j'ai retenu, Prométhée n'a pas demandé la permission aux dieux pour emprunter le feu. Il a tendu la main et le leur a pris.

— Et il en fut puni pour l'éternité, lui rappela Élise.

— Oui, mais il connaissait les risques. Il a agi en connaissance de cause et a illuminé nos ténèbres.

À l'intérieur du sac, la forme bougea légèrement. Dans l'aquarium, Miranda passa la main sur le sac pour apaiser l'enfant à naître.

— Pourquoi ? demanda Élise.

— Pour citer le grand Oppenheimer, « quand vous voyez une chose techniquement réalisable, vous la faites », répondit Cavendish.

— Mais dans quel but ?

Cavendish haussa les épaules.

— Qui sait ? répondit-il. Quelqu'un en trouvera un, un jour, j'en suis certain.

Tous les yeux étaient tournés vers Élise en sa qualité de supérieur de Cavendish. Il ne s'était soumis à son autorité, que pour mieux la forcer à capituler devant lui.

— Délivrez cette pauvre chose, murmura-t-elle.

— À vos ordres.

Cavendish frappa une seule touche sur le clavier de son ordinateur. Le signal.

Un des plongeurs coupa les câbles de couleur à l'aide d'une paire de ciseaux. Les battements de cœur se turent et, dans le silence, une voix lointaine commença à compter à rebours. Pendant ce temps, les câbles étaient tirés hors de l'eau.

À l'aide d'un scalpel, Miranda fendit alors le sac qui s'ouvrit, libérant son contenu dans un jet rosâtre. Les plongeurs élargirent ensuite l'ouverture pour détacher le placenta et divers débris organiques remontèrent à la surface. Le nouveau-né restait caché derrière les plongeurs et les volutes rosâtres.

Puis le clone se libéra. Il coula d'abord, tête en bas, traînant derrière lui le cordon ombilical. Abbot crut que le scalpel l'avait blessé parce qu'un flot noir entourait sa tête. Puis il réalisa qu'il ne s'agissait pas de sang, mais de cheveux, une chevelure de près d'un mètre de long.

Miranda se propulsa vers le fond où elle le prit dans ses bras. Les cheveux s'enroulèrent autour de ses épaules.

Le clone déplia ses membres. Ce n'était pas un enfant. Ses mains et ses pieds avaient déjà des ongles longs et courbés et son menton une barbe. Ses poils ressortaient noirs de jais sur sa peau qui n'avait jamais vu le soleil.

Les autres plongeurs rejoignirent Miranda et, ensemble, ils remontèrent l'homme vers la surface. Alors qu'ils passaient devant les hublots d'observation, le clone s'éveilla soudain au monde et ouvrit les yeux. Ils étaient bleus. Bleu-gris.

— Regardez ! s'exclama un chercheur.

Derrière son masque de plongée, même Miranda parut choquée.

Il n'y avait pas d'erreur possible. Cavendish s'était cloné lui-même.

Les yeux s'ouvrirent largement et le clone tourna la tête, examinant ce qui l'entourait. Il remarqua le groupe de scientifiques qui l'observait derrière la vitre. Un petit sourire se dessina dans sa barbe.

— As-tu vu cela ? murmura Abbot à Élise.

— Évidemment, rétorqua-t-elle, bouillant de rage. Le génie est sorti de sa bouteille.

— Non, Élise. Le sourire. Il a souri. Il nous a reconnus.

DEUXIÈME PARTIE

L'an deux

6.

Le monstre

Katmandou / Prison de Bhadragol
Treize mois plus tard

Comme une gargouille à lunettes, Nathan Lee était assis en tailleur sur le rebord de la fenêtre, le livre de contes qu'il écrivait pour sa fille posée sur ses genoux. Il y travaillait depuis presque un an. Il était très tôt et un brouillard bleu caressait ce qui restait de ses orteils. Sur le sol derrière lui, trois lépreux dormaient, serrés les uns contre les autres.

Le palais m'appartenait, écrivit-il bien proprement. *La nuit, j'écoutais les battements de mon cœur et le grattement léger des griffes des geckos. Pour les lézards, j'étais le roi.*

Il laissa un espace de dix centimètres pour y coller plus tard un dessin ou une photo. Peut-être une vue aérienne d'un labyrinthe de style Escher ou une peinture naturaliste d'un gecko. Il avait toujours été doué pour le dessin. Il lui donnerait un délavé sépia ou bien ajouterait quelques couleurs à l'eau à l'aide d'une brosse sèche. Il fallait faire attention quand on peignait sur du vieux papier de riz.

Je pouvais épier les gens qui vaquaient à leurs occupations. Sa bougie tremblait à l'intérieur de la lanterne en fer-blanc. *Mais même quand je hurlais, personne ne semblait me remarquer. Personne jusqu'au jour où une petite fille releva la tête vers ma fenêtre.*

Il adorait cette heure du jour. Il avait pris l'habitude de se réveiller le premier parmi tous les prisonniers. Bien trop vite, l'aube pointerait son nez et les coqs lanceraient leurs cris. Les chiens aboieraient. Neuf cents hommes et adolescents sortiraient dans la cour, murmurant des prières et se débarrassant du goût de la nuit en crachant, vociférant, se lavant et marchandant quelques rations supplémentaires de riz ou de vieux magazines de cinéma indien. Et le bruit durerait jusqu'à la nuit.

Mais pour l'instant, le silence régnait et il pouvait prétendre être seul avec sa fille.

Autrefois, la prison de Bhadragol avait été un palais Rana. À cette heure et dans ce brouillard, il était facile d'en imaginer la gloire passée. Dans ces bâtiments maintenant occupés par des meurtriers, des prisonniers politiques et des violeurs, des rajas avaient jadis écouté de la musique. Sur les terrasses où les prisonniers faisaient aujourd'hui pousser des petites tomates rouges et des racines de gingembre, les princes avaient fait voler des cerfs-volants. Les singes avaient gambadé sous des tonnelles qui n'existaient plus. Les éléphants et les paons s'étaient désaltérés à l'eau d'un bassin sur lequel avaient flotté des lotus vert émeraude. Il avait découvert tout cela et l'avait incorporé dans ses histoires.

L'ancien palais représentait pour lui une évasion. Depuis qu'il avait été incarcéré, quatorze mois plus tôt, Nathan Lee s'était échappé trois fois. Mais il n'était pas doué et sa plus longue période de liberté avait duré quinze minutes.

Après sa dernière tentative, ils l'avaient transféré dans ce camp médiéval et avaient ajouté cinq années à sa peine de vingt ans de prison. De plus, en signe de représailles, ils l'avaient installé avec les lépreux, ce qui s'apparentait à une condamnation à mort. La léproserie n'inquiétait pas Nathan Lee – la lèpre était rarement contagieuse – mais les lépreux étaient considérés comme des morts vivants et, en conséquence, recevaient moins de nourriture que les autres prisonniers. Or, même avec une ration complète, Nathan Lee savait pertinemment qu'il ne survivrait jamais un quart de siècle dans cet égout du tiers-monde.

Le coin des lépreux se trouvait à l'écart et était considéré comme moins dangereux que les autres bâtiments. Les gardes le surveillaient, mais également les autres prisonniers. Même les intouchables détestaient voir les lépreux se mélanger à la population carcérale. Comme des oies, les prisonniers criaient dès que quelqu'un voulait sortir du bâtiment. La seule personne de condition plus basse que la leur était l'occidental. Le cannibale.

Nathan Lee ne gardait qu'un vague souvenir de son procès, en arrière-plan d'un cauchemar d'interrogatoires et d'horreur à la vue de ses orteils gelés en train de noircir sur leurs os. Les ciseaux de l'impitoyable docteur indien s'étaient imprimés dans sa mémoire bien plus que les juges ou les avocats. Apparemment, un animal sauvage avait trouvé le corps de Rinchen avant les autorités et des photos horribles avaient été diffusées montrant le corps déchiqueté empêtré dans la corde rose de Nathan Lee. Une fois les charges de cannibalisme retenues, les membres du Consulat américain avaient déserté la salle d'audience et le reporter du *Men's Journal* s'était rapproché.

Dans une déposition sous serment délivrée par la valise diplomatique, le professeur David Ochs avait déclaré que Nathan Lee avait également tenté de le pousser dans le vide. « Un monstre » avait conclu le principal journal népalais, *The Rising Sun.* « Le yéti est vivant. » La cour avait partagé cet avis. Nathan Lee s'était habitué à ce que les autres prisonniers lui crachent dessus ou lui jettent des pierres. Mais l'idée que sa fille Grace puisse entendre ces horreurs le déchirait. Il ne pouvait que prier pour que Lydia la tienne à l'écart.

À sa grande surprise, les lépreux se montrèrent bons envers lui. Ils le soignèrent et le nourrirent quand il eut la fièvre. Ils lui donnèrent un matelas, une couverture et une moustiquaire qui avait appartenu à un homme décédé. Le matin, ils l'interrogeaient parfois sur ses cauchemars. Il s'avéra qu'il pleurait toutes les nuits dans son sommeil.

Une fois par jour, ils étaient autorisés à se promener dans la cour. En général, c'était l'heure la plus chaude, la plus humide ou la plus froide. La plupart des prisonniers se réfugiaient à l'intérieur de leurs propres quartiers pendant que les lépreux déambulaient en boitant le long des murs. Un jour, Nathan Lee avait remarqué des marques laissées par des défenses d'éléphant assez haut sur le mur oriental. Bien qu'elles aient été colmatées avec du plâtre, elles témoignaient de la présence passée des éléphants royaux. Ce fut le commencement de son livre pour Grace.

Il poursuivit ses recherches archéologiques autour du vieux palais, prenant des mesures, examinant le terrain du haut des fenêtres, écoutant les histoires. Il en vint à considérer ces observations comme sa thèse depuis longtemps abandonnée. Sa quête devint magique pour les lépreux, qui lui fournirent du papier et de l'encre pour ses dessins. Ils lui donnèrent des ailes.

Il embaucha un des lépreux, un cordonnier, pour coudre les pages ensemble en un livre qui rassemblait un fatras de toutes sortes de papier : des feuilles de papier de riz, d'autres en tissu, en écorce d'arbre ou même en papyrus ou en vélin. En tout, il y avait près de trois cents pages réunies à l'intérieur d'une couverture récupérée sur un abrégé de botanique du XIXe siècle, intitulé *Flora of the Greater Himalaya*, par George Bogle, un spécialiste des pommes de terre. Son livre était aussi beau qu'étrange. Il pesait près de deux kilos et avait l'odeur d'une chose belle, rare et attirante. Ses notes archéologiques et ses histoires occupaient les premières 183 pages. Le reste était vide, attendant son crayon et son pinceau. Chaque matin, Nathan Lee se levait à la même heure pour remplir quelques pages supplémentaires.

Il ajusta la flamme et reprit son conte sur le monstre de la tour. *Elle était si petite dans cette foule. Je me demandais qui elle pouvait être. Que pensait-elle en regardant mon visage ?*

Il laissa le reste de la page blanche en vue d'y coller un portrait à l'aquarelle de la petite fille. Cela l'occuperait pendant plusieurs jours. Depuis quelque temps, le visage de Grace se fondait avec d'autres. Les lépreux lui avaient montré de vieilles photos de leurs femmes et de leurs filles et leurs visages se mélangeaient dans sa tête. Il avait collé la photo de Grace à l'intérieur de la couverture, mais le soleil et la pluie l'avaient presque effacée. Le temps jouait contre lui et il le savait. Elle grandissait. Son cinquième anniversaire serait bientôt là.

Il lui avait envoyé des douzaines de lettres, imaginant Lydia les lui lisant. En rêve. Il n'avait même pas reçu une carte postale en retour. Peut-être Grace croyait-elle son père mort dans l'Himalaya, une explication originale pour ses camarades de classe. À moins qu'on ne lui ait raconté qu'il n'était qu'un animal pourrissant dans une cage au loin.

Il était temps de préparer le feu dans la glaisière. Nathan Lee referma le livre et le glissa dans son *jhola*, un havresac en laine grossière. Le livre y tenait très bien, laissant juste assez d'espace pour ses crayons et son matériel de peinture. Le *jhola* ne le quittait jamais.

Alors qu'il s'apprêtait à descendre du rebord de la fenêtre, le brouillard se déchira soudain et Nathan Lee remarqua une chose inhabituelle. À six mètres de là, un singe mangeait un fruit dans la tour de garde, assis sur son arrière-train. Le singe le remarqua au même instant et ils se fixèrent un moment. Puis l'animal reprit son repas.

Nathan Lee attendit. Il devait y avoir une erreur. *Les gardes avaient disparu.*

Il renifla pour tenter de repérer la fumée de leurs *bidis*. Il lança un caillou sur la tour. Le singe montra les dents et lui tourna le dos avant de disparaître. Maintenant, la tour était complètement déserte.

Que se passait-il ? Tout l'hiver, l'alimentation électrique avait diminué à Katmandou et, depuis quelques semaines, il n'y avait plus d'électricité du tout. Les haut-parleurs de la prison ne diffusaient plus de chansons hindoues. La nuit, les ampoules rouillées ne s'allumaient plus. Le black-out avait généré toutes sortes de théories. Certains affirmaient qu'il s'agissait d'un remaniement ministériel. D'autres que les rivières étaient asséchées. Les péquenots du coin accusaient la pénurie d'orages de l'été précédent.

Nathan Lee ôta ses lunettes et les nettoya avec soin. Puis il se frotta les yeux et les remit. Mais rien n'avait changé. La tour restait vide.

Normalement, deux ou trois gardes veillaient. Ils s'étaient habitués à voir Nathan Lee assis à sa fenêtre. Tous les matins, l'un d'entre eux faisait semblant de viser le cannibale avec son fusil. Nathan Lee pressait alors ses mains en signe de salut, un *namaste* muet, et le garde souriait derrière son viseur. Pas ce matin.

Nathan Lee posa ses jambes à terre et jeta son *jhola* sur son épaule. Il ne réveilla pas les lépreux. Le feu pouvait attendre. Pieds nus, il descendit l'escalier en bois.

Le bâtiment des lépreux ne comportait qu'une seule issue. Il s'arrêta à l'entrée. Sortir sans autorisation était strictement interdit. Mais qui le verrait dans le brouillard ?

Il tenta sa chance et franchit le seuil. Aucun cri ne retentit. Il progressa lentement, évitant le fossé rempli d'eau grise. Deux piquets marquaient les limites du terrain de volley-ball. Dans l'air flottaient des odeurs de cendre, de curry et d'urine.

Un claquement léger. Il s'arrêta. Probablement un prisonnier quelque part dans le bâtiment. Le bruit de ses tongs s'éloigna. Nathan Lee reprit sa marche vers la grille d'entrée. La vie des prisonniers tournait autour de cette grille qui représentait leur libération éventuelle. À travers ces barreaux, ils rencontraient leurs avocats et leurs familles. Rien de tout cela pour Nathan Lee. Aussi l'avait-il toujours évitée, jusqu'à aujourd'hui.

La bouche du tunnel bâillait devant lui. Nathan Lee tenta de se remémorer ce qu'il y avait à l'intérieur. À son arrivée, le désespoir l'aveuglait et il ne se souvenait que du bruit des chaînes et des lourdes grilles qui grinçaient sur leurs gonds avant le trou noir. Le cœur battant, il avança.

Le tunnel faisait une dizaine de mètres de long, mais il lui parut interminable. Il y faisait un noir d'encre et les murs suintaient. Finalement, il atteignit la grille… ouverte. Les chaînes gisaient sur le sol comme des serpents morts. Il s'arrêta.

Devant lui, le monde lui tendait les bras. C'était presque trop beau pour être vrai. Le brouillard se levait. Il distingua des immeubles dans le lointain. Et toujours aucun garde en vue.

Il hésitait. Et si c'était un piège ?

Fermant les yeux, Nathan Lee posa un pied hors des murs. Pas de coup de feu, pas de sirène d'alarme, pas de coup de tonnerre dans le ciel. Il respira. Il avait passé des mois à fomenter toutes sortes d'évasion et voilà qu'on lui ouvrait les portes. L'instant lui parut surréaliste. Il commença à marcher.

Les premières minutes, il n'osa pas regarder par-dessus son épaule de peur qu'un simple coup d'œil ne le renvoie en prison. Il mourait d'envie de courir, de crier, de sauter en l'air, mais évidemment, il n'en fit rien. Le *jhola* frappait sur sa hanche. Toute sa fortune se résumait aux hardes qu'il portait.

Une forme se matérialisa sur sa gauche et il se pétrifia. Ce n'était qu'une déesse dans son petit autel en brique rouge, son visage et ses épaules oints de vermillon et de beurre clarifié. Le cœur battant, il fixait l'idole en pierre lorsqu'une femme et sa fille approchèrent. Nathan cessa de respirer. Il était pris. Elles allaient sûrement se mettre à crier. Mais la femme ne lui accorda pas même un regard avant de s'adonner à ses dévotions, jetant un peu de riz, murmurant une prière. La petite fille l'observa de ses immenses yeux noirs. Nathan Lee baissa la tête et reprit son chemin.

Ses précédentes évasions n'avaient été que des courses effrénées, sans réflexion. Cette fois, se promit-il, ce serait différent. Sa seule chance était de se mêler aux Occidentaux dans le quartier touristique. Mais même là, il savait qu'il ne passerait pas inaperçu.

En prison, il avait eu l'occasion de se peser en se pendant au crochet utilisé pour les sacs de riz. Son poids était tombé à quarante-six kilos. Avec son mètre quatre-vingt-deux, il pesait moins que Miss Amérique.

À l'époque des hippies, nombre de voyageurs arboraient son look d'aujourd'hui : squelettiques, en hardes, sales et les cheveux longs. Mais les touristes actuels portaient des vêtements de marque avec des lunettes de couturiers et des appareils photo à mille dollars. Avec un peu de chance, ils le prendraient pour un *saddhu*[1] et lui donneraient quelques pièces. Il pourrait aussi mendier pour des vêtements. En priorité, des chaussures. Et des chaussettes. Et de la nourriture. Et un sac à dos. Les pensées se bousculaient dans sa tête. Des alpinistes accepteraient peut-être de l'héberger. Il lui fallait aussi obtenir un passeport, mais il était hors de question d'aller à l'ambassade américaine pour l'instant. Ce serait le premier endroit où la police irait le chercher.

La brume matinale rosit avant de pâlir. Nathan Lee se sentait comme un vampire, pressé de quitter ces rues. Serrant son *jhola* contre lui, il atteignit la rue principale, Kanti Path, étrangement déserte. À cette heure, l'artère aurait dû vibrer sous le flot des voitures et des vélos dans une cacophonie de klaxons et de sonnettes. Mais Nathan Lee ne vit que deux paysans qui poussaient une charrette d'herbe entre une vingtaine de taxis, rickshaws et bus... Tous abandonnés. Certains au milieu de la rue, d'autres sur le bas-côté, et à en juger par les pneus crevés et les sièges arrachés, ils devaient se trouver là depuis des semaines, peut-être même des mois.

Étonné, il s'adressa aux paysans.

1. Ascète vivant de la charité.

— Pourquoi ces voitures sont-elles là ? demanda-t-il en népalais.

— *Bhote*, dit l'un d'eux en se tournant vers son compagnon.

Avec son mauvais accent et ses questions stupides, ils le prenaient pour un péquenot des montagnes.

— Vous croyez que les voitures roulent à l'eau ? demanda l'autre.

L'essence. Il n'y avait pas d'essence. Nathan Lee remarqua alors les herbes qui poussaient dans les fissures de l'asphalte et le bureau de poste désert, portes béantes. Les câbles téléphoniques pendaient sur le côté et de la fumée s'échappait par les fenêtres cassées. Des squatters s'étaient installés là. Pas d'essence, pas de poste, pas de police, ni d'électricité ou de téléphone. Les infrastructures avaient disparu.

— Que s'est-il passé ? demanda-t-il.

— *Mahakala*, répondit un des paysans.

Mahakala était un dieu plein de colère, noir et féroce, brandissant une épée de flammes pour affronter les démons de l'ignorance.

— C'est la fin du monde, ajouta l'autre.

— Y a-t-il eu la guerre ?

— Non. C'est ainsi.

L'homme haussa les épaules.

— *Ke garne* ? *Que faire* ?

Ils reprirent leur route. La brume s'évanouit et les rayons du soleil illuminèrent Swayambunath, le temple sur la colline à l'ouest. Les gens commencèrent à sortir de leurs maisons, des *tikas*[1] fraîchement peints sur leurs fronts, et la rue s'anima. Les commerçants levèrent leurs rideaux et les paysans disposèrent les légumes d'hiver sur leurs étals. La devanture d'un boucher proposait des têtes de chèvre orangées après avoir été enduites de curcuma pour tenir les mouches à distance. Des bicyclettes chinoises – des tas de

1. Point de couleur rouge appliqué sur le front entre les yeux, symbole de la présence du divin.

ferraille indestructibles – se croisaient, sonnettes tintinnabulant.

Et personne ne lui accordait le moindre regard ! Sans un sou, faible et perplexe, il commença à se détendre. Katmandou avait toujours été un maelström de siècles se chevauchant les uns les autres, le Moyen Âge côtoyant le moderne, les lignes électriques survolant des temples du XIIIe siècle. Mais ce matin-là, la ville avait régressé. Les boutiques indiennes, les magasins de tapis, de *thangka*[1] *ou* de vidéos. Tous étaient fermés, enseignes arrachées. Dans l'air flottaient des odeurs d'épices, de fumée, de crottin, d'écorces ou d'encens, mais plus de pollution urbaine. Les klaxons s'étaient tus. Le temps avait ralenti. Le monde devenait fou.

Nathan Lee éprouvait une impression bizarre. Les Népalais, qu'il avait toujours trouvés frêles et sous-alimentés, lui semblaient aujourd'hui gras et forts. Après des années de prison en compagnie de lépreux émaciés, sa norme avait changé.

Sur la place Durbar Marg, les voitures et les bus s'entassaient en amas rouillés à côté des paisibles pagodes. Il continua son chemin dans le dédale des rues. Projeté dans une ville en pleine régression temporelle, il devait trouver un moyen de fuir le temps lui-même.

Au moment de son arrestation, les parties politiques s'affrontaient à coup d'affiches. Depuis, les graffitis avaient cédé la place aux photos de leur roi, un jeune *caudillo* avec des lunettes de soleil et une fine moustache. Ce dernier avait-il décrété le retour à la vie traditionnelle ?

La ville était si calme ! Ici et là, dans des petites cours, des gens se pressaient devant leurs petits autels, agitant des clochettes. Des devins, des médecins ayurvédiques et des laveurs d'oreilles professionnels exerçaient leurs métiers sur les marches des temples.

Il atteignit Thamel, le quartier des touristes. Sa petite expédition avec Ochs avait débuté là, dans une pension de

1. Peinture traditionnelle tibétaine sur toile.

famille du Tibet, l'une des plus populaires. Mais l'hôtel affichait désormais portes closes, ses grilles fermées par des chaînes. Il s'enfonça dans le quartier, son estomac criant famine. Ces lieux auraient dû lui procurer un refuge, lui permettre de rencontrer ses compatriotes américains, ses frères de cordée et autres sympathisants. Mais il n'y avait pas âme qui vive. Disparus les alpinistes en quête d'aventures, les changeurs de devises, les cireurs de chaussures ou les mendiants professionnels. Fermés les magasins de treks et les librairies. Pas de musique de Led Zeppelin dans l'air.

Puis il aperçut un homme et une femme blonde à l'allure baba cool au coin d'une rue. L'homme poussait un VTT. Des Occidentaux !

Nathan Lee n'appela pas, mais accéléra l'allure pour les rattraper. Son genou le faisait souffrir et à cause de son pied sans orteils, il avançait d'une démarche claudicante.

La femme était drapée d'une demi-douzaine de foulards qui volaient autour d'elle dans les rayons du soleil. Ils marchaient d'un pas nonchalant, ponctué par le rire de la femme qui fumait un *bidi* à la menthe.

Fatigué, Nathan Lee ralentit et, affolé, crut les avoir perdus. Puis il repéra le *bidi* encore fumant dans le caniveau et le vélo de l'homme contre un mur. Nathan Lee renifla l'odeur de nourriture et constata qu'il se trouvait devant un *bhaati*[1]. Il descendit les quelques marches et se baissa pour pénétrer dans l'établissement éclairé par deux bougies. Il aurait pu tout aussi bien se trouver dans une fumerie d'opium.

Une fois ses yeux habitués à l'obscurité, Nathan Lee repéra le couple, les deux seuls clients. Il s'approcha, mais s'arrêta à distance respectueuse, sans un mot.

Finalement, la femme s'adressa à lui.

— Qui es-tu ? demanda-t-elle avec un fort accent.

Elle était française avec des bagues à tous les doigts, du khôl autour des yeux et des boucles en or aux oreilles.

1. Maison de thé où s'arrêtent les porteurs et les trekkeurs pour se reposer et qui ne sert que du riz, des lentilles et du poulet.

L'homme avait noué autour de son cou des fils rouges de *puja*[1] et des chapelets de prière autour de sa main gauche. Il les reconnut aussitôt. Des *Dharma Bums*[2]. Dans le temps, ils auraient pu être ses parents.

— J'ai besoin de votre aide, répondit-il.

— Pourquoi cela ? Regarde-moi.

Elle passa la bougie devant son visage.

— As-tu oublié qui tu es ?

Nathan Lee cligna des yeux sous l'éclat de la flamme. Ne sachant que répondre, il garda le silence. La femme ne paraissait pas convaincue.

— Peut-être, peut-être pas, dit-elle à son compagnon. Je n'en sais rien. Ils disent que cela ne se voit pas toujours.

— Comment es-tu arrivé jusqu'ici ? demanda l'homme. Et parle plus fort que nous puissions t'entendre.

— Je vous ai suivis, avoua Nathan Lee.

— Non, non. Je veux dire d'où viens-tu ?

— États-Unis.

L'homme secoua la tête en émettant un petit « tsss » d'impatience.

Évidemment qu'il était américain. La femme se montra plus indulgente.

— Es-tu venu par le sud ou par le nord ? Du Tibet ?

— J'étais en prison, avoua Nathan Lee, décidé à leur faire confiance.

— Tu vois, Monique ? Les histoires sont vraies. Ils les enferment à la frontière.

Qui enferme qui ? se demanda Nathan Lee. *Quelle frontière ?*

— Ils m'ont libéré, reprit-il vivement pour les rassurer. Ce matin, il y a une heure.

— Ici ? À Katmandou ?

— Laisse-le s'asseoir, intervint Monique. Regarde-le. Il tient à peine debout. As-tu mangé ? Où sont tes affaires ?

1. Offrande rituelle aux dieux.
2. « Clochards célestes », d'après le roman de Jack Kerouac *The Dharma Bums* dans lequel l'auteur fait l'apologie d'un style de vie inspiré par le bouddhisme zen, la recherche de la pureté et des expériences spirituelles pouvant mener à l'Illumination.

La serveuse apporta les plats.

— Assieds-toi, dit Monique en poussant sa tasse de thé devant lui.

Nathan Lee la prit entre ses mains et la porta à ses lèvres.

Le goût riche du lait et du sucre mélangés au thé lui coupa le souffle.

— Monique ! se plaignit l'homme en français. Nous n'avons déjà pas grand-chose. Et s'il venait d'Inde ? Il pourrait signifier notre mort à tous.

— La fin arrive, répondit-elle avec sérénité. Ce n'est plus qu'une question de temps.

Nathan Lee ne comprenait rien à ce qu'ils racontaient. Monique lui tendit son assiette de riz et de lentilles.

— *Merci*, dit-il.

Mais le compagnon de Monique n'en avait pas fini.

— Dis-nous la vérité. Es-tu infecté ? demanda-t-il.

Soudain, Nathan Lee comprit leur inquiétude. Il n'avait plus d'orteils et ils devaient le prendre pour un lépreux. Il sourit.

— Ne vous inquiétez pas. Mes orteils ont gelé dans la montagne.

Ce fut leur tour de paraître étonnés.

— Maintenant, il raconte n'importe quoi.

— Gelures, dit-il en montrant ses pieds. Je n'ai pas la lèpre.

L'homme émit un nouveau « tsss » excédé. Quel américain stupide !

— La lèpre ? Je parle de la peste.

— La peste ?

Le riz était si gras, les épices si parfumées.

— Il se moque de nous, ricana l'homme en français.

— Ou peut-être qu'il ne sait pas, riposta la femme.

— Après un an ?

L'homme toisa Nathan Lee d'un regard dur.

— Ils l'appellent *kali yuga*, expliqua la femme. Les ténèbres. Nous entrons dans une ère d'holocauste planétaire.

Puis les planètes renaîtront, comme nous tous. Ce sera le paradis sur terre. *Shambala*[1].

Nathan Lee but une nouvelle gorgée de thé. C'était quoi ce délire ? La planète ayant survécu au passage de l'an 2000, il avait cru l'apocalypse tombée aux oubliettes. Apparemment pas. Il décida de jouer le jeu le temps de finir de manger. Il montra la bougie.

— J'ai vu que la ville n'avait plus d'électricité. Les voitures ne roulent plus. Les touristes se sont envolés. Où sont-ils tous partis ?

— Les touristes ? répéta l'homme. Il n'y a plus de touristes, plus d'oisifs, plus de voyeurs. Aujourd'hui, il faut vivre vraiment. Ou mourir.

Le père de Nathan Lee aurait pu prononcer ces mêmes paroles. La vie était risquée, la mort, une garce.

— Tu ne comprends vraiment pas, n'est-ce pas ? demanda Monique. Nous avons devancé la *maladie*. Nous étions en Inde lorsqu'elle s'est déclarée en Europe et en Afrique, il y a onze mois. Maintenant, elle arrive par l'Asie centrale. Nous sommes venus ici pour attendre notre destin.

— Il y a eu des signes, des présages, renchérit son compagnon. Des tremblements de terre. De grosses avalanches dans les Alpes. Des tempêtes qui ravageaient des pans de continents. Des sécheresses en Afrique. Des nuées de criquets. Des grenouilles déformées. Un de mes amis a vu l'eau des rivières se transformer en sang au Kosovo.

Il s'arrêta pour juger de l'impact de ses paroles sur l'Américain.

Nathan Lee préféra ne pas donner son avis, pas avant d'avoir fini son repas. Il ignorait quand une nouvelle occasion de manger se présenterait. Les deux Français avaient l'air cinglés.

La peste ? Cette litanie de désastres n'était guère convaincante. Comme s'il n'y avait jamais eu auparavant de tremblements de terre, d'avalanches ou de criquets. Quant

1. Le shambala est un royaume mythique.

aux grenouilles déformées, remerciez Dow Chemical. Et les rivières de sang ? Les rasoirs des Serbes.

— Encore un coup de Moïse, dit-il entre deux bouchées.

— Oui, mais cette fois, Dieu efface son propre livre de la Genèse.

Il reprit sa liste d'adversités. Récoltes anéanties, canicules, tempêtes, une éclipse totale et un hiver arctique… à Rome et à Miami !

— Et maintenant, la grippe, ajouta Nathan Lee.

— Non, pas de grippe, dit Monique. C'est une maladie que l'homme ne connaît pas. Quand tu es infecté, tu deviens aveugle. C'est la première phase. Tes yeux se décolorent.

Voilà pourquoi elle avait voulu voir ses yeux.

— Ensuite, ta peau devient transparente à son tour. Tu prends l'allure d'une apparition. L'effet est très beau. Vers la fin, ton cœur devient visible aux yeux de tous.

— Vous l'avez constaté par vous-même ? demanda Nathan Lee.

— Seulement sur les photos dans les magazines. Mais aujourd'hui, il n'y a plus de magazines.

Nathan Lee ne put se retenir.

— Les gens meurent d'invisibilité ?

— Pas du tout. Ce n'est qu'un symptôme, rien de plus. En même temps que tes pigments se dissolvent, ton esprit commence à mourir. Bientôt, tu oublies tout. Les soldats baissent leurs armes. Les paysans quittent leurs champs. Les mères oublient leurs bébés. La population tout entière meurt lentement de faim. L'une après l'autre, les nations s'éteignent. Il n'y a pas de remède. Aucun espoir.

— Cela se passe en Europe ?

— L'Europe n'existe plus.

— Il doit bien y avoir des survivants.

— Aucun.

Nathan Lee n'en croyait pas un mot. Il devait certes y avoir une poche d'épidémie, mais dont ils exagéraient les effets. Aucune maladie n'était mortelle à cent pour cent ou elle s'éteindrait d'elle-même faute de participants. Peut-être faisaient-ils partie tous les deux d'une espèce de secte du Jugement dernier.

— Tu ne me crois pas ? gronda le français. Toute ma famille et mon pays : disparus.

— Cela paraît tellement incroyable. Comment une maladie pourrait-elle tuer tout le monde…

— La maladie n'est pas le tueur, intervint Monique. Les gens oublient qui ils sont. Ils sont dans un état de paix, pas de mort. Ils meurent parce qu'ils oublient de manger ou se promènent nus dans le froid. Ils tombent des ponts et se noient. Ils marchent dans la mer.

— Où sont les médecins ? Les organisations humanitaires ?

— Ils ont essayé d'intervenir. Mais ils appellent cela une maladie de médecin. Les docteurs se précipitent et sont rapidement contaminés. Alors les organisations n'envoient plus personne. Ils ont également cessé les parachutages de vivres quand ils ont décidé que la nourriture ne faisait que prolonger les souffrances. Ma mère…

Ma fille. Le visage de Grace traversa l'esprit de Nathan Lee. L'espace d'un instant, il l'imagina prisonnière de ce fléau, mais en rejeta bien vite l'idée. Impossible d'accepter cela. Sa fille l'avait soutenu dans l'enfer. Il la soutiendrait à son tour.

Une larme coula sur la joue de la femme et son compagnon lui prit la main.

— Les personnes qui nous sont chères sont maintenant délivrées de la souffrance, dit-il. Elles sont lavées des péchés. Elles sont entrées dans le mouvement.

Nathan Lee sentit la colère l'envahir. Le fait qu'ils lui aient donné à manger ne l'obligeait pas à devenir crédule. Ils déliraient.

— Et donc, la peste arrive ? demanda-t-il.

— Du sud. Personne ne sait combien de temps cela prendra. Des semaines ou des mois.

— Mais pourquoi les gens agissent-ils comme si de rien n'était ? On ne les a pas avertis ?

— Ils savent. Mais où iraient-ils ?

Dehors, une cloche sonna. Une charrette passa. Nathan Lee finit son assiette. Il se sentait rasséréné par la nourriture et la théine. Un plan commençait à s'élaborer dans sa tête.

— Et vous ? demanda-t-il.

— Le Bouddha nous enseigne de garder l'esprit clair. Notre place est ici, répondit Monique. L'époque actuelle est terminée. Une espèce supérieure va émerger. Des dieux et des déesses vont repeupler le haut des montagnes. La roue de la vie tourne.

Nathan Lee les remercia pour le repas et leur souhaita une bonne journée.

— *Namaste*, dit Monique. *Je m'incline devant le divin en toi.*

Devant le restaurant, Nathan Lee « emprunta » le vélo du français et s'éloigna. Un cri de joie lui échappa. Il était libre. Il allait revoir sa fille.

7.

Le laboratoire des os

Los Alamos
Novembre, une semaine plus tard

Elle trouva Miranda seule, fredonnant, assise au milieu des os. Le monde s'écroulait, les frontières se fermaient, la peste menaçait et elle chantait. Le cœur de Golding se serra. Miranda n'aurait pas dû être ici. Et pourtant, tellement de choses dépendaient de sa présence en ces lieux.

— Toc, toc, dit-elle.

Miranda leva la tête.

— Élise ?

Un franc sourire éclaira son visage. Pas de faux-semblants, ni d'arrière-pensée. Golding ne s'était pas sentie aussi bienvenue depuis longtemps. Elles s'embrassèrent.

— Je te dérange ? demanda Golding qui remarqua que la jeune fille laissait enfin pousser ses cheveux.

— J'essayais juste de reconstituer quelques-uns de ces bonhommes. Entre. Tu peux m'aider si tu veux.

Golding se fraya un chemin entre les tables sur lesquelles les os avaient été déposés en petits tas ou déjà partiellement assemblés : des côtes sur des vertèbres, des mâchoires sur des crânes. Ici, une main presque complète, là un seul ongle. Quelques squelettes pratiquement complets étaient alignés, têtes contre orteils. La plupart des os avaient été coupés ou percés et sur le mur pendaient des scies à métaux et même un hachoir.

— J'ai eu du mal à te trouver, dit Golding. Finalement, le chef de la sécurité a suggéré cet endroit.

— Le capitaine Énote ?

— Un vieil homme. Un indien. Il a dit que personne n'arrivait à te suivre.

— Le Capitaine se fait du souci pour moi, expliqua Miranda en riant, comme toi. Que fais-tu ici ?

— Je suis venue te voir.

Miranda se montra poliment flattée.

— Je veux dire à Los Alamos. Tu étais déjà là il y a une semaine.

— Je suis venue te voir, répéta Élise d'un ton sérieux.

Miranda baissa les yeux et à la vue de sa joie, Golding se sentit rassérénée et aimée. Triste également. La belle jeune fille comptait énormément pour beaucoup de gens. Ils l'aimaient et son génie n'expliquait pas tout. Ils croyaient en elle. Mais Miranda ne s'en rendait pas compte. Elle aurait dû avoir des amoureux – et Golding était pratiquement certaine qu'elle n'en avait jamais eus – des amies, appartenir à un club littéraire, briser le cœur des garçons. Mais elle restait seule. À part son père, sa seule famille se composait d'une vieille femme fragile qui se montrait une fois tous les trente-six du mois.

— Tout va bien ? demanda Miranda.

Non, tout n'allait pas bien. Elles y viendraient, plus tard.

— Pour l'amour du ciel, que fais-tu ici ? Le Capitaine m'a dit que tu ne quittais plus cet endroit.

— J'ai eu une idée.

— J'adorerais l'entendre.

— Très bien. Donne-moi une minute.

Elle glissa une mèche de cheveux derrière son oreille.

— Je dois finir quelque chose.

— Prends ton temps. Je ne touche à rien.

— Oh, les os ne risquent rien.

Golding reprit sa promenade entre les tables. Les blessures sautaient aux yeux. Les traumatismes n'étaient pas sa spécialité, mais les marques et les fractures sur les ossements parlaient d'elles-mêmes. Ces hommes du Golgotha avaient connu des vies violentes et des morts plus horribles encore.

Elle était au courant pour les os comme tout le monde. Des visiteurs avaient comparé les restes aux séquelles d'une grande bataille. Mais aucune de ces blessures ne suggérait une bataille. Pas de crânes défoncés, pas de traces de strangulation ou de décapitation, pas de clavicules fendues d'un coup d'épée ou de hache. Elle avait lu quelque part que les combattants de l'ère préindustrielle affichaient généralement plus de dommages sur le côté gauche du corps, ou côté défensif. Ici, les plaies sur les deux bras étaient éparses et peu nombreuses.

Les blessures non cicatrisées se trouvaient presque exclusivement sur les extrémités inférieures, là où les talons avaient été transpercés par des clous et les jambes tailladées, cassées ou tordues. Une curieuse blessure, à laquelle aucun spécialiste n'avait pensé avant cette découverte, consistait en une incision en travers du genou. Tranchez le tendon de la rotule et vous obteniez le même résultat qu'en brisant le fémur d'un homme, avec beaucoup moins d'efforts. Quelle horreur, pensa Golding. La mort sur les croix romaines et juives survenait par asphyxie. Quelle qu'aient pu être leurs souffrances, ces hommes avaient lutté, heure après heure, pour se redresser et respirer. Certains avaient probablement dû tenter de se laisser pendre pour mourir plus vite, mais leurs corps avaient résisté. La vie s'accrochait.

Miranda ferma un tiroir et la rejoignit.

— Il y a près de neuf mille fragments d'os ici et j'en suis toujours à me demander à qui ils appartiennent.

— Tu reconstitues les squelettes ?

— Des chercheurs passent de temps en temps pour me donner un coup de main. C'est comme un grand puzzle communautaire pour eux.

Dans un coin, des étagères métalliques supportaient un petit musée de la crucifixion : la tête rouillée d'un marteau, des clous tordus, des plaques en bois qui étaient placées sur le pied ou la main et dans lesquelles les bourreaux enfonçaient le clou pour empêcher la chair et le muscle de se déchirer.

Miranda prit une petite fiole en terre cuite parmi une trentaine d'autres.

— Des larmes, expliqua-t-elle. Leurs épouses les posaient au pied de la croix.

Elle reposa le flacon sur l'étagère.

— J'ai essayé d'en tirer un échantillon.

— Un échantillon ?

— Génétique. Tout ce que j'obtiens, c'est du sel. De la poudre de chagrin.

— Que cherches-tu exactement ?

— La même chose que tout le monde. Le Patient Zéro.

Golding n'eut pas besoin de demander de quoi elle parlait. Les prophètes de malheur prédisaient que le Corfou pourrait être encore plus grave que *Yersinia pestis*. C'était peu dire. Avec 35 % de mortalité, la mort noire n'était qu'un simple rhume comparé à ce microbe.

— Depuis quand travailles-tu avec les épidémiologistes ?

— Depuis qu'ils sont venus me demander mon aide.

— En quoi peux-tu les aider ?

Alpha Lab était spécialisé dans l'étude du génome et le clonage, pas dans la recherche des virus.

— Tu crois que le virus est toujours vivant dans les os ?

— Non, plus maintenant. Pas dans ces os en tout cas. Le département de Pathologie moléculaire les a attaqués comme des termites, les perforant et prenant des échantillons. Ils ont laissé tomber il y a un mois et tout entreposé ici. Ils tentent toujours de mettre la main sur des matières génétiques de la même période, mais elles ne viendront pas de Jérusalem. Pas après ce qui est arrivé à ces gamins de la Navy.

Gamins. Elle parlait comme une centenaire alors qu'elle faisait référence à des hommes et des femmes deux fois plus âgés qu'elle. Golding avait perdu quelques bons amis dans l'opération.

Trois mois plus tôt, la Navy avait envoyé un groupe de professionnels en Méditerranée. Sur les bateaux, les meilleurs spécialistes des divers centres de contrôle des maladies infectieuses, comme le *National Institute of Health* ou le *Medical Research Institute for Infectious Diseases* de l'armée américaine. La mission, retransmise en direct à la télévision comme pour la guerre du Golfe, devait promouvoir le savoir-faire américain et mettre un terme à cette Fin du Monde, comme certains tabloïds avaient surnommé le Corfou.

Dans tout le pays, les gens avaient suivi le déroulement de l'opération. Le programme, plein de moments intenses, proposait également des informations sur le contrôle des maladies, les traitements en cours et les procédures de protection. Sur le pont, les équipages assuraient leurs taches avec masques de coton, surchaussures en papier et gants en latex. Les bateaux s'étaient déployés dans toute la zone infectée avec des cibles bien précises. Ils s'étaient rapprochés des villes portuaires en Grèce, en Israël, au Liban et en Égypte comme si la Troisième Guerre mondiale menaçait d'éclater. Mais les berceaux de la civilisation étaient déserts.

Tandis que les navires restaient au large, des équipes de virologistes, vétérinaires, entomologistes, médecins et zoologistes avaient été transportées à terre par avion afin de commencer leur traque systématique. À la télévision, les villes ressemblaient à des scènes de tournage vides. La paix semblait surréaliste. À Jérusalem, les murs de la vieille ville brillaient comme de l'or en fusion sous le soleil d'été. Des nuées d'oiseaux marins tournaient autour des entrées de métro, choisissant leurs repas. Personne ne se battait plus pour les lieux saints. Il n'y avait plus de pèlerinages, de prophètes ou d'enfants, seulement des touristes vêtus de combinaison de bioprotection.

Leur but était simple : trouver le virus… ou prion… quelle que soit la forme adoptée par le Corfou. Car il existait forcément un réservoir naturel, un lieu d'origine de la maladie. Jusque-là, on nageait en pleine science-fiction. Les épidémiologistes avaient en effet remonté la trace de l'infection jusqu'au manoir d'un milliardaire grec excentrique à Corfou. La maladie avait donc reçu pour nom le lieu d'origine de l'épidémie comme le veut la tradition. On savait maintenant que le grec avait acheté – et ouvert – des reliques chrétiennes dont il avait régulièrement expédié le contenant à divers laboratoires dans le monde entier pour analyse. Grâce aux mesures de précaution des laboratoires et à la réaction rapide des gouvernements, les toutes premières manifestations du Corfou avaient été circonscrites dans les villes où se trouvaient lesdits laboratoires. Les enquêteurs avaient rapidement comparé les rapports d'analyse et localisé la source, une fiole en verre datant de l'époque romaine contenant des morceaux de restes humains. Des restes infectés. Mais le problème s'avéra plus compliqué que cela. Car il y avait une source derrière la source.

L'épidémie s'était peut-être déclarée – à notre époque – sur l'île de Corfou, mais ce n'était pas là son foyer naturel. Ni celui de la relique qui avait voyagé de pays en pays pendant deux mille ans. Personne ne connaissait son origine. Seulement sa mythologie. Prête à croire n'importe quoi, la population en avait tiré ses propres conclusions. La relique contenait des restes de Jésus et la maladie représentait une punition divine. La preuve se trouvait dans un dictionnaire. Le mot latin *plaga* faisait référence à une maladie, une catastrophe ou un malheur envoyé par Dieu.

Toute trace de la relique avait depuis longtemps disparu dans le chaos international. Mais selon les rapports des laboratoires, les échantillons du grec dataient du début du Ier siècle. On racontait que les Tartares, lors du siège de Kaffa en 1347, avaient catapulté dans la ville des cadavres contaminés par la peste bubonique. Le Corfou relevait de ce même procédé. Un virus avait été catapulté à travers les temps, de l'Année Zéro au XXIe siècle. Dans sa forme originelle, vingt siècles auparavant, le virus s'était apparemment comporté comme un virus normal, tuant, mais laissant également des survivants qui pouvaient ainsi le transmettre à de nouveaux hôtes. Avec le temps, les épidémies tendaient à développer une relation avec leur population d'accueil. De la syphilis au paludisme, des maladies jusque-là mortelles avaient perdu leur caractère létal. Ainsi, des virus mortels comme la varicelle étaient devenus de nos jours de banales maladies infantiles. Même le SIDA, l'Ebola ou la variété Andromède[1] avaient laissé des survivants.

Mais pour autant qu'on puisse en juger, le Corfou réagissait différemment. Enfermé dans une relique vieille de deux mille ans, il avait apparemment muté pour devenir *plus* létal encore – une chance sur deux d'après les probabilités. On pouvait donc en déduire que l'humanité avait été plutôt chanceuse jusque-là. Aujourd'hui, à l'ère de la super-technologie, les experts refusaient de croire en leurs propres statistiques. Mais les faits parlaient d'eux-mêmes : aucun survivant n'avait été localisé dans les pays touchés.

Avant l'arrivée du Corfou, seule la rage avait entraîné un tel taux de mortalité.

Trouver des survivants était une des taches imparties à l'opération de la Navy. Un survivant fournirait les anticorps qu'il avait développés pour résister à l'infection. Les scientifiques pourraient alors produire des tests sanguins pour détecter les porteurs et ainsi améliorer la protection des populations saines. Pour l'instant, c'était le fiasco.

Mais il y *avait eu* des survivants. C'était une question de logique. Le virus avait infecté au moins un individu dans les pays du Levant deux mille ans plus tôt et probablement d'autres personnes encore. Pourtant, dans l'histoire de la Palestine et de l'Égypte, il n'était fait état d'aucune épidémie dévastatrice durant cette période et certainement rien de comparable aux symptômes du Corfou. Tacite et Josèphe, entre autres historiens du Ier siècle, avaient été bien trop rigoureux pour omettre un tel détail. Les paléontolo-

1. Virus de science-fiction dans le roman du même nom de Michael Crichton.

gues ne pouvaient donc que spéculer quant à sa pénétration génétique de l'*Homo sapiens*.

À un moment, le virus avait sauté les espèces et entrepris d'utiliser les humains comme hôtes et ce, sans causer de destruction particulière. On pouvait donc en conclure que le virus était bénin à l'origine et que certaines de ses victimes avaient sûrement survécu. Cependant, si c'était le cas, les survivants avaient vécu deux millénaires plus tôt, ce qui représentait quand même un problème non négligeable pour les chercheurs. D'où l'entrée en scène des os de l'Année Zéro.

Pendant que les entomologistes collectionnaient les insectes du bassin méditerranéen et que les zoologistes traquaient les rats, souris et autres chauve-souris, que les pathologistes récupéraient des échantillons de tissus des victimes dans les rues et que les SEALS de la Navy fouillaient chaque maison, une équipe de Seabees[1] avait creusé le fameux Golgotha sous l'église du Saint-Sépulcre. Ils ne s'embarrassèrent pas de formalités. Un bulldozer défonça le haut de la grotte et une pelleteuse transporta de grandes quantités de terre truffées d'os dans un conteneur marin. Une fois à bord de l'*USS Truman*, le conteneur avait été vidé, la terre tamisée et les os enfermés dans des emballages sous vide et expédiés aux États-Unis. Moins de douze heures plus tard, les scientifiques de Los Alamos commençaient à les examiner à la recherche des traces du virus originel ou de son anticorps.

Ils ignoraient ce qu'ils cherchaient. Personne ne savait à quoi ressemblait le Corfou et ses protéines restaient un mystère. Le sang tiré des victimes actuelles n'avait révélé aucun micro-organisme étranger. Le Corfou se comportait comme un virus endogène, un type de rétrovirus qui pouvait rester dormant dans des températures extrêmes de chaleur ou de froid et pendant de longues périodes… puis soudain, se réveiller. Mais il aurait pu également être un prion, un mécanisme encore moins vivant.

1. Unité de génie militaire de la Navy.

Certains scientifiques croyants pensaient que le Corfou pouvait provenir de la même pestilence que Moïse avait appelée sur les Égyptiens. Compte tenu de son taux de mutation, les symptômes décrits dans la Bible avaient dû évoluer depuis les furoncles. D'autres chercheurs se penchèrent sur la terrible peste qui s'était abattue sur Athènes au IVe siècle avant Jésus-Christ. Dans son *Histoire des Juifs*, Josèphe fait allusion, mais sans donner de détails, à une peste qui aurait sévi au cours du siècle qui précéda l'accession au pouvoir de César Auguste.

À moins qu'un des soldats d'Alexandre le Grand ne l'ait rapporté à la maison. D'une façon ou d'une autre, l'épidémie avait sûrement voyagé le long d'une route terrestre ou marine durant l'un des empires.

Tout cela pour dire que les os de l'Année Zéro avaient gardé leur secret. Ils n'avaient apporté aucun indice. Mais Miranda avait une idée.

— Tout le monde recherche les matières de l'Année Zéro qui pourrait se trouver dans des collections privées ou des musées, expliqua Miranda à Golding. Mais il y a peu de chance pour que nous récupérions quelque chose qui nous permette de travailler. Alors, je me suis dit pourquoi ne pas faire travailler les os pour nous ?

— Continue.

— Les cloner.

— Tu veux dire ramener les os à la vie ?

— Je sais que cela a l'air fou.

— Fou n'est pas le terme que j'aurais choisi, Miranda.

Golding avait fait ce déplacement spécialement pour mettre un terme au clonage. Avant qu'elle ait pu ajouter quoi que ce soit, Miranda se précipita pour expliquer sa théorie.

— J'ai trouvé un moyen de développer l'ADN. C'est là. Dans les os. La signature génétique de près de quatre cents hommes différents sur ces tables et dans ces tiroirs. Si nous les ramenions à la vie, nous pourrions retrouver les traces du virus dans son état originel.

— Cela ne marchera jamais, rétorqua Golding.

Elle devait détruire ce fantasme avant de lâcher sa bombe : un moratoire pour toute recherche sur le clonage humain.

— Même si tu pouvais les cloner, le virus ne ressusciterait pas en eux.

— Pas le virus, sa trace génétique. Les cicatrices génétiques de la maladie.

— Un anticorps ?

— Ou son ombre, enfermée dans la mémoire des lymphocytes T. Si l'un de ces hommes a survécu à la maladie, alors ses cellules ont gardé en mémoire la structure du virus pour lui permettre de se défendre en cas de nouvelle attaque. Il pourrait aussi être caché quelque part dans l'ADN non génique, enfermé dans des rétrotranscriptases avec d'autres génomes viraux inertes.

— Des ombres, murmura Golding, mécontente.

Elle était venue faire la morale à Miranda, lui expliquer que la fin ne justifiait pas tous les moyens et voilà qu'elle s'interrogeait. Et si elle se trompait ?

— Je ne sais pas quoi penser, avoua-t-elle. Mais cela ressemble à un geste désespéré, une recherche en aveugle.

— Je pensais plus à une plongée au cœur de l'Année Zéro, mais tu as raison. C'est un geste désespéré. Nous devons tout tenter, non ?

— Tout ? Qu'entends-tu par là ?

— Élise, tu es si pâle. Viens t'asseoir.

Golding se laissa entraîner et Miranda lui apporta un gobelet d'eau.

— Ton cœur ? demanda-t-elle.

— Je suis simplement fatiguée, répondit Golding en tapotant sa main.

Mais elle avait l'impression que le monde ne cessait de se dérober sous ses pieds.

8.

En Asie

Hiver

Au nord de Katmandou, la route s'étendait, silencieuse. Les chauffeurs de camions et de bus avaient abandonné leurs véhicules. Les vendeurs des rues avaient remballé leurs bonbons, cigarettes et baumes du Tigre et déserté leurs petits cabanons. Nathan Lee était seul sur son vélo surchargé qu'il poussait en montée et chevauchait en descente, priant pour que les freins ne lâchent pas.

Non pas qu'il n'y eût personne. Des paysans et des animaux vaquaient à leurs occupations comme des fourmis sur les pentes des collines en terrasse. Les sons se répercutaient dans l'air de la vallée : le marteau du maréchal-ferrant, le meuglement des vaches, la cloche des temples, les rires des enfants. En les entendant, Nathan Lee souffrait de ne pas avoir de maison et de famille. La nuit, il s'étendait sur le sol et regardait les feux et les bougies s'éteindre au loin. Un après-midi, au détour d'un virage, il aperçut des garçons qui jouaient au football sur une section plate de la route. Mais quand il atteignit l'endroit, ils avaient disparu depuis longtemps.

Après avoir été traité de cannibale et de lépreux pendant des années, Nathan Lee en était venu à considérer les manifestations de mépris comme allant de soi. Mais rien de tel ici. Ces gens ne le connaissaient pas. Ce n'était pas sa réputation qui les effrayait, mais le simple fait qu'il soit un étranger. Jamais les Népalais n'avaient agi ainsi.

Il se raccrochait à sa théorie. Pour lui, le nouveau roi avait concocté cette histoire de peste pour effrayer ses sujets et restaurer la féodalité. Les précédents ne manquaient pas : Pol Pot au Cambodge, Hoxha en Albanie soviétique, ben Laden avec l'Islam. D'ailleurs, depuis qu'il roulait, il n'avait aperçu aucune preuve d'une épidémie. Aucun campement d'organisations humanitaires. Pas de malade et encore moins de cadavres.

En approchant de la frontière, sa peur du soldat se réveilla. Si le Népal s'était refermé sur lui-même, quelqu'un devait sûrement veiller à ce que le monde extérieur n'interfère pas. Il entreprit de mettre au point une histoire compliquée susceptible de lui obtenir son visa de sortie. Mais lorsqu'il atteignit la frontière, pas le moindre douanier en vue. Même pas du côté chinois. Il franchit donc tranquillement la ligne jaune au milieu du pont de l'Amitié et changea de pays. D'abord, une peste imaginaire et maintenant, une pseudo-frontière.

En dessous du pont, la rivière grondait, alimentée par les neiges himalayennes. Le long des pentes recouvertes de rhododendrons verts, les singes entelles criaient et sautaient dans les arbres. Le grand drapeau rouge de la République populaire pendait en lambeaux. Nathan Lee n'aima pas du tout cela. C'était une chose de voir un petit pays sombrer dans le chaos. Mais tout un empire ? Le rideau de bambou était-il tombé ? La Chine s'était-elle scindée en États indépendants ? Avait-elle rendu le Tibet au dalaï-lama ? Les paroles de la Française lui revinrent en mémoire. *Shambala.*

Après un kilomètre de grimpée le long de la route escarpée, il atteignit la ville de Tingri, juchée à flanc de montagne, qu'il traversa en poussant son vélo le long de la seule et unique rue, sans apercevoir âme qui vive. Pas un bruit. C'était pourtant différent du Népal où les gens se calfeutraient derrière portes et fenêtres closes en attendant qu'il soit passé. Ici, les portes béaient. Bizarrement, cela lui redonna espoir. Dans les chroniques de la peste qu'il avait lues, de Thucydide à Camus, il restait toujours une vieille femme ou un simplet qui refusait de quitter sa maison. En Afrique, avec sa mère, il avait eu l'occasion de traverser des villes fantômes ravagées par le SIDA. Et pourtant, il restait toujours quelqu'un.

La porte du poste frontière bâillait. À l'intérieur, le sol était jonché de formulaires tombés du comptoir. Les bureaucrates avaient été si pressés de partir qu'ils n'avaient même pas pris leurs tampons. Sur une impulsion, Nathan Lee sortit son livre de contes et apposa le visa chinois sur une page blanche. Grace aimerait cela.

En fouillant, il trouva une paire de pantalons matelassés pour aller avec la parka qu'il avait volée dans une boutique de trek à Katmandou. Puis il reprit sa montée vers le nord. L'air était glacé dans l'ombre de la gorge. Au cours de sa première journée au Tibet, il avait plus que doublé son altitude.

À dix-sept ans, Nathan Lee avait emprunté ce même chemin pour rejoindre l'Everest avec son père. Comme dans son souvenir, la route creusée à flanc de montagne grimpait, enjambant les cascades. Mais les chutes de pierre n'avaient pas été dégagées depuis des mois. De façon inquiétante, certaines portions semblaient même avoir été dynamitées comme si les Chinois avaient tenté de fermer le passage derrière eux. Une seule raison pouvait expliquer cette attitude et Nathan Lee sentit sa confiance diminuer. Cette peste était peut-être bien réelle.

Sa progression vers le haut de la gorge se ralentit considérablement. Les chutes de pierre de plus en plus importantes formaient de véritables barrages et l'obligeaient à de nombreux allers et retours pour transporter de l'autre côté ses affaires et son vélo. Les roches se dérobaient fréquemment sous ses pieds, menaçant de l'envoyer valdinguer dans la rivière quelques centaines de mètres plus bas. Chaque éboulement lui coûtait des heures. À cette allure et avec encore près de 20 000 kilomètres à parcourir, il aurait tout aussi bien pu rester en prison.

— Et merde ! hurla-t-il au ciel vide.

L'écho répercuta ses paroles à l'infini.

Chaque jour, il devait se motiver pour garder le moral, se convaincre que cette allure lente permettait à son organisme de s'adapter à l'altitude et au froid. Ses muscles douloureux en témoignaient d'ailleurs. Il retrouvait son corps.

Finalement, après une quinzaine de jours dans le défilé glacial, Nathan Lee atteignit la partie haute de la barrière himalayenne : l'autoroute chinoise à trois mille six cent cinquante mètres au-dessus du niveau de la mer. En fait, une vulgaire route de terre courant d'ouest en est, construite pour permettre le ravitaillement des soldats sur les postes frontières éloignés et le transport du minerai vers l'intérieur. Les pèlerins tibétains l'empruntaient pour leurs treks jusqu'à la montagne sainte de Kailas et les touristes pour se rendre à Lhassa. Ce matin, aussi loin que se portait le regard, la route était vide dans les deux sens et le plateau tibétain complètement désert. Cette absence de vie commençait à inquiéter Nathan Lee. La population semblait s'être volatilisée comme les animaux et les oiseaux. Que signifiait cette solitude et jusqu'où s'étendait-elle ?

Il mit le cap à l'est, ce qui le plaçait dos au vent la plupart du temps et les premiers jours, il se sentit bien sur cette terre d'air et de lumière. Le soleil le réchauffait et, pendant des heures, le vent soufflait si bien qu'il suffisait de se laisser pousser. Pour le moment, pas besoin de carte. À la place du nord magnétique, les montagnes géantes et enneigées au sud lui servaient de repère. Et il avait ses souvenirs.

Lorsque son père faisait un cadeau, il s'agissait toujours d'une invitation à le rejoindre dans son propre univers. Pour ses dix ans, Nathan Lee avait reçu une paire de crampons. Quand les autres enfants de son âge dévoraient *Silver Surfer*, *Conan* ou *Playboy*, Nathan Lee découvrait les livres d'Hermann Hesse, René Daumal, Han Shan et autres mystiques de la montagne. Comme beaucoup d'alpinistes américains de son époque, son père considérait la montagne comme un temple shaolin populaire, synonyme de sagesse et d'une fraternité musclée. Pauvreté, risques et même mort : tout cela faisait partie de la Voie verticale. *Nous sommes faits à l'image de la montagne, Nate*, déclarait-il. *Impossible de cacher qui nous sommes. Nos âmes se détachent sur le ciel.* Embarquée dans son propre *Magical Mystery Tour*[1], sa mère, éperdument amoureuse de son mari, adhérait complètement à son trip.

Le Cho Oyu apparut, puis l'Everest à une cinquantaine de kilomètres, son sommet fumant comme un volcan. Nathan Lee gardait des souvenirs très clairs de l'expédition avec son père. À l'époque, il n'était encore qu'un gamin insouciant, aimé de tous, serviable, naïf et fort comme un yack. Plus fort même que son propre père, ce qui les surprit tous les deux. Aucun n'était prêt pour cela. Un après-midi orageux, vers la fin du séjour, ils avaient gravi le col Nord pour atteindre la dernière tente. Ce n'était pas haut, mais le col plongeait en pente raide de chaque côté offrant une vue grandiose. C'était là que son père lui avait fait cadeau de son piolet. Un grand moment.

Nathan Lee continuait son périple au cœur du Tibet sous un ciel d'un bleu si profond qu'il en paraissait noir. Les nuits étaient difficiles parce que glaciales. La plupart du temps, il s'enroulait en boule dans un creux au bord de la route ou se blottissait derrière un rocher. Le vent le traquait, les étoiles le bombardaient.

Il croisa un vieux *dzong* ou forteresse et s'abrita dans ses ruines sans toit. Une nuit, il découvrit une chambre de méditation creusée dans la terre. Au cours des siècles, des moines s'étaient succédé dans ce trou, priant et jeûnant pendant des mois et même des années. C'était à peine plus grand qu'un cercueil et Nathan Lee rêva de la prison. Une autre fois, il rampa dans une grotte et dormit sur un tas de plaques d'argile gravées de Bouddhas.

1. Titre d'un album des Beatles de 1967.

Un après-midi, il s'arrêta devant un panneau routier portant des caractères chinois délavés incompréhensibles pour lui. Des pèlerins tibétains y avaient accroché une de leurs longues banderoles de drapeaux de prières, décorés de chevaux. Parmi les monstres et les dieux tibétains, le *lung ta* – ou cheval du vent – représente une créature extrêmement importante. Poussé par le vent, le petit cheval s'envolait, emportant vers les cieux les prières accrochées sur son dos. Nathan Lee coupa l'un des drapeaux qui ne pesait guère plus qu'une plume et le glissa entre les pages de son livre.

Le vent, jusque-là serviable, devint franchement hostile. Les bourrasques le frappaient avec force, le faisant tituber comme un ivrogne et freinant considérablement son avancée. Jour après jour, il devait lutter contre les rafales qui lui asséchaient le visage. La poussière envahissait sa bouche et ses sinus. La peinture verte de son vélo s'écaillait irrémédiablement. À la mi-décembre, il n'avait toujours pas atteint Lhassa. À l'abri d'un monastère en ruine, il étala sa carte de l'Asie et en cala les coins avec des pierres. Il avait tracé trois trajets possibles : un qui suivait le Yang-Tsé jusqu'à la mer de Chine méridionale et un autre jusqu'à Pékin où il rêvait de convaincre l'ambassade des États-Unis de l'aider. Sa dernière option, la plus solitaire, consistait à rester sur des chemins isolés. En traversant la Mongolie au nord du désert de Gobi, il pourrait rejoindre la Sibérie et tenter d'atteindre la mer de Béring.

Regarder la carte le démoralisait plus encore que le vent ou le froid parce qu'elle le confrontait à la réalité.

Quand il aurait rejoint Lhassa, son voyage aurait à peine commencé. Il allait lui falloir des mois, peut-être même des années avant d'arriver chez lui. Sa patience avait été mise à rude épreuve en prison et l'idée d'attendre encore le rendait fou.

Puis, un jour, la piste terreuse disparut, cédant progressivement la place au bitume qui réapparaissait par endroits comme une vieille mémoire. Des flaques de goudron de plus en plus larges et finalement la route à perte de vue.

Nathan Lee descendit de son vélo, ôta ses lunettes et tapa l'asphalte de son pied valide, appréciant le contact.

Sa traversée du désert était terminée ! Il savait pertinemment qu'il n'en était rien, mais soudain l'Amérique paraissait proche. Il releva son vélo – pas loin de quatre kilos quand même – enjamba la selle et donna un coup de pédales. Ses pneus glissaient sans effort dans un ronronnement plaisant. Il devait y avoir une ville pas loin. S'il rencontrait des gens, il mendierait. Sinon, il volerait. Il se réapprovisionnerait, dormirait dans un lit, trouverait du bois et ferait du feu. Il se rappela soudain que Noël serait bientôt là.

La route plongea et il prit de la vitesse. Sa chance était revenue. Même le vent le laissait tranquille. Ce qu'il n'avait certainement pas envisagé dans ce tableau idyllique, c'était les cadavres.

Quand il put enfin s'arrêter, il se trouvait déjà au milieu d'eux. De gros camions gisaient, renversés sur les bas-côtés ou simplement arrêtés. Pour la première fois depuis que le couple de Français lui avait parlé de l'apocalypse, Nathan Lee voyait un cadavre. Pas un, mais beaucoup. Plusieurs centaines. Des milliers. Un véritable champ de bataille. Que s'était-il passé ici ? La route en était littéralement recouverte sur des kilomètres. Il expira un grand coup, chassant de ses poumons l'odeur de mort, et s'approcha d'un camion. La tête du chauffeur reposait contre la fenêtre comme s'il dormait. Il avait des cheveux raides et noirs. Une de ses mains gantée de coton blanc – une habitude bizarre partagée par tous les chauffeurs, même les plus machos – était appuyée sur le volant. Nathan Lee ne voyait pas son visage. Sa peau était-elle transparente ? Était-il devenu invisible ?

Il s'approcha d'un autre corps, une jeune femme allongée sur le ventre. La peau de ses mains n'était pas transparente, mais noire, cuite par le soleil, polie par le vent et le froid. Des turquoises enfilées sur des poils de yack blancs décoraient ses tresses noires.

Nathan Lee se souvenait de sa timidité devant les filles tibétaines avec leurs pommettes saillantes, leurs yeux en amande et leurs dents si blanches. Elles pouvaient être d'une beauté impressionnante et de redoutables charmeuses. Il se rappelait les archéologues qui le chambraient sur l'Everest et Ochs qui le poussait en lui disant *Prends-en une.* Cela lui revenait maintenant, Ochs l'incitant déjà à faire ce qu'il ne fallait pas.

Il crut d'abord se trouver devant des victimes de la peste. Le couple français avait eu raison et tort à la fois. Rien dans cette avalanche de cadavres ne suggérait l'absence de mémoire. Et de toute évidence, personne n'était invisible. Quelle qu'elle soit, cette maladie n'avait rien de surnaturel. Il s'agissait d'une infection qui tuait rapidement. Presque instantanément.

Mais quelque chose ne collait pas. Pourquoi tant de gens décédés en un même lieu et en même temps ? Qu'étaient-ils venus faire ici ? Où allaient-ils ? Que fuyaient-ils ? Il remarqua alors que le convoi se dirigeait vers l'ouest… loin de la Chine, vers le désert.

Ils s'éloignaient du centre du pays. Quelque chose les avait brusquement affolés et forcés à fuir. Comme un coup de fusil tiré en l'air.

Il survola les corps du regard. Aucun soldat. Aucun colonisateur des plaines orientales. Que des Tibétains. Il fronça les sourcils. Une autre hypothèse, plus macabre, lui vint à l'esprit. Et s'ils avaient été tués ?

Mais s'il s'agissait d'un massacre, quel était l'agent exterminateur ? Où se trouvaient les cartouches de fusil ? Les camions explosés ? Aucun des corps ne portait de blessures.

Puis il découvrit un vautour, des chiens, des corbeaux et des souris, éparpillés au milieu des corps, frappés alors qu'ils dévoraient les cadavres. Quelques minutes plus tard, il trouva une bombe aérosol orange à moitié enfoncée sur le bord de la route. Dessiné sur le côté se trouvaient le symbole universel – deux os en croix surmontés d'un crâne. Du gaz neurotoxique. Il se redressa.

Maintenant, il savait quoi chercher. Il en repéra aussitôt cinq de plus. Les avions étaient venus du nord-est et avaient surpris la caravane à découvert. Ce qui expliquait la panique générale et les morts rapides. Il réalisait maintenant que depuis qu'il était entré au Tibet, il n'avait pas croisé un seul animal. Pas d'oiseaux, d'antilopes, de yacks en train de brouter. Les Chinois avaient décimé toute la région.

Pour surmonter son horreur, il s'imagina les contours de l'Asie dans sa tête et se rappela la route dynamitée par les Chinois. Et alors, il comprit. Le flux et le reflux du temps. Les ruines épiques. Le glissement des empires. La logique implacable. Comme toujours en temps de crise, l'Empire du Milieu s'était retranché derrière sa Grande Muraille. La Chine avait rassemblé ses enfants – les Han – à l'intérieur de la forteresse et refermé les portes. Sauf que cette fois, la Grande Muraille n'était pas constituée de pierres, mais de toxines chimiques.

Ils avaient créé un véritable mur coupe-feu. Nathan Lee imagina l'immense zone de massacre qui s'étendait probablement dans toute la Mandchourie jusqu'à sa frontière occidentale avec l'Inde. Des millions de personnes avaient été sacrifiés. Inutile de se demander pourquoi. Il se trouvait en marge de la zone de quarantaine.

Nathan Lee s'assit sur le sol.

La peste était réelle.

Et elle était incurable.

La mort peut être synonyme de renaissance, du bon se cache parfois derrière le mauvais, de l'innocence dans la culpabilité. La vie se contredisait elle-même. Une minute, le vent portait les prières aux Dieu, l'instant suivant, il répandait du poison. Nathan Lee avait hérité de cette terre et son choix était simple. L'utiliser ou la perdre. Alors il devint le roi de morts.

Le gaz neurotoxique se dissipait en quelques heures ou jours – principe sur lequel reposait toute guerre chimique. Le gaz devait se décomposer avant d'avoir eu le temps de se retourner contre ses propres troupes. Nathan Lee en conclut donc que puisqu'il était toujours vivant, la plaine n'était plus contaminée.

Après un coup d'œil aux derniers rayons du soleil, il appuya son vélo contre un camion et grimpa dans la cabine vide. La jauge indiquait un réservoir à moitié plein. Contrairement au Népal où les réserves d'essence étaient à sec, ici, les camions roulaient lorsque les gaz chinois les avaient rattrapés.

Mais la batterie était morte. Rien d'étonnant. Patiemment, il remonta la file de véhicules, sortant les chauffeurs et tournant la clé de contact. Aucun camion ne tressaillit. Le soleil disparut derrière les montagnes et le vent se leva, chuchotant en glissant sur le métal immobile. Les pots d'échappement sifflaient comme les tuyaux d'un orgue.

Finalement, il grimpa dans la cabine d'un camion et referma la porte. Le véhicule tremblait sous les assauts de vent. Il attendit que ses mains se réchauffent, puis tourna la clé. Le vent hurlait maintenant si fort qu'il entendit à peine le moteur ronfler. Il tâtonna le tableau de bord et trouva un bouton qu'il poussa. La lumière des phares éclaira la route. Dans le faisceau lumineux, le massacre prenait des allures de cauchemar. Le réservoir n'était plein qu'au quart, mais derrière le siège, il trouva ce qu'il cherchait : un entonnoir et un tube en plastique qui sentait l'essence. Dans la benne, il découvrit un jerrycan d'une contenance de trente-huit litres. Et chaque camion avait sa réserve. Nathan Lee avait de quoi constituer sa station-service personnelle.

La découverte du camion en état de marche lui remonta le moral. Maintenant, il allait pouvoir progresser, transporter toute la nourriture qu'il trouverait et se remplumer. Le camion lui procurerait chaleur et protection.

Avec un peu de chance et de bonnes routes, il pouvait traverser le Tibet, le Gobi et la Sibérie en un mois et non en un an. Il se réjouit en considérant son avenir sous d'excellents auspices.

Avec précaution, il passa une vitesse et démarra, remerciant le ciel pour les sifflements du vent qui lui permettaient de ne pas entendre le craquement des os sous ses roues. Il s'arrêta près de plusieurs douzaines de camions, récupérant l'essence et la nourriture. Il entassa trois roues de secours dans le lit arrière, découvrit un chalumeau qui lui permettrait d'allumer le feu et de dégeler le moteur. Il ajouta du bois de chauffe, des couvertures, un tapis, de l'huile, de la graisse et de l'eau.

Presque à contrecœur, il remarqua l'or qui brillait sous l'éclat des phares. Des bracelets, des colliers, des boucles d'oreilles. Il aurait préféré ignorer la petite fortune qui gisait sous ses yeux, mais un jour, il finirait par rejoindre la civilisation et il aurait alors besoin d'argent. Plus jamais il ne compterait sur la gentillesse humaine, le monde ne fonctionnait pas ainsi.

Alors, il descendit du camion et, armé d'un couteau, commença à remplir son sac.

Cette nuit-là, Nathan Lee couvrit plus de kilomètres que dans tout le mois écoulé et atteignit Shigatse. La ville disparaissait sous les cadavres. Un grand monastère dominait le bourg comme une pierre tombale. Il ne s'arrêta pas. À la sortie de la ville, il passa devant une station-service qui avait explosé.

La route bifurquait vers le nord et redevenait terreuse. Il fit encore deux cents kilomètres dans l'obscurité, puis s'arrêta et prépara un feu et du thé avant de dormir quelques heures. Les jours suivants, il traversa d'autres lieux de massacre. Des véhicules abandonnés gisaient ici et là comme des îles lointaines, déchiquetés par les explosifs ou les rafales de mitraillettes. Les Chinois avaient tué tout ce qui bougeait.

Jour après jour, il progressa sur les routes désertes, longeant des lacs brillant comme des miroirs. Des drapeaux de prières flottaient accrochés à des poteaux au milieu de nulle part. Il entra dans un monastère. Dans de la salle de prières, les squelettes en robe de bure s'alignaient, certains encore assis. Plus loin, il découvrit une bande de chevaux sauvages qui avaient été poursuivis par un avion et gazés.

À la frontière de la Mongolie, il s'arrêta au poste frontière pour ajouter un nouveau cachet dans son livre. Au cours de la nuit, il aperçut les missiles sous les étoiles. Même en cette veille de fin du monde, les vieux empires sortaient leur arsenal pour marquer quelques points supplémentaires. Nathan Lee fut heureux de se trouver dans le désert.

Fin décembre, son camion s'embourba dans une dune de sable rouge. Il perdit une journée à tenter de le dégager, avant de se résigner à reprendre son vélo… pour découvrir une Land Rover neuve de l'autre côté de la dune. Le moteur démarra sitôt qu'il eut rechargé la batterie grâce aux câbles du camion qu'il avait tirés jusque-là. Il passa une autre journée à transporter tout son chargement d'un véhicule à l'autre. Lors de son dernier voyage, la dune avait presque avalé le camion.

La Land Rover s'avéra beaucoup plus rapide et souple que le camion et le libéra. Plus question de ménager la bête. Il fonça, changeant de véhicules sans hésitation, d'abord une deuxième Land Rover, puis un minibus et un autre camion. Les semaines passèrent et il se perdit presque. Sa carte n'était plus appropriée, mais il avait une boussole et son journal, une destination et un passé.

Quelque part en Sibérie, à la tombée de la nuit, il arriva devant un pont. Le seul avertissement du danger fut la vue d'une voiture renversée. Des mines, pensa-t-il, avant de freiner. Un instant plus tard, son pare-brise explosait. La balle avait été tirée par un sniper posté de l'autre côté de la rivière.

Nathan Lee se laissa glisser dehors, ne prenant que son sac d'or et son livre. Il attendit la nuit, caché dans un ravin, et rampa jusqu'à la rivière. La glace recouvrait la rive, mais après avoir jeté une branche dans l'eau, il vit dans quel sens le courant filait et décida de le suivre. Il ignorait le nom de la rivière, mais elle finirait inévitablement par atteindre la mer.

9.

Après l'heure

Los Alamos
Janvier

Golding arriva sans prévenir au milieu de la nuit. Deux mois s'étaient écoulés depuis sa dernière visite et il n'y avait plus de raison de poursuivre ce projet. Alpha Lab avait dérapé. Le laboratoire – le projet tout entier – devait être décapité. Cavendish devait partir.

Elle suivit le couloir, tirant derrière elle son petit réservoir d'oxygène comme un animal domestique sur roues. Ce soir plus que jamais, Victor, son mari, lui manquait. À cause du cathéter nasal qui passait derrière chacune de ses oreilles, elle se sentait vieille et vulnérable alors qu'elle se devait de paraître impérieuse. Mais ces derniers temps, ses médecins insistaient pour qu'elle le porte en permanence. En fait, ils ne voulaient même pas qu'elle se déplace et encore moins, au-dessus du niveau de la mer. *Los Alamos aura votre peau.* Mais il fallait en finir. Et elle partait donc au combat, bardée de tubes en plastique, seule et de sa propre autorité.

Elle n'avait averti aucun administrateur de sa venue. Une simple majorité aurait pu lui interdire cette démarche, mais c'était la pagaille. Les universités étaient sur un pied de guerre virtuel, au bord de la fermeture. Les parents avaient retiré leurs enfants des écoles à tous les niveaux. Des professeurs dispensaient leur enseignement sur le Net, quand ils enseignaient encore. La peur anéantissait le savoir au moment même où le savoir s'avérait crucial et personne, semblait-il, ne surveillait Cavendish. Personne, sauf elle.

Elle aurait pu le licencier par téléphone ou par lettre recommandée. Ou le convoquer. Mais ses sous-fifres et ses collaborateurs méritaient une leçon et ici même, sur leur propre territoire. Il ne s'agissait pas seulement d'Alpha Lab. Les biotechnologies avaient pris le contrôle de Los Alamos et toute la ville s'était lancée dans la course à bride abattue. Ceux qui désapprouvaient les nouvelles orientations ou s'opposaient aux violations de l'éthique étaient partis en masse, laissant les renégats entre eux. Un exemple devait être donné.

L'épidémie de Corfou n'aurait pu tomber mieux pour Cavendish. Tandis que la mystérieuse maladie se répandait, la panique jetait le monde dans la confusion la plus totale. L'Europe en état de choc se balkanisait. L'Afrique n'existait plus. Les officiels à Washington réclamaient un vaccin ou au moins des abris contre la bombe génétique pour le peuple américain. Cavendish s'était présenté comme l'homme de la situation. Il avait promis la lune et sa crédibilité reposait sur l'incrédulité même qu'il suscitait. Son clone humain – toujours considéré comme top secret, mais régulièrement exposé aux VIP en visite – vivait, preuve indéniable de ses compétences et de son audace. *Dieu soit loué pour son arrogance*, pensa Golding. En effet, après avoir volé les idées de Miranda, il l'avait complètement écartée et c'était aussi bien. Miranda pouvait encore être épargnée.

Malgré les efforts de Golding pour bloquer l'influence de Cavendish, l'argent avait continué d'arriver… du moins tant que l'argent avait existé. Pendant un temps, les dépenses de Cavendish avaient rivalisé avec celles des plus grands programmes – des recherches sur l'interféron pour le SIDA jusqu'à la guerre des étoiles en passant par le projet Apollo.

Il semblait n'y avoir aucune limite puisque techniquement, cet argent n'existait pas. Cavendish avait réussi à convaincre l'administration de considérer cette chasse au virus comme un projet secret. Ce qui signifiait que les fonds coulaient à flot en provenance de comptes sous mandat dont les comptables du Congrès ignoraient jusqu'à l'existence. Cavendish dépensait sans compter et, bizarrement, cette prodigalité ne faisait que renforcer sa réputation d'homme de la situation. Lésiner aurait sapé sa crédibilité.

Sa folie dépensière, qui se chiffrait en milliards de dollars, couvrait tout, des boîtes de Pétri aux ordinateurs Cray, jusqu'à la construction de laboratoires de biosécurité de niveau 4. Avec des murs épais de soixante centimètres d'épaisseur, les LBS-4 étaient les zoos les plus exclusifs du monde, réservés aux micro-organismes les plus mortels comme l'Ebola, le Machupo, les hantavirus et maintenant, le Corfou. Huit mois plus tôt, la planète n'en comptait qu'une demi-douzaine : deux en Russie, un au Canada, trois aux États-Unis et aucun en Europe, en Afrique ou en Asie. Aujourd'hui, il y en avait cinq rien qu'à Los Alamos, distants de moins de deux kilomètres les uns des autres. La ville s'était érigée en quartier général de la guerre contre le Corfou.

Toutes ces nouvelles infrastructures nécessitaient du personnel et Cavendish n'avait pas mégoté là-dessus non plus. C'était lui qui donnait le ton et ses décisions avaient force de loi parmi les apostats, les rebelles, les casse-cou et autres hors-la-loi. Après coup – toujours après coup – Golding prenait connaissance des dossiers d'embauche. D'une façon ou d'une autre, à tort ou à raison, ces nouveaux émigrés de la mesa estimaient tous avoir été lésés : leurs carrières brisées, la promotion qu'ils escomptaient attribuée à d'autres, leurs bourses annulées ou leurs recherches méprisées. L'un était endocrinologue avant que sa clinique *in vitro* en Floride ne soit brûlée par les évangélistes. Un oncologue avait perdu sa licence après la mort d'un enfant condamné sur lequel il avait administré un traitement monoclonal non testé. Beaucoup étaient des victimes de la biomania, le grand boom de

Wall Street pendant les années 1980 et 1990. Quand la bulle avait éclaté, ces brillants scientifiques avaient fait faillite et s'étaient retrouvés techniciens de laboratoire ou professeurs de biologie dans des lycées.

C'était ce genre d'individus – les laissés pour compte, les déchus de la biothechnologie – que Cavendish avait rassemblé à Los Alamos. Golding les connaissait bien. Chaque jour, le système universitaire de Californie mettait à la porte ces rebuts de la communauté scientifique. Pas étonnant qu'ils aient accepté d'aussi bonne grâce de venir se perdre dans le désert du Nouveau Mexique et de jurer fidélité à Cavendish.

Il ne leur avait pourtant pas offert grand-chose en terme de confort. Pas d'environnement de type Silicon Valley. Les laboratoires qui poussaient comme de la mauvaise herbe se trouvaient dans des immeubles miteux, des abris préfabriqués et même des tentes de l'armée. Les bureaux étaient équipés de fournitures gouvernementales et l'heure donnée par des horloges murales désuètes et grillagées. Sur certains tableaux, les physiciens avaient écrit leurs équations pendant la Seconde Guerre mondiale. Ce que Cavendish leur offrait, c'était une seconde chance. La vie après la mort.

Il leur assurait surtout la confidentialité et là résidait le plus grand danger. Retour au Far West, une frontière autour de chaque laboratoire et aucun Wyatt Earp en vue.

Les portes de l'ascenseur s'ouvrirent silencieusement. Golding descendit jusqu'au niveau - C, l'étage des bureaux qui surplombaient l'espace de clonage. Elle s'arrêta devant une fenêtre. Des plongeurs accouchaient un nouveau clone dans l'eau bleue lumineuse du caisson, une procédure devenue banale. Pas de public donc. Seulement une équipe de médecins qui attendaient sur la passerelle. Miranda ne figurait pas parmi les plongeurs. Golding reprit sa marche.

La lumière brillait sous la porte du bureau de Cavendish. Golding arrangea sa tenue. Après réflexion, elle retira le cathéter et poussa de côté son réservoir à oxygène, certaine de pouvoir tenir pendant les quelques minutes que nécessiterait l'entrevue. Elle frappa à la porte.

— Entrez, cria Cavendish.

Golding entra et se figea.

— Paul ? murmura-t-elle.

Assis à côté de Cavendish, Abbot l'attendait. Il se leva comme le parfait gentleman qu'il était, mais ne l'insulta pas avec un geste familier. Pas de bise sur la joue. Aucune excuse non plus.

— J'ai pensé que je devais être présent, dit-il, une affirmation que contredisait son expression.

L'idée ne venait pas de lui.

— Asseyez-vous, je vous en prie, dit Cavendish.

Abbot obtempéra, mais Golding resta debout. Elle observa son vieil ami et soudain, la vérité lui sauta aux yeux. Elle comprit brusquement d'où Cavendish tirait son pouvoir. Qui d'autre que Paul aurait pu avoir accès aux caisses noires ? Qui d'autre aurait pu aider à la boycotter à chaque moment critique ? Elle ressentit de l'écœurement. Pendant qu'elle veillait sur sa fille, il protégeait Cavendish.

— Comment as-tu pu faire cela ? demanda-t-elle.

Mais le masque était bien en place. S'il éprouvait des regrets ou des remords, il n'en montra rien. Puis elle réalisa qu'il avait dû venir spicialement pour cette entrevue. Elle avait cru tendre une embuscade et elle était tombée dedans. *Ils étaient au courant de sa venue.*

— Notre priorité est d'enrayer cette épidémie, répondit Abbot. L'humanité est en jeu.

Elle lutta pour reprendre l'offensive.

— Tu as raison sur ce point. L'humanité est en train de mourir. Ici même, dans ces laboratoires. D'abord, tu acceptes le clonage humain et maintenant, j'apprends que tu exposes les clones au virus.

— Une étape nécessaire, intervint Cavendish. Les épidémiologistes se sont lancés dans cette expérience il y a des mois.

Des mois ? Golding en resta bouche bée. Ses premiers soupçons d'expérimentation humaine dataient de la mention par Miranda des os de l'Année Zéro en novembre. Jusqu'à aujourd'hui, Golding avait cru l'idée abandonnée. Puis Miranda avait téléphoné à cinq heures du matin, dans tous ses états. Un de ses clones était mort.

— La technologie est là, reprit Cavendish. Les clones ne coûtent pas cher à entretenir. Quelques centaines de dollars pour les produits chimiques et les enzymes. Quelques heures de travail. Et ils peuvent être conçus sur mesure pour différentes réactions immunologiques. Ou, si besoin est, non immunisés. Les laboratoires nous disent ce qu'ils veulent et nous le leur fournissons.

— Des cobayes humains, répliqua Golding.

Vétéran des luttes contre le cancer et le SIDA, elle connaissait la tentation d'utiliser des êtres humains.

Mais personne n'avait encore osé franchir le cap avec des clones.

— Élise, dit Abbot, cette chose se propage plus vite que notre capacité à la comprendre. Notre vie dépend de ce qui se fait ici, même si cela implique d'utiliser des substituts humains.

— Des *êtres* humains, corrigea Golding.

— Si cela peut vous rassurer, nous n'utilisons que les morts. Cela facilite les choses pour notre personnel. Vous n'êtes pas la seule à avoir une conscience, vous savez. Nous avons discuté de la possibilité d'utiliser des êtres vivants, des condamnés à mort ou des volontaires rémunérés. Mais les employés ne l'auraient pas tous supporté. De plus, sans parler de l'éthique, le secret de nos recherches risquait d'être violé. Quelqu'un aurait fini par en entendre parler et aurait semé la panique dans la population. Les morts, par contre, ne parlent pas et personne ne s'inquiète plus d'eux. Et finalement, chacun de ces clones a déjà vécu une vie complète. Ils ont eu leur tour, si l'on peut dire.

— Pourquoi ne pas prélever des cellules épithéliales des employés ? demanda-t-elle. Pourquoi ne pas utiliser votre propre clone ?

Cela ne changeait rien à l'argument, mais elle devait gagner du temps, trouver une ouverture.

— Nous avons essayé, mais cela devenait trop personnel. Les techniciens s'attachaient à leur deuxième moi. C'était comme faire de la chirurgie sur soi-même dans un miroir. Très gênant. Très stressant. Ce n'est pas pour rien que les chirurgiens n'opèrent jamais les membres de leur famille. Ils redoutent de manquer d'objectivité. La seule solution était de prélever du matériel génétique sur des étrangers. Des étrangers morts.

— Vous sacrifiez la vie entre mes murs, coupa-t-elle.

Cavendish échangea un regard avec Abbot.

— Nous traversons une période difficile, Élise, qui réclame des mesures radicales, dit ce dernier. Nous n'avons pas le temps pour des tests sur des animaux. Les modèles informatiques ne sont pas fiables. Nous devons faire vite. Les essais humains sont notre seule chance. Ils meurent pour que nous puissions vivre.

— Ils ?

Miranda n'avait parlé que d'un seul clone.

— Je veux les chiffres, dit-elle.

— Miranda a mentionné combien de clones ? demanda Cavendish.

Il savait que Miranda lui avait parlé. Ce qui signifiait qu'il l'espionnait. Son téléphone devait être sur écoute.

— Vous osez mêler Miranda à tout ceci.

Elle tourna sa colère contre Abbot.

— À quoi joues-tu, Paul ? Dans quoi as-tu entraîné ta fille ?

Il fit une grimace.

— Elle tient à participer, répondit-il.

— Sûrement pas de cette façon. Combien de morts ?

— Trente-huit, répondit Cavendish.

— Un massacre, siffla-t-elle.

— Élise, je t'en prie, assieds-toi. Où est ton réservoir d'oxygène ?

Elle repoussa sa main. La chaise la tentait, mais si elle s'asseyait, ils l'entraîneraient dans une discussion, lui fourniraient des détails. Cavendish la mettrait en rogne. Abbot chercherait un terrain neutre. Ils se montreraient évasifs, ils mentiraient. Non, elle devait frapper fort.

— Il n'est pas question que je cautionne des meurtres, déclara-t-elle.

— Des meurtres ?, dit Cavendish d'un air malicieux. Alors que la peste sévit ?

— Assez.

Elle jeta la lettre sur le bureau.

— Vous êtes viré. Je mets fin à toute l'opération et je ferme les laboratoires. J'ai contacté le FBI. Ils vont mener une enquête. Vous serez poursuivi pour le meurtre de trente-huit personnes.

Cavendish ne parut pas impressionné.

— Élise, tu ne comprends pas, dit Abbot. Tu sais que les tests sanguins pour dépister le Corfou ont été développés ici. Savais-tu qu'ils avaient été élaborés grâce à des essais sur des humains ? Des clones tirés des os du Golgotha. Miranda a trouvé un moyen de récupérer les cellules T à partir de gouttes de sang. Même si nous ne pouvons pas encore localiser le virus lui-même, nous pouvons au moins dépister les personnes contaminées. C'est un début qui nous permet aujourd'hui de protéger nos frontières. Grâce au sacrifice de quelques vies, nous allons pouvoir en sauver des centaines de millions d'autres. Peut-être même toute l'humanité.

— C'est terminé.

— Je comprends, répliqua Cavendish. Vous ne voyez en moi qu'un savant fou, un mégalo sur roues. Vous avez essayé de dépasser ça, je le sais. Mais malgré vous, vous en revenez toujours à cette monstruosité dans un fauteuil roulant. C'est très politiquement incorrect, mais nous le faisons tous. Nous sommes programmés pour voir des contes de fées. Le laid ne peut être qu'un défaut de la nature. D'une certaine façon, c'est aussi notre rédemption. Nous voulons croire dans le bien. Je me trompe ?

— Vous avez fini ?

— Quel âge avez-vous, Élise ? Soixante-dix et quelque chose ? Une belle et longue vie, non ? Riche en succès.

Il sourit.

— Je n'atteindrai jamais trente-deux ans. Je souffre. Mes mains n'arrêtent pas de tressauter comme des poissons hors de l'eau. Ma colonne vertébrale se tord, contre ma volonté.

— J'en suis désolée, Edward.

— Non, s'il vous plaît, ne vous méprenez pas. Je ne m'apitoie pas sur moi-même. Je vous explique seulement. Depuis que je suis en âge de comprendre, une seule chose guide mes actes. Ce qui m'arrive ne doit pas arriver aux autres. C'est la raison de mes recherches en génétique. Pour que des innocents ne connaissent jamais mon sort. Aujourd'hui, je me trouve face à cette nouvelle maladie et je peux aider. Je veux participer.

Golding voulait changer d'avis à son sujet, mais il n'avait encore cédé en rien. Il entendait bien continuer les expérimentations humaines.

— La fin ne justifie pas les moyens, dit-elle.

— Je me doutais qu'on en arriverait là, dit-il en tapant sur une touche de son clavier.

Quelques secondes plus tard, son téléphone sonna. Il décrocha et écouta.

— Quelqu'un veut vous voir, annonça-t-il à Golding.

Elle surprit le froncement de sourcils d'Abbot. Ce n'était pas prévu.

— Je t'avais dit de laisser Miranda en dehors de ça, lui dit-elle.

— Il ne s'agit pas de Miranda, intervint Cavendish. Ce ne sera pas long.

On frappa à la porte.

— Entrez, lança Cavendish.

La porte s'ouvrit.

Golding ne tourna pas la tête pour regarder le visiteur. À côté d'elle, Abbot pivota sur sa chaise. Elle vit son expression de surprise, puis de choc.

— Élise ? appela une voix.

Elle se pétrifia. Son cœur se serra. Elle ne voulait pas se voir. Elle ne voulait pas savoir. Elle se tourna.

— Victor, murmura-t-elle.

Son mari, le père de ses enfants, était couché sur une civière, trop faible pour marcher. Ce n'était pas seulement une question de gravitation. Ils l'avaient sorti de l'aquarium, avaient coupé ses cheveux et ses ongles. Mais déjà ils repoussaient. Quand il était entré, c'était un jeune homme et il avait déjà cinquante ans. Son vieillissement était si rapide que son corps tremblait sous les métamorphoses.

— Où suis-je ? chuchota-t-il.

Elle s'approcha, caressa sa tête. Ses cheveux restèrent dans sa main. Soixante ans. Des tâches de vieillesse fleurirent sur ses mains. Soixante-dix. Son visage se creusa. Quatre-vingt-dix. Il cligna des yeux, désorienté.

— Tu es avec moi, dit-elle en l'embrassant sur le front.

— Je ne comprends pas, dit-il d'une petite voix.

— Tout va bien, Victor. Je t'aime tant.

— Est-ce un rêve ?

Il mourut.

Mais l'accélération génétique ne s'arrêta pas là. Son métabolisme s'accéléra. Il perdit sa peau, ses yeux…

Elle s'allongea sur le corps, s'accrochant au bord de la civière.

— Qu'avez-vous fait ? cria Abbot à Cavendish.

Sa voix lui parut lointaine.

— Nous avons obtenu tous les permis pour exhumer le corps. Nous n'avions besoin que de quelques cellules.

— Je ne veux pas être mêlé à ceci ! hurla Abbot.

Elle entendait. Quelle horreur. Ses mains lâchèrent et elle glissa sur le sol.

— Élise !

Abbot s'agenouilla près d'elle, cherchant à la prendre dans ses bras.

— Appelez de l'aide.

De ses dernières forces, elle le repoussa.

10.

Pornographie

Février

Pour Miranda, ce fut comme perdre sa mère une seconde fois. Mais le deuil était passé de mode, alors elle ne pleura pas.

Presque tout le monde à Los Alamos avait perdu un proche maintenant. La peste n'avait toujours pas touché les côtes américaines, mais les réserves diminuaient et les médecins étaient expédiés vers diverses « têtes de pont » le long des côtes et sur la frontière mexicaine où d'autres maladies se déclaraient. La tuberculose faisait un retour fracassant. La polio montrait son nez. Les épidémies de choléra fleurissaient le long de la péninsule de Floride. La mortalité augmentait parmi les très jeunes et les plus vieux. Un tel chaos régnait dans les services médicaux que les gens mouraient d'une simple morsure de chien, d'une égratignure sur un clou rouillé ou d'une fracture. Bizarrement, toutes ces souffrances, ces morts et ce chaos en étaient venus à se mélanger. D'une façon ou d'une autre, chaque événement malheureux découlait du même mécanisme. C'était leur définition de la peste. Prononcer le mot suffisait pour expliquer tous les malheurs. Même le décès d'une vieille femme après une deuxième crise cardiaque.

Dans leur esprit, Élise avait disparu dans la fosse commune. Los Alamos avait perdu un chef, mais en avait trouvé un nouveau en la personne de Cavendish. Miranda cacha sa peine. Par courtoisie pour les autres, vous étiez censé tenir le coup et avancer. Elle avait du travail à faire et elle le fit. Pour lutter contre la mort, elle s'investit dans la conception de nouvelles vies. Mais parfois, sa tristesse revenait. C'est ainsi qu'elle en vint à « surfer sur la peste ».

C'était devenu une véritable obsession pour beaucoup d'entre eux, une espèce de récréation, « surfer sur la peste » comme ils appelaient leurs balades sur le Net pour regarder le monde s'effondrer. Miranda avait d'abord considéré cela comme du voyeurisme et s'y était refusée pendant des mois. Mais maintenant, elle voulait savoir ce qui l'attendait.

Bien à l'abri dans leur mesa, munis des derniers équipements technologiques, les surfeurs se retrouvaient noyés sous une véritable avalanche de dépêches, supplications, rumeurs et reportages envoyés par les victimes du monde entier comme des messages dans une bouteille. Il suffisait de se connecter. En quelques touches de clavier, Miranda pouvait se raccorder à la caméra de sécurité d'un magasin ou d'une banque en Suisse ou en Argentine, ou télécharger des images satellites. Il y avait des yeux partout. Le ciel bruissait de voix. Il suffisait de choisir ce que vous vouliez voir ou entendre.

Les gens collectionnaient leurs découvertes comme des souvenirs, les visualisant, les chargeant, les échangeant ou au contraire les gardant jalousement, créant des sites web ou parlant du dernier spectacle auquel ils avaient assisté autour d'un café. Tous avaient leurs préférences. Certains racontaient communiquer pendant des semaines, la nuit, avec des étrangers désespérés à douze fuseaux horaires de là. D'autres cherchaient des vues de villes mortes. Une femme vivait une cyber-romance avec un astronaute dans une station orbitale. Des clubs se formaient pour reconstruire les villes disparues à partir de leurs ruines électroniques, rassemblant les clichés des rues vides, cherchant des reflets d'immeubles dans les miroirs ou les vitrines de boutiques, pénétrant dans des appartements, visualisant les livres sur les étagères, les restes du dernier repas ou même les dernières vidéos regardées par les occupants. D'autres encore collectionnaient les vies des victimes.

Miranda commença par suivre leurs traces, visitant les villes, espionnant sur les *chats*, repassant des images vieilles de plusieurs mois. Elle suivit l'exode des métropoles étrangères jusque dans les sables rouges du désert du Rajasthan, le bush australien, la chaîne de l'Atlas, le Sahara et le long des voies de chemin de fer dans les grandes forêts du nord de la Russie. Par le biais des orbites géosynchrones, les trains immobilisés ressemblaient à des serpents morts. Elle vit des colonnes longues d'une centaine de kilomètres de réfugiés se faire refouler par des armées au milieu de nulle part, le long de frontières qui n'étaient plus que des lignes sur une carte, les derniers vestiges d'un état-nation. Elle visualisa des émeutes sanglantes de personnes affamées à Sao Paulo, Londres et Berlin. Des orgies dans les rues de Rio de Janeiro. Avec une vitesse incroyable, la peste s'était transformée en un raz-de-marée qui semait la panique devant lui. L'ordre des choses disparaissait plus qu'il ne s'effritait. Les pays ennemis avaient à peine le temps d'envahir les frontières et de déclarer la révolution à coups de machettes que le virus les décimait.

Miranda continua de visualiser ces horreurs, cherchant quelque chose, même si elle ne savait pas quoi. Ce n'étaient pas les endroits à explorer qui manquaient. Au début, elle se sentit malhonnête ou du moins en contradiction avec elle-même. Le voyeurisme est toujours parasitaire. D'un autre côté, la curiosité était naturelle. L'histoire se faisait ou plutôt se défaisait. Tout le monde voulait y assister. Il y avait une sorte de confort en cela, une immunité. Être témoin impliquait qu'ils survivaient à ce à quoi ils assistaient. Regardant, ils restaient hors d'atteinte de ce qu'ils regardaient.

C'était une espèce de pornographie, mais également, à un certain niveau, un devoir. En même temps qu'ils plongeaient dans la mort imminente de l'humanité, ils mémorisaient ce qui avait été oublié, voyaient ce que des yeux humains ne voyaient plus, collectaient les derniers souvenirs.

Une nuit, le Capitaine Énote, chef de la sécurité du laboratoire, lui offrit un cadeau : un Post-it rose sur lequel étaient notées des coordonnées satellitaires. Énote avait été une des rares personnes à assister à l'enterrement d'Élise, qu'il n'avait pourtant rencontrée qu'une seule fois. En veste et cravate, il s'était tenu en retrait, sans regarder Miranda, bien qu'il soit venu pour elle. C'était la première fois qu'elle lui parlait depuis ce jour.

— Regardez ceci, dit-il. Réserve privée. En Afrique. Un document de la Navy. Mais n'en parlez pas. C'est supposé être top secret.

Le capitaine était un ancien marine à la retraite et Miranda ne fut pas surprise qu'il ait accès à des informations confidentielles. Elle ne connaissait que les grandes lignes de cette mission : hériter de la terre. L'Amérique devenant rapidement le seul et unique pays intact, les flottes étaient dispatchées aux quatre coins de la planète pour constater les dégâts et dresser un catalogue de ce qui restait des autres continents. Les avions de reconnaissance jouaient un rôle majeur. Ils survolaient les pays étrangers, récoltant des informations sur l'état des villes et des campagnes, les routes et les rivières, notant l'emplacement des arsenaux militaires, rassemblant des données sur les mines d'or, de cuivre, de platine, d'uranium et d'autres minéraux précieux, estimant l'état des voies de communication et, surtout, traçant une nouvelle carte du monde.

Elle s'attendait à voir une scène militaire, des avions de chasse s'envolant d'un porte-avions dans un bruit de tonnerre.

Mais quand elle trouva enfin une minute pour se connecter, ce furent des montagnes et des rivières qui s'affichèrent brusquement sur son écran. Sa minute se transforma en une heure. Elle contemplait le paradis. Miranda eut l'impression d'entrer en état de grâce. De temps en temps, elle apercevait l'ombre de l'avion qui filmait, mais en dehors de cela, elle aurait pu se croire sur un nuage. La forêt laissa la place à des gorges et des lacs où des milliers de flamants s'envolèrent en une longue ligne sinueuse et majestueuse.

Le lendemain, elle en parla au capitaine.

— J'avais l'impression de rêver, lui dit-elle.

— J'étais sûr que cela vous plairait. Je la suis depuis le début. Plusieurs mois maintenant.

— Elle ?

— Le pilote. C'est une femme.

Il y avait tant à demander qu'elle oublia de s'enquérir du nom de la femme. Ensuite, son anonymat devint une partie du voyage. Elle avait lu quelque part que les moines qui transcrivaient les textes au Moyen Âge gardaient volontairement l'anonymat. C'est ainsi que Miranda en vint à considérer le pilote, non comme un véhicule, mais comme une main cachée.

Le capitaine lui expliqua que son porte-avions, le *Truman*, avait été envoyé en Afrique. Ils avaient commencé leur reconnaissance au tout début : latitude zéro et longitude zéro, dans le golfe de Guinée au large des côtes du Gabon.

— Le cœur du pays noir, lui dit-il. Tout contact physique avec les populations était interdit.

L'escadron *Diamondback* du pilote se composait de quatre F-14, chacun équipé de caméras numériques et d'un scanner à infrarouges. À tour de rôle, ils mettaient le cap à l'est, parallèlement à l'Équateur, avant de revenir par l'ouest sur un autre parallèle, tout le temps transmettant les informations collectées aux services de renseignements et aux cartographes embarqués à bord du *Truman*... et involontairement au capitaine et à Miranda. Depuis le mois d'octobre, soit déjà quatre mois, le porte-avions avait fait route vers le sud jusqu'au cap de Bonne-Espérance avant de remonter de l'autre côté jusqu'au Kenya.

— Vous avez échappé au pire, raconta le Capitaine. En un été africain, un demi-milliard de personnes a disparu.

Semaine après semaine, les équipes de reconnaissance avaient exploré les lieux. La main de l'homme demeurait partout. Des derricks continuaient à pomper du pétrole au Gabon. Des villages aux toits de chaume ressemblaient à des scènes de théâtre attendant les acteurs. Au Cap, les palissades se dressaient d'un blanc lumineux. Une banlieue de Johannesburg avait toujours l'électricité et les lampadaires dans les rues brillaient en plein jour. Ne restaient plus que quelques animaux.

Nuit après nuit, Miranda voyagea sur les ailes de l'avion de la Navy. Elle apprit que pour faire une bonne reconnaissance, il fallait rôder, voler à quelques centaines de mètres du sol pour donner le meilleur angle de vue aux caméras vissées sous le fuselage.

Voler à 300 nœuds ou moins économisait également le carburant, ce qui permettait de maximiser la zone d'exploration quotidienne. Le pilote parlait rarement, en général simplement pour prévenir le navigateur radio sur le *Truman* qu'ils prenaient le chemin du retour. Mais quand elle parlait, Miranda appréciait sa voix sérieuse et féminine. Elle lui semblait vaguement familière par son accent et son économie de syllabes.

Miranda se connectait pour une heure ou deux, puis s'endormait, apaisée. Bizarrement, plus la peste se rapprochait, plus elle semblait lointaine. Le chaos était dépassé. Seule restait la beauté.

Miranda croyait que le pilote ne se doutait pas qu'elle était observée de l'autre côté de la planète. Mais une nuit, elle déclara que le *Truman* avait terminé sa mission.

— Si tu m'entends, je rentre à la maison, *datchu*, annonça-t-elle d'une voix douce.

Miranda ne connaissait pas ce dernier mot, mais il avait une consonance affectueuse et elle se demanda à qui il était adressé.

Le pilote était une étrangère pour elle, sans nom, sans visage. Mais la nouvelle l'emplit de joie.

— Elle revient, annonça-t-elle le lendemain au capitaine.

Mais c'était inutile. Ses yeux brillaient et elle comprit aussitôt.

— *Datchu*, c'était vous ?

— Ma femme et moi, nous l'appelons encore *kola t'sana*, répondit le Capitaine.

11.

Les pétroglyphes

Février

Le clone avançait d'un pas lourd dans la neige qui lui montait jusqu'aux tibias, fuyant au fond du canyon, loin du soleil. Ses vêtements pendaient en lambeaux. Son sang fumait dans l'air gelé, rosissant la neige, laissant derrière lui une trace légère et indélébile comme l'histoire d'une vie.

Il aurait dû se méfier des rouleaux argentés qui entouraient la ville. Ils coupaient comme des rasoirs. C'était une ville surnaturelle aux bords tranchants. La nuit, dans son pays, les bergers fabriquaient parfois des crayons avec des ronces de mûrlers. Icl, même les bulssons étalent en fer. Il s'était prcsquc écorché vif cn sc libérant.

Pour le moment, en tout cas, il tenait debout et s'éloignait d'eux. Les mesas s'élevaient de chaque côté de cet oued. Pas de lumière au fond de la gorge. Au loin, une espèce de désert lui faisait signe. Dieu seul savait où il conduisait.

Il n'avait jamais vu la neige auparavant et c'était une horreur, froide et belle sûrement, mais trompeuse. Sous la surface lisse se cachaient des pierres qui roulaient sous ses pieds et le déséquilibraient. La blancheur évoquait la pureté et pourtant il traversait une forêt noire où les arbres ressemblaient à des lances. Creusant dans la neige, il découvrit une terre roussie qu'il gratta avec un bâton pour ne trouver qu'un sol de cendres stériles sous le ciel gris. Le pays des morts.

Derrière lui, ses traces se détachaient nettement sur la neige trahissant son passage. Ils allaient le retrouver grâce à son sang. D'ailleurs, seul son sang les intéressait. Depuis toujours, dans son ancienne vie comme dans celle-ci.

Leurs aiguilles l'avaient vidé. Ce qui lui avait d'ailleurs permis de mesurer le temps grâce aux intervalles entre les piqûres. Mais il ne supportait plus ces violations répétées de son corps. Non pas que sa chair et son sang lui appartiennent dans cet univers dévorant. Au moins, dans sa vie précédente, avait-il pu offrir des morceaux de lui-même avec une certaine liberté. Aussi terrible qu'ait été sa mort, il avait largement participé à sa propre destruction. Dans cette nouvelle captivité, il n'était rien qu'un animal et ses veines, une offrande à des sacrifices sanglants.

Jour après jour, ses gardiens le gardaient enfermé dans une cage au cœur de cet au-delà métallique. Des trous en métal récupéraient ses excréments et son urine. Des tubes l'abreuvaient… d'une eau au goût métallique. Même la lumière était enfermée derrière une grille. L'enfer n'était finalement pas un monde de ténèbres, après tout. Où qu'il se tournât, son regard rencontrait son propre reflet sur les parois en acier étincelant.

Il savait qu'il se trouvait dans l'au-delà parce qu'il était mort. Bizarrement, il ne gardait aucune trace de sa mort, ni cicatrices, ni souvenirs funèbres, seulement sa mémoire. Et depuis qu'il s'était réveillé ici, cette mémoire s'était tellement développée qu'elle avait commencé à effacer tous ses autres souvenirs. Sa famille, ses camarades, son pays. Le ciel bleu, le goût du pain ou le chant des femmes. Des milliers de détails qui s'estompaient lentement.

Il s'était perdu dans ses propres ténèbres, se condamnant lui-même à cette obscurité, à cet enfer. Parce qu'il avait abandonné Dieu. Mais Dieu l'avait abandonné le premier. Comment pourrait-il l'oublier. Après tant d'amour et de dévotion, il s'était retrouvé projeté dans la honte et la souffrance. Il protestait. Quelle sorte de père était-Il donc ? Mais cette seule pensée… Là résidait son péché.

À côté du souvenir de son horrible mort, la neige, ses blessures et son désarroi devenaient presque des distractions bienvenues.

En s'échappant, il avait découvert les limites de leur empire. La ville était faite de métal, de verre et de câbles, leurs routes recouvertes de nuit. La glace pendait comme les dents d'un loup. Et la lumière ! Une telle lumière ! D'une puissance aveuglante. Ils avaient découvert les secrets de la terre, transformé le fer en argent et étiré le verre en grandes plaques. Mais même ainsi, la vue de leur ville gelée l'avait étrangement réconforté. Il en était venu à croire que l'au-delà était un univers sans histoire, une punition sans passé ni futur, liée à l'ouverture et à la fermeture de la porte métallique et au pompage de son sang. La vue de leur ville lui avait permis de retrouver une sensation de progression. Le temps existait toujours. Les générations avançaient. De son temps, les Fils des Ténèbres vivaient dans des villes légendaires en marbre. Ceux-ci ressemblaient plus aux Fils de la Lumière. Peut-être avaient-ils gagné la grande guerre.

Toutes les races d'Adam rassemblées ici. Toutes les couleurs, toutes les formes d'yeux. C'était formidable. Tous les troupeaux de la terre réunis en un seul. Cela ressemblait à Rome sans l'être. Ses ennemis, ces hommes n'étaient pas mauvais, pas plus que les Romains ne l'avaient été. Il devait admettre cette terrible vérité : ses geôliers ne le haïssaient pas.

Quand il s'était enfui, ils avaient crié après lui, mais leurs visages exprimaient la peur, non la haine. Des démons n'auraient pas eu peur. Il les avait affolés par ce qu'il représentait, un instant de chaos. Il comprit alors que les choses terribles qu'ils lui infligeaient n'étaient pas des punitions. Pour eux, il n'était qu'un animal sauvage.

Frissonnant, son souffle chaud fumant dans l'air, le fugitif tendit l'oreille, guettant ses poursuivants. Rien. Seulement le bruit de ses propres poumons et de son cœur. Les oiseaux ne chantaient pas dans la forêt parce qu'il n'y avait pas d'oiseaux. Le soleil ne brillait pas parce qu'il n'y avait pas de ciel. Il leva la tête vers la grande voûte grise et vide au-dessus de lui. La lumière baissait. La nuit tombait. Il se mit à espérer qu'ils abandonnent la chasse.

Cette éventualité le poussa à s'enfoncer plus loin dans le canyon. Il avait tellement envie, non pas de liberté, mais d'exil. Si seulement ils pouvaient le laisser errer dans ce désert blanc. Il endurerait alors avec plaisir les épreuves qu'il lui réservait. Son désir représentait une faim bien plus forte que les crampes de son estomac. De tout son être, il souhaitait recommencer. Il mangerait des orties, dormirait avec les serpents et laverait ses plaies dans le sable. N'importe quoi pour recommencer le grand cycle de son peuple : la captivité, l'exil, la renaissance.

Père, pria-t-il, *pardonne-moi.*

Il avait toujours essayé de faire son devoir. Il avait écouté son cœur. Jeûné. Accueilli les voix. Suivi les pas qu'il croyait tracés pour lui sur la terre. Et cette neige était comme le désert, sans traces, et en même temps riche de chemins. *Laissez-moi me perdre que je puisse être retrouvé. Délivrez-moi de mes ennemis.*

Haut au-dessus de lui, perché sur une falaise dénudée, il aperçut un village. Il s'arrêta dans la neige, presque certain qu'il ne s'agissait que d'une vision envoyée pour le tourmenter. D'en bas, il n'apercevait que le sommet des maisons. Des ruines.

De tels endroits ne lui étaient pas étrangers. À Qumran et partout ailleurs le long du fleuve et de la mer, il avait habité dans de telles grottes, ses secondes maisons. Il aimait ces petites niches creusées dans la roche. Il balaya la neige des marches. Elles formaient un escalier vertical qui grimpait jusqu'à une corniche à une trentaine de mètres au-dessus du sol. La corniche s'enroulait autour de la paroi en s'élevant légèrement, suspendue à mi-chemin entre le fond du canyon et le haut du plateau.

Là, se dressait le village, délabré, sans toits, aux fenêtres vides. Il était plus grand que ce qu'il semblait vu d'en bas et également beaucoup plus vieux. Personne n'avait habité ici depuis des générations. Et pourtant les murs avaient été ravalés et retapés avec du ciment frais. Ce qui suggérait une certaine valeur. Sinon pourquoi quelqu'un aurait-il pris la peine de le restaurer ?

Des gouttières avaient été creusées dans la roche pour canaliser l'eau de pluie. Loin en dessous, visibles à cette hauteur, il aperçut des terrasses effondrées là où des champs avaient dû s'étendre. S'il s'agissait d'un avant-poste, comme Massada l'était devenu, où se cachait la route qu'il surveillait ? Pourquoi l'avoir installé dans ce canyon isolé ? À moins que son isolement ne soit justement sa raison d'être. Peut-être avait-il été, comme Qumran, le refuge d'un *haedah*, d'une congrégation religieuse, même si au premier regard, cela ressemblait plus à un banal village de paysans qu'à une forteresse ou un monastère.

Il erra parmi les ruines, essayant d'oublier le plus longtemps possible le froid, la faim et la douleur de ses plaies. La nuit allait être longue et difficile. Il n'avait ni couverture, ni moyen de faire du feu, aucun branchage pour se protéger. Quand il se coucherait, ses lacérations et la terre gelée l'achèveraient. Ses membres se raidiraient. D'étranges animaux rôdaient peut-être la nuit par ici. À l'aube, ses geôliers le retrouveraient. Aussi voulait-il rester debout le plus longtemps possible.

C'est ainsi qu'il découvrit les pétroglyphes. Le vent et les vandales les avaient abrasés aux endroits exposés et la neige avait recouvert les autres. Mais au fond des grottes, dans les lieux abrités, sur les murs ou la suie noire, des mains primitives avaient gravé des animaux et des formes géométriques. En eux, le village revivait.

Beaucoup de ces dessins représentaient des choses inconnues pour lui, des bêtes à cornes qui n'étaient ni des moutons, ni des chèvres, des cultures qui n'étaient pas du blé, des lions qui ne ressemblaient pas tout à fait à des lions. Pourtant, les dessins lui parlaient directement. Dans les serpents et les oiseaux, il devinait la référence à la terre et au ciel. Les spirales tournaient vers l'intérieur... pas vers l'extérieur, vers l'anarchie. Ici, se trouvait la lumière et là, l'alphabet de Dieu.

Il avait rencontré les mêmes pétroglyphes dans son propre pays. Des silhouettes et des hommes stylisés qui dansaient et chassaient. Les symboles mystiques lui sautèrent aux yeux. Il reconnut un caractère en forme d'insecte doté d'un phallus proéminent et d'une flûte. Le colporteur, le vagabond, le séducteur... Le cœur fertile. Pour les non avertis, il pouvait représenter le diable. Mais en de bonnes circonstances, si vous aviez de la chance, son chant pouvait être celui du prophète, l'essence même de l'inspiration.

Finalement, la douleur et l'épuisement eurent raison de ses forces. Il tituba. La neige rougit autour de ses pieds. La lumière du jour s'éteignit. Il choisit les ruines d'une maison construite à l'intérieur d'une grotte et rampa tout au fond, là où il n'y avait pas de neige. Avec ses dernières forces, il entassa des pierres dans le passage, puis se coucha et appuya son dos contre le mur. Le vent soufflait à travers les fissures. Il n'avait aucune nourriture et ignorait ce qu'il pouvait y avoir plus loin à l'est. Pourtant l'angoisse se dissipa dans sa poitrine. Les ruines lui procuraient plus qu'un abri. Pour la première fois depuis sa naissance, il prenait conscience d'un lieu et d'un temps. Il rêva de sa mère et de son père, sauf que ce n'étaient pas vraiment des rêves parce que son sommeil n'en était pas un. Se vidant de son sang, gelé, il flottait lentement et délirait. Un peu comme s'il se transformait en pierre.

Au matin, les soldats le trouvèrent. Il entendit leurs voix. La lumière du jour filtrait par les interstices des murs. Incapable de bouger, il ne put que les regarder dégager les pierres qui bloquaient l'entrée, comme des animaux se creusant un chemin jusqu'à sa tombe.

12.

L'orpheline

Los Alamos
Mars

Miranda observait l'orpheline. La fillette, était assise par terre, jambes croisées, vêtue d'une salopette rose qu'ils avaient dû lui enfiler de force. Des jouets cassés et un gobelet à bec verseur contenant du jus d'orange l'entouraient.

Miranda s'était imposée dans son monde comme une présence invisible. Deux fois par jour, tous les jours, quelle que soit sa charge de travail, elle venait la voir. Après la mort de sa mère, Élise avait toujours veillé ainsi sur Miranda, se rapprochant d'elle autant que possible. D'une certaine façon, Miranda avait l'impression de rendre la politesse. Elle se demanda si elle avait été aussi mystérieuse pour Élise que cette enfant l'était pour elle.

Elle n'entrait jamais dans la chambre. D'abord, parce que l'enfant était devenue trop dangereuse. Ensuite, parce qu'elle ne voulait pas gâcher cette connexion spéciale qu'elle imaginait entre elles.

Ils lui avaient donné une pièce chaleureuse, égayée par plusieurs litres de peinture Martha Stewart confisquée par la Garde Nationale après les émeutes d'Albuquerque en octobre. Des volontaires avaient peint de lumineux tournesols jaunes sur les murs bleu ciel et un magnifique arc-en-ciel au-dessus de l'entrée. Les lavages et les désinfectants avaient quelque peu terni l'ensemble, mais l'impression demeurait : un refuge de petite fille.

Sa fenêtre – en verre incassable pour qu'elle ne puisse pas la briser – donnait à l'est sur les montagnes Jemez enneigées. La pièce comprenait un lit rouge et bleu en plastique recouvert de sa couverture préférée et un pot dans un coin. Un mobile composé de coquillages pendait au plafond. Les scientifiques et les soldats qui avaient des familles avaient fait don des jouets. Les gens avaient vraiment essayé d'aimer cette enfant peu attachante.

Pendant un temps, l'orpheline avait acquis un statut de célébrité. Comme Miranda, les chercheurs venaient passer leur pause déjeuner dans la salle d'observation où ils mangeaient leurs sandwichs en regardant jouer l'enfant, totalement inconsciente de la présence de spectateurs. Au dernier Noël, des élèves de deuxième année s'étaient rassemblés devant sa fenêtre pour chanter des chants de Noël. Les enfants avaient lancé un concours pour lui trouver un nom et les suggestions n'avaient pas manqué, de Britney à Madonna en passant par Ice. Rien ne convenait vraiment. Ils avaient fini par l'appeler *Sin Nombre, sans nom.*

Elle était étrange, mais anormalement douée pour une enfant de quatre ans. Ils ne cessaient de s'émerveiller devant ses prouesses. À l'âge où les enfants savaient à peine tracer un trait, elle dessinait le tremble planté devant sa fenêtre avec des crayons de dix couleurs différentes. Elle refaisait le même arbre chaque jour, mais en changeant sa couleur ou sa taille. Sur certains de ses dessins, il avait des feuilles, sur d'autres non. Les feuilles pouvaient être représentées par des petits soleils, des langues de feu ou des oiseaux. Ils se demandèrent où elle avait vu du feu avant de se rappeler les bougies des chanteurs de Noël. Récemment, un personnage avait rejoint l'arbre sur ses dessins, en général assis dessous. Une silhouette stylisée, déjà remarquable en soi pour son âge. Avec une vitesse étonnante, en une semaine à peine, le personnage avait acquis des doigts et un visage avec des détails disproportionnés. Ce fut Miranda qui trouva l'explication de ces distorsions. N'ayant pas de miroir, la fillette avait palpé son propre visage avant de le reproduire sur le papier. L'enfant se dessinait elle-même. Son assurance les stupéfia et ils la comparèrent à Picasso.

Puis, les choses avaient changé.

Un mois plus tôt, une rupture s'était produite et l'enfant avait commencé à déchirer ses vêtements et à maculer les murs de ses propres excréments. De ce côté de la glace, à l'abri de l'odeur, Miranda pouvait imaginer de la beauté et du mystère dans ces traces chocolat. D'autres n'y voyaient qu'un comportement névrosé, pour ne pas dire plus.

L'opinion générale se modifia. Finalement, l'enfant n'était qu'un monstre après tout. Les semaines suivantes, d'autres incidents dégoûtants se produisirent. L'enfant se griffa le visage et le corps jusqu'au sang avant qu'ils parviennent à l'immobiliser et à couper ses ongles pourtant déjà courts. Elle mangea ses crayons et attaqua l'infirmier qui s'occupait d'elle. Les spectateurs du déjeuner cessèrent leurs visites. Sa plongée dans la folie – s'il s'agissait bien de cela – n'amusait personne. Et bientôt, la fillette n'eut plus qu'une seule spectatrice.

Miranda s'en réjouit. Seule, elle pouvait réfléchir et tirer ses propres conclusions. Le déclin de l'enfant lui paraissait incompréhensible. Pourquoi une telle métamorphose ? Avait-elle été choquée par quelque chose ? Un des infirmiers s'était-il montré brutal ? Miranda traquait les indices d'une mémoire résiduelle, n'importe quoi pour relier l'enfant trouvée à son passé néandertalien. Des souvenirs vieux de 30 000 ans commençaient peut-être à lui revenir – même si cela allait à l'encontre de la théorie de Miranda sur la mémoire. La fillette était née enfant, pas sous forme adulte comme les autres clones. Avec le développement du langage, sa mémoire passée aurait dû s'effacer ou du moins s'enfouir puisque, selon sa théorie, la fillette était une *tabula rasa*[1].

Miranda se retrouvait dans la solitude de l'enfant. Personne n'essayait de lui piquer ses jouets comme cela se passe entre frères et sœurs. C'était une enfant unique. Bien que son espièglerie se soit étiolée depuis un mois, elle arrangeait encore ses jouets en ligne droite et jouait avec eux à des jeux élaborés. Ses Barbies ne se disputaient pas et se parlaient gentiment. En anglais.

Les linguistes avaient affirmé que l'enfant ne pourrait jamais reproduire le langage humain. Se basant sur leur examen de l'os hyoïde et des mâchoires d'un squelette du Neandertal, ils avaient estimé qu'elle n'aurait pas l'architecture vocale adéquate pour prononcer des voyelles comme *a*, *i* et *u*, ou des consonnes dures comme *k* et *g*. Mais la prononciation ne posa aucun problème à la petite *Sin Nombre* qui déclamait son abécédaire avec enthousiasme.

Tout allait si bien avant ce changement brutal. Les jouets démembrés, le silence, la retraite.

En sa qualité de premier clone, l'enfant était considérée comme un cas d'école et son déclin sujet à débat. Les clones régressaient-ils simplement avec le temps ? La fuite récente du clone de l'Année Zéro ne faisait que renforcer cette impression et beaucoup parmi ceux qui utilisaient les clones pour leurs recherches en éprouvaient un certain soulagement, car cela signifiait que malgré leur ressemblance avec des êtres humains, les clones étaient différents. Comme des machines avec des parties qui s'usaient plus vite que d'autres.

La porte de la salle d'observation s'ouvrit et une odeur d'ail envahit les lieux. Miranda tourna la tête. C'était Ochs et sa présence ne présageait rien de bon. Les chercheurs l'avaient surnommé la Faucheuse. Cavendish chargeait le géant d'annoncer les mauvaises nouvelles et de les faire appliquer. Tous les monarques de l'histoire avaient utilisé des hommes de main.

1. Concept philosophique épistémologique selon lequel l'esprit humain naîtrait vierge et s'imprimerait par la seule expérience.

Ochs arborait une ceinture avec une boucle en turquoise fabriquée dans un pueblo du coin et ne mâcha pas ses mots.

— Le conseil a voté, annonça-t-il en secouant lentement la tête, comme si la nouvelle l'attristait.

— Elle doit partir.

Miranda avait réfléchi. Elle mettait un point d'honneur à ne jamais se prévaloir de sa supériorité hiérarchique, sauf en cas de circonstances exceptionnelles…

— Je vais en parler à mon père, dit-elle.

— Le docteur Cavendish s'en est déjà chargé et votre père s'est incliné devant l'autorité du conseil. Ils ont examiné votre requête et l'ont rejetée. Le sujet est clos.

— Elle mérite mieux que cela, dit-elle.

— Je suis désolé.

Il ne l'était pas, mais quelle importance. Il n'était qu'un messager. Pourtant, Miranda s'entêta.

— Elle n'a même pas quatre ans, pour l'amour du ciel.

— Une enfant sauvage, déclara Ochs. Autiste, violente. Dans le meilleur des cas, elle aurait été enfermée dans un asile psychiatrique.

— Elle l'est déjà, rétorqua Miranda.

— Avec une équipe médicale personnelle et une chambre avec vue. Nous ne pouvons plus nous permettre cela.

Nous, pensa Miranda avec amertume. Le régime Cavendish.

— Quelque chose a modifié son comportement. Un événement extérieur. Ce n'est pas sa faute.

— Cela n'a rien à voir, dit Ochs. Vous avez vu les résultats ADN. Sur le plan génétique, c'est une impasse. Nous devons libérer le personnel et l'espace. Priorité au vaccin.

Priorité au vaccin, le nouveau leitmotiv.

— Elle est innocente. Ce n'est pas juste.

— Il ne s'agit que d'un transfert.

— Dans une cage.

— Dans votre cage. Elle part pour Alpha Lab. Vous l'aurez ainsi pour vous toute seule.

Ochs sourit.

Depuis la mort d'Élise, Miranda s'était battue pour garder le complexe, connu sous le nom de Zone Technique 3, à l'écart des magouilles de Cavendish et de sa politique d'émulation. *Il s'agit d'une compétition*, prêchait-il, *pas d'une coopération. L'arène des idées.* En l'espace de quelques mois, sous son influence, des scissions avaient commencé à diviser Los Alamos. Dans les laboratoires, les conflits éclataient – des guerres miniatures au sein d'un conflit généralisé. Les chercheurs s'insultaient, se bousculaient, se poignardaient dans le dos, sabotaient les expériences.

Miranda avait fait de son mieux pour contrer cette philosophie. Malgré leurs différences, les chercheurs n'étaient pas des ennemis. Le désespoir et la culpabilité représentaient leurs véritables adversaires. Et surtout la frustration. La nation – le monde – avait placé son espoir dans leur génie et ils ne se montraient pas à la hauteur. Cette douleur les poignardait et le taux de suicides ne cessait d'augmenter. Au cours des dernières semaines, cinq scientifiques de plus avaient mis fin à leurs jours et deux avaient « assisté » leur famille. L'alcoolisme et la drogue étaient en recrudescence et ceci, parmi des hommes et des femmes au plus haut niveau de responsabilité. L'église ne désemplissait pas. Los Alamos avait toujours été porté sur la religion, mais aujourd'hui les scientifiques avaient perdu foi dans leurs propres connaissances.

Elle avait donc cherché à réagir, allant d'un laboratoire à l'autre et prêchant la coopération. Et, dans un premier temps, cela avait marché. Les combattants avaient accepté d'enterrer la hache de guerre pour lutter ensemble contre la peste. Puis une nouvelle polémique avait éclaté, un nouveau vol de matériels, une nouvelle tentative pour débaucher des chercheurs, une nouvelle idée plagiée, une nouvelle déportation de minuit sur ordre de Cavendish. La liste n'en finissait plus. Finalement, Miranda avait abandonné et s'était retirée dans son laboratoire. Refusant de participer à ce gâchis, elle ne s'occupait plus que de son secteur.

— Mais vous lui enlevez le soleil, fit-elle remarquer.

— Cela pourrait être pire.

— Vous avez aidé à la créer. Cela ne vous fait-il donc rien ?

— Ce n'est pas comme si elle sortait de la cuisse de Jupiter. Tout ce que j'ai fait, c'est fournir l'os de la mâchoire, répondit Ochs. Vous la prenez trop au sérieux. Elle existe, mais elle est inconséquente. Un monstre.

— Où Cavendish vous a-t-il déniché ? demanda-t-elle en le fixant avec mépris.

— Dans le monde réel, Dr Abbot. Vous devriez partir maintenant.

La porte de la chambre de la fillette s'ouvrit et quatre hommes entrèrent, portant casques, protections et boucliers. L'un d'eux tenait un de ces longs aiguillons utilisés pour neutraliser les animaux sauvages. Ils se placèrent derrière l'enfant.

— Il n'était pas nécessaire d'en arriver là, dit Miranda.

— Ils connaissent leur travail.

L'homme avec l'aiguillon s'avança et enfonça la grande aiguille dans la cuisse de l'enfant qui ne réagit pas. Mais Miranda si.

— J'y vais, annonça-t-elle.

— Laissez-les faire leur travail.

Elle tenta de passer, mais Ochs représentait un obstacle de cent trente kilos.

— Votre père a dit que vous vous en remettriez, ajouta-t-il. Il dit que vous vous en remettez toujours.

Par-dessus son épaule, elle aperçut la fillette toujours debout. L'homme la poussa du bout caoutchouté de l'aiguillon et, finalement, elle s'écroula.

13.

La mer

Mars

Sur le chalutier *Ichotski,* ses compagnons de voyage le prenaient pour un damné. Nathan Lee en pensait autant à leur sujet. Mais leur damnation ne résultait pas de la même source. Quand l'excommunication assombrissait son regard, le leur brillait avec foi. Une foi qui allait les tuer.

Le bateau avait embarqué quarante-trois réfugiés chinois et russes. La plupart en famille. Comme lui, ils avaient payé une petite fortune au capitaine et à son équipage. Mais aucun d'entre eux ne semblait comprendre que l'*Ichotski* était un piège. Ils voyageaient à bord d'un abattoir. Non pas qu'ils aient eu le choix. Dans les villes côtières devenues de véritables cauchemars, russes et asiatiques se démenaient pour obtenir leur passage pour l'Amérique du Nord. Vous payiez ou vous restiez.

Nathan Lee compta dix-neuf enfants parmi les passagers. Il compta aussi les hommes et les femmes et compara son total avec les membres de l'équipage – moins nombreux, mais armés de fusils. Peut-être que s'il y avait eu plus d'hommes parmi les passagers... Mais ce n'était pas le cas et leur sort était scellé. Après cette conclusion, Nathan Lee prit ses distances et refusa de parler à quiconque. Alors, ils le laissèrent tranquille.

La mer était grise et agitée. Pour dégager de la place pour les passagers, le canot de sauvetage avait été accroché à l'arrière du bateau au bout d'un filin de quinze mètres. Ce n'était qu'un frêle esquif, aussi miteux que le chalutier et recouvert d'une toile pour empêcher l'eau d'y pénétrer. Au-dessus d'eux, le ciel pommelé menaçait.

L'équipage attendit quelques jours avant de s'en prendre à eux, laissant la mauvaise nourriture, le froid et le mal de mer les épuiser. Trois femmes furent entraînées sous le pont. Tout le monde entendit leurs cris, mais personne ne fit un geste pour leur porter secours, pas même leurs maris qui restèrent de marbre. Nathan Lee vit l'horreur s'inscrire sur le visage des réfugiés lorsqu'ils réalisèrent qu'ils étaient prisonniers. Pourtant, ils continuaient à croire que tout finirait par s'arranger, que le viol suffirait à combler leurs geôliers. La côte de l'Alaska n'était qu'à trois jours de navigation.

Au matin, seules deux des femmes remontèrent. Le mari de la troisième se leva pour protester et un marin balafré et de taille impressionnante le frappa au visage. Mais là encore, les réfugiés refusèrent de perdre espoir. Après tout, il ne l'avait pas tué. Trois autres femmes furent entraînées en bas.

Chaque heure, Nathan Lee consultait discrètement sa boussole. Le chalutier maintenait toujours le cap à l'est, sous le cercle arctique. Il ne tarderait pas à faire demi-tour pour revenir vers les côtes russes. Le changement de direction serait large et imperceptible et les passagers ne se rendraient compte de rien. C'est à ce moment-là qu'il s'enfuirait.

L'après-midi, les pirates, tous saouls, les volèrent. Les passagers terrifiés durent ouvrir caisses et valises et abandonner leurs derniers biens. Nathan Lee donna tout ce qu'il avait à l'exception d'un couteau collé contre sa cheville, de sa boussole qu'il avait coincée sous la balustrade de la proue en prévision et de son livre enveloppé dans un sac en plastique pour le protéger de l'eau de mer.

— Ce n'est qu'un livre, dit-il en anglais.

Le marin feuilleta les pages écrites et regarda les dessins. Il pesait vingt bons kilos de plus que Nathan Lee et se déplaçait avec la légèreté d'un homme habitué aux combats de rues. Il n'y avait rien à faire qu'à attendre. Le pirate continua à feuilleter le livre et tomba sur le drapeau de prières du Tibet. Il leva le morceau de tissu et examina le cheval et les prières imprimés dessus. Pour une raison inconnue, il conserva le drapeau et rendit le livre à Nathan Lee.

En partant, les marins frappèrent quelques hommes avec leurs armes avant de prendre une nouvelle femme. Son petit garçon s'accrochait à elle. Personne, pas même Nathan Lee, ne tenta de sauver le garçonnet qui refusait de lâcher sa mère. Brusquement, sans un mot, un des pirates l'attrapa et le jeta par-dessus bord. La mère hurla, se débattit et frappa les marins qui ne firent que rire avant de l'entraîner.

Les réfugiés regardèrent le petit garçon qui ballottait à la surface de l'eau. Sa résistance les étonna. Au bout de cinq minutes, il disparut. Puis, au loin, sa tête réapparut au sommet d'une vague. Il regardait toujours vers le bateau, attendant poliment.

Nathan Lee ferma les yeux et se laissa glisser contre la proue. *Et si cela avait été Grace ?* Si son dernier espoir avait dépendu de la compassion d'un étranger ? Mais intervenir lui aurait coûté la vie. Toute la nuit, l'image du garçon flottant sur les vagues le hanta.

L'Alaska se trouvait à deux jours de navigation quand le chalutier entama son demi-tour. Nathan n'essaya même pas d'alerter les passagers. La mascarade tirait à sa fin. Il était beaucoup trop tard pour sauver quiconque, à part lui. Et il y avait de grands risques pour qu'il soit trop tard pour lui aussi.

Les marins remontèrent juste avant la tombée de la nuit. Cette fois, du sang maculait leurs vêtements et aucune des femmes ne réapparut. Nathan Lee aperçut le marteau à panne ronde dans la main du boucher. L'homme ne faisait rien pour le dissimuler tandis qu'il se dirigeait vers la poupe. Un marin vêtu d'un T-shirt fit signe à trois hommes de le suivre. Ils obéirent docilement et disparurent derrière la cabine.

Cela ne prit que quelques minutes. Pas de cris, pas de coups de feu, pas de bruit de corps tombant à la mer. Le marin revint et choisit trois nouvelles victimes. Il se montrait agréable. Nathan Lee regarda le ciel d'un air désespéré. Le soleil ne se couchait pas assez vite.

Le marin revint et entraîna une famille entière avec lui. Certains réfugiés se mirent à pleurer, mais sans bruit, comme si c'était un manque de courtoisie. Les familles s'embrassèrent.

Quand leur tour vint, elles partirent vers leur destin en se tenant par la main. Une mère portait son bébé enveloppé dans une couverture.

Petit à petit, leur nombre diminuait. Tout se passait dans un grand ordre. Le marin faisait un signe et un autre groupe se levait. Bientôt, ne resta plus qu'une vingtaine de personnes sur le pont. C'était maintenant ou jamais. Nathan Lee maudit la nuit qui tardait à tomber.

Il ôta sa veste en duvet et se baissa pour dénouer ses bottes et détacher le couteau de sa cheville. Les réfugiés avaient les yeux tournés vers la poupe et personne ne le vit disparaître. Il se laissa glisser le long d'un cordage, son sac passé à l'épaule et le couteau entre les dents. Parvenu au ras de l'eau, il se laissa tomber.

Il remonta à la surface, choqué par le froid. Le chalutier le dominait comme une baleine préhistorique. Ses flancs le frôlèrent. Il avait anticipé l'eau glacée et le poids de ses vêtements mouillés, mais il n'en fut pas moins surpris. Le sac avait glissé derrière son dos et l'étranglait. Le bateau défila à toute vitesse et la corde qui tirait le bateau de sauvetage apparut, trop haute pour qu'il puisse l'attraper. Sa lenteur le stupéfia et l'espace d'un instant, il crut que le canot allait passer devant lui sans qu'il puisse réagir, emportant avec lui sa dernière chance.

Mais la mer bougea. Nathan Lee plongea dans le creux d'une vague. Le canot s'éleva et dans le mouvement se rapprocha du chalutier. La corde se détendit et l'embarcation se rabattit sur la gauche, s'enfonçant sous la houle.

C'était tout ce dont Nathan Lee avait besoin. La coque frappa contre son épaule gauche, mais il réussit à saisir le bord du canot. La bâche qui le recouvrait était aussi dure que du bois. Ses doigts dérapèrent. Il s'agrippa avec les ongles, mais c'était comme monter un cheval sauvage. La barque se cabrait. Nathan Lee fut submergé par une vague et le sac l'étrangla. Le couteau lui coupa les lèvres, mais il ne lâcha pas prise. Finalement, il réussit à prendre le couteau dans une main et à fendre la toile qui se déchira. Dans un dernier effort, il se hissa et se laissa tomber à l'intérieur.

Il resta allongé sur le dos, effondré sur les rames et les voiles. Son combat n'avait pas duré plus d'une minute. Il respira un grand coup. Ses paumes saignaient, ses pieds nus bleuissaient et le canot montait et descendait dans le sillage du chalutier.

Après s'être retourné sur le ventre, il jeta un coup d'œil par la fente de la bâche, s'attendant presque à trouver les pirates au bastingage, fusils pointés sur lui. Au lieu de cela, ils s'apprêtaient à tuer une femme.

L'homme avec le marteau la frappa sur le crâne. Il n'y avait rien de vicieux dans son geste. Il ne se montrait pas mauvais. Dans son esprit, il se considérait peut-être comme un ange de miséricorde lui épargnant les souffrances de la noyade.

La femme s'écroula. Deux marins la soulevèrent et la firent passer par-dessus bord. Elle disparut dans les flots. Une file de garçons et de filles – Nathan Lee en compta dix-sept – attendaient leur punition comme de vilains enfants. L'homme au marteau fit signe au premier enfant d'avancer. Nathan Lee plongea sous la bâche. Comment ne l'avaient-ils pas vu ? Sa lutte lui avait paru bruyante et épique. Il avait lutté contre les vagues et déchiré la bâche sous leurs nez. Mais une espèce de voile l'avait rendu invisible.

Maintenant, il lui fallait couper la corde avant qu'ils ne se rendent compte de son absence. Avec un peu de chance, le canot s'éloignerait si lentement qu'ils ne le remarqueraient pas. Une nuit pouvait s'écouler avant que quelqu'un ne signale sa disparition et le Capitaine ne perdrait sûrement pas de temps à chercher un canot. Un coup de canif donc et il était libre.

Mais il y avait ces enfants.

Trempé jusqu'aux os, il frissonna violemment.

Ils n'étaient rien pour lui. Depuis le début du voyage, il avait pris soin de les tenir à distance. Il s'était donné beaucoup de mal pour ne pas retenir leurs noms, ne pas entendre leurs chansons ou croiser leurs regards. De toute façon, même s'il le voulait, il ne pourrait pas les sauver. Il n'était pas leur père et son propre enfant l'attendait.

Ses dents claquaient. Il regarda le couteau. *Était-il donc déjà mort ?*

Il fouilla le canot à la recherche de quelque chose : une arme, une idée, n'importe quoi pour le pousser à l'action. Il découvrit un sac en caoutchouc contenant de la nourriture et quelques bouteilles d'eau, mais pas de pistolet ou de fusées de détresse. Il était aussi démuni que les enfants. Alors que pouvait-il faire ? Lancer des boîtes de conserves aux pirates ? Ridicule.

Le bruit d'un corps qui tombe dans l'eau. Nathan Lee sentit un choc contre la coque en bois du canot. Il tremblait, pris entre deux feux, survie ou martyre.

Un autre plouf. Nathan Lee ne supportait plus d'assister ainsi à un massacre, tapi dans les vagues. Il ne pouvait pas les aider et il ne voulait pas entendre. Glissant le bras par la fente de la toile, il appuya le couteau sur la corde tout en s'exhortant à ne pas regarder. Peine perdue.

Les pirates ne voyaient toujours rien, mais les enfants, si. Il en restait trois qui sursautèrent en l'apercevant. Sur une impulsion, il leur fit signe de sauter. C'était le seul moyen. Il se libérerait ensuite et les récupérerait. C'était jouable. Tout ce que les enfants avaient à faire, c'était sauter.

Il leur fit signe de nouveau. Pas un grand geste, mais un geste éloquent. *Sautez.* Soudain, l'image d'un canot plein d'enfants le réjouit. Il se vit atteignant les côtes américaines...

Sautez ! Ils comprirent. Leurs yeux s'élargirent... mais pas d'espoir.

Croyez en moi, pensa-t-il. Ils l'avaient reconnu. Le loup solitaire, l'homme qui les grondait quand ils s'approchaient trop près, celui contre lequel leurs parents les avaient mis en garde. Il faisait maintenant partie de leur punition, un monstrueux barbu qui attendait pour leur faire des choses horribles une fois que les marins les auraient jetés à la mer. Et bien sûr, ils ne sautèrent pas.

Désespéré, Nathan Lee replongea sous la bâche, tremblant de froid, trop faible pour bouger ou pour s'inquiéter de son sort.

L'obscurité descendit. La nuit ou le désespoir, c'était la même chose pour lui. Même dans les pires heures au Tibet, il ne s'était jamais senti aussi seul. Il ne croyait pas en Dieu. Ce n'était pas une question de doute. Il ne croyait pas. Et pourtant – bizarrement – il ne trouvait que Dieu à blâmer. De la peste jusqu'à ce massacre d'innocents, le maléfique dépassait la cruauté humaine, bien loin des rouages d'un univers indifférent. Peut-être la femme française avait-elle raison. Dieu avait peut-être simplement décidé d'appuyer sur la touche « effacer » pour recommencer à zéro.

Les vagues battaient les flancs du bateau, le ramenant vers l'Asie. Il tenta de se rappeler le visage de sa fille, mais elle lui échappait. Il se remémora l'expression d'horreur des enfants. Finalement, il se souvint du couteau. Il se redressa, passa le bras par la fente et coupa la corde. La mer se calma. Il était seul.

* * *

Il dériva toute la nuit, frissonnant, les jambes enfoncées dans le sac en caoutchouc, le torse et la tête enveloppés dans les voiles. Lentement, la chaleur revint dans ses membres, assez pour qu'il puisse remuer. Au matin, il examina le mât qui ne faisait que soixante centimètres de plus que lui. Les voiles qui lui avaient servi de draps n'étaient guère plus grandes, mais quand il eut assemblé le tout, il prit le vent.

N'étant pas un marin, il se fia à sa boussole pour se diriger vers l'est. Quand le vent soufflait trop fort, il baissait les voiles et ramait. Quand cela se calmait, il remontait la voilure. Trois jours s'écoulèrent ainsi.

La mer devint étrange. Au cours de la troisième nuit, il entendit des mouettes et crut que son bateau avait atteint la côte. Il sortit la tête. Mais il n'y avait pas de terre. Seulement un énorme bateau qui fonçait droit sur lui, sans bruit.

C'était comme une ville avec un immense pont qui dépassait au-dessus de l'eau. Un porte-avions. Probablement américain.

— Au secours, hurla-t-il en levant les bras.

Il déchira quelques pages de son livre et, avec sa dernière allumette, les enflamma, les agitant au-dessus de sa tête. La mer était calme. Pas un souffle de vent. Le porte-avions se rapprochait. Il n'aperçut pas âme qui vive. Des nuages de mouettes volaient dans les lumières, piaillant.

— Au secours !, hurla-t-il encore. Le drapeau américain flottait sur le pont.

Il devint évident que le porte-avions allait le rater d'une bonne vingtaine de mètres. Un escalier métallique descendait le long de la coque presque jusqu'au niveau de l'eau, mais il ne pouvait pas s'approcher plus près.

Le nom du bateau s'étalait sur la proue. *USS Truman*. Le mur de métal gris le dominait d'une hauteur de près de cinq étages.

— Amérique ! cria-t-il. Au secours. En bas.

Mais le navire passa sans ralentir et il regarda les lumières s'éloigner. Les cris des mouettes s'éteignirent. La nuit retomba. Il eut froid et se recoucha.

Après une nouvelle journée, il croisa des icebergs, majestueuses planètes qui dérivaient sur l'eau, si lentement qu'elles en paraissaient immobiles. Il flotta parmi eux, tapotant leurs flancs aux éclats turquoise. Il arracha quelques morceaux de glace pour les sucer. Cette nuit-là, il tira le canot sur l'un d'eux, une grève dure comme du diamant, et établit son camp sur la glace. Mais la beauté qui l'entourait l'empêcha de dormir. La mer brillait sous l'effet du plancton vert lumineux et une aurore boréale illuminait le ciel au-dessus de lui dans un arc-en-ciel de couleurs.

Après la violence du *Ichotski*, ce monde cristallin et pur lui évoquait un paradis. Il décida de rester un jour de plus, puis un autre. Le soleil se leva et, ironiquement, pour la première fois depuis des semaines, il eut chaud… sur un iceberg. Il passait le temps à explorer, à se reposer et à écrire dans son livre. Au cours d'une de ses expéditions, il découvrit un animal pris dans la glace. Avec un piolet, il aurait pu le dégager et caresser sa fourrure fauve. Mais il ne possédait qu'un couteau tout juste bon à couper une pomme.

Il prolongea d'une journée son séjour, mangeant des sardines et un hachis de viande de cheval ou de chien datant de l'époque soviétique. Cette nuit-là, il rêva qu'il était un animal pris dans la glace. Il se réveilla et réalisa qu'il ne s'agissait pas d'un rêve, mais d'un présage. La glace le charmait par sa magie et sa paix, cherchant à le retenir.

Aux premières lueurs, il remit le bateau à l'eau et s'éloigna des gentils icebergs. Il n'avait aucune idée de l'endroit où il se trouvait. Il décida donc de continuer vers l'est. Quand il fut venu à bout des boîtes de conserve, il subsista en suçant la glace du morceau qu'il avait embarqué sur l'iceberg. Le gros glaçon gisait comme une carcasse au fond du bateau. Il tenta de pêcher, mais sans succès. Sur un petit bout d'île de quelques dizaines de mètres carrés, il récupéra quelques algues. En regardant dans l'eau, il aperçut les planctons phosphorescents qui se mouvaient aussi grands que des montagnes. La pleine lune gémissait sous le poids de son extraordinaire luminosité. Parfois, il prenait conscience que les gémissements venaient de lui.

Totalement hermétique aux lois de la navigation, il n'aurait su que faire de cartes nautiques ou d'instruments. Pour autant qu'il puisse en juger, les courants l'entraînaient en sens inverse chaque nuit. Après cela, il laissa les voiles levées et le vent l'emporter où il voudrait.

Un matin, le bruit de la coque qui raclait sur des cailloux le réveilla. Nathan Lee releva la tête et découvrit le brouillard qui recouvrait la mer comme une nappe de fumée. Il entendit les vagues qui s'échouaient sur la grève. Alors, il sauta du canot et remonta en chancelant sur la plage. Quand il se retourna, la chaloupe s'éloignait déjà et disparut bientôt comme happée par le néant.

TROISIÈME PARTIE

L'an trois

14.

Swift se rend à Washington

Trois mois plus tard

Il se réveilla en compagnie de zèbres.

L'aube pointait son nez et la forêt disparaissait sous une brume verte et froide. Et il y avait des zèbres. Il les observa de la grotte où il s'était abrité et, l'espace d'un instant, crut que la peste l'avait rattrapé. Il savait qu'elle réveillait les souvenirs avant de plonger dans un oubli total. Et voilà qu'il retrouvait l'Afrique… sur une crête des Blue Ridge dans les Shenandoahs[1].

Il lui avait fallu près de deux mois pour descendre de l'Alaska. Il avait traversé de nombreuses frontières, mais ne se souvenait pas de celle-ci, la faille dans son propre passé.

Du museau, les zèbres fouillaient les pousses printanières et leurs zébrures blanches et noires se détachaient crûment dans la clarté glauque de l'aube. Ils ne semblaient pas imaginaires. L'odeur âcre de leur crottin flottait jusqu'à

1. Région située à l'ouest de la Virginie et bordée par les montagnes Blue Ridge à l'est et les Appalaches à l'ouest.

lui et des branches mortes craquaient sous leurs sabots. Sa mère lui avait appris qu'il existait quatre espèces de zèbres. Ceux-ci avaient de grandes oreilles rondes.

Le tonnerre grondait le long du sillon appalachien. Il allait encore pleuvoir. Un homme à cheval sortit de la forêt, vêtu d'une tenue de chasse, un fusil M16 en travers de sa selle. Le cheval dominait ses cousins zébrés qui ne s'enfuirent pas à son approche comme l'auraient fait des zèbres sauvages.

Nathan Lee ne signala pas sa présence et resta immobile, cherchant une explication à la scène sous ses yeux. Si ce n'était pas réel, il ne tenait pas à se retrouver se parlant à lui-même.

Les murs de la grotte étaient noircis par la fumée de précédents feux de camp et couverts de graffitis. Au cours des siècles, de nombreux voyageurs s'étaient apparemment abrités là, parmi lesquels des Indiens, des soldats révolutionnaires, des confédérés et des amoureux. Une nuit, Nathan Lee avait emmené Lydia dans une grotte comme celle-ci, mais elle n'avait fait que se plaindre des moustiques.

Un second cavalier apparut, un filet de camouflage drapé autour des épaules. Il ressemblait à un épouvantail. Ce fut lui qui remarqua les traces de pas conduisant à la grotte. Il glissa quelques mots à son compagnon qui entraîna les zèbres dans la forêt.

L'épouvantail attendit qu'ils aient disparu pour descendre de cheval et, sous les yeux de Nathan Lee, se volatilisa à son tour. Se baissant au milieu des lauriers, il se fondit dans le paysage. Nathan Lee entendit le cliquetis d'un fusil qu'on arme.

— Sortez, ordonna l'homme.

Nathan Lee ne bougea pas. Ses hallucinations lui faisaient maintenant entendre des voix.

— Je sais que vous êtes là.

L'apparition allait peut-être partir. Puis Nathan Lee vit la lueur orangée avant d'entendre la balle frapper une des parois de la grotte. Une odeur de roussi s'éleva aussitôt de la roche ébréchée. Nathan Lee se recroquevilla.

— Qui êtes-vous ? cria-t-il.

— Sortez.

— Je ne veux pas d'histoires. Je n'ai pas d'argent.

— Vous voulez que je tire encore ?

— Ne me tuez pas.

— Si vous ne sortez pas, je le ferai.

— Je n'ai pas d'arme, dit Nathan Lee en rampant hors de la grotte.

L'humidité faisait souffrir ses articulations. Il leva les bras, mains ouvertes, et descendit.

— Arrêtez-vous là, ordonna la voix.

À moins de trois mètres de lui, la tête de l'homme était posée sur le sol comme un melon. Puis la tête bougea et le sol parut se soulever derrière elle. L'homme se redressa. Son visage était barbouillé de terre et de suie et des feuilles décoraient sa barbe.

Il maintint le trou noir de son canon pointé sur l'œil de Nathan Lee.

Le premier cavalier le rejoignit, les naseaux de son cheval fumant dans le froid.

— Je suis de passage, expliqua Nathan Lee.

— Vous auriez dû continuer votre chemin, répliqua l'épouvantail.

— Il commençait à pleuvoir.

— Quelle coïncidence ! Juste au milieu de la viande.

Viande ? Ils le prenaient pour un braconnier. *De zèbres ? Les gens avaient-ils donc faim à ce point-là maintenant ?*

— Je suis médecin. Je me rends à Washington.

— Personne ne va à Washington de nos jours, déclara le cavalier.

— Moi si.

— Donnez-moi votre relevé sanguin.

Nathan Lee baissa un bras et lentement sortit le livret de sa poche avant de le jeter à l'épouvantail. En guise de gants, l'homme utilisa une feuille pour s'en saisir.

— Charles Andrew Bowen, lut-il à voix haute. Médecin. Bay City, Texas.

Il examina la photo. Nathan Lee avait payé le faussaire avec de l'or tibétain. Il paraissait vieux sur la photo – un bon cliché de son âme. L'épouvantail tourna les pages et se détendit visiblement.

— Il a été testé négatif au poste de Hancock, il y a deux jours. Il baissa son fusil. Pas le cavalier.

— Maintenant, il sait où se trouve le troupeau, fit remarquer ce dernier.

Qui étaient ces types ?

— Que venez-vous faire par ici ? demanda l'épouvantail.

— Je cherche quelqu'un.

Cette réponse les ennuya. Tout le monde cherchait quelqu'un. Il y avait longtemps que le téléphone ne fonctionnait plus.

— C'est la vérité.

Tout le monde avait une histoire, des pertes à déplorer, un besoin.

— Je ne me dirigerais pas par là si j'étais vous, dit l'épouvantail. Les côtes deviennent sensibles. Vous savez ce qui se passe en Floride.

La peste avait fait son apparition à Key West et touché Miami. Ne voulant pas prendre de risques, les autorités avaient rayé de la carte toute la péninsule. Plus personne n'entrait ni ne sortait. Il ne s'agissait pas d'une mesure policière. Pas de postes de contrôle. Le couvre-feu absolu. De Jacksonville à Pensacola, les patrouilles de l'armée tiraient pour tuer. Les bastions les plus éloignés de l'empire tombaient l'un après l'autre. D'abord Hawaï, puis le Golfe. L'Alaska avait commencé à sentir mauvais également et Nathan Lee avait dû user de toutes ses ressources pour parvenir à monter à bord d'un des derniers vols d'évacuation en direction des États-Unis.

— Ce n'est pas trop tard, dit-il.

Les deux hommes échangèrent un regard. Le cavalier gardait le doigt sur la gâchette.

— Il connaît l'emplacement du troupeau, répéta-t-il.

C'est à ce moment-là que Nathan Lee remarqua le collier d'oreilles qui pendait au pommeau de la selle. Des oreilles de coyotes et de chiens, mais également une humaine. Le cavalier sourit.

— Que font ces zèbres ici ? demanda Nathan Lee.

— Jamais entendu parler du zoo national ?

Tout se mit en place, ou au moins une partie.

— Vous êtes des rangers ?

— J'étais en troisième année à l'école vétérinaire, répondit l'épouvantail. Puis les émeutes de la faim ont éclaté. Alors, nous avons emporté par camion tous les gros mammifères dans les montagnes. Ils sont en sécurité ici, même avec les prédateurs qui rôdent. S'ils trouvent un vaccin, les animaux retourneront au zoo.

— Et sinon ?

— La nature reprendra ses droits.

Pendant qu'il récupérait son sac dans la grotte, les deux hommes s'éloignèrent dans la brume. Mais Nathan Lee se sentit observé jusqu'à sa sortie de la forêt.

Les rangers avaient raison. Personne n'allait à Washington. Tout le monde cherchait à en sortir. Sur la rive Est du pont Théodore Roosevelt, il tomba sur un gros embouteillage de personnes attendant de pouvoir passer le Potomac. Les testeurs de sang ne chômaient pas. L'odeur de désinfectant empestait l'atmosphère. Le plus difficile à supporter étaient les cris des enfants dont les petites veines se dérobaient.

— Où dois-je aller pour mon test sanguin ? demanda-t-il à un soldat.

— Vous entrez en ville ? Pas de test.

C'était inquiétant. Ils abandonnaient les lieux.

Le métro était fermé jusqu'à nouvel ordre. Des milliers de sans-abri l'occupaient, une vraie ville souterraine, noire et tubulaire.

Peu désireux de s'enfoncer dans ses méandres, Nathan Lee remonta à pied Lafayette Boulevard.

Repoussons l'attaque, disait un poster sur un mur. Les

services médicaux avaient lancé un certain nombre de ces slogans, certains datant de la Seconde Guerre mondiale, d'autres tirés de batailles maintenant dépassées contre le diabète, le cancer ou le SIDA : *Nous pouvons le vaincre, Accélérez le traitement, Tous ensemble, Notre sang est unique.*

Selon l'ancienne tradition, l'élite avait fui avant la peste et abandonné la ville au peuple. Les cerisiers étaient en fleurs et loin d'être mortes, les rues débordaient de cultures. Tous les parcs avaient été transformés en potagers. Des femmes et des enfants les entretenaient sous la protection d'hommes armés de fusils volés dans les boutiques de prêteurs sur gages ou achetés au marché noir. Quelques jardins appartenaient à des églises, d'autres à des gangs. Les plus beaux potagers qu'il vit étaient entretenus par le Pays de l'Islam, dont les femmes étaient vêtues de blanc comme des anges noirs.

C'était une époque d'abondance. Les marchés débordaient de conserves volées dans les supermarchés et des réserves de l'Agence américaine pour le Développement. Il y avait également des poulets vivants. Des canards et d'autres volatiles d'eau pendaient, plumés. Les étals débordaient de crabes, maquereaux, saumons et encornets. L'air fleurait bon les épices.

Après la froide malveillance de l'Alaska, réduit maintenant au rôle de simple tête de pont chargée de repousser les bateaux étrangers, Washington était ensorcelante. À chaque coin de rues, des musiciens tapaient sur leurs bongos. Des danseurs tournoyaient et se contorsionnaient. L'*a cappella* régnait : chœurs, quartets, courageux solistes. Il y avait des cracheurs de feu, des clowns, des équilibristes, des jongleurs. Partout, des orateurs, des devins, des philosophes et des professeurs donnaient des consultations. Les prophètes de malheur radotaient.

Au premier regard, l'abondance dominait. Des camions chargés de nourriture avançaient et déversaient des sacs de cinquante kilos de riz ou de haricots, des caisses de barres protéinées, des aliments pour bébés et autres denrées. Des camions d'eau circulaient. On aurait dit que le gouvernement cherchait à engraisser la population. Ou à la garder sur place.

Nathan Lee continua sa route vers le centre. Il rêvait d'avoir une des bicyclettes qui passaient, mais résista à l'envie d'en voler une. Le lendemain matin, il atteignit DuPont Circle, après une nuit passée dans une fontaine vide en compagnie d'autres vagabonds. Il s'exhortait à ne pas se faire d'illusions. Dans une de ces maisons victoriennes, Ochs avait un jour habité.

Le professeur était parti depuis longtemps. Les squatters avaient envahi tout le quartier. Nathan Lee passa plusieurs fois devant la maison pour s'imprégner des lieux. Du linge séchait, les vêtements pendus comme des fanions de fête le long des fils qui couraient entre les fenêtres et les arbres. Une montagne de poubelles encombrait l'allée. Des femmes discutaient en nourrissant leurs bébés au sein. Des enfants se balançaient sur un pneu accroché à un arbre et des fillettes sautaient à la corde.

Une jeune femme assise sur les marches du perron faisait sauter son bébé sur ses genoux, les yeux pleins d'amour. Nathan Lee traversa la rue et s'approcha d'elle.

— Je cherche ma petite fille, dit-il.

Il sortit la photo de Grace de son livre. Mais elle était presque effacée. Après la montagne et la prison, la mer avait achevé le travail.

— Elle et sa mère habitaient ici.

— Plus maintenant.

— Le nom de son oncle était Ochs. Peut-être ont-ils laissé des indices sur l'endroit où ils sont allés.

Les yeux de la femme se posèrent sur la photo.

— Je ne l'ai jamais vue. On ne voit pas grand-chose dc toute façon.

— Elle est abîmée.

— Elle n'est pas ici.

— J'ai fait un long chemin pour la retrouver avant qu'il ne soit trop tard.

À ces mots, elle serra le bébé contre elle et Nathan Lee regretta ses paroles. Il referma son livre.

— J'ai besoin d'entrer dans cette maison, insista-t-il.

— Je partirais si j'étais vous, dit la femme. Les hommes vous battront si vous traînez encore ici ce soir.

— Je ne peux pas partir.

— Vous avez du courage.

— Non. Je n'ai pas d'autre endroit où chercher.

— Laisse-le entrer, lança une femme à une fenêtre.

Elle avait des cheveux courts et un long cou.

— Mais maman, Gérald dit que ces gens…

— Cet homme veut retrouver son enfant.

Nathan Lee monta les marches. La porte s'ouvrit. La femme était majestueuse et mince, jeune pour une grand-mère.

— Merci, dit-il.

Il tendit la main, mais elle ne la serra pas. Ce n'était pas de la grossièreté. Seulement l'époque.

Ochs aurait été content. La maison était immaculée comme par le passé, bien qu'un peu changée évidemment. Les kilims à 20 000 dollars avaient disparu. Des plantes vertes remplaçaient les vases en porcelaine et les statues précolombiennes. Sur un mur, était accrochée une petite et très vieille photo d'une famille noire. Nathan Lee s'en approcha.

— Ma famille. Ils étaient esclaves, dit la femme d'un air guindé.

Nathan Lee comprit. Elle ne s'excusait pas d'être là.

— La maison était vide quand nous sommes arrivés. J'ai mis tous les souvenirs dans un carton par respect.

Elle l'entraîna vers un placard et Nathan Lee porta le carton jusqu'à la cuisine. Le réfrigérateur et la cuisinière rutilaient. De l'aneth et du basilic poussaient dans des boîtes sur le rebord de la fenêtre et la cuisine embaumait les œufs au bacon et le café. Il ouvrit le carton.

— C'était un pornographe, dit-elle. Je suis vieux jeu. J'ai détruit ses collections de photos et ses magazines.

— Évidemment.

Les mains de Nathan Lee tremblaient. Il sortit les différents objets et les posa sur le comptoir. Il y avait plus qu'il ne l'avait espéré, mais moins également. Toutes les lettres qu'il avait écrites en prison étaient là, adressées à Grace Swift, retenues ensemble par un élastique. Abandonnées. Il y avait des talons de billets pour le théâtre, des notes de restaurants, la carte de membre de la NRA[1] d'Ochs et des catalogues de ventes aux enchères, de chasse au chevreuil et de décoration intérieure. Il fouilla, à la recherche d'une adresse où faire suivre le courrier, d'une facture de téléphone avec un indicatif, n'importe quoi pour relancer ses recherches. Il tomba sur une pochette de photos et retint son souffle... Vide. Mais l'enveloppe contenait une bande de négatifs qu'il souleva dans la lumière. Et elle était là.

— Grace, dit-il à haute voix.

Il constata que sa coiffure avait changé et qu'elle avait la frange. Les photos avaient été prises sur une aire de jeux et Grace photographiée en différents endroits : sur une balançoire, un toboggan ou pendue aux barreaux d'une cage à écureuil. Il sourit.

Il passa toute la bande de négatifs en revue, cherchant à situer l'aire de jeux afin de localiser le nouveau quartier de Lydia. Sur un des clichés, le bout d'un bâtiment apparaissait en arrière-plan. Il comprenait une tourelle de conte de fées avec des créneaux. Il pensa d'abord à Disneyland, mais après un examen attentif, il comprit qu'il s'agissait du château du Smithsonian. C'était un début.

Il trouva un deuxième indice au fond du carton, une invitation de mariage. Madame Swift était devenue Lydia Ochs-Houghton. *Les parents de Baxter Montgomery Houghton sont heureux de vous annoncer...* Il vérifia deux fois la date, impressionné par la capacité de son ex-femme à rebondir. Alors qu'il descendait en rampant du Makalu La, toujours porté disparu, elle disait déjà oui à un autre

1. National Rifle Association : lobby en faveur des armes à feu.

homme. Il compta les jours. 10 juin : Ochs avait probablement dû regagner la maison à temps pour le champagne et ils avaient dû trinquer ensemble, frère et sœur. Il se sentit minable. Tout s'était passé dans son dos. Pendant qu'il se battait pour obtenir un droit de visite, elle se cherchait un nouveau mari.

— C'est vous qui avez écrit ces lettres, dit la femme. Elles étaient ouvertes. Je les ai lues.

Il s'éclaircit la gorge et regarda les enveloppes. Chacune avait été proprement ouverte sur le côté avec un coupe-papier. L'habitude de Lydia.

— Je me demande…

Il n'en revenait pas de sa bêtise.

— Croyez-vous que ma fille ait jamais entendu un mot de ce que j'ai écrit ?

— Sa mère vous aimait-elle toujours ?

— Non, répondit Nathan Lee.

— Alors, je ne crois pas.

La femme fut à un doigt de lui toucher le bras.

— Elle devait redouter votre pouvoir.

C'était la première parole gentille que Nathan Lee entendait depuis très longtemps. Il ne sut que répondre et se retrancha derrière la fuite.

— Mes cinq minutes sont écoulées. Je vous suis très reconnaissant.

— Soyez courageux, dit la femme.

Ce fut tout.

Les indices étaient minces, mais la trace encore tiède. Après avoir cherché longtemps, Nathan Lee découvrit finalement une copie non brûlée d'un annuaire de l'État vieux de deux ans. Parmi les nombreux Houghton, pas de Baxter, pas plus que d'Ochs prénommée Lydia. Mais il restait le Smithsonian. Ochs avait pillé des tombes pour le compte du musée. Ils devaient bien avoir un dossier sur lui.

Joindre le Smithsonian ne fut pas une tâche facile. Le centre de la ville était fermé à la population, mis à l'abri jusqu'à la fin de l'épidémie et au retour des politiques. Aux différents postes de contrôle établis par les marines le long d'Independence Avenue, Nathan Lee se fit passer pour un professeur distrait que le musée avait convoqué pour analyser les os d'un homme-singe vieux d'un million d'années. Il lui fallut cinq heures et deux tests sanguins pour pénétrer leurs défenses. Au dernier contrôle, un officier dépêcha deux marines pour l'escorter jusqu'à sa destination.

Le ciel virait au gris et l'air s'alourdissait. Il allait pleuvoir.

Les immeubles gouvernementaux se dressaient dénudés, les fenêtres du rez-de-chaussée bardées de planches comme en prévision d'un ouragan, les étages supérieurs vitrés et aveugles. Ils passèrent devant ce qui restait du siège du FBI qu'une explosion avait éventré.

Ils arrivèrent au Mall, un vaste parc maintenant à l'abandon qu'ils traversèrent en foulant les hautes herbes. Les drapeaux flottaient en berne sur les poteaux autour du Washington Monument. Nathan Lee regarda autour de lui. Les marines ne surveillaient plus que les statues et les pigeons. Le joyau de l'empire américain ressemblait à une coquille vide.

Une fine bruine commença à tomber et les deux militaires enfilèrent des ponchos. Nathan enfonça sa casquette qui clamait *Yosemite: the west is best*. Il se dirigea vers le Musée d'histoire naturelle qui abritait la section Anthropologie. Mais des planches clouées sur la porte en interdisaient l'entrée.

— Je croyais qu'on vous attendait, fit remarquer l'un des marines.

— Ils m'ont dit le Smithsonian, mais il y a douze musées différents. J'ai cru…

— Venez, il pleut.

De l'autre côté du parc, le Château se dressait avec ses tours et ses flèches en grès rouge recouvertes de lierre.

— Là, dit Nathan Lee. Ce doit être là.

Ils reprirent leur marche et Nathan Lee tenta de distraire les deux militaires renfrognés.

— Abraham Lincoln a un jour organisé la défense de la ville depuis ces tours, raconta-t-il.

Mais rien à faire. Les deux soldats n'étaient pas d'humeur.

Les choses ne se présentaient pas bien. Des blocs de béton obstruaient les portes d'entrée et des planches condamnaient les fenêtres. La forteresse évoquait une maison hantée.

Après avoir fait le tour du bâtiment, ils se retrouvèrent devant l'entrée. Le jour tombait rapidement et la pluie s'intensifiait. Nathan Lee, trempé jusqu'aux os, n'offrait pas un visage convainquant.

— Vous n'appartenez pas vraiment à cette institution, n'est-ce pas ? demanda un des marines. Montrez-moi vos papiers. Un ordre de mission, une lettre d'autorisation.

Le mensonge de Nathan Lee s'écroulait. Pourtant, quelque part à l'intérieur de ces bâtiments se trouvait un indice qui pouvait le conduire à Ochs, il en était persuadé.

— Je vous ai dit qu'ils m'avaient envoyé un messager. C'était verbal. Pas d'écrit.

— Ils ? Je ne vois personne, Monsieur. Où est votre relevé sanguin ?

De plus en plus inquiet, Nathan Lee le tendit au soldat qui ne le regarda même pas. Ils lui confisquaient son relevé ! L'idée de s'enfuir lui traversa l'esprit, mais même s'ils ne lui tiraient pas dessus, sans passeport, il n'irait pas loin.

À cet instant, une porte en métal s'ouvrit sur l'escalier d'incendie, deux étages plus haut, et un vieil homme apparu, fumant tranquillement la pipe sous la pluie. Regardant au loin, il ne les remarqua pas tout de suite. Il se tenait là, pâle et fragile, comme un ancien sous-marinier prenant une bouffée d'air frais.

Stupéfait, Nathan Lee crut reconnaître le fantôme.

— Spencer ? lança-t-il. Spencer Baird ?

Il était – ou avait été – paléontologiste et devait frôler les quatre-vingt-dix ans.

Le vieil homme baissa la tête.

— Qui va là ? demanda-t-il.

— Vous connaissez cet homme ? interrogea le marine.

— Spencer, c'est moi, dit Nathan Lee. J'ai reçu votre message.

Il retira sa casquette et lissa sa courte barbe, essayant de rendre son visage plus jeune. Il n'osa pas donner son vrai nom parce que ses papiers portaient un nom différent. Et ce n'était pas une mince affaire. Seul un porteur de la peste avait intérêt à cacher sa véritable identité.

— Le vieil homme se pencha sur la rambarde. Message ? Quel message ?

— Fred Whipple, tenta Nathan Lee.

Il chercha dans sa mémoire d'autres noms en priant pour que l'un d'entre eux soit toujours dans le coin.

— Joe Henry, Charlie Abbot. Ils ont dit immédiatement. Pour les os, ajouta-t-il.

— Ah, les os, dit Baird.

— Je suis là.

— Dieu merci. Nous vous attendions. Mais qui êtes-vous ?

Il ne pouvait plus reculer.

— Swift, lança-t-il.

— Attendez une minute, dit un des marines en sortant le livret de Nathan Lee de sous son poncho pour y jeter un nouveau coup d'œil.

— C'est toi Nathan Lee ? demanda Baird. Ils ont dit que tu étais mort, dévoré par la montagne.

— Quel est votre nom, Monsieur ? demanda le marine.

Vite, pensa Nathan Lee. *Laisse-moi monter.*

— Monte ici avant d'attraper la mort, dit Baird à cet instant. Ne vois-tu pas qu'il pleut.

Nathan Lee s'avança vers l'escalier d'incendie, mais le marine le retint par le bras.

— Pas si vite.

— Ils me connaissent, dit Nathan Lee avec un sourire.

En fait, une ébauche de sourire. Ses dents claquaient.

— Laisse-le partir, intervint le deuxième marine.

Il prit des mains de son collègue le livret sanguin de Nathan Lee et le lui plaqua contre la poitrine.

— Cet homme est chez lui ici.

Nathan Lee grimpa le long des marches en métal. Baird l'accueillit avec une bouffée de fumée et de grandes claques dans le dos. À l'intérieur du bâtiment, il faisait noir comme dans un four. Baird lui tendit sa lampe torche, aussi lourde qu'une masse, et referma les portes sur l'orage.

— Ils disaient que tu étais mort, ne cessait-il de répéter. Attends de voir leurs têtes quand ils te reconnaîtront.

Nathan Lee le suivit le long des couloirs sombres de l'institut.

— Je recherche un homme du nom de David Ochs, dit-il. Un professeur.

— Ox ?

— Un archéologue. Un géant.

— Jamais entendu parler de lui.

— Et Dean White ? demanda Nathan Lee plein d'espoir.

White était le conservateur qui avait financé les recherches dans l'Himalaya, deux ans plus tôt.

— White, répéta Baird. Il s'est fait remercier après ta peccadille. C'est vrai que tu as tué un homme ? Et que tu l'as mangé ?

— Y a-t-il d'autres personnes du département Anthropo par ici ? Ils doivent savoir où se trouve Ochs ?

— Tous partis. Mais ce doit être quelque part dans la paperasse, j'en suis sûr, répondit Baird.

— Et les dossiers sont dans ce bâtiment ?

— Il y a des chances.

Baird fit un geste en direction des milliers de cartons entassés le long des couloirs. Ils avaient à peine la place de passer.

— Je croyais que tu étais mort.

Des voix se firent entendre au loin. Ils descendirent un escalier et Nathan Lee aperçut une douzaine de vieillards qui dînaient aux chandelles dans l'obscurité d'un vestibule.

À la lumière des chandeliers en argent, ils offraient une apparence spectrale. Les hommes portaient vestes et cravates. Deux avaient même enfilé un smoking. Les femmes semblaient prêtes à partir pour l'opéra avec des *pashminas* drapés autour de leurs épaules pour les protéger de l'humidité. Ils mangeaient dans de vieilles assiettes bleues avec des couverts en argent et des verres en cristal. Nathan Lee renifla les effluves du repas… du veau et de la langouste, la sauce au beurre et à l'ail, le vin rouge. Pas un n'avait moins de quatre-vingts ans.

— Regardez ce que le vent nous amène, lança Baird. Avec un grand geste, il se tourna pour montrer sa découverte.

Mais le couloir derrière lui était vide.

15.

Les inépuisables

Los Alamos

Le clone de Cavendish circulait parmi eux comme un fantôme. Il allait partout, déjouant les systèmes de sécurité, pénétrant dans leurs laboratoires, piratant leurs ordinateurs. Il s'infiltrait dans leurs secrets, s'insinuait dans leurs esprits. Au début, Adam ne les détestait pas. Il voulait seulement comprendre pourquoi il était différent.

Son corps de chair l'avait d'abord amusé. Libéré du fauteuil de Cavendish, mais toujours empli de sa mémoire, c'était comme s'il avait hérité de lui-même. Bien que né Cavendish en esprit, il ne s'apparentait plus du tout à lui. Pendant un temps, ils avaient été comme des siamois collés par la tête, jusque dans les tics nerveux et le tremblement des mains. Vingt mois plus tôt, il partageait chacun de ses souvenirs avec son créateur.

Après la naissance d'Adam, Cavendish avait tout fait pour garder son *doppelgänger* en laisse, à portée de main, jour et nuit. Adam devait l'aider à s'habiller, le matin, et le laver le soir. Il poussait son fauteuil. Pendant les réunions, il se tenait en retrait, muet comme un pot de fleurs. Il lui préparait ses repas. Même son prénom, tellement cliché, lui pesait comme une chaîne autour du cou.

Leurs parties d'échecs déclenchaient la colère de Cavendish. Aucun ne pouvait faire un déplacement sans que l'autre ne l'anticipe. Chaque partie se terminait par un pat. Puis un jour, Adam réalisa un coup de son propre chef.

— Échec et mat, murmura-t-il avant de se lever.

Il dominait l'échiquier. Pour la première fois, il sentit ses ailes se déployer et emplir la pièce. Cavendish, ravagé par la maladie et recroquevillé dans son fauteuil, paraissait bien petit à côté de lui.

Après cela, Adam s'était systématiquement détaché de son créateur, corps et âme. Une procédure dangereuse parce que sa perception de Cavendish devinait que Cavendish n'attendait que cela. La chose que Cavendish redoutait le plus au monde était le pouvoir de son propre esprit. Et, pardessus tout, il ne souhaitait pas voir ses petits secrets lui échapper. Adam savait que Cavendish avait prévu de l'éliminer une fois qu'il l'aurait vu vivant. Il ne s'agissait pour lui que d'une expérience, une vanité. Il voulait se voir une fois immaculé et sans défaut.

Adam savait également que ce ne serait pas son premier meurtre. Cavendish avait déporté des douzaines de ses ennemis dans les déserts américains ou les avait fait disparaître au cours de ses propres expériences mortelles. Pourtant, pour une raison qu'Adam ignorait, Cavendish avait eu pitié de son clone. Il lui avait permis de vivre. Ce qui n'empêchait pas Adam de se montrer prudent.

Sa liberté fut dosée, littéralement. Les chimistes ne manquaient pas à Los Alamos et Adam n'eut aucun mal à obtenir un sédatif fabriqué de façon organique qui ne laissait aucune trace dans le sang. En fin gourmet, Cavendish avouait une faiblesse pour la *nouvelle cuisine* californienne – des petites portions artistiquement présentées. Il ne suspecta jamais le somnifère. Ainsi débuta la rébellion d'Adam.

Au début, ce fut un jeu. Il entreprit de développer son propre corps. Il passait des heures devant le miroir, soulevant des poids et avalant des stéroïdes anabolisants. Il s'injecta de la testostérone synthétique pour reconnecter son système lymphatique. Ses quadriceps et ses mollets ne tardèrent pas à distendre ses jeans. La nuit tombée, il courait pendant des kilomètres le long des routes forestières de Los Alamos. Cavendish remarqua les changements, mais graduellement. Il fit des remarques sur les veines apparentes le long des bras et des cuisses d'Adam qui joua avec son narcissisme, dissimulant son énorme force musculaire pour n'en montrer que la beauté. Il devint David pour Michel Ange. Cavendish le touchait, s'émerveillant de ce qu'il aurait pu être.

Adam ne précipita pas son indépendance. Une évasion se réussit parfois mieux lentement, en pleine vue. Il eut sa première femme à onze mois, bientôt suivie de nombreuses autres. Il connut alors des sensations interdites qui le surprirent.

Inévitablement, il commença à s'ennuyer. Un trait hérité, un mécanisme de défense, un sous-produit d'un génie démesuré. L'humanité l'ennuyait et il était content de voir les grandes villes désertes, les grands ponts inutiles que seul traversait occasionnellement un chien. La peste était arrivée par vagues, se retirant, redonnant espoir, puis mutant et frappant de nouveau. Toute humanité avait maintenant disparu, sauf en Amérique, et ce n'était plus qu'une question de temps.

Il avait chargé les meilleures scènes de cette destruction : des 747 s'écrasant au décollage ou mitraillés depuis le sol, des torpilles lancées sur des bateaux de réfugiés pour les couler et même sur un bateau de croisière de la Princess Cruise Line qui revenait des Bermudes, la dernière cloche du New York Stock Exchange, le dernier coup de marteau suspendant les séances du Congrès huit mois plus tôt. Un groupe de personnes entraînées à la survie avait formé une colonie dans une forêt de séquoias au cœur de l'État de Washington, un village de ponts en corde et de Tarzan se balançant au bout de leurs lianes en nylon. Adam aimait ce site. Le retour des singes dans les arbres.

Il continua à avoir des relations sexuelles, mais ne les chercha plus. Il ne s'agissait plus d'un processus de découverte. Tout au plus d'un besoin comme déféquer. Internet cessa de fonctionner. On pouvait encore surfer par liaisons satellitaires, mais il en avait assez vu. Avec le temps, il passa d'un tabou à l'autre et devint un incube dérobant leurs pensées et violant leur intimité. S'insinuant en eux.

Les violations débutèrent comme des balades excitantes. Il pirata les codes de sécurité, pénétra dans la mémoire des ordinateurs, les espionna avec leurs propres caméras de surveillance : ça l'amusait et satisfaisait son mépris grandissant à leur égard. Adam perfectionna également ses disparitions, apparaissant dans leur conscience électronique pour mieux disparaître.

Mais cela aussi finit par l'ennuyer. Il entreprit alors de visiter les zones techniques en personne.

Par tous les aspects, à part sa métamorphose physique, il était devenu son père, Cavendish. Ses empreintes digitales, sa rétine, les éléments chimiques de son souffle, son sang, sa façon de parler, tout l'identifiait comme le Directeur. Un agent de la sécurité tenta de le signaler à son double. Mais Adam, se faisant passer pour Cavendish, intercepta le rapport et fit déporter le garde et sa famille dans une zone à risque. À partir de ce moment-là, plus personne ne se mit en travers de son chemin. Le message était clair. La mort sanctionnait celui qui empêchait Cavendish d'être Cavendish.

Pendant les premières semaines de son exploration, il se contenta de jouer les curieux. Ces personnes désespérées l'étonnaient. L'abondance des expériences scientifiques ne pouvait cacher leur inutilité. La variété des approches amusait Adam. Certains frôlaient même l'alchimie. Dans leur quête précipitée pour trouver un vaccin, ils tentaient tout et n'importe quoi. Il sentit renaître son ennui.

Puis, une nuit, il innova. Il pénétra dans les zones techniques interdites, réunies sous l'appellation de Secteur Sud. Elles occupaient tout le tiers sud du comté de Los Alamos. Géographiquement, c'était une région séparée, regroupée sur une mesa isolée loin de la ville et des autres secteurs. Là, au cœur du complexe, se trouvait le BSL-4.

Les membres du quatrième niveau étaient traités avec un respect proche de la crainte. Ils représentaient l'ultime lieu de mise à mort. Les scientifiques du BSL-4 étaient considérés comme les Top Guns de la lutte contre le virus. Une seule erreur – un trou d'aiguille dans votre combinaison, un Diet Coke de trop, un mouvement brusque – et pas seulement le fautif, mais l'équipe tout entière pouvait être infectée. Quand une telle chose se produisait, l'ensemble de l'immeuble était stérilisé. L'équipe contaminée se retrouvait en quarantaine, ce qui se résumait à un emprisonnement prolongé le temps que les membres de l'équipe deviennent les victimes de la peste qu'ils avaient étudiée. Cela s'était déjà produit deux fois. Un des bâtiments avait été rayé de la carte et gisait maintenant dans une tombe de ciment, comme le réacteur de Tchernobyl. Cinq équipes étaient ainsi devenues des objets d'expérimentation pour leurs collègues. Ici, ils dévoraient leurs propres enfants.

La première fois qu'Adam pénétra dans le BSL-4, ce fut par défi. Et aussi parce qu'il voulait aller là où Cavendish, avec ses handicaps et son absence de système immunitaire, n'avait jamais osé s'aventurer. Là se trouvait peut-être le véritable rite d'initiation qui le détacherait véritablement de son créateur.

Pour Adam, ce fut comme plonger au fond de l'océan. Les combinaisons étaient alimentées en air par des tuyaux reliés au plafond, si bruyants qu'ils devaient porter des bouchons d'oreilles ou devenir sourds.

Pendant qu'il enfilait sa combinaison d'astronaute fabriquée en tissu indéchirable d'un orange lumineux, Adam s'enquit du but de leurs recherches. Les laboratoires essayaient d'interrompre le processus de développement de la maladie à différents niveaux dans différents organes. Ce laboratoire-ci était le « sanctuaire prénatal », comme l'en informa une femme.

— La barrière placentaire, expliqua-t-elle. À l'intérieur de l'utérus, les fœtus sont protégés du virus. Pas immunisés, simplement isolés.

Adam trouva l'image jolie.

— Ils naissent donc en état d'innocence.

La femme haussa les épaules.

— Sitôt qu'ils franchissent le col de l'utérus, ils sont infectés. Comme je vous l'ai dit, ils ne sont pas immunisés.

— Alors que cherchez-vous ?

— Qui sait ? répondit-elle.

Le moment était venu de se boucher les oreilles.

Ils enfilèrent ensuite leurs casques et pénétrèrent dans un petit tunnel saturé de lumières UV pourpres. À la porte de la zone de travail, la femme aida Adam à relier sa combinaison à un des tubes qui pendaient au plafond. Aussitôt, sa combinaison se gonfla d'air frais. Le son de la pompe à air était effectivement assourdissant. Une fois qu'ils furent tous prêts, l'homme de tête ouvrit la porte et Adam sentit la légère tension de l'air sous pression négative.

Il resta près de la porte, surpris. Il s'était attendu à des boîtes à gants et à des rangées d'échantillons de tissus conservés dans de la cire ou dans des éprouvettes. Au lieu de cela, une victime de la lèpre les attendait sur une table d'opération au centre de la pièce. Une femme enceinte. Adam pouvait voir le fœtus à travers sa peau. À contrecœur, il s'avança, paralysé par la peur. Soudain, ce n'était plus drôle du tout.

Chacun prit sa place autour de la table, muet et sourd. Ils savaient tous ce qu'ils avaient à faire. Adam se tenait à l'écart comme on le lui avait demandé. En voyant les instruments alignés, il devina ce qu'ils s'apprêtaient à faire. Ils ne travaillaient pas vite. Leur sécurité exigeait des gestes lents et sûrs. Il voyait leurs lèvres bouger derrière leurs masques. Ils ne s'embarrassèrent pas d'administrer un anesthésique. L'esprit de la femme planait loin de là. Le scalpel n'en finissait plus.

Adam détourna les yeux, maudissant sa curiosité. Il frissonnait, pourtant une partie de lui voulait voir le pire. Il regarda. Le cœur de la femme continuait de battre, plus fort que leur besoin de savoir. Une fois qu'ils eurent prélevé suffisamment d'échantillons, ils arrêtèrent les battements de son cœur et du cœur de l'enfant.

La civière fut emportée. Une douche de désinfectant les inonda. Les dernières traces de sang partirent dans les canalisations. Adam crut que c'était terminé. Mais une minute plus tard, la porte se rouvrit et une deuxième mère fut apportée. Ils s'occupèrent de huit victimes au cours de cette séance. Seize en comptant les enfants.

Adam rejoignit finalement ses quartiers en courant dans la nuit et se cacha sous les couvertures de son lit sans parvenir à trouver le sommeil.

Le lendemain, il prévint Cavendish qu'il avait pris froid. Il resta au lit toute la journée, se débattant avec l'énormité de ce qu'il avait vu. Il n'était pas censé ressentir ces émotions. Les clones n'étaient que des ombres. Personne ne le disait, mais ils étaient moins bien considérés que les humains. Il le savait pour l'avoir lu dans l'esprit de Cavendish.

Ce dernier lui fit porter une assiette de soupe de poulet pour le déjeuner. Le soir même, Adam regagnait le Secteur Sud pour en voir plus.

À partir de ce jour-là, il hanta le BSL-4, plongeant dans leur sauvagerie, écœuré, mais aussi titillé par ce que les êtres humains pouvaient s'infliger à eux-mêmes. Les pires choses imaginables étaient perpétrées au nom de la science.

Le laboratoire avait à sa disposition une quantité inépuisable de victimes de la peste, récupérées dans les villes. Elles arrivaient à différents stades de la maladie, certaines ignorant même leur infection. Nuit après nuit, Adam assista à leur sacrifice. Les sujets portaient le label « inépuisables », un terme issu de la recherche médicale américaine après la Seconde Guerre mondiale. À l'époque, les inépuisables étaient les nazis et les espions russes. Aujourd'hui, c'était des Américains… et des hommes de l'Année Zéro.

Ce qu'ils infligeaient aux clones de l'Année Zéro dépassait en horreur tout ce qu'il avait vu jusque-là. Ces jeunes hommes sains étaient volontairement infectés avec le virus qu'ils vaporisaient dans leurs yeux, leur gorge et leurs oreilles ou leur injectaient avant de les disséquer vivants.

Les clones hurlaient, mais au fond de sa combinaison, les oreilles bouchées, Adam ne pouvait entendre leurs paroles. Les chercheurs insistaient sur le fait que les mots qu'ils prononçaient ne signifiaient rien. Ce qui ne fit que renforcer la détermination d'Adam qui entreprit de les enregistrer.

Les clones de l'Année Zéro tenaient une place particulière dans l'esprit d'Adam, non seulement parce qu'ils se ressemblaient, mais aussi parce qu'ils descendaient de lui, leur *causa causans*, leur cause première et finale. Il avait été créé pour qu'ils soient créés. Il avait été le premier d'entre eux. Il représentait leur passé, mais également leur futur. Ils ne venaient pas de son sang, mais ils étaient sa progéniture. Sa race. À travers eux, il renaissait.

La part de Cavendish en lui avait maudit ces pauvres créatures, les condamnant à naître pour mieux mourir. Il se souvenait avoir ordonné leur fabrication et leur supplice. En fermant les yeux, Adam pouvait voir une main qui était la sienne sans être vraiment la sienne, signer l'ordre. Quand il se regardait dans un miroir, il voyait un animal de laboratoire de plus. Sans un petit caprice du destin, ils l'auraient disséqué depuis longtemps lui aussi.

Il ne pouvait pas libérer les clones, pas sans se sacrifier lui-même. Le Secteur Sud représentait un lieu sacré avec le vaccin pour religion. Libérer les clones serait comme lâcher des démons dans une église.

Mais une idée commença à germer dans son esprit.

16.

Le messager

Dernière semaine de mai

Pendant une semaine, Nathan Lee erra, invisible, dans le bâtiment, surprenant parfois quelques monologues étouffés au fond des couloirs sombres ou de vénérables conservateurs de musée, agenouillés dans des bulles de lumière et occupés à dresser des listes ou à évaluer des objets. Mais la plupart du temps, les lieux lui appartenaient.

En temps ordinaires, le Smithsonian employait près de trois mille personnes. Seuls onze employés subsistaient aujourd'hui, abandonnés dans ce musée désaffecté. En rôdant dans l'obscurité pendant leurs réunions ou leurs repas, Nathan Lee avait appris qu'ils vivaient là depuis Noël, perdus dans un réseau de tunnels qui reliaient quatre des musées de l'Institution. Ils menaient une existence solitaire et avaient déjà enregistré deux suicides dont Nathan Lee avait découvert les corps dans le congélateur du taxidermiste.

Il redoutait de révéler sa présence, ne sachant à quelle réaction s'attendre. Que sa réputation de meurtrier et de cannibale amuse le vieux Spencer Baird ne signifiait pas que les autres prenaient la chose avec autant de légèreté.

Pour l'instant, il lui paraissait plus sage de chercher ses indices en secret.

Graduellement, il parvint à reconstituer leur histoire. En décembre dernier, juste avant la fermeture de tous les édifices gouvernementaux, les soldats avaient rapatrié ici toutes les œuvres d'art et les documents des musées les plus éloignés pour les mettre en sécurité. Le Château et ses annexes croulaient sous les caisses de tableaux, de statues, de momies égyptiennes, de collections de papillons et de scarabées, d'inventions, de pièces rares… et de paperasse venant du musée d'Histoire naturelle qui contenait peut-être, il l'espérait, les informations sur Ochs qu'il cherchait.

Les vieux conservateurs parlaient entre eux de la nécessité de garder les choses en bon état jusqu'à la fin de l'épidémie ou de la race humaine. La vérité était qu'ils ne parvenaient pas à se séparer de toutes les merveilles qui les entouraient.

Parfois, Nathan Lee les surprenait transportant des « prêts » jusqu'à leurs appartements, trimbalant des Rembrandt ou des vases de la dynastie Han comme de vulgaires quartiers de viande. Ils voulaient mourir avec style. Une nuit, ils se rassemblèrent pour écouter une de leurs collègues interpréter un solo de Bach sur un violoncelle fabriqué par Stradivarius en 1701. Dans la pénombre, Nathan Lee se laissa bercer par la musique.

Le Smithsonian avait la réputation d'être perpétuellement en cours d'inventaire – une réputation qui n'avait jamais été plus vraie. Malgré des mois passés à cataloguer, les conservateurs eux-mêmes semblaient ignorer l'étendue de tout ce qui se trouvait réellement là. Le chaos était accablant.

Nathan Lee avait tenté d'appliquer une certaine méthode à ses recherches, mais le labyrinthe ne cessait de se compliquer et le nombre d'objets d'augmenter. Les casques de bataille se mélangeaient aux pierres de lune entre des caisses de paperasses datant de la guerre contre les Indiens. Il tenta de dresser une carte des lieux, mais en vain. Il dormait dans des abris contre les bombes qui sentaient le moisi et dont les murs portaient les noms de soldats de l'Union gravés dessus.

Ses espoirs fondaient à vue d'œil. Il pouvait passer les dix prochaines années à fouiller dans les caisses sans jamais trouver la moindre information sur Ochs. Dans ce monde de ténèbres où les jours ressemblaient aux nuits, son esprit commençait à perdre la notion du temps.

Collectionneurs dans l'âme, les conservateurs avaient entrepris de rassembler les objets en rapport avec la peste : posters de stars de cinéma exhortant les gens à donner leur argent ou à apporter leur aide à l'effort national ; articles sur le virus Z ; photos de victimes qui ressemblaient à des mannequins en plastique transparent ; publications gouvernementales sur la quarantaine (le mot venait des quarante jours pendant lesquels les bateaux étrangers restaient parfois isolés dans un port, les quarante jours de l'arche de Noé), couvre-feu, soins aux réfugiés ; appareils pour prendre et tester son sang, etc. Archivistes de formation, ils s'archivaient eux-mêmes, prenant des photos les uns des autres en train d'ouvrir ou de fermer des caisses ou des portes et en général, d'attendre la fin.

Le cinquième jour, au détour d'un couloir, Nathan Lee renversa une femme assez vieille pour être son arrière-grand-mère qu'il n'avait pas entendu arriver avec ses baskets blanches. Il se pencha pour lui tendre la main.

— Je suis désolée, dit-elle.

Il reconnut la violoncelliste.

— Vous ne vous êtes pas fait mal ?

Elle le regarda avec un sourire.

— Vous voilà enfin.

Elle toucha son visage.

— Nous vous attendons depuis des mois.

— Laissez-moi vous aider.

— C'est merveilleux. Cela signifie que vous continuez les recherches. Vous devez nous parler de vos progrès. Nous commencions à désespérer.

Sa main tremblait.

De toute évidence, elle ignorait qui il était. Il l'avait effrayée et la pauvre femme perdait la tête. Il aurait pu s'éloigner dans l'obscurité et elle l'aurait sans doute oublié. Mais Nathan Lee réalisa soudain qu'il était temps de sortir de son isolement avant de provoquer une crise cardiaque chez l'un de ces vieillards. De toute façon, il ne s'en sortirait pas seul.

— Vous devez me confondre avec quelqu'un d'autre, dit-il.

— Pas du tout. Il nous avait prévenus de votre venue. Mais c'était en novembre dernier.

Il décida de jouer le jeu.

— Cela m'a pris du temps.

— Les avions ont donc repris leurs vols ?

— Quels avions ?

Le ciel appartenait aux oiseaux et aux cerfs-volants.

— Il avait dit qu'il avait un avion à prendre.

— Qui ?

— Un gros homme. D'après lui, c'était une question de sécurité nationale. Il nous a tenus occupés pendant des jours. Nous avons rassemblé autant d'objets que nous pouvions en si peu de temps. Puis il est parti en courant pour attraper un avion militaire en nous laissant une liste d'objets que nous devions rassembler. Tout est prêt pour vous.

Un gros homme, rassemblant des objets en plein désastre ? Impossible, décida-t-il.

— Vous souvenez-vous de son nom ?

— Un individu particulièrement grossier, se rappela-t-elle.

Elle lui prit le bras.

— Venez. Ellison saura. Il faut faire vite pour que vous puissiez reprendre la route.

Tandis qu'elle l'entraînait dans les couloirs, d'autres conservateurs émergèrent de la pénombre comme des fantômes et se joignirent à la procession. Baird surgit d'une pièce.

— Vous voilà, dit-il avant de s'adresser à ses collègues. Le jeune Swift. Je vous l'avais bien dit.

Ils arrivèrent au bureau d'Ellison sous le musée Freer et il s'avéra qu'ils l'attendaient bien. Ou du moins quelqu'un comme lui.

Assis, grand et raide, Ellison se comportait comme leur chef. À côté de son bureau, se dressait un grand bronze de Giacometti artistement éclairé par des torches électriques. Un mousquet Brown Bess et une aquarelle de Morris Rippel décoraient les murs. Son bureau ne comportait qu'une lampe et une statuette représentant une femme nue appuyée sur un coude, les hanches provocantes, la poitrine plantureuse et arrogante.

Les conservateurs s'entassèrent dans la pièce, tout excités. Baird jouait les héros.

— Je l'ai trouvé sous la pluie, tremblant comme un chaton. Vous auriez dû voir la tempête là-dehors.

Nathan ne lui rappela pas que cela s'était passé une semaine plus tôt.

Ellison prit un air sévère.

— S'il vous plaît, dit-il en tentant de ramener un peu d'ordre.

Remarquant le regard de Nathan Lee sur la statuette, il la rapprocha de lui de ses mains fines.

— Matisse, précisa-t-il d'un air guindé.

— Comment sont les routes, mon garçon ? demanda un vieil homme.

— Est-il vrai que les autoroutes sont minées ?

— La loi martiale est-elle vraiment terrible ?

— Tu veux dire efficace.

— Nous nous sommes trahis nous-mêmes avec cette loi martiale, rétorqua le premier.

Cela ressemblait à un débat familier.

— Croyez-moi, si j'avais su que nous allions devenir un nouveau troisième Reich…

— La loi. L'ordre.

— S'il vous plaît, messieurs, intervint Ellison.

Petit à petit, le silence s'établit.

Ellison se tourna vers Nathan Lee.

— Nous savions que vous étiez là, fit-il remarquer. Certains d'entre nous vous prenaient pour un fantôme hantant les lieux. J'ai failli appeler les marines pour qu'ils viennent vous déloger.

— C'est Swift, voyons, intervint Baird. Je vous l'avais dit. Nous n'avons pas besoin des militaires.

— J'imagine que vous avez fini vos petits larcins, dit Ellison.

— Je cherchais des informations, répliqua Nathan Lee. Au sujet d'un homme nommé David Ochs.

— Ochs, répéta Ellison. Oui, le professeur était là. Il nous a raconté tous les ennuis que vous lui aviez apportés. Et ce n'est rien comparé aux problèmes que vous nous avez créés. Vous rendez-vous compte du scandale que vous avez déclenché avec ce corps ? Le Smithsonian ! Impliqué dans le vol de cadavres. Le FBI. Un audit… par le Metropolitan Museum, pour l'amour du ciel ! Des reçus, de l'argent versé à un meurtrier emprisonné ! Des têtes sont tombées à cause de vous, Monsieur Swift.

— Cesse de perdre du temps, Ellison, coupa Baird. Ce garçon a fait un long voyage. Et ce Ochs, un sale type à mon avis. Je n'ai pas cru un mot de…

— Ochs était ici ? coupa Nathan Lee.

Ellison ouvrit un tiroir et en sortit un dossier ne contenant qu'une seule feuille de papier. Il entreprit de relire la liste avec un crayon.

— Cent dix objets. Le professeur en a emporté vingt-trois avec lui. Un travail bâclé. Il a failli rater son avion, mais c'était difficile pour lui, je le comprends. Les déplacements par voie de terre étaient devenus très risqués. À l'époque du moins. Qu'en est-il aujourd'hui ? Comment êtes-vous parvenu jusqu'ici ?

— Il s'est débrouillé, lança Baird ravi. Peut-être que tu voudras bien m'écouter maintenant. Ce garçon est plein de ressources.

Ce qui réveilla les autres. Les questions fusèrent à nouveau.

— Quelles sont les nouvelles ? Comment est-ce dehors ?

— Sont-ils prêts de découvrir le vaccin ? demanda la violoncelliste qui n'avait pas lâché le bras de Nathan Lee.

— Le professeur Ochs nous avait promis qu'un messager viendrait chercher les quatre-vingts objets restants de sa liste. Mais il aurait dû arriver il y a six mois.

Ils lui présentaient le scénario sur un plateau. Tout ce que Nathan Lee avait à faire, c'était jouer le jeu.

— Cela m'a pris plus longtemps que prévu. Les routes, comme vous l'avez deviné.

Il prononça le mot *routes* d'un air sombre.

— Mon Dieu, fit Baird. L'enfer sur terre.

Les autres secouèrent la tête d'un air entendu.

— Quelque chose me gêne, intervint Ellison. Pourquoi enverraient-ils un voleur ?

Ils ? À qui faisait-il allusion ? D'où venait Ochs ? Où était-il allé ?

— Tu veux qu'il te débarrasse de ces objets, oui ou non ? interrogea Baird. Les temps sont difficiles. Il faut un certain type d'homme. Ce n'est pas un voyage pour les faibles.

Ellison semblait troublé.

— Le fait est que je sais qui vous êtes, Monsieur Swift. Ce que vous avez dérobé au cours de cette semaine, reste ici. Vous avez été envoyé ici pour une raison. On compte beaucoup sur vous.

Nathan Lee avait bien volé quelques petites choses. Sa réserve d'or avait considérablement diminué et il avait encore un pays à traverser. Mais pas question de l'avouer à un bureaucrate.

— Mon chargement est-il prêt ? demanda-t-il.

— Nous avons fait de notre mieux, répondit Ellison. Mais nous n'avons pu localiser que treize objets supplémentaires.

— Treize !, répéta Nathan Lee d'un air mécontent. Au lieu de quatre-vingt-sept ? J'ai fait tout ce chemin pour rien ?

Il avança d'un pas et prit la liste des mains d'Ellison.

Il s'agissait d'un inventaire imprimé sur un papier à l'en-tête du Laboratoire national de Los Alamos. Nathan Lee reconnut quelques-unes des pièces tirées de ses fouilles de l'Année Zéro. Le reste consistait en bibelots religieux du Moyen-Orient et d'Europe, en talismans et autres reliques. Cela n'avait aucun sens pour lui. Mais en bas de la lettre se trouvait une note manuscrite. Un reçu pour vingt-trois objets signé par Ochs. *Los Alamos* ? pensa Nathan Lee.

— Treize n'est pas rien, protesta Ellison.

— Mais c'est loin de quatre-vingt-sept. Je vais avoir besoin d'un moyen de transport, dit-il. Et de nourriture. Ainsi que d'un laissez-passer.

— Rien que ça ?

Ellison fronça les sourcils.

— C'est un coursier, intervint Baird. Ils l'ont envoyé.

— Ça m'étonnerait.

— Il s'agit d'une affaire gouvernementale, protesta la violoncelliste. Monsieur Swift est un patriote. Il est venu nous sauver.

— Tu mets le vaccin en péril, protesta un vieil homme. J'ai des enfants dehors.

— Des petits-enfants, rectifia quelqu'un.

— Des arrière-petits-enfants.

— Tu te prends pour qui, Ellison ?

Ce dernier tenta de garder le dessus, mais il ne faisait pas le poids.

— Laisse-le partir. Donne-lui ce dont il a besoin et fais-le sortir d'ici.

Sur le point de quitter la pièce, Nathan Lee s'arrêta et fit demi-tour.

— Quoi encore ? demanda Ellison.

Nathan Lee s'empara alors de la statuette de Matisse et devant tout le monde, la glissa dans sa poche.

— Pour me porter chance, dit-il.

Son audace leur donna du cœur et ils lui emboîtèrent le pas comme s'il était un héros.

Le lendemain matin, sur la pelouse devant le musée, Nathan Lee enfourcha une vieille moto Indian Scout 101 massive et basse, avec un siège monté sur ressort comme celui d'un vieux tracteur de ferme. D'après ses papiers, elle avait été construite en 1928. La Scout était une idée de Baird, une réminiscence de sa jeunesse projetée sur les routes avec Nathan Lee. Cela n'aurait pas été le premier choix de ce dernier parmi la collection de motos du musée, mais il devait bien ça au vieil homme. Heureusement, la machine était en parfaite condition. Le donneur avait pris soin de changer l'huile et les soupapes avant de l'offrir à l'Institution deux ans plus tôt.

Une épaisse fumée blanche s'échappa du tuyau d'échappement quand il démarra, mais finit par s'éclaircir. Attachés au guidon, se trouvaient un sac de couchage, récupéré parmi les objets de l'exposition sur l'Everest du musée d'Histoire naturelle, et une machette à manche en bois réputée être celle utilisée par Stanley lors de ses recherches de Livingstone.

Sur le porte-bagages, il transportait deux caisses d'objets, les lettres d'autorisation tapées sur du papier à en-tête du Smithsonian, des cartes, de la nourriture sortie des cuisines du Château, quatre bouteilles d'essence et son livre pour Grace. Les objets qu'il avait volés – pièces rares, bijoux et or – étaient dissimulés dans ses poches ou scotchés le long de ses jambes.

Une équipe de soldats attendait avec ceintures porte-outils et casques durs pour refermer les portes derrière lui. Baird et quelques-uns des conservateurs se tenaient sur la pelouse, clignant des yeux sous le soleil matinal.

— Nous sommes presque en juin, commenta Baird. L'Amérique en été. Quelle gloire, Swift.

Il pleurait.

— Je vous raconterai tout, promit Nathan Lee.

Mais tous deux savaient que c'était un mensonge. Les conservateurs étaient déjà morts. Baird lui donna une tape dans le dos.

Nathan Lee passa une vitesse et commença à rouler. Ils lui souhaitèrent bon vent. Puis, il accéléra et disparut bientôt au loin.

17.

Derrière les grilles

Juillet, deux mois plus tard

Aux premières lueurs du jour, Nathan Lee arriva à cheval au pueblo de San Ildefonso. Une croix en bois décorait le haut d'une arche en adobe à l'entrée du village. Des soldats de la troisième division blindée occupaient à présent les lieux, mais avec un soin particulier. Ils avaient fait bien attention de ne pas accrocher la croix en pénétrant dans la cour avec leur tank.

En haut de la tourelle, un soldat armé de jumelles étudiait les alentours. Au cours des derniers cent mètres, Nathan Lee crut que l'homme le surveillait. Mais lorsqu'il se rapprocha, le soldat ne lui adressa pas la parole et Nathan Lee constata en regardant derrière lui que l'homme observait en fait un faucon qui volait dans la brise matinale.

Il descendit de cheval et attacha sa monture, une jument appaloosa, à une barrière dans un carré d'herbe. Il ne connaissait pas grand-chose aux chevaux et tous les deux s'habituaient lentement l'un à l'autre. Elle aimait l'avoine, aucun doute là-dessus, mais le sac se vidait rapidement. À son grand soulagement, la jument sembla trouver l'herbe à son goût.

Un des gardes, un gamin efflanqué avec une petite moustache, l'escorta jusqu'à la maison d'un étage où les officiers avaient pris leurs quartiers. Nathan Lee présenta une nouvelle fois son relevé sanguin et ses papiers. Puis le garde attendit avec lui dehors que le toubib sorte du lit.

Nathan Lee releva ses manches. Les traces de piqûres sur ses bras n'auraient pas dépareillé dans un repaire de junkies.

— Vous voulez vous asseoir ? proposa le soldat en montrant une chaise de jardin.

Mais Nathan Lee le remercia.

— La selle me tue, expliqua-t-il.

— Beau cheval, dit le gamin.

Nathan Lee examina les lieux. Un petit cimetière flanquait la vieille église du village et l'accès au *kiva*[1] de cérémonie avait été condamné. Des grappes de piments rouges cueillies à l'automne dernier pendaient dans l'embrasure des portes. Aucune trace d'Indiens.

— Où avez-vous emmené la population ?

— Ils n'étaient plus là quand nous sommes arrivés, répondit le soldat qui fit un geste vers l'ouest. Le canyon de Chaco. C'est une espèce de lieu sacré. La plupart des Indiens sont allés là-bas en attendant la suite des événements. Certains d'entre eux travaillent probablement au laboratoire.

Nathan Lee avait aperçu la ville la nuit précédente. À des kilomètres à la ronde, vous pouviez la voir briller très haut au-dessus de la vallée. Probablement le dernier endroit en Amérique à être alimenté en électricité. Même les soldats n'en avaient pas. Nathan Lee savait, pour l'avoir appris dans d'autres postes militaires, que leurs paquetages contenaient un composé chimique qui leur permettait de réchauffer leur nourriture. Pour se chauffer, la troisième division blindée brûlait des bûches de pin ainsi qu'en témoignait la bonne odeur qui flottait dans la cour.

En ce début juillet, le gros canon du tank pointait vers le désert vide. Leur seul ennemi était le temps. Quelqu'un

1. Une kiva était une pièce, en général circulaire et à moitié enterrée, utilisée par les indiens Pueblo pour leurs rituels religieux.

avait posé des petits pots de cactus aux fleurs jaunes sur les grosses chenilles du char. Seuls les cris des sturnelles troublaient le silence.

Paradoxalement, cette paix mettait Nathan Lee mal à l'aise. Au fil des jours, sans en avoir conscience, il s'était progressivement détendu, abandonnant ses défenses, jusqu'à ce matin où il avait brusquement réagi. Il avait bataillé trop longtemps, à travers trop de pays pour croire encore aux dénouements heureux. Il se devait de rester sur ses gardes, de continuer à s'attendre au pire. Ochs était peut-être reparti, à supposer qu'il soit même venu. Et dans ce cas, comment retrouverait-il la trace de sa fille ?

Pendant qu'il patientait, il vit des oiseaux s'envoler du plateau de la mesa, petits et noirs dans le ciel bleu. Nathan Lee n'était jamais venu à Los Alamos auparavant, mais il comprenait maintenant pourquoi la géographie des lieux se prêtait aux activités secrètes. Une seule route remontait de la vallée jusqu'au plateau, un ruban à quatre voies qui serpentait le long des falaises multicolores. N'importe qui pouvait l'emprunter, mais pas sans être repéré.

Une minute plus tard, le bruit des rotors parvint jusqu'à lui. Ce qu'il avait vu décoller n'était pas des oiseaux, mais une demi-douzaine d'hélicoptères qui s'éloignaient vers le nord.

— Maintien de la paix ? demanda-t-il.

— Ils vont dans les villes. Chasser les têtes.

— Les têtes ?

— Les hommes de science.

Nathan Lee n'était pas sûr de comprendre, mais le toubib arriva avec son matériel et il tendit son bras. Peu après, il récupéra ses papiers dûment signés et timbrés. Il repassa devant le tank fleuri et récupéra son cheval avant de s'éloigner pour rejoindre la nationale 502.

Pas très loin de là, un pont enjambait le Rio Grande. L'eau coulait vive et brune – vestige de la fonte des neiges – tel un grand serpent boueux sous ses pieds. Bizarrement, cette rivière emporta avec elle ses angoisses et Nathan Lee retrouva son optimisme.

— Mais je ne tiens pas à recevoir les nouveaux arrivants, protesta Miranda.

— Faites une exception pour celui-ci, insista le chef de la sécurité qui tenait une boîte en carton.

Le capitaine, un indien Zuñi d'une soixantaine d'années, retraité de l'armée, avait laissé pousser ses cheveux qui tombaient maintenant sur ses épaules, épais et argentés. Depuis le retour des clones sous le contrôle de Miranda, il avait installé son bureau dans le sous-sol d'Alpha Lab. Elle le voyait donc plus souvent, ce qui la réconfortait.

— Je suis occupée, dit-elle.

— C'est votre colis.

— Quel colis ?

Glissant la main dans la boîte, il en sortit une lettre écornée qu'il lui tendit. Une odeur de fumée de pin s'en échappa lorsqu'elle l'ouvrit.

— Le reste de votre chargement du Smithsonian. Il est arrivé la nuit dernière. Peut-être.

Miranda lut la lettre sur papier à en-tête, vieille de deux mois. *Comme vous nous l'avez demandé... les treize (13) objets suivants venant des collections du musée*. Miranda suivit du doigt la liste qui comprenait neuf reliques, trois fragments d'os et une fiole de larmes.

— Pourquoi « peut-être » ? demanda-t-elle.

— L'homme a dit qu'il avait caché le colis en chemin.

— Quel homme ?

— Le coursier. Un médecin. À ce qu'il dit.

Miranda soupira. De toute évidence, le Capitaine était d'humeur badine aujourd'hui. Elle avait remarqué que cela lui arrivait de temps en temps, uniquement avec elle, comme s'il estimait de son devoir de la distraire. Elle n'avait pas à supporter cela. Elle *était* préoccupée. Elle pouvait sentir toute cette science concentrée autour d'elle, entrelacée comme la soie d'une toile d'araignée, et voulait être prête à réagir au moindre signe d'un vaccin. Ce qui signifiait une vigilance de tous les instants. Et le Capitaine estimait qu'elle avait besoin de se détendre...

— Très bien. Qu'entendez-vous par « à ce qu'il dit » ?

— Pour commencer, son relevé sanguin est un faux. Le garde à l'entrée a remarqué la colle à la lumière des infrarouges. Nous ne savons donc pas qui il est et il refuse de répondre. De plus, il est arrivé sur le dos d'un appaloosa.

— Un appaloosa ?

— Un cheval.

— Et pourquoi a-t-il caché le colis ? demanda-t-elle en tapotant la lettre.

— Il veut l'échanger. Pour la faire courte, ils l'ont envoyé ici. Pour vous.

— En un mot, il veut entrer, résuma Miranda.

Tous les jours, une nouvelle personne se présentait à l'entrée, demandant à franchir les grilles. Ici se trouvait le dernier bastion de l'Amérique qu'ils avaient connue, un endroit chaud et bien éclairé, aux garde-manger plein.

— Dites-lui qu'il n'y a pas de place.

Ce qui était vrai. Personne n'aurait pu prévoir que Los Alamos s'étendrait à une telle vitesse. Lorsque la peste s'était déclarée, les recherches sur le site, jusque-là focalisées sur le plutonium, s'étaient recentrées sur les gènes humains et là où les constructeurs de bombes d'hier avaient édifié une ville, les chasseurs de peste avaient développé une cité.

Miranda se souvenait encore de la ville tranquille de Norman Rockwell avec ses cafés, son cinéma et ses boutiques d'artisanat. Tout avait disparu maintenant, même le terrain de golf que les bulldozers avaient rasé pour faire de la place aux vingt-sept mille scientifiques, à leurs assistants et à leurs familles, quelque quatre-vingt-dix mille personnes en tout. Non compris les soldats qui avaient leur propre campement.

— Celui-ci est différent, fit remarquer le Capitaine. Il s'est assuré qu'il pourrait ressortir avant d'entrer. Il veut continuer son chemin.

— Vraiment.

— Il a fait promettre au garde de nourrir son cheval pendant qu'il réglait ses affaires.

— Nous faisons office d'écurie maintenant ? Que veut-il ?

— Vous, j'imagine. La personne responsable.

— C'est Cavendish.

— Dans ce cas, autant lui mettre tout de suite une balle dans la tête.

— Que suis-je censée faire ? Je ne suis pas Herr Direktor.

— Non, mais vous êtes Miranda Abbot, ajouta-t-il.

Le Capitaine savait – ils savaient tous – que Miranda possédait un atout que Cavendish n'aurait jamais. Son père. En ces temps d'épidémie, même les colonels obéissaient aux ordres du tsar. Cavendish dirigeait peut-être le LNLA[1], mais Paul Abbot faisait la loi. Et Cavendish semblait le respecter, au moins dans une certaine limite.

Lui et Miranda s'étaient déjà affrontés. Souvent. Leurs philosophies s'opposaient, aussi différentes que le jour et la nuit. Pour Miranda, les chercheurs devaient avoir des cordes élastiques attachées aux chevilles pour leur permettre de faire de grands bonds dans l'inconnu et de revenir ensuite se mettre à l'abri, prêts à rebondir pour essayer encore et encore. Mais pour Cavendish, chaque expérience était une expédition dans une jungle sombre d'où les explorateurs n'étaient censés ressortir que lorsqu'ils avaient atteint leur but. *La mort est incurable*, aimait-il à leur répéter. *Nous n'avons pas droit à l'échec.*

En fait, Cavendish lui-même avait introduit l'échec dans le système en le modelant à sa propre image. Il aimait l'échec, du moins d'un certain genre. La majorité des scientifiques qu'il avait recrutés avait connu de gros problèmes dans leur carrière. Ils avaient pris d'énormes risques et obtenus des résultats, mais pour de mauvaises raisons. Au grand déplaisir de Miranda, Cavendish la traitait comme un formidable exemple de renaissance réussie qui pourrait bien venir à bout du virus.

Pour cette raison, le personnel comptait beaucoup plus de jeunes chercheurs que de vieux routiers à Los Alamos.

1. Laboratoire national de Los Alamos.

Les jeunes pouvaient travailler dix-huit heures par jour et surtout montraient moins d'attachement aux paradigmes bien établis – une qualité aux yeux de Cavendish. Toutes les approches orthodoxes, que ce soit en immunologie, en contrôle de la maladie ou en lutte contre les microbes, avaient été épuisées dès les premiers temps de l'épidémie et personne n'avait avancé d'un iota dans l'éradication de la peste. Il fallait donc sortir des chemins battus. Cavendish avait opté pour une attaque brutale, partiale et non intuitive de la maladie. Pour cela, il avait choisi des hérétiques. Mais eux aussi échouaient.

— J'ai quelque chose à finir, dit-elle au capitaine.

Le capitaine prit cela comme une invitation. Posant le carton sur une chaise, il fit de la place sur son bureau.

— Je lui ai confisqué ceci, dit-il en plaçant devant elle la statuette d'une femme nue, pas plus grande qu'un presse-papiers, et *l'Himalayan Flora*, le livre le plus étrange que Miranda ait jamais vu.

La couverture de guingois recouvrait un salmigondis de papiers exotiques. Il y avait également le relevé sanguin tamponné d'une liste de cachets qui remontait jusqu'en Alaska. Le nom porté était Charles Andrew Bowen. 1,82 m, 45 kg. Le visage de l'homme était émacié et déterminé, sa monture de lunette métallique scotchée et brillante.

Elle n'avait pas eu l'intention de l'ouvrir, mais ne put résister à la curiosité. Le livre était étrange avec ses pages remplies de dessins, de notes et d'histoires. D'un bout à l'autre, son odeur changeait, alternant l'encens, la poudre de cartouche ou l'air marin. Elle tourna les feuilles, découvrant un visa de Mongolie et une fleur séchée avec de petits boutons bleus. Ses racines étaient si longues qu'elles s'enroulaient en spirale. Une fleur de la toundra, adaptée pour vivre sous terre la majeure partie de l'année.

De toute évidence, le livre avait été écrit pour une enfant du nom de Grace.

En plus du livre, il y avait également une liasse de documents que Miranda feuilleta : un acte de propriété confirmant l'achat du cheval deux semaines plus tôt dans un ranch à la frontière du Nouveau Mexique pour quelques pièces d'or fondu ; une lettre témoignant que le Dr Bowen avait mis au monde des jumeaux au Kansas ; une autre lettre, d'un chef de milice cette fois, faisant office de laissez-passer pour son porteur. *Bowen, M.D. a sauvé la vie d'un de mes hommes. Aidez-le comme vous pourrez* ; des bons de nourriture de l'armée, des coupons d'essence, plusieurs centaines de dollars inutiles et un ticket de tombola pour le concours de la tarte du 4 juillet à Hannibal, Missouri.

Finalement, elle arriva à sa propre lettre écrite dix mois plus tôt et donnant la liste de toutes les reliques que ses assistants estimaient intéressantes après avoir effectué une recherche informatique dans les possessions du Smithsonian. En bas de la page se trouvait un reçu signé par Ochs pour la livraison de novembre.

— Ochs, dit-elle avec colère.

Pas plus tard que la semaine dernière, il avait déboulé à Alpha Lab pour sa petite danse de mort et désigné l'un des chercheurs. La politique de Cavendish de déportation du « personnel non essentiel » n'était rien d'autre qu'une mise à mort. Lui et ses partisans l'utilisaient contre les agents subversifs et les opposants à son régime. Dans ce cas, la pauvre femme n'avait pour seul tort que de travailler sous le toit de Miranda. Le Capitaine avait pu annuler la déportation, mais après des heures d'efforts.

— Il avait pourtant affirmé qu'il n'y avait pas d'autres reliques.

— Il avait probablement pris ce qu'il pouvait.

— Cela fait des mois. Nous avons besoin de ces reliques.

— Autant que je m'en souvienne, il ne voulait pas y aller.

En fait, Miranda l'avait forcé à se rendre à Washington malgré ses protestations. Elle avait déporté Ochs, momentanément du moins, pour qu'il sache ce que cela faisait. Et elle avait fait coup double en assénant par la même occasion un dérisoire et imprudent soufflet à Cavendish.

Elle le regrettait. Elle s'était sentie sale après coup. Et Ochs était revenu trois jours plus tard, plus haineux que jamais.

Miranda abandonna.

— Très bien, dit-elle. Je vais lui parler. Puis-je d'abord finir ce que je suis en train de faire ?

— Je vous ai interrompue ?

— Une demi-heure, capitaine.

Il referma la porte derrière lui.

Miranda essaya de se remettre à son compte rendu d'essais, mais la statuette et l'*Himalayan Flora* l'empêchaient de se concentrer. La sculpture évoquait une chose primitive et merveilleuse, effrontée, étrange et absolument parfaite dans ses proportions. L'avait-il sculptée lui-même ou volée ? Et le livre… un condensé de magie, parsemé d'indices.

Finalement, le Capitaine, qui avait retrouvé son apparence sévère, revint avec le visiteur qu'il positionna à distance respectueuse du bureau de Miranda. Les mains menottées, celui-ci portait un T-shirt effiloché, mais relativement propre, qui cachait mal sa minceur – quinze kilos supplémentaires ne lui auraient sûrement pas fait de mal. Les lunettes scotchées de la photo avaient été remplacées par d'autres à monture en écaille qui ne semblaient pas lui convenir parce qu'il clignait sans arrêt des yeux. Le soleil avait bronzé son visage et dessiné la marque de ses lunettes. Jusqu'à ce matin, il avait dû porter la barbe. Ses joues gercées et les petites coupures sous sa mâchoire pâle trahissaient le passage du rasoir.

Le capitaine ne lui offrit pas de chaise et il ne parut pas s'en offusquer.

Miranda resta assise et ne se présenta pas. Elle tapota le relevé sanguin.

— Dr Bowen, ce document est pour le moins douteux, attaqua-t-elle.

Mais l'étranger ne se laissa pas démonter.

— Le Dr Bowen est mort à Fairbanks, il y a dix-sept mois, répondit-il. Du moins, à ce qu'on m'a dit.

— L'avez-vous tué ? interrogea le Capitaine.

Miranda sursauta. Elle n'avait pas pensé à cela.

— C'est une chose que je n'ai jamais faite, répliqua-t-il.

— Qui êtes-vous ?

De nouveau, aucune hésitation.

— Nathan Lee Swift.

— Comment pouvons-nous savoir que vous dites la vérité ?

— Vous ne pouvez pas. De toute façon, quelle importance ?

Il avait raison, pensa Miranda. Un nom ou un autre, il n'était qu'un bout d'humanité à la dérive. Certains auraient protesté devant cette insignifiance. Lui semblait l'accepter comme étant dans la nature des choses.

— Donc, vous n'êtes pas médecin, dit-elle.

— Non.

— Vous n'avez pas cessé de mentir pendant toute votre traversée de l'Amérique, ajouta-t-elle, cherchant à le déstabiliser. Des gens ont cru en vous. Vous les avez soignés. Ils vous faisaient confiance.

— Je sais. Je ne pouvais pas le croire moi-même. C'était comme s'ils n'attendaient qu'une excuse pour se guérir eux-mêmes.

— Ils vous ont laissé pratiquer un accouchement. Des jumeaux. Ou cela fait-il également partie du canular ?

— Il y en a eu d'autres. J'ai eu de la chance.

Ses mains s'ouvrirent inconsciemment.

— Les enfants sont sortis tous seuls. Aucune complication. Je n'ai fait que les recevoir.

— Quel culot…, commença-t-elle. Que se serait-il passé s'il y avait eu des complications ?

— Je sais. Je n'ai jamais eu aussi peur de ma vie.

— Combien ? demanda le Capitaine.

— De bébés ? Avec les jumeaux, onze.

L'espace d'un instant, Miranda fut aussi surprise que le Capitaine.

— Les gens continuent à avoir des enfants ? demanda-t-elle.

Il la regarda d'un drôle d'air.

— Il y a la peste. C'est inconscient et cruel.

Le taux de naissance à Los Alamos avait chuté au cours des six derniers mois.

— Les gens croient que vous allez tout arranger, dit-il.

Miranda l'observa, cherchant à deviner s'il s'agissait d'une insulte.

— Mais pas vous, remarqua-t-elle.

— Quelle importance ?

— Vous avez également soigné un milicien, ajouta-t-elle en tapotant la lettre de ce dernier.

— Je l'ai recousu. Pour qu'il puisse tuer plus de gens probablement. C'était dans un camp près d'une rivière à Chattanooga, la plus vieille rivière de la planète à ce qu'ils m'ont raconté.

— Vous avez aidé un tueur, répéta-t-elle.

— Ils sont persuadés d'agir pour le mieux. Tout le monde le pense.

— Mais ce sont des traîtres, insista-t-elle.

De cette hauteur, le chaos paraissait tellement inutile. Les citoyens de Los Alamos s'estimaient choqués de voir le système se désintégrer de cette façon.

— Faites attention. Traître est un mot très populaire. C'est celui qu'ils prononcent à chaque fois qu'ils appuient sur la gâchette.

— Vous n'avez cessé de mentir, répliqua-t-elle d'un ton méprisant.

— C'est ce qui m'a permis d'arriver jusqu'ici.

Elle ouvrit le livre.

— Il y a des visas de Mongolie, de Chine et du Népal.

— Des souvenirs. Les postes frontières étaient vides.

— Vous voulez me faire croire que vous avez traversé l'Asie ?

C'était impossible.

Mais il ne répondit pas. Il se moquait qu'elle le croie ou non.

— J'ai apporté les reliques du Smithsonian. Quelqu'un sait-il de quoi je parle ?

— Ces objets n'ont plus aucune importance.

En fait, n'importe laquelle de ces reliques pouvait s'avérer cruciale, mais Miranda ne voulait pas se trahir. Pas si elle voulait gagner le marchandage.

— Je les ai apportées. Je veux passer un marché.

Elle fut un peu déconcertée. Elle bluffait et même si cela se voyait, il n'avait pas à le lui dire.

— Ils auraient peut-être eu de la valeur il y a quelques mois…

— Je suis venue pour ma fille, coupa-t-il.

Elle hésita.

— Grace, dit-elle.

Il tressaillit.

Miranda regarda le Capitaine. La coïncidence de deux pères qui souffraient de l'absence de leur enfant semblait un peu grosse. Mais la surprise du capitaine paraissait sincère.

— Elle est ici ? demanda-t-elle.

— Je l'espère.

— Quelqu'un vous a dit qu'elle était ici ?

— Pas exactement.

— Voyons si j'ai bien tout compris. Vous avez réussi à pénétrer ici grâce à de faux papiers. Vous avez subtilisé des biens du gouvernement dans le but d'obtenir une rançon. Vous menacez de mettre en péril notre recherche d'un vaccin et vous avez gâché ma journée de travail. Tout cela juste sur une intuition ?

— Je comprends votre réaction, reconnut-il un peu gêné, mais sans s'excuser.

Ce type était-il réel ? À en croire ses papiers, il aurait traversé la planète, talonné par la peste. Qu'avait-il vu ? Que restait-il du monde extérieur ? Personne ne le savait. Leur connaissance du monde s'était éteinte en même temps que la technologie. Les batteries étaient vides et les générateurs à sec faute de carburant. Les satellites orbitaient en plein chaos. Plus d'avions espions au-dessus du Canada ou du Mexique. Les astronautes à bord de la navette s'étaient mutinés. Lassés de tourner en orbite comme des disques de sauvegarde de l'espèce, ils avaient repris le chemin de la terre… et disparu. Les reconnaissances faites par l'homme se faisaient de plus en plus timides et locales, surtout depuis que l'expédition de la Navy s'était volatilisée corps et biens en silence.

Autant qu'ils le sachent, la fille du Capitaine n'avait jamais rejoint les rives de l'Amérique. Et voilà que ce vagabond têtu et efflanqué affirmait avoir traversé la planète, juste sur une intuition…

— Et si elle n'est pas là ? demanda Miranda.

— Il y a de grandes chances pour qu'elle ne le soit pas.

Le capitaine sursauta et Miranda le remarqua. Côte à côte, les deux hommes partageaient la même perte. Mais pour l'instant, le vieil homme semblait bizarrement rasséréné par le visiteur.

— La moitié du pays a disparu ! dit-elle d'un ton exaspéré.

Il attendit la suite. La disparition du reste du monde ne semblait pas l'affecter outre mesure. En fait, si son histoire était vraie, il connaissait mieux qu'eux la signification du mot disparition.

— Vous pourriez chercher toute votre vie.

— Ce n'est pas grave, répondit-il doucement.

Et c'est à cet instant qu'il remporta la partie, sans l'avoir vraiment voulu. Miranda n'aurait jamais pensé être aussi vulnérable. Mais elle était fatiguée, comme tout le monde. Les suicides, les orgies et les haines mesquines n'étaient que l'expression d'une capitulation. Chaque jour, ils se démotivaient un peu plus, prêts à s'enfermer dans le sanctuaire souterrain de son père et à se cacher jusqu'à ce que la peste ait anéanti toute la planète. Plus personne ne croyait à l'avenir. Plus personne ne parlait d'espoir.

Nous avons besoin de lui.

— Nous ne sommes pas le bureau des personnes disparues, déclara-t-elle.

— Et je ne suis pas un livreur de pizza.

Il se montrait presque insolent. Presque. Mais il n'y avait aucune fierté derrière ce culot. Seulement la ferme détermination de retrouver sa fille.

— Comment puis-je être certaine que vous ne me trahirez pas ? Nous n'avons aucune preuve que ces reliques existent vraiment.

— Les lettres du Smithsonian l'attestent.

— Des bouts de papier. Des illusions.

— Vous trouverez l'arbre. À douze mètres au nord de la borne kilométrique 3.

— De quoi parlez-vous ?

— Sur la nationale 502. Tout est là, dans des sacoches. Mais pas enterrées. Cherchez dans les branches.

— Vous avez dit que le colis était enterré.

— J'ai menti. Encore une fois.

Miranda regarda le Capitaine qui avait froncé les sourcils. Lui aussi semblait dérouté. Après avoir réfléchi un instant, il sortit un carnet de sa poche et nota les indications. Puis il composa un numéro sur son téléphone portable.

Nathan Lee sourit à Miranda.

— Cette histoire est maintenant réglée, dit-il.

Son sourire l'agaça. Pourquoi souriait-il ? Il avait brûlé toutes ses cartouches sans rien gagner en échange, sauf à lui renvoyer la question de confiance. Elle n'avait cessé de la brandir sous son nez comme une arme et voilà qu'il la retournait contre elle. Bien qu'elle n'ait fait aucune promesse, elle se trouvait en position de le trahir.

— Je pourrais attendre qu'ils aient vérifié votre… confession, dit-elle d'une voix glaciale. Mais je vais vérifier dans le fichier. Il ne concerne que Los Alamos, le prévint-elle.

— C'est parfait.

Elle se tourna vers son écran et énonça à haute voix ce qu'elle tapait.

— Grace Swift.

— Probablement pas, dit-il.

— Alors, quoi ?

— Nous avons divorcé.

Il se pencha pour voir l'écran, mais le Capitaine lui fit signe de reculer.

— Essayez Ochs.

Les doigts de Miranda s'immobilisèrent.

— David Ochs ?

Les yeux de l'étranger se mirent à briller. À brûler littéralement. Puis il se reprit et se calma.

— Il est donc venu se mettre à l'abri.

Elle regarda le Capitaine, déconcertée.

— Il a une femme et un enfant ?

L'exécuteur avait une famille ?

— Une sœur, corrigea Nathan Lee. Elle s'est remariée et a probablement pris un autre nom. Mais essayez Ochs. S'il vous plaît.

Que se passait-il ? De toute évidence, cet homme avait suivi Ochs jusqu'ici. Il avait utilisé des documents vieux de six mois pour pénétrer dans la mesa et peut-être n'était-il qu'un simple opportuniste essayant de se glisser derrière les grilles. Mais Ochs pouvait aussi l'avoir fait venir, un allié en quelque sorte – la dernière chose dont Los Alamos avait besoin. Mais dans ce cas, pourquoi passer par elle ? Pourquoi ne pas aller directement le trouver ? Ou alors, l'étranger n'était que ce qu'il disait, c'est-à-dire rien. Il n'y avait qu'une seule façon de le savoir.

— Capitaine, enfermez cet homme, ordonna-t-elle.

* * *

Ochs ne vint pas de bon gré. Il pénétra dans la salle de contrôle avec fracas, son crâne dégarni rouge d'indignation.

— De quoi s'agit-il ? demanda-t-il.

— C'est ce que j'aimerais découvrir, répondit Miranda.

— Si vous avez des questions, posez-les à Cavendish.

Il fit mine de repartir, mais deux des hommes du Capitaine bloquaient maintenant la sortie.

— Asseyez-vous, ordonna ce dernier.

C'est alors qu'Ochs remarqua l'écran à côté de Miranda montrant l'étranger assis sur une chaise en métal. Les taches rouges sur son crâne pâlirent sous le choc.

— Swift, murmura-t-il. Mais il est mort.

Miranda ressentit une véritable bouffée de plaisir devant la peur manifeste d'Ochs. Et l'étranger n'avait pas menti, du moins pour son nom.

— Nous parlions de vous justement, dit-elle.

— Que fait-il ici pour l'amour du ciel ?

— Il a apporté les reliques du Smithsonian, celles qui n'existaient pas selon vous. Je voudrais entendre votre version de l'histoire.

— Ma version de quoi ?

Son visage avait retrouvé quelques couleurs, mais sa colère s'était envolée.

— C'est un meurtrier. Un cannibale. Tout a été révélé lors de son procès. Il a essayé de me tuer. Il a été emprisonné à Katmandou. Vous devez avoir lu des articles à son sujet.

Les détails sordides des tabloïds lui revinrent en mémoire. C'était cet homme ? Elle se rappelait avoir douté de la véracité de cette histoire – avant même que la peste ne la transcende.

— Il me poursuit, reprit Ochs. Il veut se venger.

— Ce n'est pas ce qu'il nous a dit.

La peur d'Ochs était si... agréable à contempler. Un vrai bonheur.

— Que vous a-t-il dit ? Il vous a parlé de Jérusalem, c'est ça ?

— À vous de me le dire.

Jérusalem ? C'était comme mettre des pièces dans une machine. Ochs se livrait tout seul.

— C'était un de mes étudiants. Un idiot, à vrai dire. Chaque département a le sien, une âme perdue à la recherche de son identité. Je l'ai envoyé dans le désert où il ne pouvait gêner personne.

— Jérusalem, répéta-t-elle.

— Il a entendu parler de la découverte du Golgotha. Il m'a appelé. Le tremblement de terre venait de frapper. De l'argent facile, m'a-t-il dit.

— Vous avez pillé le Golgotha ?

Jusqu'à cet instant, elle ignorait qu'il avait été pillé.

— Que pouvais-je faire d'autre ? Je devais l'en empêcher. Il était marié avec ma sœur. Je ne cherchais qu'à protéger ma famille. Mon département.

— Ce n'est pas ce qu'il raconte.

Elle ne savait plus quoi ajouter pour le relancer.

— Je ne l'ai pas poussé. Il est tombé. J'essayais juste de le retenir.

Parlait-il de Jérusalem ? Le Capitaine avait l'air d'en savoir plus qu'elle.

— Vous l'avez abandonné, n'est-ce pas ? Dans la montagne.

Ochs s'approcha de l'écran. Nathan Lee semblait attendre le bus.

— Comment est-il sorti ? murmura-t-il doucement.

— Il dit qu'il veut sa fille, dit le Capitaine.

— Elle n'est pas ici.

— Où est-elle ?

Miranda était heureuse de la présence du Capitaine. Ils avaient retrouvé les sacoches dans l'arbre. Leur part du marché était d'aider cet homme à retrouver sa fille, ou du moins l'endroit où elle se trouvait. Mais Ochs était trop malin ou trop effrayé.

— Elle est morte, affirma Ochs. Dites-lui ça. Il faut lui dire qu'elle est morte.

— Dites-le-lui vous-même, répliqua le Capitaine.

C'était sa seule arme, une menace.

— Je ne veux pas le voir.

Et ce fut terminé. Ils ne pouvaient pas forcer Ochs à parler. Et Miranda ne se sentait pas le courage de le mettre en présence de son ennemi. Lentement, Ochs se reprit et commença à comprendre leur manège.

— C'est tout ce que vous avez ? demanda-t-il.

Il se pencha et passa le doigt sur l'image de Nathan Lee.

— Je le garde, dit brusquement Miranda.

Le Capitaine la regarda. Ochs se fit méprisant.

— Cela ne marchera jamais. Le conseil le jettera aux chiens.

Le conseil, c'était Cavendish.

— Personnel indispensable, dit-elle en inventant au fur et à mesure. Les restes de l'Année Zéro. Le Golgotha. Les traces.

Elle pouvait faire la différence. Peut-être ne parviendrait-elle pas à regagner tout le territoire que Cavendish avait pris au fil des années, mais elle pouvait renforcer le refuge qu'elle avait entrepris de construire ici. Ce refuge avait besoin d'un gardien. De quelqu'un qui inspirait la peur chez ses ennemis ou du moins chez celui-ci. C'était un début. Avec Nathan Lee à leurs côtés, Ochs réfléchirait à deux fois avant de s'attaquer à eux. Plus de raids intempestifs, pensa-t-elle. Elle l'imposerait à son père s'il le fallait. Que Cavendish aille au diable.

— C'est non négociable, affirma-t-elle.

— Nous verrons bien, répliqua Ochs.

Miranda fit alors une chose qu'elle n'avait jamais faite. Elle le gifla. Plus une tape en vérité, mais Ochs se pétrifia et cligna des yeux. Il avait compris.

— Oui, nous verrons, dit-elle.

18.

La mission

Les derniers jours de juillet

Je ne suis plus une enfant, le prévint Miranda. Je sais ce que vous voulez. Ne vous faites pas d'idées.

Ils venaient de quitter les sous-sols d'Alpha Lab et découvraient une belle matinée dans la tradition du Nouveau Mexique : ciel bleu et soleil éclatant. Elle avançait au pas de course et Nathan Lee avait du mal à suivre.

La colline disparaissait sous les bâtiments, les caravanes et même une grande tente rouge et blanche de cirque. Sur le côté, son ancien nom, Barnum & Bailey, s'effaçait. Deux panneaux à l'entrée de la tente annonçaient aujourd'hui CENTRE D'ÉTUDES NON LINEAIRES et ÉQUATION D'ÉTAT. *Où suis-je tombé* ? se demanda Nathan Lee.

Miranda lui faisait penser à la femme d'un fermier dans un vieux film de série B, grande et maigre, vêtue d'un jean d'homme et d'une chemise à carreaux rouges. Sa queue-de-cheval passait par le trou arrière de sa casquette de base-ball sur laquelle était écrit *Jackson Lab, Des souris et des hommes*. Ses yeux, verts comme une mer de glace, le troublaient.

Des voitures de golf électriques les frôlaient. Toute une population, du genre de celle qu'on trouvait avant sur un campus – amazones en brassières de jogging, petits génies barbus, matheux rêveurs – se déplaçait à vélo ou en rollers. Ils dépassèrent des immeubles aux noms exotiques : THÉORIE DU PLASMA, HÔTES PATHOGÈNES, PRIONS, FONCTIONS HÉPATIQUES, BIOLOGIE THÉORIQUE.

— Vous voulez Ochs, je le sais, mais oubliez-le, reprit-elle. Il fait partie du système, vous devez le savoir. Vous êtes en sécurité pour l'instant. Je peux vous donner accès au T/A3, mon domaine technique, c'est tout. Vous serez logé et nourri. Mais n'approchez pas du Secteur Sud. Allez-y et vous n'en reviendrez jamais.

Le Secteur Sud. Le territoire d'Ochs. Il retint l'information.

Elle le devançait d'un bon mètre et il ne parvenait pas à rester à sa hauteur. Des symboles de danger biologique fleurissaient de tous les côtés, si nombreux qu'ils faisaient partie du décor. Des artistes locaux avaient décoré les menaçants trèfles à trois feuilles de belles arabesques et de graffitis. Les mises en garde étaient devenues décorations et le danger une composante de leur vie.

— Où allons-nous ? demanda-t-il.

— Déjeuner. Vous ressemblez à une publicité vivante pour le yoga.

— Il va falloir que je lui parle.

— Je viens de vous le dire : ce n'est pas possible.

— Dans ce cas, je n'ai plus qu'à partir.

Il la testait.

— Peut-être. Vous pourriez aussi attendre un peu.

— Nous n'avons plus beaucoup de temps.

Elle s'arrêta brusquement et il l'évita de justesse. D'une main, elle indiqua un bâtiment carré.

— Le Nirvana. Un de nos super-ordinateurs. Dans le temps, il traitait toutes les données sur le VIH. Aujourd'hui, ce sont celles du Corfou. Si cela ne tenait qu'à moi, nous aurions gardé le *Blue Mountain* – quatre fois plus puissant – mais Cavendish l'a réquisitionné malgré mes efforts pour l'en empêcher. Comprenez-vous ce que je dis ? Mon pouvoir a des limites.

Ils traversèrent un pont baptisé Oméga qui surplombait un petit canyon. Devant eux, s'étendait la ville, pas très belle, mais pleine de vie. Une camionnette blanche s'arrêta près d'eux et Nathan Lee vit son propre reflet dans ses vitres teintées noires. Miranda ne tourna même pas la tête. Après quelques secondes, la camionnette s'éloigna.

— Los Alamos était une ville sûre, dit-elle. Puis elle s'est agrandie.

À mi-chemin du pont, la neige se mit à tomber du ciel bleu et Nathan Lee s'arrêta pour récupérer quelques flocons dans sa main. Ils étaient blancs et chauds. Il regarda autour de lui, mais personne ne semblait étonné.

Miranda revint sur ses pas.

— Des cendres, expliqua-t-elle.

Nathan Lee écrasa les cendres entre ses doigts et respira.

— Un feu de forêt ? demanda-t-il.

— Jour de crémation.

— Les ordures ?

— Déchets médicaux. Des déchets intellectuels. Ne vous inquiétez pas, cela ne peut pas vous faire de mal. Les incinérateurs chauffent à plus de mille degrés Celsius, quelque chose comme ça.

Elle reprit sa marche. Nathan Lee frotta ses mains et courut à sa suite.

Ils pénétrèrent dans une grande cafétéria perchée au bord du canyon qui offrait une vue quatre étoiles et une ambiance de cantine de lycée. Des bandes tapageuses y côtoyaient des rats de bibliothèque plongés dans leurs livres ou penchés sur leurs documents. Dans les assiettes, des pizzas, des pains de viande ou des coupes de gelée rouge. Il y avait même un distributeur de boissons proposant du Pepsi ou du Coca-Cola, normal ou allégé. De quoi oublier le reste du monde. Ce qui était peut-être le but recherché.

Nathan Lee se sentit soudain affamé. Il n'était pas à sa place dans ce lieu et pourtant, il éprouvait brusquement l'envie d'en savoir plus. La pièce baignait dans la lumière et les chromes rutilaient. Les gens avaient l'air paisible.

Même en patientant dans la file, Miranda ne tenait pas en place. Tout le monde la connaissait et beaucoup venaient lui soumettre de petites requêtes ou des problèmes urgents à régler. Son téléphone portable ne cessait de sonner et elle n'accordait son attention qu'à petites doses. Nathan Lee tenta de deviner son âge. Vingt-neuf, trente ans ? Elle paraissait indispensable pour eux. Et pour lui aussi, maintenant. Ce qui le déconcerta.

Elle lui tendit un plateau et commença à piocher dans le buffet. Puis elle choisit une table à l'écart du bruit. Les produits chimiques avaient taché ses doigts d'une couleur orange vif. Elle dévora son cheeseburger en cinq bouchées.

Nathan Lee mangeait avec parcimonie. Ses mains tremblaient et il renversa ses petits pois.

— La clinique peut soigner votre malaria, dit Miranda.

— J'ai la malaria ?

— Nous sommes très prudents ici. Les tests sanguins détectent tout.

Ses yeux verts l'étudièrent un instant.

— Dans quelle jungle avez-vous attrapé cela ?

— Cela a commencé au Kansas et je me suis demandé ce que je couvais.

— Au Kansas ? La malaria ? Vous rappelez-vous si les moustiques avaient une position de repos penchée ? Comme de vulgaires *Anophèles*.

— Je me contentais d'écraser ces petits salauds.

— Salopes, en fait, corrigea-t-elle. Les barrières de la maladie s'effondrent.

Nathan Lee remarqua sur le mur derrière elle un tirage informatique de la planète avec, en rouge, les zones infestées par la peste, et en bleu, les régions intactes. De grands trous irréguliers parsemaient le sud et le nord-est. Les États de la côte Pacifique disparaissaient dans un grand arc rouge. Washington D.C. n'existait plus. La peste l'avait donc talonné de si près ?

— J'avais fait mettre cette carte pour que les gens restent concentrés. Mais cela n'a fait que couper leur appétit…

— J'imagine.

Quelque part dans cette étendue de couleurs, se trouvait sa fille.

— … pendant une dizaine de minutes. Puis ils s'en sont remis et maintenant, plus personne ne regarde par ici, sauf pour les concours de pronostics. Ils parient sur le prochain endroit où le virus frappera.

— Combien de temps reste-il ?

— Ça, c'est la question à un million de dollars. De nouvelles souches ne cessent d'apparaître. C'est difficile.

— Difficile ?

Il détourna son attention de la carte. De la sueur perlait sur son front qu'il essuya avec sa serviette en papier. Ils avaient tout ici. Et tout ce qu'elle trouvait à dire, c'est que c'était « difficile » ? Mais il s'en moquait. Il avait ses propres besoins, à commencer par Ochs… et un couteau bien aiguisé. Il venait de régler la question du couteau – un couteau à viande, dissimulé dans sa manche. Un début.

— Savez-vous qui nous sommes ? demanda-t-elle.

Cela ressemblait à une question piège.

— Les gentils ?

— La plus grande concentration de génies de l'histoire, déclara-t-elle. Oubliez le Projet Manhattan, la conquête de l'Espace ou la lutte contre le cancer. Jamais, dans l'histoire, il n'y a eu autant d'intelligence rassemblée en un seul endroit et concentrée sur un même but, comme c'est le cas ici.

Après toute la pauvreté et les dangers qu'il avait rencontrés, cet endroit reflétait en effet une atmosphère différente. Les gens vaquaient à leurs occupations, propres et décontractés, et des rires fusaient sous le soleil. Pour la première fois depuis longtemps, Nathan Lee ne sentait pas dans l'air l'odeur acre de la sueur ou de la peur. À première vue, personne ne se promenait avec une arme. Autour de lui, les gens ne se penchaient pas sur leurs assiettes dans une attitude défensive en avalant goulûment leur nourriture… à l'exception de cette tornade sur pattes assise devant lui. Il se trouvait au milieu de dieux et de déesses en shorts Patagonia, lunettes de soleil Bolle et, ici et là, quelques inévitables chaussettes à losanges. Ça se lisait surtout dans leurs yeux. Ils étaient libres et ne ressentaient pas le besoin de regarder par-dessus leur épaule pour guetter le danger.

— Et pourtant, je les perds, poursuivit Miranda. Les expériences commencent, mais ne finissent jamais. Les laboratoires s'embourbent. La morale plonge. Les axes de recherches deviennent de plus en plus fantaisistes. Nous ne sommes plus des scientifiques, mais des alchimistes. Plus de contrôle par des pairs, plus de temps pour des tests par palier, plus de publications. En fait, j'ignore même ce que la plupart de ces gens font exactement.

Des rides d'inquiétude creusèrent son front et, l'espace d'un instant, elle parut très vieille. Mais sa jeunesse ne tarda pas à reprendre le dessus et brusquement, Nathan Lee découvrit son vrai visage derrière les cernes et les épaules voûtées. Cette femme – cette mère pour tous – sortait à peine de l'adolescence. Cette constatation l'ébranla.

— Nous prenons du retard. Nous baissons les bras. J'ai tout essayé. J'ai même embauché des sorciers pour nous purifier, des chamans, navajo et zuño. Rien n'y fait.

Ses doigts tapotaient nerveusement la table.

— Les gens prient pour vous, dit-il.

— Quoi ?

Elle parut sortir d'un rêve.

— Pendant ma traversée du pays, j'ai vu les Américains prier pour Los Alamos au moment des Grâces ou avant de se coucher.

— Ils ne devraient pas faire cela.

— Un peu d'aide ne vous nuirait pas pourtant.

— Et vous ? Priez-vous pour nous ?

— Non.

— Moi non plus. Nous avons assez de vaudou par ici.

— Ce que je veux dire, c'est qu'ils sont avec vous.

Miranda jeta un dernier coup d'œil à la carte.

— Finissez votre repas, dit-elle. J'ai une réunion. Je vais demander à quelqu'un du bureau de vous aider à vous installer. Prenez l'après-midi.

— Je voudrais vous remercier.

— Je sais. Vous m'êtes reconnaissant. Vous me devez la vie. Ne vous inquiétez pas, nous trouverons un moyen.

— Vous avez du travail pour moi ?

— Il faudra bien que je justifie votre présence. Vous étiez anthropologue, je crois ?

— On peut dire ça.

— Avez-vous pillé le Golgotha ?

Ochs, pensa-t-il.

— Des os, quelques morceaux de bois, des bouts de métal.

— Et vous avez été fait prisonnier ?

— Oui.

— Parfait, dit-elle avant de s'éloigner.

Ils lui attribuèrent un petit appartement au cœur de la ville et un badge d'accès pour Alpha Lab. Tout le reste était mis gratuitement à la disposition de tous : la nourriture, les vêtements, les vélos. Il passa sa première soirée à la fenêtre, à regarder pendant des heures, fasciné et intimidé par cette cité de lumière.

Le crépuscule embrasait le ciel. Sur les toits des immeubles voisins, des familles et des amis s'étaient rassemblés autour de barbecues pour assister au coucher du soleil. Au loin, les montagnes du Sangre de Christo se montraient dignes de leur nom et baignaient dans une lumière écarlate.

L'obscurité ne tombait jamais vraiment. Los Alamos disposait de sa propre centrale nucléaire construite avec des pièces détachées et les surplus de plutonium. La ville brillait de mille feux, plus lumineuse qu'un parc d'attraction, et vibrait de la musique qui s'échappait des chaînes stéréo, emportée par l'air frais de la montagne. De l'autre côté de la rue, un couple s'enlaça et dansa. C'était beau. Finalement, Nathan Lee tira les rideaux et se coucha.

Miranda le réveilla à trois heures du matin et il crut qu'il rêvait. Il n'avait pas entendu sonner un téléphone depuis trois ans.

— Ils ont trouvé les sacoches là où vous les aviez laissées, dit-elle. Nous avons vérifié les reliques. La plupart sont inutilisables, mais deux ou trois pourraient se révéler prometteuses. J'ai pensé que vous aimeriez voir cela.

— Demain ?

— Nous sommes déjà demain.

— Vous voulez dire tout de suite ?

— N'êtes-vous pas curieux de voir ce que vous avez engendré ?

Elle lui fit visiter les sous-sols d'Alpha Lab. Il comprit qu'il s'agissait là moins d'une introduction aux lieux et aux travaux en cours qu'à un concept. Ils s'arrêtèrent devant une fenêtre. Ses sacoches se trouvaient dans un coin et leur contenu étalé sur une table, chaque objet soigneusement labellisé. Puis ils longèrent un couloir bordé de congélateurs.

— Notre base de données, expliqua Miranda.

Elle ouvrit un des compartiments, libérant le froid qui s'échappa dans un nuage blanc. Le thermomètre indiquait – 55 °C. Elle ôta le couvercle d'une boîte en polystyrène marqué d'un numéro écrit au feutre et contenant des centaines de petites fioles d'un liquide jaune.

— Jérusalem, dit-elle. Quatre cent vingt-trois âmes du premier siècle. Ou du moins leur ADN. Ce qui, d'une certaine façon, revient au même.

— Vous l'avez extrait des os ?

— Des os, des dents et des gouttes de sang séché récupérées sur des éclats de métal ou de bois.

— Ce n'est pas possible, dit-il.

Il possédait quelques notions d'archéologie génétique.

— L'ADN s'extrait uniquement des tissus mous. Il doit avoir été préservé.

— Vous avez été longtemps absent, dit-elle en lui tapotant le bras d'un air condescendant.

— Les cellules souches, fit-il.

Il voulait avoir l'air de connaître quelque chose ou du moins ne pas paraître totalement ignare. Fierté intellectuelle ? Quelle fierté ? Essayait-il d'impressionner cette femme ? Il se moqua de lui-même.

— Les cellules souches sont trop primitives pour nos travaux, expliqua-t-elle. Trop génériques. Elles peuvent se transformer en n'importe quel tissu. Nous les avons utilisées au début. Mais nous avions besoin de clones susceptibles d'opposer une réponse immunitaire au virus. Ce qui signifiait sélectionner des cellules plus développées. Lymphocytes T et B, cellules C. La totale. Des cellules mémoires.

— Dommage que je n'aie pas eu plus de celles-ci quand j'étais lycéen, plaisanta-t-il avant de se rappeler qu'elle n'avait guère le sens de l'humour.

— Pas ce genre de mémoire, répliqua Miranda. Les lymphocytes T mémorisent les réponses immunitaires en prévision des attaques ultérieures. Prenez la varicelle, par exemple. Au cours des siècles, des épidémies de varicelle ont frappé nos ancêtres qui, avec le temps, ont évolué avec le parasite. C'est ainsi que le virus mortel est finalement devenu une banale maladie infantile. Aujourd'hui, si vous êtes exposé au virus de la varicelle, vos cellules mémoires se souviennent de la configuration des protéines qui le composent et transmettent ces informations à votre organisme qui fabrique aussitôt les anticorps appropriés pour se défendre. Les cellules mémoires sont comme des bibliothèques renfermant les secrets des milliers de microbes auxquels nos ancêtres ont survécu.

Leur arrêt suivant fut pour la salle PCR. La réaction en chaîne par polymérase est une méthode de division des doubles brins d'ADN pour créer de manière synthétique deux hélices à partir d'une seule. Les deux nouvelles hélices deviennent quatre et ainsi de suite, à l'infini. Cette méthode d'amplification d'un segment d'ADN permet d'en obtenir rapidement des millions de copies. Douze machines de la taille d'un juke-box travaillaient de concert, entièrement automatisées.

Nathan Lee fut surpris par le mélange de haute technologie et d'outils ordinaires. Ainsi, des spatules en téflon, des plats en pyrex, un verre doseur de pâtissier ou un tire-bouchon côtoyaient les machines de PCR, les ordinateurs et les microscopes électroniques. Des dessins d'enfants se mêlaient à de vieux numéros de *Nature* et *Outside*.

Miranda le fit entrer dans un laboratoire et lui montra un brin d'ADN en train de se dérouler dans un vase à bec.

— Un de vos gars, dit-elle.

— Vous l'avez extrait d'une relique ?

Elle hocha la tête en observant l'ADN.

— Vous seriez étonné de voir combien le génome humain est vide. C'est humiliant. Au niveau génétique, nous ne sommes rien de plus que des vers ou des mouches.

Nathan Lee se demanda en quoi tout cela le concernait.

— En fait, nous sommes le résultat d'une force supérieure. L'Horloger Aveugle, bricolant au petit bonheur la chance.

— Dieu ?

— Le hasard.

Elle lui montra comment enrouler le brin d'ADN autour d'une pipette comme un spaghetti.

— Et maintenant, que va-t-il se passer ? demanda-t-il.

— Pour ce petit bonhomme ? Nous allons lui appliquer des marqueurs pour tenter de trouver des gènes de mutations et de maladies.

— Le Corfou ?

— Sa mémoire.

— Et ensuite ?

— Si c'est prometteur, nous le ramènerons.

— Vous le ramènerez d'où ?

— Venez par ici.

Ils enfilèrent des gants et mirent des masques avant d'entrer dans une grande pièce chaude assombrie par l'humidité et faiblement éclairée par des lumières bleu nuit.

— Ma progéniture, dit-elle doucement. La vôtre, aussi.

Nathan Lee découvrit alors les grands sacs qui flottaient dans les bassins. Chacun contenait une forme humaine, grande et lourde. Une véritable usine à êtres humains.

— Sont-ils tous issus des reliques ? demanda-t-il.

Dans la pièce voisine, des plongeurs flottaient à l'intérieur d'un grand aquarium en verre. Un sac descendit dans l'eau, suspendu à un filin. Armés de couteaux, les plongeurs l'ouvrirent avec une dextérité de bouchers aguerris.

Une forme humaine s'échappa de l'ouverture, ses cheveux et sa barbe flottants comme de longs serpents noirs. Ses doigts et ses orteils ressemblaient à des globes osseux et ronds. Nathan Lee vit l'homme ouvrir les yeux et écarter les bras. Son corps était faible, ses muscles manquaient de tonicité. Il avait l'abdomen flasque d'un eunuque et un cou fin. Puis les plongeurs le sortirent et le transportèrent dans la pièce voisine.

— Il provient d'un des premiers lots. En tout, nous avons donné naissance à quinze cents clones, en général des répliques des plus prometteurs d'entre eux. Les trois vôtres ne seront prêts que dans treize semaines.

Nathan Lee était sidéré. Le grand mystère des lieux se révélait à lui. Il en eut les larmes aux yeux, mais ne les essuya pas.

— Est-ce si terrible ? demanda-t-elle.

— Je ne sais pas.

À côté, quelqu'un crachait de l'eau. Le clone venait de prendre sa première inspiration. Treize semaines plus tôt, il n'était qu'un éclat d'os ou de cuir enfermé dans une fiole depuis des centaines ou des milliers d'années. Aujourd'hui, un être vivant respirait dans la pièce voisine !

Hors de vue, le clone commença à crier et à rire.

Nathan Lee releva la tête.

— Cela arrive parfois, comme s'ils se souvenaient de leur mort. Pour eux, ceci est la vie après la mort. Certains sortent de l'aquarium heureux comme celui-là. D'autres sont moins contents.

Nathan Lee s'efforça de trier ses questions. Il avait tant à demander. Les connaissances de Miranda le fascinaient.

— Que va-t-il lui arriver maintenant ?

— Il va subir des tests dans un autre laboratoire. Le Secteur Sud.

Le clone éclata de rire. Il babillait dans une langue qui n'était de toute évidence pas de l'anglais. Au début, Nathan Lee ne reconnut aucune de ses paroles, puis il commença à distinguer un rythme guttural.

— N'est-ce pas du… ?

Il tendit l'oreille.

Miranda l'observait. Il se rappela soudain les ruines poussiéreuses d'Alep et un village sur les collines derrière la ville. Une tribu d'anciens réfugiés.

— Il parle araméen ?

— À vous de me le dire.

— Je connais quelques mots, dit-il.

Il s'avança, mais Miranda le retint par le bras.

— Nous ne leur adressons pas la parole, dit-elle.

— Mais pourquoi ?

— Cela pourrait compromettre nos recherches.

— Je ne comprends pas.

Sa tête tournait. *Un homme vieux de deux mille ans. Un voyageur du temps.*

— Ce n'est pas important pour ce que nous faisons. Il est plus sûr de considérer leurs paroles comme du babillage insignifiant.

— Mais ce n'est pas insignifiant. Il remercie Dieu.

— J'en ai récupéré quelques-uns du Secteur Sud. Vingt-trois pour l'instant. Des spécimens sains, non infectés. Cela n'a pas été facile, mais ils sont ici, dans les sous-sols. Nous les gardons en isolation.

— Que faites-vous d'eux ?

— Nous les protégeons.

— De quoi ?

Elle détourna le regard.

— Nous recherchons l'immunité, expliqua-t-elle. Jusqu'à

présent, quelques-uns ont survécu à une des premières formes du virus. Ils sont partiellement immunisés contre cette épidémie moderne. Ils peuvent encore être infectés, mais les symptômes se manifestent plus lentement. Nous avons effectué des simulations par ordinateur et ils pourraient survivre encore trois ans avant que la maladie ne les tue.

— Vous en avez vingt-trois ? s'étonna Nathan Lee qui n'en revenait toujours pas.

— Oui.

— Qu'est-il advenu des quinze cents autres ?

Ses yeux verts se fixèrent sur lui par-dessus le masque.

— Nous avons une fille de Neandertal, dit-elle, ignorant sa question. Totalement immunisée.

— Vous avez cloné un être du Neandertal !

— Pas pour la recherche médicale. C'était avant le Corfou. Quoi qu'il en soit, elle a prouvé la barrière des espèces. Sous-espèces pour être exacte.

— Que voulez-vous dire ?

— Pour une raison que nous ne comprenons pas, la fille est naturellement résistante. Sa peau, ou son système respiratoire, contient peut-être des défenses chimiques. Mais sa résistance ne se transmet pas à nous. Nous l'avons constaté. C'est une voie sans issue.

Un être du Neandertal ! Des clones vieux de deux mille ans ! Cet endroit était incroyable.

— Que suis-je censé faire ?

— Il est temps de passer à l'étape suivante. Je veux que vous fassiez un pas en arrière.

— Comment ça ?

— Vous êtes anthropologue et ils constituent une sorte de tribu.

— Vous voulez que je les étudie ?

Cela paraissait simple. D'accord, il était archéologue, pas ethnographe, mais il n'allait pas chipoter. Pour lui, Los Alamos ne représentait qu'une étape sur sa route. Une fois qu'Ochs aurait craché le morceau, il disparaîtrait, sans attache, sans dette, ni regrets.

— Aucun contact, insista Miranda. Leurs cellules sont équipées de caméras. Observez-les, écoutez-les. Découvrez leurs pensées.

Le clone cria. Cela ressemblait à *Rebekah.* Il appelait une femme, sa femme peut-être, ou sa fille. Il l'appelait de l'autre côté de la mort. Pensait-il qu'elle le rejoindrait ?

Le cri ébranla Nathan Lee. Puis la voix se tut. Ils avaient emmené l'homme, probablement dans un autre laboratoire. Dans le silence qui s'en suivit, un filet tomba dans l'aquarium pour récupérer les restes du sac fœtal.

— Vous voulez que je transforme vos animaux en êtres humains.

— Vous n'approuvez pas ce que nous faisons ?

— Cela change-t-il quelque chose ?

— Personne ne sait exactement de quoi ils se souviennent, dit-elle. Probablement de pas grand-chose. Découvrir leur vie antérieure n'est pas le but poursuivi ici. Mais ils crient. Ils pleurent. Peut-être pouvez-vous leur offrir un peu de réconfort.

— Du réconfort ? répéta-t-il.

— Nous les avons créés.

— Le savent-ils ?

— Ce n'est pas le problème. Qu'ils ignorent qui nous sommes n'a pas d'importance. Mais on ne peut pas renier ses propres enfants.

Elle avait adopté un ton solennel pour dire cela comme si, d'une certaine façon, Nathan Lee faisait partie de sa rédemption.

19.

Les os parlent

Début août

Nathan Lee s'infiltra dans leur monde de monstres.

Il ne descendit pas tout de suite dans ce qu'ils appelaient l'orphelinat, un labyrinthe de cellules situées au cinquième sous-sol. Il s'installa d'abord dans la salle des archives Nécro, une pièce qui renfermait un fourre-tout anarchique de spécimens humains qu'il décida de classer pour se familiariser avec ces matériaux en préparation. Il y avait là des dents, des muscles desséchés, des organes ratatinés, enfermés dans des bocaux, des sachets en plastique ou des flacons en verre, des crânes, des ongles et des os numérotés au feutre. L'un des vingt-trois hommes avait été cloné à partir de quelques gouttes de sang récupérées sur une pièce en argent à l'effigie d'Héroïde.

Au bout de cinq jours, il se sentit enfin prêt et prit l'ascenseur pour rejoindre l'orphelinat. Le Capitaine Énote marchait devant lui le long du corridor silencieux, véritable couloir de la mort pour robots en métal étincelant. Vingt cellules d'isolation à droite et vingt à gauche. Le complexe avait été construit par un entrepreneur spécialisé dans les prisons de haute sécurité. Nathan Lee s'arrêta devant une cellule vide et entra, voulant retrouver une dernière fois la sensation.

— Une impression de déjà-vu ? s'enquit le Capitaine à la porte.

— Il n'y avait rien de tel à Katmandou, répondit Nathan Lee.

Tout n'était que métal ou plastique indestructible. Pas la moindre trace de vie, le moindre insecte. Chaque cellule comprenait un lit, des toilettes et un lavabo, au plafond un tuyau de douche, au sol une évacuation et sur les murs des caméras de surveillance. Des filtres purifiaient l'air qui entrait et sortait de la pièce. Un environnement totalement stérile.

En chemin, Nathan Lee jeta un coup d'œil par les hublots en Plexiglas percés dans les portes. La plupart des clones sommeillaient. Ils disposaient de couvertures en papier, mais ne portaient aucun vêtement.

Une fois par jour, la pomme de douche les arrosait de savon et de désinfectant.

— Ils ne peuvent pas sortir, l'informa le Capitaine. Mais ils savent que nous sommes là. Miranda a dû vous prévenir qu'aucun contact n'était autorisé.

Une bonne dizaine de fois.

Au bout du couloir, le Capitaine indiqua la porte numéro 1.

— Ne vous approchez pas de cette cellule, dit-il. Jamais.

Dans la salle de contrôle, deux gardes veillaient, assis sur des chaises à roulettes qui leur permettaient de se déplacer devant le mur d'écrans sans se lever. Nathan Lee compta rapidement. Quatre-vingts écrans, deux par cellule. Seuls les écrans des cellules occupées étaient allumés. Le Capitaine s'approcha de ceux de la cellule 1 et les éteignit. Il présenta ensuite Nathan Lee aux deux gardes.

— Monsieur Swift veut faire la connaissance de nos garçons, annonça-t-il. Il a l'autorisation de venir ici, de regarder les écrans et d'utiliser les écouteurs. Vous pouvez lui parler et lui montrer les dossiers.

Le Capitaine indiqua les écrans de la cellule 1.

— Sauf pour celle-ci. C'est bien compris ?

— Oui, Monsieur, répondirent-ils en chœur.

Un des gardes apporta une chaise pour Nathan Lee et lui dégagea un espace au bout du long comptoir qui courait sous les écrans.

— Vous voulez des haricots ? demanda-t-il avant de lui offrir du café dans une tasse ébréchée.

— Combien de temps êtes-vous resté dans cette prison asiatique ? demanda le Capitaine au moment de les quitter.

C'était délibéré. Maintenant, les deux gardes savaient qu'un ex-détenu partageait leur local. Mais c'était de bonne guerre.

— Dix-sept mois.

— N'essayez pas d'en faire sortir un, ajouta encore le Capitaine.

— Aucun contact, récita Nathan Lee.

Nathan Lee se déplaça le long du mur d'écrans, cherchant à se repérer. Il compara chacun des hommes à ses notes.

Sur le papier, ils n'étaient qu'une dent, un crâne ou un morceau de bois. Et sur l'écran, guère plus. Quelques morceaux d'humanité épuisés par leurs courtes vies. La plupart d'entre eux portaient d'horribles cicatrices chirurgicales, ce qui l'étonna.

Que leur avait-on fait dans le Secteur Sud ? Ils se comportaient moins comme des prisonniers que comme des patients dans un hôpital. S'ils bougeaient, c'était lentement, avec une souffrance évidente.

— Oh, oui, confirma l'un des gardes. Pour eux, le Secteur Sud, c'était l'enfer.

— Que lui est-il arrivé ? demanda Nathan Lee en montrant un clone qui avait plus de cicatrices que de peau. Un bout d'une de ses oreilles manquait et son visage ressemblait à une balle de base-ball mal cousue.

— C'est le fugitif, expliqua le deuxième garde. Il s'est échappé l'hiver dernier et s'est pris dans les fils de fer barbelés qui entourent la ville, coupant comme des rasoirs. Il a réussi à s'en sortir et à aller jusqu'à mi-chemin du Rio Grande. Ceux qui le cherchaient ont dit que c'était comme suivre un seau de peinture rouge percé. Il s'est vidé de son sang et a presque gelé vivant. Finalement, ils l'ont retrouvé au fond d'une grotte. Après cela, il a été classé à haut risque et aucun des chercheurs n'a plus voulu travailler avec lui. Miranda l'a donc ajouté à sa collection.

— Depuis combien de temps sont-ils ici ?

— Miranda a sauvé le premier, il y a cinq mois.

Chaque clone portait un numéro d'identification tatoué sur la nuque. La tradition de nommer les animaux de laboratoires, qu'ils soient limace ou chimpanzé, était aussi vieille que la recherche elle-même et les gardes n'y avaient pas dérogé, attribuant des surnoms à leurs prisonniers : queue de billard pour le chauve ; rutabaga et légume pour deux hommes catatoniques ; raide pour celui atteint de priapisme ; Johnny Angel pour le beau avec des yeux bleus.

— Parlent-ils ?

— Ils crient, ils hurlent, ils marmonnent. L'un d'eux avait l'habitude de chanter, mais il s'est tu.

— Puis-je voir leurs dossiers ?

— Servez-vous, répondit un garde en montrant les classeurs.

Chaque dossier contenait des rapports de laboratoire dont les notes et les comptes rendus avaient pour la plupart été noircis. Ce qui était de mauvais augure. Miranda n'avait pas menti. Une lutte sans merci opposait les laboratoires et les chercheurs qui, même en cette veille de fin du monde, ne parvenaient pas à s'entendre pour leur propre survie et dissimulaient leur travail. Mais il suffisait de regarder ces hommes pour deviner quel genre d'expérimentations ils avaient subi. Certains des clones avaient survécu à quatre ou cinq laboratoires avant d'échouer entre les mains de leur créatrice.

Nathan Lee déposa chaque dossier devant l'écran du clone qu'il concernait. Il voulait repartir à zéro et remonter à travers ces hommes deux mille ans en arrière – une tâche longue et fastidieuse. Il resta des heures à fixer les écrans, guettant un mouvement ou une parole. La routine quotidienne tournait autour des repas et de la douche. Les clones passaient le reste du temps à dormir, rêvant pour échapper à leur captivité.

Nathan Lee comprenait leur torpeur. Il avait fait la même chose.

Les gardes observaient son travail, mais uniquement pour se distraire de leur ennui.

Quand ils n'étaient pas trop occupés à jouer avec des élastiques ou à fabriquer des chaînes de trombones, ils acceptaient d'enregistrer des événements en son absence. Il pouvait s'agir de n'importe quoi : un murmure, un cri… et même un nom.

— Là, dit Nathan Lee en réécoutant la cassette.

Il monta le volume.

— Vous l'entendez maintenant ?

Il ne prononça pas le nom. Il voulait que les gardes s'intéressent à sa découverte parce qu'il allait avoir besoin d'eux. Pour eux, les clones n'étaient que des légumes et il savait qu'il lui fallait les motiver. Son père lui avait appris qu'il n'existait qu'un seul moyen de gravir une montagne : trouver la motivation en soi.

— Isaïe ? dit un des gardes en fronçant les sourcils.

— Il a vraiment dit Isaïe ? murmura son collègue du nom de Joe. Comme dans la Bible ?

— Oui.

Ils en restèrent bouche bée. Les os pouvaient parler. Derrière les numéros se cachaient des noms. Et qui plus est, des noms bibliques.

— Je reviens dans cinq minutes, annonça Nathan Lee. Continuez à écouter.

Il courut jusqu'aux archives, fouilla dans les tiroirs et revint toujours en courant. De retour dans la salle de contrôle, il posa l'os du talon devant eux, le clou toujours enfoncé dedans.

— Isaïe, répéta-t-il.

Ce n'était pas grand-chose. Dans une prison d'acier, à deux mille ans de chez lui, un homme s'était souvenu de son propre nom. Mais les gardes avaient compris. L'An Zéro venait juste d'entrouvrir sa porte pour ceux qui oseraient entrer.

20.

Le feu

10 août

En pénétrant dans la salle du conseil, chacun se servait une tasse de café Starbuck accompagnée d'un donut Krispy Kremes, les deux dernières marques conservées par les femmes des soldats. Miranda s'assit à la grande table ovale avec les autres directeurs de laboratoires et attendit l'arrivée de Cavendish qui les avait convoqués. Ils n'avaient aucune idée de ce qui justifiait une telle précipitation, son bureau leur ayant simplement donné vingt minutes pour se réunir.

Des cartes et des graphiques avaient été hâtivement épinglés sur les murs et un grand écran, vide pour l'instant, baignait dans un halo de lumière bleue. Miranda contempla par la fenêtre le Pajarito à l'ouest, vestige d'un grand et vieux volcan sur lequel d'autres volcans plus petits avaient fait éruption avant de s'éteindre.

Elle observa autour d'elle les visages las. L'espoir avait quitté les yeux des chercheurs. Plus personne ne plaisantait. Ils attendaient tranquillement comme des marcheurs lors d'une pause pendant un trek. L'ancien président du département Maladies Virales au siège de l'OMS à Genève mangeait des donuts à côté d'une Nigériane longiligne de Porton Down en Angleterre, qui avait été le premier laboratoire de diagnostic viral européen. L'ex-directeur de l'Institut de médecine tropicale d'Antwerp avait pris place en face de son homologue de Hambourg. Le sosie d'Omar Sharif, de l'Université Aga Khan à Karachi, avait les yeux rivés sur la poitrine plantureuse du médecin blond de l'Institut de recherche médicale de Johannesburg. Dans les rues, vous pouviez entendre parler français, hindi ou chinois, mais la *lingua franca* était l'américain. Pas l'anglais, mais l'américain avec son argot et ses expressions de pilote de chasse.

La porte s'ouvrit et Cavendish entra, son fauteuil poussé par son clone. Le visage de gnome de Cavendish semblait encore plus tendu et fatigué que d'habitude. Sa maladie l'amaigrissait et il ressemblait maintenant à une brindille. Miranda aurait aimé ressentir de la pitié pour lui, mais elle savait que Cavendish n'en avait pas pour lui-même et donc pour personne d'autre.

Un homme à l'air hébété et aux vêtements fripés les suivait. Miranda mit quelques secondes à le reconnaître. Il travaillait au département des Sciences atmosphériques. Que faisait-il ici ? Son service n'avait plus lieu d'être. Qui avait besoin de prévisions météorologiques à cinq jours et encore moins, de la température à Tombouctou ? Le réchauffement de la planète ? Tout le monde s'en moquait.

Cavendish attaqua avec sa mauvaise humeur habituelle.

— Vous tournez en rond, lança-t-il. Il suffit de lire vos rapports pour s'en rendre compte. Vous piétinez. Ce n'est pas suffisant.

— Bien le bonjour à vous aussi, chuchota quelqu'un dans sa barbe.

— Mais nous avons fait une découverte. Peut-être débouchera-t-elle sur quelque chose, peut-être pas.

Il fit un geste de la main.

L'homme de la météo s'avança. Derrière lui, l'écran s'anima et des images satellites de la terre s'affichèrent. Des nuages planaient comme des boules de coton. La planète avait un air serein.

— Bob Maples, météorologue, se présenta-t-il, un grand sourire aux lèvres. Je dirige l'équipe de Surveillance Rouge.

Maples appuya sur la télécommande et une représentation thermique de la planète remplaça les nuages. Le bleu de l'océan se moucheta. Les masses continentales ressortaient en noir, à l'exception de l'Amérique du Nord qui comportait quelques espaces rouges.

— Pour résumer, continua Maples, le département de Surveillance Rouge traque le catabolisme humain à grande échelle.

Il parlait avec la délicatesse d'un directeur de funérarium.

— Nous sommes en gros une espèce de morgue de haute technologie. Nous utilisons la technologie ASTER, à savoir des instruments de radiométrie spatiale perfectionnés pour la mesure de la réflectance et des émissions thermiques terrestres, installés sur diverses plateformes satellites afin de suivre les concentrations de gaz associées à de la décomposition. Le rouge est la couleur que nous avons programmée sur nos spectrographes pour les volutes d'ammoniaque, de méthane, d'acide sulfurique, de gaz carbonique et autres...

Autour de la table, on s'agita. Tout le monde était au courant. Les spécialistes de l'ASTER étaient devenus les cartographes de l'extinction humaine, traquant littéralement le dernier souffle des villes agonisantes. Au cours des deux dernières années, ils avaient assisté à l'éclosion de brillantes fleurs de gaz rouges avant de les voir s'éteindre. La carte de la peste de Miranda n'était qu'une compilation de toutes ces volutes, passées et actuelles.

Maples comprit leur impatience et fit rapidement défiler une série de magnifiques tirages de la terre avant de reprendre.

— Pendant des mois, aucune volute mesurable n'a été détectée en dehors de l'Amérique du Nord. Tous les autres continents sont passés au noir au mois de mars dernier. Ce qui signifie qu'au-delà des mers, l'extinction humaine est totale. Nous avons d'ailleurs cessé de surveiller, tout simplement parce qu'il n'y a plus rien à voir.

Son sourire revint.

— Puis, aujourd'hui, par hasard, un de mes gars a lancé une recherche et programmé la détection de toute source de chaleur supérieure à la température ambiante. Pour ce faire, il a utilisé un satellite météorologique européen qui, comme pas mal d'autres, a quitté sa trajectoire. Mais ses appareils de détection fonctionnent toujours et surtout pointaient vers le bon endroit au bon moment. Et voici ce qu'il a découvert.

Les images de la terre changèrent de couleur. Le rouge vira au vert citron et au noir. Le flot d'images s'arrêta. Miranda décelait à peine l'éperon du sous-continent indien. Dans la marge en bas de l'écran, le satellite s'identifiait : EUMETSAT, 08/10, 12:04:52 PM MST, suivi de la latitude et de la longitude.

— Là, dit Maples. Vous l'avez vu ?

— Vu quoi ? demanda quelqu'un.

Maples sourit et secoua la tête. Il jubilait.

— Regardez de nouveau.

Il indiqua l'arc de la baie du Bengale.

— Calcutta.

Le film repassa et cette fois, ils le virent. Un point de lumière, à peine un clin d'œil.

— Oui, dit une femme.

— Au début, j'ai pensé à un défaut dans le matériel, une petite baisse de tension, expliqua Maples. Puis, nous avons regardé de plus près.

Il grossit l'image. Le film revint à 12:04:52 et, de nouveau, Calcutta leur fit un clin d'œil. Comme une étoile très faible dans un univers d'obscurité.

— Du feu, dit Maples.

Personne ne bougea autour de la table. Les implications étaient fantastiques. Cela changeait tout. Personne n'osait y croire.

— Impossible, lança le président de l'OMS.

— Je sais, je sais, dit Maples en hochant la tête, toutes dents dehors, tout excité de servir enfin à quelque chose.

— Montrez-le-nous encore, demanda un autre.

Maples s'exécuta en augmentant le zoom. Aucune erreur possible. Un feu avait brûlé à Calcutta, cinq minutes après minuit, la nuit précédente.

— Rupture d'une canalisation de gaz, suggéra une femme.

— C'est ce que nous avons cru. Ça ne pouvait pas être provoqué par la main de l'homme. Un éclair avait peut-être mis le feu à une maison ou un tremblement de terre déclenché une explosion. Il y a toutes sortes de combustibles là-bas et des milliers de possibilités pour qu'un feu se déclare sans intervention humaine.

Maples agitait ses bras.

— Alors, nous avons programmé les caméras pour chercher une source de chaleur de 37°. L'ordinateur a optimisé le film. Et voici ce que nous avons obtenu.

L'échelle de vert s'intensifia et l'image nocturne se redressa entre les ruines de la ville.

— De la chaleur humaine.

Le feu brillait et une silhouette fantomatique – la signature calorifique d'un bipède – s'approcha du foyer. Homme, femme ou enfant, il tisonna le feu avant de se rasseoir.

— Mais il n'y a plus personne là-bas, fit un des chercheurs. Le virus a tout décimé il y a un an.

— Onze mois exactement, confirma Maples.

Il poussa un autre bouton.

— En septembre de l'année dernière.

L'image changea pour revenir aux graphiques de Surveillance Rouge. Le sous-continent indien disparaissait sous les volutes écarlates. Le film s'accéléra et le rouge remonta vers le nord tandis que villes et villages se pétrifiaient. Les nuages d'ammoniaque fleurissaient au-dessus des villes. Les grandes rivières ressemblaient à des artères de sang. Finalement, la tempête rouge s'atténua, puis disparut. Le sous-continent retrouva le calme.

— En janvier, cette année, dit Maples.

Pendant un instant, Miranda tenta de se souvenir quand Nathan Lee s'était enfui. La peste avait dû marcher sur ses traces. C'était un miracle qu'il ait survécu. Et quelqu'un d'autre aussi, apparemment. S'agissait-il d'un survivant de Catégorie Un ?

Maples remit à l'écran la silhouette assise auprès du feu.

— Vous vous rendez compte de ce que cela signifie ? murmura quelqu'un.

— Ce serait une erreur d'en tirer des conclusions, prévint un de ses collègues.

— Un survivant ! souffla le voisin de Miranda. De Catégorie Un.

Miranda fixait la silhouette assise, tel un homme des cavernes, seul dans la nuit.

— Un caprice de la nature, plaisanta une voix. Un coup de chance.

— Exactement ce qu'il nous faut, renchérit une autre.

— Pas nécessairement, intervint Cavendish. Nous ne savons pas exactement de quoi il s'agit. Mais trois raisons peuvent expliquer la survie d'une personne à un parasite aussi mortel : la chance, une résistance naturelle ou l'immunité. Nous en avons eu la preuve avec le SIDA, l'Ebola ou le Marburg.

— La polio, la peste noire et chaque pandémie de l'histoire humaine, ajouta Miranda. Mais le fait est que nous ne l'avions encore jamais vu avec le Corfou. Un événement immunitaire !

Ses pensées s'entrechoquaient. Cela changeait tout. Depuis l'apparition du Corfou et l'anéantissement progressif de la planète, ils cherchaient des survivants. C'était d'ailleurs la seule raison du clonage des échantillons de l'Année Zéro : remonter le temps pour trouver des survivants à ce virus, même d'une souche moins létale. Et voilà que squattait à Calcutta un survivant contemporain.

— Il y a plus, reprit Maples. Quand nous avons identifié ce qui se passait à Calcutta, nous avons entrepris de rechercher d'autres feux de camp, pas seulement en Inde, mais sur tous les continents et pas seulement au cours de la nuit dernière, mais depuis six mois. Cela fait des millions d'images à examiner qui demanderont probablement des semaines ou des mois de travail, mais voici ce que nous avons découvert en à peine quelques heures !

Les images apparurent, accompagnées de dates en bas de l'écran. Septembre en Espagne, juin à Bornéo, février à Moscou. Maintenant qu'ils savaient quoi chercher, tous les scientifiques détectaient rapidement les points de lumière. Ils se levèrent et se rapprochèrent de l'écran, criant à chaque nouvelle découverte.

En cinq minutes, avec l'aide de Maples, ils détectèrent au moins dix-neuf « événements » de survie. Maples était aussi excité qu'un jeune chiot.

— J'ai chargé quelques membres de mon équipe d'examiner les vieux films pour chercher d'abord des feux et ensuite, de la chaleur humaine. Les feux sont plus forts. Dès qu'ils en trouvent un, ils remontent dans le temps. Nous savons maintenant que l'événement Calcutta s'est répété au même endroit au cours des trois dernières semaines. Des feux ont également été repérés à Rome, Perth, Phnom Penh, Kinshasa et Vladivostok. D'une nuit à l'autre, certains feux se déplacent. Ce qui suggère une migration ou de nouvelles opportunités. Ou la peur. D'autres restent au même endroit. Tous sont dans des villes. Ce qui signifie qu'ils survivent grâce à la nourriture qu'ils récupèrent dans les ruines. Mais il ne s'agit que d'une hypothèse. Ils doivent être comme des Robinson Crusoé, seul, en couple ou par petits groupes, redevenant lentement primitifs.

À Santiago, cinq formes humaines se serraient autour du feu. Les survivants se regroupaient, formaient des tribus. Il y avait une vie après la peste. Si seulement ils pouvaient découvrir le secret de leur survie pendant qu'ils étaient encore civilisés.

— Nous ne devons pas nous emballer, dit le Pakistanais. Le Dr Cavendish a raison. Qu'avons-nous là ?

Il leva trois doigts.

— S'agit-il de survivants de la Catégorie 3 ? Ont-ils juste eu de la chance en se cachant dans des grottes ou des sous-marins pendant le passage de la peste ? Le virus les a-t-il tout simplement ignorés ? Dans ce cas, ils ne nous seront d'aucune utilité parce que le virus finira par les rattraper et ils mourront eux aussi.

Il baissa un de ses doigts.

— Des survivants de Catégorie 2, c'est-à-dire insensibles au virus ? Souvenez-vous de l'étude sur les prostituées en Tanzanie. Des années de sexe sans protection, parfois avec des douzaines d'hommes infectés en une seule nuit, et pourtant une soixantaine de femmes n'ont jamais attrapé le SIDA. Les chercheurs les ont suivies pendant plus de dix ans, développant toutes sortes de théories, mais sans parvenir à percer le secret de leur résistance. Dans ce cas, ces gens ne nous seront d'aucune utilité dans notre lutte contre le Corfou.

— Ou enfin, dernière alternative, le virus a effectivement touché ces gens. S'ils ont été exposés, ont-ils développé des anticorps ? Font-ils partie de la Catégorie 1 ? Leur système immunitaire a-t-il commencé à évoluer avec le virus ? Si c'est le cas, alors ils pourront peut-être nous sauver. Ou peut-être pas.

— Il n'y a qu'une seule façon de le savoir, lança quelqu'un.

— Aller les chercher ? plaisanta une voix.

Miranda regarda autour d'elle. C'était le chef du laboratoire d'Immortalité. Elle avait encore du mal avec ce nom. La plupart des virus détruisent leurs cellules hôtes une fois qu'ils ont fini de les utiliser comme usine à virus. Le Corfou se comportait différemment. Il donnait instruction à ses cellules hôtes de continuer à se diviser sans jamais mourir, d'où le nom d'« Immortalité ». Un nouveau mystère, un nouveau laboratoire.

— Ils sont de l'autre côté de la planète, reprit le chef du laboratoire. Nous pourrions tout aussi bien regarder des photos de Mars. Nous ne pouvons même pas traverser notre propre pays.

— Mais n'importe lequel de ces survivants détient peut-être la solution que nous cherchons, dit Miranda. Ils représentent notre seule chance.

— Au cas où vous l'auriez oublié, la US Navy a disparu alors qu'elle recherchait des survivants comme ceux-ci.

Les scientifiques se tournèrent vers Cavendish au bout de la table, frêle brindille aux yeux de braise.

— Les avions de ligne ont disparu, nos appareils militaires sont réduits à néant. Nos ailes sont coupées.

Cavendish montra de la main l'image satellite sur l'écran.

— Même nos yeux faiblissent. Nous avons obtenu ces images grâce à des satellites qui ne vont pas tarder à s'écraser sur la terre. Comprenez-vous, Miranda ? Nous ne pouvons plus nous déplacer sur la planète. Nous en avons perdu la capacité. Aller jusqu'à Albuquerque pour quelques heures demande une véritable expédition armée. Alors, Calcutta !

Il ricana.

— Tout ce que ceci prouve, c'est qu'il y a de la vie ailleurs dans l'univers, ni plus, ni moins.

Miranda sentit le regard des autres peser sur elle. Une fois de plus, elle était la seule voix à s'élever. Pendant un instant, elle maudit leur lâcheté. Mais elle la comprenait également. Ils avaient des familles, ils étaient mortels et Cavendish, impitoyable.

— Alors, nous laissons tomber, c'est ça ? demanda-t-elle d'une voix sèche.

— Nous travaillons avec ce que nous avons. Et quand le moment sera venu, nous nous retirerons dans le sanctuaire. Juste comme ton père l'a prévu. Ceci ne serait qu'une distraction qui donnerait aux gens de faux espoirs.

Une retraite. Dans le sanctuaire, le refuge de son père. Elle regarda autour d'elle, essayant de deviner l'étendue de leur découragement et de leur peur. Aujourd'hui, ils croyaient plus dans la perspective d'un abri que d'un vaccin… et le sanctuaire souterrain était toujours en construction. À l'origine, prévu pour devenir un cimetière de déchets nucléaires, le CPID – Centre pilote d'isolement des déchets – faisait l'objet d'une reconversion en un vaste abri susceptible d'accueillir toute la population de Los Alamos. Douze étages d'appartements et de salles creusés au cœur d'une montagne de sel de six cents mètres sous le désert en bordure du Texas. Dans cet abri équipé de laboratoires, la recherche continuerait, hors d'atteinte du virus. Un jour, peut-être dans des dizaines d'années, ils ressortiraient de là, armés d'un vaccin.

Mais pour Miranda et un petit nombre d'entre eux, le CPID représentait une grosse erreur. Les laboratoires ne pourraient jamais approcher en qualité ceux qu'ils avaient ici. Les locaux seraient étroits et sans soleil, dans une nuit éternelle. Et ils seraient vulnérables au virus. Dans un environnement aussi confiné, la peste pouvait ne faire qu'une bouchée d'eux. Sans compter qu'elle trouvait indigne de parler de refuge.

— Nous avons une mission, protesta-t-elle.

— Nous devons rester réalistes, répliqua Cavendish. Certaines choses sont possibles, d'autres non.

À cet instant, le téléphone de Maples résonna. Il répondit, puis annonça :

— Au dernier décompte, nous avions trente-neuf survivants.

— Dans le monde entier ! s'exclama la blonde de Johannesburg. Mon Dieu, c'est tout ? Trente-neuf personnes… alors que nous étions des milliards ?

Son pays avait été anéanti depuis longtemps et Miranda comprit son défaitisme, mais pas vraiment sa façon de tourner le chiffre en ridicule. C'était probablement pour elle une façon comme une autre d'exprimer son ralliement à Cavendish. Puis Miranda surprit l'œillade admirative qu'elle adressa au clone muet de ce dernier, debout derrière le fauteuil roulant. Ainsi, pensa Miranda, la rumeur ne mentait pas. Le clone avait couché avec elle. *Mais qui était-il ?*

— Il y en aura plus, dit-elle.

— Quelques centaines ? railla la femme.

— C'est mieux que rien.

— Oh, mais vous ne parlez que de la vie.

La femme montra les images thermiques des hommes dans les ruines de Calcutta.

— Si ceci est notre futur, alors la civilisation est morte.

— Non, répliqua Miranda. Pas tant que Los Alamos existe.

Elle commençait à ressembler à une propagandiste, mais il fallait bien que quelqu'un prenne la parole.

— Nous sommes une cité en haut d'une colline. Une ville de lumières.

D'où sortait-elle ça ? Une ville de lumières ? Tous la regardaient et elle rougit.

— Si nous ne pouvons pas aller chercher ces survivants, peut-être viendront-ils à nous, un jour.

— Espérons qu'ils sont bons nageurs dans ce cas, plaisanta Cavendish.

Touché. Les océans représentaient aujourd'hui des obstacles infranchissables.

— Il y aura des survivants en Amérique également, insista Miranda. Une fois que le virus sera passé, ils émergeront.

— Comme des papillons ? À la lumière ?

— Je ne renoncerai pas, affirma Miranda.

Ce n'était pas la chose à dire. Ils allaient interpréter ses paroles comme une accusation. À juste titre. Mais pas pour les décourager. Pour les inspirer. *Avec des insultes ?* Elle soupira. Elle n'était pas douée. Leurs regards étaient glacés et Cavendish rayonnait.

21.

La résurrection

11 août

Les lieux avaient toujours été mortellement calmes lors de ses précédentes visites, mais ce soir, le chaos régnait. En courant le long du couloir de l'orphelinat, Miranda percevait la frénésie des clones à travers les portes, hurlant comme des loups une nuit de pleine lune. Sa colère monta d'un cran.

Ils braillaient comme des putois. Certains se jetaient contre la porte de leur cellule, d'autres se terraient dans les coins ou sous leurs lits.

Deux soldats montaient la garde devant la porte 01-01N – clone un, première version. Le Neandertal.

— Que s'est-il passé ? demanda-t-elle.

— Nathan Lee est entré, expliqua l'un des gardes à l'allure d'haltérophile. Il s'est assis, la gamine a pété les plombs et tous les autres l'ont imitée.

Miranda se pencha pour regarder par le hublot sale. Une vision de cauchemar l'attendait. Les murs de la pièce disparaissaient sous les excréments et les traces de doigts. L'enfant elle-même en était couverte. Miranda remarqua aussi du sang sur ses doigts et sur les murs et fut soulagée de constater qu'il s'agissait de celui de Nathan Lee, assis aux pieds de la fillette qui avait tellement hurlé que sa voix était éraillée et cassée.

— Que lui a-t-il fait ?

— Rien. Il est entré et s'est assis. C'est tout.

C'était déjà trop. Arrachée à sa chambre avec vue sur les arbres, dépouillée de ses jouets et de ses crayons, enfermée dans cette cage sous terre, l'enfant était comme un oiseau à qui on aurait coupé les ailes. Son univers se résumait à ces quatre murs. Elle ne s'aventurait jamais au centre de la pièce, se contentant de marcher autour – un des symptômes de l'autisme – un voyage sans fin le long des parois. Et Nathan Lee avait violé son espace, bloquant le passage, la privant de sa marche hébétée.

— Qui l'a fait entrer ?

Sa colère effrayait les gardes qui ne l'avaient jamais vue ainsi.

— J'ai tourné la tête et il a ouvert la porte, répondit l'un d'eux.

— Il pourrait la contaminer.

— Nous en avons parlé et Nathan Lee a dit « qu'y a-t-il de pire, être malade ou être mort » ?

— Vous en avez *parlé* ?

Ils reculèrent, tremblants.

— Depuis combien de temps est-il là-dedans ?

— Vingt-trois minutes.

Le Capitaine arriva et jeta lui aussi un coup d'œil par le hublot.

— Super ! dit-il. Il l'a fait.

— Vous saviez qu'il envisageait d'entrer ?

— Je le craignais.

— N'avions-nous pas spécifié *pas de contact* ?

Elle n'avait jamais parlé sur ce ton au Capitaine, mais elle ne pouvait pas s'en empêcher.

— Il était prévenu.

— Elle a déjà supporté tant de choses.

Elle se sentait prête à frapper quelqu'un.

— Jetez-le dehors, vous m'entendez ?

Voilà qu'elle parlait comme Cavendish.

— Il est de notre côté, Miranda.

— Qu'en savez-vous ?

— Il reçoit sa punition.

Malgré son jeune âge, la fillette avait la force d'un adolescent. Cela faisait vingt minutes qu'elle frappait et griffait Nathan Lee dont le visage disparaissait sous les boursouflures. Ses lèvres et son nez saignaient, sa chemise pendait en lambeaux, mais pas une fois, il n'avait levé les bras pour se protéger, se contentant de lire.

Miranda le voyait mieux. Il avait pris son livre. De toute évidence, il avait perdu la tête. Dans l'impossibilité de parler à Ochs, privé de sa fille, il avait entrepris de kidnapper celle-ci.

— Il traumatise tout l'étage, dit-elle. Écoutez-les.

— J'entends. Ça leur arrive parfois.

— Nous devons le sortir de là.

Nathan Lee l'avait trahie. Elle s'était trahie elle-même. La gravité et la pureté de sa quête avaient endormi sa méfiance. Il n'allait probablement pas tarder à voler des provisions et à disparaître, elle l'aurait parié. Mais elle ne s'était certainement pas attendue à cela de sa part.

— Comment voulez-vous procéder ? demanda le Capitaine.

— Nous avons des gardes. Appelez-les.

Le Capitaine fronça les sourcils.

— Elle est hors de contrôle. Si nous envoyons la troupe, ils devront la neutraliser. Elle pourrait être blessée.

— Tirez sur Nathan Lee avec des fléchettes anesthésiantes. Gazez-le, ce salaud.

La colère l'étouffait. Nathan Lee n'avait aucun droit de perdre ainsi les pédales. Il devait être fort. Elle ne voulait pas d'un nouveau canard boiteux.

— Elle pourrait être blessée, répéta le Capitaine.

Miranda poussa un soupir.

— Elle ne va pas tarder à se fatiguer, dit-il pour la rassurer.

Miranda perçut l'assurance dans sa voix et cela l'apaisa. Le tohu-bohu la berçait.

— Ils sont souvent comme cela ? demanda-t-elle.

— De temps en temps. Nous en gardons certains sous sédatif et nous laissons les autres purger leurs démons. C'est bon pour leur âme.

Miranda posa les mains de chaque côté du hublot de la porte, tentant de se rappeler sa dernière visite. *Sept semaines ?* Elle était très occupée. Lamentable excuse. La vérité était qu'elle ne supportait pas ce monde souterrain qu'elle avait créé pour cacher les damnés et les rebus de la science.

— Il est inutile de rester là. Nous pouvons suivre les événements sur les écrans, dit le Capitaine en l'entraînant dans la salle de contrôle.

L'endroit baignait dans la pénombre, isolé du vacarme, et Miranda commença à se détendre.

En passant devant les écrans, elle vit les hommes dans les cellules qui hurlaient, les mains sur les oreilles, frappaient les murs ou encore restaient assis tels des ermites catatoniques, se balançant d'avant en arrière. Certains allongés contemplaient le plafond. Le Capitaine lui avança une chaise devant les deux écrans réservés à la fille de Neandertal. En dessous, quelqu'un avait écrit un nom avec une fleur. Tara.

— Qu'est-ce que c'est ? demanda-t-elle.

— Du tibétain. Nathan Lee dit que cela signifie Reine Mère.

La même chose se répétait sous tous les écrans.

— Où a-t-il pêché tous ces noms ? demanda-t-elle.

Mais c'était évident. L'An Zéro lui était monté à la tête. On aurait dit qu'il avait pioché dans la Bible. Il y avait un Matthieu, un Osée, deux Ézéchiel, Michée et Zacharie, deux Jean, un Éléazar ben Yair et même un Lazare. Elle vit aussi les os et les reliques déposés devant chaque écran, comme des offrandes sur des autels.

— Ce sont leurs vrais noms. Il voulait vous faire la surprise.

— Ne me dites pas qu'il a parlé avec les autres aussi.

— Il les écoute seulement grâce aux micros. Parfois, ils se parlent à eux-mêmes, ou ils fulminent et divaguent. Il dit que c'est de l'araméen. Il passe beaucoup de temps ici. Chaque jour. Les nuits aussi. Il nous demande d'écouter. De temps en temps, nous comprenons un mot.

Sur un tableau, quelqu'un avait noté une petite liste de mots en araméen, hébreu, grec et latin avec leur traduction anglaise. Sur une étagère s'étalait une véritable petite bibliothèque composée de livres d'archéologie, de catalogues de musée et de cassettes vidéo portant le nom des clones suivi de numéros et de dates. Nathan Lee avait transformé la salle de garde en chambre d'étudiant.

— Depuis combien de temps cela dure-t-il ? demanda-t-elle, stupéfaite.

— Vous lui avez demandé d'étudier les hommes. Il s'est mis au travail.

— De les étudier eux, pas elle.

— Ce n'était qu'une question de temps, Miranda. Ses écrans sont à côté des autres. Un des gardes a oublié de les éteindre, un jour. Après cela, Nathan Lee s'est procuré une petite… télécommande.

— Vous savez ce qu'il essaye de faire, n'est-ce pas ? Je suis désolée qu'il ait perdu sa fille…

Elle ne termina pas sa phrase. Nathan Lee et le Capitaine avaient peut-être parlé de cela également. Quoique… Deux stoïques ensemble… Silence total.

— Le fait est qu'il se trouve à sa place, dit le Capitaine.

— Non. Je me fiche de sa connexion himalayenne.

— Il m'a dit qu'il l'avait trouvée assise sur une corniche, près de l'Everest. Elle était toute seule. Il a dit qu'elle avait choisi cet endroit à cause des montagnes qui s'illuminaient au crépuscule.

Miranda regarda l'écran. La colère de la fillette s'atténuait.

— Vous vous trompez à son sujet. Il n'est pas entré pour combler sa solitude, dit le Capitaine. Il est entré pour combler celle de l'enfant.

Miranda détourna la tête. Le Capitaine lui tendit le casque.

— Le bouton contrôle le volume, dit-il avant de s'éloigner.

Miranda mit le casque et les cris éraillés de la fillette lui percèrent les oreilles. Mais le Capitaine avait raison. L'intensité des hurlements diminuait.

Derrière le bruit, Miranda pouvait entendre la voix de Nathan Lee qui lisait tranquillement. L'histoire parlait du vent et d'un oiseau. Il tourna une page. Il tenait le livre à deux mains, incliné pour qu'elle puisse voir les images, ses jointures blanches sous la crispation. Les coups qu'il avait reçus le faisaient probablement souffrir, mais il tenait bon.

Finalement, l'enfant baissa les bras. Les cris se calmèrent. Miranda pouvait presque lire dans ses pensées. *Bon, et maintenant ?*

Nathan Lee continuait sa lecture d'une voix mélodieuse. Après quelques minutes, l'enfant se rapprocha. Quelques centimètres seulement. Avec cette innocence de l'enfance, elle pencha la tête pour voir les dessins. Alors, très, très lentement, Nathan Lee baissa un bras.

— Non, murmura Miranda.

Il allait l'attraper. C'était un piège.

Et cela arriva.

La fillette s'assit sur ses genoux. Miranda refusa d'y voir un geste affectueux. Elle s'était assise sur lui comme sur une chaise, les yeux rivés sur les images. Il n'était qu'un objet.

La voix de Nathan Lee se fit très douce. Il imita le souffle du vent et les yeux de la fillette s'écarquillèrent.

— Regardez-moi ça, dit le Capitaine derrière elle.

Miranda prit conscience de sa présence et de celles d'autres gardes qui les avaient rejoints, vêtus d'armures, de casques et de boucliers.

— Il l'a manipulée, dit Miranda.

— Belle manipulation.

Miranda perdit la notion du temps. Lentement, Nathan Lee s'éloigna du texte du livre. Il continuait de tourner les pages lentement, mais syllabe après syllabe, une image à la fois, il commença à chanter. Un chant sans véritables paroles, plutôt un fredonnement. Puis Miranda réalisa que les notes qui sortaient de sa bouche vibraient et que les vibrations résonnaient dans le dos de l'enfant appuyée contre sa poitrine. Miranda observa, fascinée. Il la charmait. La fillette posa la tête contre son épaule.

— Mon Dieu, murmura un garde.

Ses yeux se fermèrent et elle s'endormit.

Nathan Lee continua de fredonner, le visage tuméfié, un de ses yeux tellement enflé qu'il ne s'ouvrait plus. La caméra surprit une larme qui coulait le long de sa joue. Il voulait pleurer, il était heureux, Miranda le devinait, mais cela aurait réveillé l'enfant. Alors, il se contrôlait.

Il posa le livre et serra l'enfant dans ses bras. Elle se blottit dans sa chaleur.

L'orphelinat se calma. Sur les autres écrans, Miranda vit les clones s'apaiser.

Une heure plus tard, Nathan Lee étendit l'enfant sur le sol nu. Elle dormait toujours, épuisée par la bataille. À quatre pattes, il se dirigea alors vers la porte. Miranda, le Capitaine et ses gardes sortirent dans le couloir pour l'attendre en silence.

Le Capitaine ouvrit la porte et Miranda recula sous l'odeur pestilentielle qui s'échappa de la pièce. Nathan Lee sortit et le Capitaine referma derrière lui. Ils durent l'aider à se relever. La fillette avait griffé son visage jusqu'à l'os. Son œil était injecté de sang. Il tenait les bras croisés devant ses côtes. Elle l'avait blessé au cou et dans le dos.

Personne ne dit mot. Nathan Lee cligna des yeux comme s'il sortait d'une grotte sombre. Ils s'écartèrent pour le laisser passer et il avança avec la démarche d'un vieil homme.

— Vous n'aviez pas le droit ! lança Miranda.

Il s'arrêta.

— Si, j'avais le droit. Le réconfort, vous vous rappelez ?

Il avait soif.

— Vous ne saviez pas ce que vous faisiez.

— J'ai discuté avec une pathologiste du langage et de la parole, expliqua-t-il. Elle m'a dit qu'on ne pouvait pas atteindre une enfant comme celle-ci par la douceur. On n'obtient qu'un réflexe surpris, ce que j'ignorais. Elle m'a dit que ce devait être une étreinte profonde, que c'était le seul moyen.

— Je me moque de savoir si vous avez parlé à quelqu'un. Vous n'aviez pas le droit.

Les larmes lui montèrent aux yeux.

— C'est cruel. Vous avez ouvert son cœur. Et maintenant ?

— Contentons-nous de faire de notre mieux, dit-il.

Il lui retournait la faveur, elle en avait conscience. Elle l'avait obligé à s'impliquer. Aujourd'hui, il lui rendait la pareille.

Quand Tara se réveilla le lendemain matin, Nathan Lee se tenait à côté d'elle, lavé et recousu, avec des vêtements propres. Son visage disparaissait sous les bleus et les œdèmes, mais il était là.

Elle ouvrit les yeux qu'elle avait bleu nuit. Une de ses dents de bébé était tombée au cours des dernières semaines. Qu'avait-elle dû penser de cela, toute seule ? *La petite souris est là, maintenant.*

— Bonjour, ma jolie, dit-il.

— A, b, c, d, e, f, chanta-t-elle.

Il ouvrit ses bras et elle se précipita.

— Tu ne resteras plus seule.

Pourtant, il allait l'abandonner. Quand le moment viendrait, il partirait à la recherche de sa propre fille. Mais d'ici là, d'autres personnes entoureraient Tara. Déjà une équipe des services sociaux se mobilisait pour elle. Après tant de négligence, elle allait enfin être traitée comme l'enfant qu'elle était.

Ils partagèrent une orange. Nathan Lee la pela et détacha les quartiers. Ils mouraient de faim tous les deux. La nourriture arriva bientôt.

Quand l'infirmière entra avec son plateau de seringues, Tara se blottit dans les bras de Nathan Lee. Il fit signe à l'infirmière d'attendre et commença à lire. Les yeux de Tara se posèrent sur les pages et ce fut comme si les dessins l'hypnotisaient. Elle ne sentit même pas la piqûre des aiguilles.

Le nettoyage de Tara se transforma en un jeu. Sa cellule ressemblait à une fosse septique. Nathan Lee la porta jusqu'à une cellule vide. Quelqu'un avait peint un arc-en-ciel sur un des murs en acier. Une heure plus tard, la pathologiste du langage se présenta avec des crayons et du papier. Tara reçut l'autorisation de garder sa poupée préférée.

Pas à pas, ils commencèrent à réparer leurs erreurs.

22.

Les papillons

14 août

Elle était assise au milieu des papillons.

Le soleil se couchait lentement derrière la caldeira Jemez, cratère effondré d'un volcan jadis massif. Les montagnes resteraient éclairées une heure encore, mais l'ombre recouvrait déjà Los Alamos, perchée sur sa bande de lave. L'air fraîchissait et les papillons se serraient autour d'elle, recherchant la chaleur de son corps.

La cage grillagée recouverte d'un toit en contreplaqué, était installée dans ce qu'elle appelait sa cour, une corniche en grès suspendue au-dessus du vide. De là, la falaise plongeait à pic sur trente mètres ou plus. C'était son refuge.

— Miranda ?

Elle sursauta et les papillons s'envolèrent brusquement avant de revenir se poser sur ses bras nus et ses cheveux quelques secondes plus tard.

— Que faites-vous ici ? demanda-t-elle sèchement.

— J'ai réfléchi, répondit Nathan Lee.

Allons bon, pensa-t-elle avec ennui. Elle détestait qu'on vienne la surprendre chez elle. Elle jouissait déjà de si peu d'intimité.

— Vous ne devriez pas vous promener ainsi. Vous pourriez vous faire arrêter. Ochs a fait passer le message. Je vous ai déjà prévenu. Je n'ai d'autorité que sur mon petit domaine.

Puis, elle réalisa que c'était peut-être ce qu'il cherchait. À attirer Ochs hors de sa tanière.

— Je voulais vous parler de quelque chose.

— Chez moi ? Je suis de repos.

Il ne parut pas saisir le message.

— Belle vue, dit-il.

Elle ne répondit pas, mais son silence ne le découragea pas. Pas plus que son immobilité. Lui et le Capitaine se ressemblaient sur ce point-là. Il fallait être bien dans sa tête pour côtoyer ces deux-là.

Il se rapprocha du grillage et elle ne sut pas s'il la regardait elle ou les papillons.

— Ce sont des monarques, n'est-ce pas ? demanda-t-il au bout d'un moment.

— Des vestiges d'une vieille expérience.

Les papillons ne cessaient de butiner sa bouche, probablement à cause du miel qu'elle avait mangé, étalé sur un épi de maïs, en rentrant chez elle.

— Quel genre d'expérience ?

— Sur la mémoire.

Souhaitait-il réellement savoir ou cherchait-il à l'amadouer.

— D'où vient-elle ? Combien pèse-t-elle ? Est-elle contenue dans une protéine ? Une charge électrique ? Comment se conserve-t-elle ?

— Combien pèse la mémoire ?

Il s'était rapproché du grillage, mais n'essaya pas de passer un doigt à travers. Ses yeux ne la quittaient pas.

— C'est une image. Et pourtant, elle leva son poignet sur lequel était posé un papillon. Son cerveau pèse un gramme ou moins. Mais il contient la mémoire des migrations de milliers de générations. Chaque année, les monarques migrent vers le nord-est des États-Unis pour se reproduire et mourir. Mais, sans qu'on sache comment, la nouvelle génération connaît le chemin du Nouveau Mexique et revient y passer l'hiver. D'autres espèces conservent également, gravées dans leur cerveau, des données qu'elles n'ont pourtant jamais apprises. Les coucous par exemple, ou les anguilles. L'ADN ne serait qu'une immense mémoire.

— C'est différent. Vous l'avez dit. Les cellules mémoires.

— Oui et non, dit-elle, agacée par ses propres contradictions. Peut-être.

— Et les papillons ont-ils prouvé votre théorie ?

— La peste a fait son apparition.

— En tout cas, ils vous vont bien.

Elle distinguait mal ses yeux derrière le grillage. Essayait-il de la draguer ? Non, il n'oserait pas. À cause de son rang ou quelque chose comme ça.

— L'été se termine plus tôt à cette altitude. Ils ne tarderont pas à mourir.

— Vous pourriez les laisser partir.

— Trop tard.

— Certains y parviendraient peut-être.

— Non, c'est trop tard.

Abandonnant le sujet, il s'accroupit et attendit.

Elle faisait peut-être montre d'égoïsme en les gardant ainsi enfermés, mais ils représentaient son seul réconfort. Sa mère avait adoré les monarques et Miranda se souvenait de la prairie, du soleil haut dans le ciel et du panier de pique-nique en osier tressé. Elles avaient étendu une couverture écossaise sur l'herbe et sa mère chantait. Et soudain, un nuage de monarques était descendu du ciel, comme par magie.

Nathan Lee ne bougeait pas, son esprit perdu dans un autre univers.

Au bout d'un moment, il tourna la tête vers le ciel orangé à l'horizon et elle l'observa du coin de l'œil. Il avait l'air tellement serein.

Finalement, l'obscurité grandissante la força à sortir. Sa robe d'été ne la protégeait guère contre le froid du désert et elle frissonnait. Elle agita la main pour éloigner les papillons et se glissa hors de la cage.

Nathan Lee se redressa alors et son visage se retrouva brusquement tout près du sien.

— Oh ! fit-elle en reculant.

Trois jours s'étaient écoulés et ses joues avaient désenflé, mais il avait toujours des points de suture et deux yeux au beurre noir. Une nouvelle paire de lunettes – il semblait aimer les petites montures en acier – était posée sur le haut de son nez cassé.

— Je sais, dit-il en touchant son visage. Ça me fait peur à moi aussi le matin.

— C'est l'heure de mon dîner, annonça-t-elle en se reprenant.

Ce fut comme si elle avait agité une clochette.

— Votre dîner ?

Il semblait sur le point de s'enfuir comme s'il avait violé un lieu sacré et Miranda savoura ce léger avantage.

— Vous vouliez me parler de quelque chose.

— Je n'ai pas fait attention à l'heure.

Pas étonnant vu qu'il n'avait pas de montre.

— Vous avez eu une idée ?

— Demain, dit-il en faisant un pas en arrière.

— Avez-vous mangé ?

— Écoutez, le travail, le dîner, ce n'est pas un mélange heureux. J'ai mal choisi mon moment.

— Voulez-vous dîner avec moi ? demanda-t-elle en détachant lentement les syllabes.

Il regarda autour de lui. Aucune fuite possible.

— Vous m'embarrassez, fit-elle remarquer.

— Oui. Bon, d'accord. Dîner.

— Parfait.

Elle montra le chemin. À la porte, il ôta automatiquement ses chaussures.

— Inutile, dit-elle en gardant les siennes.

Mais il ne les remit pas. Ses chaussettes étaient blanches et propres, de même que sa chemise Oxford, de deux tailles trop grande, tout comme ses jeans noirs qui tenaient grâce à une vieille ceinture en cuir.

La nuit tombait et elle alluma. Les yeux de Nathan Lee firent aussitôt le tour de la pièce et Miranda se sentit exposée. La maison n'était rien de plus qu'une annexe de son bureau. Aucune œuvre d'art, pas même un calendrier avec des fleurs ou des chiots. Des graphiques de génomes, des articles scientifiques et des feuilles de calcul étaient punaisés au mur ou aimantés sur le réfrigérateur et deux ordinateurs trônaient sur la table de la cuisine. Collée sur la fenêtre, une carte du chromosome 6 bloquait la vue.

Elle entreprit de fouiller dans ses placards et son frigo – habituellement, elle mangeait à la cantine – et dénicha quand même des œufs, un morceau de parmesan, une boîte de corn-flakes, des tomates, un oignon et une caisse de vin de Taos de l'année précédente, souvenir d'Élise.

— Les étagères sont vides, annonça-t-elle.

— Écoutez, commença-t-il.

Des signaux d'alarme, de nouveau. La nourriture semblait vraiment lui poser un problème.

Sur une impulsion, elle montra la caisse de vin et lui tendit le tire-bouchon.

— Prenez une bouteille, dit-elle. Je vais préparer une omelette Miranda.

Il s'exécuta et elle sortit deux verres.

— Asseyez-vous, ordonna-t-elle ensuite.

Pendant qu'il se perchait sur un tabouret, elle tenta de lui faire croire qu'elle savait cuisiner. Mais elle n'avait jamais appris à couper un oignon et ne tarda pas à pleurer à chaudes larmes. Quand elle manqua se couper un doigt, Nathan Lee se leva et en moins de deux, elle se retrouva sur le tabouret et lui derrière les fourneaux.

Le vin était bon et contribua à dissiper leur malaise. Elle le taquina.

— Alors, quel effet cela fait-il d'être célèbre ? demanda-t-elle.

— Je ne suis pas célèbre.

— Vous rigolez ? Une vraie légende.

L'histoire de la résurrection de Tara s'était propagée dans toute la ville. La rédemption d'une enfant naufragée dans un monde en péril pouvait sembler accessoire, mais à la surprise de Miranda, la population de Los Alamos y attachait énormément d'importance.

— Je ne joue pas les modestes. Cela n'a rien à voir avec moi.

— Vous êtes un héros.

— C'est ce que je veux dire.

— Éclairez-moi.

— Les mythes ont la vie dure, expliqua-t-il. J'ai fait pénitence. J'ai violé la tombe d'une reine du Neandertal et j'ai traversé la planète pour servir son être ressuscité. Extrapolez et me voilà devenu un héros qui ressuscite les morts.

— Vous voulez parler du clonage ?

— C'est plus que cela, je crois. Ce sont des chasseurs de virus. Ils veulent sauver le monde.

— Où se trouve la pénitence dans tout ça ?

— La reine ressuscitée des morts m'a frappé jusqu'au sang.

Il sourit et sa lèvre se fendit. Une goutte de sang perla. Miranda lui tendit un morceau de papier toilette – les Kleenex appartenaient au passé.

— Et notre petite reine ? demanda-t-elle.

— Je la vois tous les jours. Mais je m'éloigne petit à petit. D'autres s'occupent d'elle et lui font du bien.

Miranda ne lui demanda pas pourquoi il voulait sortir de la vie de la fillette. C'était évident. Il n'était ici qu'en transit.

— J'ai entendu dire que la femme du Capitaine lui rendait visite.

— Elle passe des heures avec elle. Elle lui apporte ses repas. Elle était maîtresse d'école et Tara l'aime bien, pour ne pas dire plus.

— Les Énote veulent l'adopter.

Nathan Lee releva la tête, surpris.

— J'ai l'impression que je viens de trahir un secret.

Nathan Lee hocha la tête, réfléchissant.

— Cela pourrait être une bonne chose pour elle, décida-t-il.

— Cela pourrait être une bonne chose pour les Énote, corrigea Miranda. Ils ont besoin d'elle pour combler le vide dans leur cœur.

— Que voulez-vous dire ?

— Ils ne vous ont jamais parlé de leur fille ? Elle était pilote dans la Navy. Sur un de ces bateaux qui ne sont jamais rentrés au pays.

— Quels bateaux ?

— Vous devez avoir entendu parler d'eux. L'expédition partie faire l'inventaire de la planète. Aucun des navires n'est revenu. Les satellites en captent un ici ou là. Des bateaux fantômes qui errent sur les océans comme le Hollandais Volant.

Nathan Lee garda le silence, l'air hanté.

— Il était très fier d'elle.

Toujours aucune réaction.

— Et si je râpais un peu de fromage ? proposa-t-elle.

— Bien sûr.

Elle décida de changer de sujet.

— Le laboratoire d'hématologie se querelle avec celui d'hépatologie… qui est lui-même paralysé par son département enzymologie. La semaine dernière, la dermato a saboté la neuro. L'hippocampe chicane avec le néocortex. C'est grotesque. Le corps s'autodétruit.

— Je sais, dit Nathan Lee émergeant de ses pensées. Je le vois, je l'entends. L'autre jour, alors que je faisais la queue à la cantine, deux gars derrière moi parlaient avec admiration du virus. L'un d'eux se demandait pourquoi il avait choisi comme hôte une chose aussi fragile que l'homme. Ils sont tombés amoureux de lui, vous savez.

— De quoi ?

— Du virus. Ils l'aiment. Pas comme ils aimeraient un autre être humain. Il s'agit plus d'une vénération. Pour eux, le virus est comme un dieu. Personne ne le considère comme un envahisseur.

Il saupoudra l'omelette du fromage qu'elle venait de râper.

— Ce n'est… pas bien, dit-elle. Quelle idée ridicule. Nous ne l'avons même pas encore vu. Pour l'instant, ce n'est qu'un concept. Enfin, une expression. Nous n'en connaissons que les conséquences.

Mais il avait raison, elle le comprit tout de suite. *Ils aiment cette chose qui les tue.*

— Je crois que nous avons suffisamment de fromage, dit-il.

Miranda baissa les yeux et constata qu'elle venait de râper une véritable montagne de Parmesan. Elle abandonna la râpe et retourna s'asseoir sur son tabouret.

— Personne n'a vu ce que vous avez vu, dit-elle. Pour nous, la peste est encore incroyable.

— Je ne l'ai pas vu non plus. Je n'en ai perçu que l'onde de choc.

— Après votre arrivée, j'ai ressorti les photos satellites. Je voulais voir ce que vous aviez traversé. Vus de l'espace, tous les continents sont dans le noir. Plus de lumière. Il semblerait que nous ayons perdu.

— Ne dites pas cela.

— Parlez-moi de l'Amérique.

Cette question la démangeait depuis son arrivée, même si une partie d'elle-même préférait ne pas savoir.

— Je suis ici depuis un mois et je suis certain que le pays ne ressemble déjà plus du tout à ce que j'ai vu.

Puis il regarda ses yeux et dit doucement.

— Tellement vert.

Ses yeux à elle ? Miranda détourna le regard et s'empara de la bouteille.

— Je ne sais pas à quoi je m'attendais, reprit-il. Un monde de cendres peut-être. Mais c'était l'été et le paysage disparaissait sous les pâquerettes et les lupins en fleurs. J'ai conduit des centaines de kilomètres au milieu de ces fleurs qui poussaient jusque dans les fissures de l'autoroute.

Il agita la poêle.

— Un matin, je me suis réveillé pour découvrir au-dessus de moi des centaines de montgolfières de toutes les couleurs. Les gens m'ont salué en me faisant de grands signes de la main. Ils avaient l'air heureux.

— Ils volaient en ballon ?

— C'était magique. Comme un pique-nique en plein ciel. J'ignore où ils allaient. Ils se laissaient porter par le vent.

— Et les feux ? Les villes ? Est-il vrai que la guerre fait rage aux Grands Lacs ?

— On m'avait effectivement prévenu de les éviter, reconnut-il. Je pouvais les voir au loin, surtout la nuit. Ce doit être fini maintenant.

— Que voyiez-vous la nuit ?

— Des feux de prairies, spectaculaires. Ils empêchaient tout le monde de dormir à cent kilomètres à la ronde. L'horizon s'embrasait et le grondement des flammes rappelait celui d'un train de marchandises lancé à pleine vitesse.

— Les villes ?

— Les villes ressemblaient à des bûchers. Je ne m'en approchais pas. J'empruntais les routes secondaires, mais je roulais lentement à cause des snipers, des planches clouées en travers des chemins pour crever les pneus et des cordes de piano.

— Des cordes de piano ? Pour quoi faire ?

— Ils les tendent à hauteur de cou pour voler le vélo des cyclistes. Il est presque impossible de les voir, surtout si vous roulez vite. Et il y a beaucoup de vélos. Une véritable mer de vélos.

Elle était choquée par ce qu'il venait de dire. Il s'en aperçut et tenta de lui changer les idées.

— Une nuit, j'ai dormi dans un champ de maïs. Des jeunes plants. Je l'ignorais, mais on peut les entendre pousser.

— Vous voulez dire le chaume qui craque dans la brise ?

— Non. Il n'y avait pas de brise. Pas un souffle d'air. Du coup, les oreilles deviennent plus sensibles. Les feuilles se dépliaient et cela faisait du bruit.

Elle n'avait jamais pensé à cela.

— Ces mauvaises gens dont vous parliez. Les snipers…

— Ils ne sont ni bons ni mauvais. Ils veulent seulement survivre et prendre soin des leurs.

— Ils tuent des innocents. Je croyais que la loi martiale avait été décrétée.

— En effet. Il paraît que l'armée a protégé la I-70 jusqu'au printemps. Les militaires escortaient les convois, chassaient les voleurs de grands chemins, protégeaient les postes de dépistage sanguin. Ils faisaient ce qu'ils pouvaient, mais ils n'ont pas tardé à être dépassés. Sur mon chemin, j'ai vu… tellement… d'exécutions. Des corps pendus aux pylônes électriques ou attachés à des poteaux. Ou simplement exécutés dans les fossés. Comme au Moyen Âge. L'armée veillait et faisait en sorte de semer des avertissements le long des routes.

— Cela continue ?

— Plus maintenant. Un soldat ne peut obéir longtemps sans être payé et ils ont des familles à faire vivre. La I-70 restait la dernière voie de passage à travers le pays. Malheureusement, je suis arrivé trop tard. Ils l'avaient fermée.

L'armée n'existait plus ?

— Les généraux ne nous ont jamais parlé de cela.

— N'avez-vous pas lu l'histoire des conquistadores ? La première chose qu'ils ont faite en débarquant au Nouveau Monde, c'est de couper les ponts avec la monarchie. Cela, à une époque où les rois recevaient leurs pouvoirs directement de Dieu, comme le Pape. Et voilà que les conquistadores se retrouvaient dans un monde sans dieu.

— Vous comparez les généraux aux seigneurs de guerre ?

— Autant que je sache, plus personne ne les commande.

Mon père, pensa-t-elle. Et le Président et les chefs d'état-major, enfermés dans le NORAD[1] au cœur des montagnes Cheyenne. Et deux cents années de démocratie. Elle ne se considérait pas comme une patriote, mais la démocratie était leur dieu et Nathan Lee commençait à l'effrayer.

1. *North American Aerospace Defense Command* (Commandement de la défense aérospatiale de l'Amérique du Nord).

— Ils ont obtenu leur autorité du peuple, insista-t-elle.

— Miranda, la réprimanda-t-il doucement.

Elle souleva la bouteille. Vide. Mauvais ça. Trop rapide.

— Je sais que c'est grave, reconnut-elle.

— C'est différent, c'est tout. Ce n'est plus le monde que nous avons connu. Mais j'ai aussi traversé des villes ou rien n'avait changé. C'était surréaliste, comme si le temps s'était arrêté il y a cinquante ans. Les gens vivaient tranquillement, sans le moindre souci. Les hommes continuaient à tondre leur pelouse avec des tondeuses à main et à vendre de la limonade à un nickel. Comme s'ils n'avaient jamais entendu parler de la peste.

— Ils ne croient que ce qu'ils voient.

— C'est vrai, mais surtout ils s'imaginent que cela n'arrive qu'aux autres. Il ne s'agit pas d'un refus d'accepter, plutôt d'une certitude. Ils sont destinés à vivre. J'ai dû entendre des centaines de raisons pour lesquelles la peste ne les toucherait pas : la famille avait de bons gènes, ils menaient une vie saine et mangeaient bien. Ou ils faisaient du sport et priaient.

— Mais ce ne sont que des illusions. Que disaient-ils du black-out ? Des pénuries d'essence ? Des émeutes ?

— Un bruit de tonnerre au loin. Tant que cela n'arrive pas chez eux…

— C'est déjà chez eux.

— Mais ils sont américains, et dans leurs cœurs autant que dans leur esprit, ils se considèrent parés pour tout. Vous n'imaginez pas à quel point. C'est comme une seconde nature chez eux. Il n'y a rien que la peste puisse leur faire qu'Hollywood n'ait déjà envisagé. Ils ont survécu à la peste des douzaines de fois. Pensez à Stephen King. À *La Variété Andromède*. À Camus. Au *Décameron*. À Thucydide. La vie ne fait qu'imiter l'art. Les catastrophes sont des renouveaux. Là-bas, les gens parlent encore des rationnements d'essence des années soixante-dix, des incendies dans le Yellowstone ou de l'ouragan Mitch, des grandes pannes d'électricité, des années de blizzard, de Waco, d'Oklahoma City, des tours du World Trade Center, des inondations, de la Dépression ou du Vietnam. Toutes ces choses sont pour eux des paraboles. Des leçons de l'histoire.

— Des raisons d'espérer ?

— Bien sûr. L'Amérique a toujours survécu. Les gens sont excités et impatients de voir cette pagaille se terminer pour repartir à zéro.

— À vous entendre, ce sont des idiots.

— Non.

— Vous nous trouvez ridicules, nous aussi, avec notre promesse de trouver un vaccin ?

— Je n'ai pas dit cela.

— Et s'il y avait bien un vaccin ?

Il la regarda avec attention.

— Vous êtes en train de me dire qu'il y en a un ?

Elle garda le silence.

— Voilà, annonça-t-il en posant un couvercle sur la poêle. Notre repas est prêt et je l'ai gâché.

Après le repas, ils sortirent pour admirer les étoiles. Il lui posa des questions sur sa vie, qui paraissait bien banale comparée à la sienne. Elle était née et avait grandi entre des murs. Lorsque la nation s'était effondrée, elle se trouvait déjà à Los Alamos, hors d'atteinte, dans ce Laboratoire qui flottait comme une île très haut au-dessus de tout cela.

Nathan Lee l'appelait la citadelle, une ville dans la ville. Il comparait Los Alamos aux ziggourats d'Ur, à l'Acropole d'Athènes, au Pentagone ou au Kremlin. Ici se trouvait le pouvoir, à l'écart du commun des mortels, un abri en temps de guerre. Il le considérait comme une étape décisive de l'histoire.

Il voulait savoir comment la ville s'était développée. Elle lui parla de l'arrivée des scientifiques du monde entier, par vague, comme des immigrants, avec familles et bagages, et de la défaite des partisans de la bombe. Pendant près d'un demi-siècle, Los Alamos s'était voué corps et âme à la recherche nucléaire et à son développement. Puis, presque du jour au lendemain, les biosciences – jusque-là méprisées par les physiciens et considérées comme sans avenir – avaient pris le pouvoir. La lutte avait été acharnée, mais Élise avait gagné et défini leur nouvelle mission : vaincre le Corfou.

Pendant un temps, les chercheurs avaient formé une communauté en compétition, mais fraternelle. De la virologie à la génétique en passant par la paléobiologie des primates, chaque spécialité avait son propre esprit de corps, ses propres laboratoires, ses propres quêtes. Les découvertes abondaient. Ils déterminèrent la structure de chaque protéine du ver de terre à l'homme. Ils créèrent des tiges de plasma pour détecter le Corfou dans l'air. Ils suivirent la progression de la maladie sur la planète grâce aux satellites.

Un nouvel âge d'or de la médecine se dessinait. En traquant le virus, ils avaient découvert des remèdes contre la tuberculose, la maladie d'Alzheimer, le SIDA et tous les types de cancer. Ils avaient synthétisé des fibres optiques et neurales. Des personnes handicapées suite à des fractures de la colonne vertébrale pourraient un jour se lever et marcher. Les aveugles verraient. Les sourds entendraient. Voilà ce qui les attendait.

Puis Élise était morte et Cavendish avait pris les rênes et dressé des barrières autour des barrières. Le secret les avait dévorés. La méfiance régnait. Et les fractures firent leur apparition.

Aujourd'hui, les premiers arrivés écrasaient les nouveaux venus. Les chercheurs pourvus de diplômes académiques snobaient les chercheurs de l'industrie qui snobaient les fonctionnaires. Ceux qui luttaient contre le SIDA se sentaient humiliés par ceux qui luttaient contre l'Ebola ou d'autres virus mortels. Les chercheurs étrangers estimaient que les Américains avaient eu de la chance et les Américains jugeaient que les étrangers avaient tout gâché. Les gardes de sécurité – dont certains possédaient des doctorats dans des domaines aussi inutiles que la conception d'armes nucléaires – en voulaient aux biologistes qui les considéraient comme de sales types. Des dissensions éclataient entre laboratoires et au sein d'un même laboratoire. Et au-dessus du chaos régnait Cavendish qui encourageait cette anarchie.

— Parfois, je crois que nous avons découvert trop de choses, dit Miranda. Il y a peut-être une limite à ce que nous devons savoir. Je n'aurais jamais cru qu'un jour, je dirais cela.

— Ne soyez pas déçue par eux.

— Je suis déçue par moi.

— Que pourriez-vous faire de plus ? Vous n'avez que dix-neuf ans, Miranda.

— Le Capitaine parle trop.

Elle était un peu saoule.

— Le Capitaine ne parle pas et vous savez ce que je veux dire.

— Écarte-toi, petite fille. Laisse le bateau couler ?

— Vous voulez sauver ces gens, mais ce n'est pas en votre pouvoir. Ils doivent se sauver eux-mêmes.

Elle fit un geste en direction de Santa Fe.

— Ce sont eux là-bas que j'essaye de sauver, dit-elle.

À cet instant, une étoile traversa le ciel.

— Vous avez vu ça ? s'écria Miranda, tout excitée.

Une autre étoile fila comme une flèche, suivie bientôt d'une véritable pluie d'étoiles qui illumina le ciel au-dessus d'eux.

— J'avais oublié, dit Nathan Lee. Ce sont les Perséides.

Miranda connaissait ce phénomène – son quadrant et la constellation dont il tirait son nom – mais n'y avait jamais assisté. Les météores striaient le ciel de longs faisceaux lumineux.

L'été. C'était l'été.

Ils contemplèrent les étoiles pendant une demi-heure. Les pensées de Miranda traversaient son esprit tout aussi vite.

Elle voulait un amoureux.

Elle posa son verre de vin. Assez pour ce soir.

Un amoureux.

Les météores bombardaient l'ordre des choses. Pas de dégâts là-haut, juste un relâchement de la configuration astronomique. Une tempête dans le vide.

Pas un petit ami, décida-t-elle. Un homme qui saurait s'imposer dans sa solitude et lui parler gentiment de ce monde terrible. Un homme qui croyait en l'éternité.

Miranda jeta un coup d'œil vers Nathan Lee. Elle ne pouvait distinguer son visage dans l'obscurité, seulement le léger halo de sa chemise. Pourquoi pas, qui qu'il soit ?

Le baiser… Elle ne voulait pas y penser. *Et ensuite ?* Elle tenta de deviner l'avenir, de calculer leur route.

Son sang circula plus vite. Les lèvres de Nathan Lee envahirent son esprit. Elles devaient être douces. Sa respiration s'accéléra. Et son téléphone sonna.

— Oh, mon Dieu, grommela-t-elle.

— Quoi ?

— Je sais qui c'est.

Elle entra dans la maison pour répondre.

— Mon père, annonça-t-elle à son retour.

— Il est ici ?

— Oui et non. Il est loin. À huit cents mètres sous terre près de la frontière du Texas. Il prépare le sanctuaire.

Elle se tut un instant.

— Il tenait votre dossier sur ses genoux.

Elle le laissa deviner les implications.

On les observait. Deux traces de chaleur sur le radar de quelqu'un. Et des micros se cachaient probablement dans sa cuisine.

— Mon Dieu, murmura-t-il.

Le charme était rompu. Les Perséides continuaient leurs courses, en vain. Le goût du vin dans sa bouche lui parut soudain douceâtre. Elle aurait sûrement la migraine demain matin.

— Je devrais y aller, dit-il.

Elle ne protesta pas.

— Vous vouliez me parler de quelque chose.

— Oh.

Il donna l'impression de faire un effort pour revenir sur terre et Miranda en éprouva du plaisir. La nuit l'avait charmé lui aussi. *Si près.*

— Des clones de l'An Zıro.

— Oui ?

Retour au travail.

— J'ignore ce qu'on leur a fait.

— Devons-nous parler de cela ce soir ?

— Non. C'est juste que sous prétexte de trouver un remède contre la peste, on a dû leur faire subir des choses terribles. Ces hommes semblent sortir de l'étal d'un boucher.

Elle laissa échapper un soupir. Il allait la harceler pour ces abus, la condamner pour leur renaissance. Ils se disputeraient et elle lui ordonnerait de partir. Ils n'y couperaient pas.

— Oui, dit-elle.

— Eh bien, je me demandais... Quelqu'un leur a-t-il seulement posé la question ?

Elle le regarda.

— Au sujet de la peste ?

— C'est juste une idée. Qui sait ce qu'ils pourraient nous raconter ?

23.

Au soleil

La deuxième quinzaine d'août

Il faut que je voie leurs yeux, lui dit-il le lendemain en courant derrière elle le long du couloir.

— Et qu'ils voient les miens.

Elle se montrait terriblement protectrice.

— Ce sont des patients autant que des détenus et ils sont blessés, en état de choc par le simple fait d'avoir été ramenés à la vie. Quand vous avez dit que vous vouliez leur parler, je pensais que vous comptiez utiliser l'interphone.

— Les gardes ont essayé une fois. Les clones ont réagi comme s'ils entendaient la voix de Dieu. Ils ont été terrifiés pendant des jours.

— Vous voulez les rencontrer.

— Oui.

— Ce qui signifie qu'il va falloir les vacciner. Deux mille ans de maladie se sont développés depuis leur mort. Leur sang est pur. Nous avons eu de la chance que Tara survive après avoir été en contact avec vous.

— La rencontre doit avoir lieu dehors, ajouta-t-il. Au soleil.

— Et si l'un d'eux s'échappe ? C'est déjà arrivé et le clone a failli mourir.

Nathan Lee avait tout prévu. Il lui montra un croquis qu'il avait fait : une cour entourée de murs élevés.

— Nous pouvons nous installer sur le parking à côté d'Alpha Lab. Il est vide et il y a un arbre au milieu. Le service de l'Équipement dispose des dalles de béton préfabriquées de neuf mètres de haut.

— Pour qui faites-vous cela ? Pour eux ou pour vous ?

— Ils ont besoin d'un peu de liberté. De voir le ciel. Je sais de quoi je parle.

Son insistance l'agaçait.

— Et votre fille ? lâcha-t-elle.

Cela lui coupa le souffle. Il s'arrêta net. Elle avait raison. *À quoi jouait-il* ? Grace était quelque part sous la coupe d'Ochs et lui, que faisait-il ? Se servait-il des hommes de l'An Zéro pour parvenir à ses fins ?

Devant lui, Miranda s'était également arrêtée.

— Ce n'est pas ce que je voulais dire, s'excusa-t-elle.

Mais elle l'avait fait et c'était bien, pensa-t-il. Il avait besoin de cette douleur. Rien de maso là-dedans, simplement un moyen pour lui de garder l'esprit clair.

— Tout va bien, la rassura-t-il.

— Que voulez-vous d'autre ?

— Il vaudrait mieux que je réfléchisse d'abord.

— Foutaises. Je me suis un peu énervée, c'est tout. Mais vous tenez peut-être quelque chose. Alors ne vous arrêtez pas en chemin. De quoi avez-vous besoin ?

— Il faut qu'ils se retrouvent ensemble. Tous les jours. Ensemble et moi avec eux.

— Ils ont toujours été traités comme des animaux. Ils risquent de s'entre-tuer. Ou de vous sauter dessus. Vous serez le premier qu'ils attaqueront. Vous, leur ravisseur.

— Je me ferai passer pour l'un d'entre eux.

— Un clone de l'An Zéro ?

— Ils ne verront pas la différence.

— Vous ne parlez pas leur langage.

— Il me faut donc un interprète.

Finalement, elle accepta toutes ses requêtes.

Pendant que la rencontre s'organisait – aménagement du parking, propulsion du système immunitaire des clones dans le XXIe siècle – Nathan Lee mettait au point sa machine à remonter le temps.

Par-dessus tout, il lui fallait un bon interprète. Quand la nouvelle se répandit, il s'avéra que des centaines d'habitants de Los Alamos parlaient hébreu. Pendant une bonne partie de la semaine, Nathan Lee reçut les volontaires – des Israéliens, des réfugiés de l'ex-Union soviétique ou des gamins du Bronx. Tous n'étaient pas juifs. Beaucoup de mormons qui excellaient dans les matières scientifiques, parlaient également hébreu, appris pendant leur travail de missionnaire ou leur étude de la Bible.

Mais deux mille ans plus tôt, la langue officielle du Levant était l'araméen, considéré aujourd'hui comme une langue morte. Quotidiennement parlé par le commun des mortels dans les villes comme dans les campagnes de Judée, de Samarie ou de Galilée, l'araméen représentait, d'une certaine façon, le langage de la captivité puisqu'il avait supplanté l'hébreu lors de la longue déportation des juifs dans l'ancienne Babylone. Pendant une bonne partie du IIe siècle, les synagogues avaient fourni aux masses populaires des traductions en araméen, ou targums, des écritures juives. C'était cette langue que les clones murmuraient dans leurs cellules.

Au cours de ses recherches sur le terrain dans le nord de la Syrie, Nathan Lee avait découvert l'existence d'une petite communauté de *Suriani*, ou chrétiens orthodoxes syriens, qui, chassés de Turquie à la fin des années 1970, s'étaient installés dans un petit village retiré au-dessus d'Alep. Il leur avait rendu visite à plusieurs reprises, juste pour les entendre s'exprimer dans cette langue disparue. Et aujourd'hui, à sa grande surprise, vivait à Los Alamos un scientifique originaire de ce même village. Du nom d'Abouma Syméon, il s'exprimait avec un lourd accent écossais, résultat dc ses années d'études universitaires à Édimbourg. Son expérience dans le domaine du clonage des mammifères expliquait d'ailleurs sa présence sur la mesa.

— Appelez-moi Ismaël, dit-il d'un air grave lors de leur première rencontre.

Pour lui faire plaisir, Nathan Lee répéta son prénom avec la même dignité.

Aussitôt, la barbe noire de l'homme se fendit d'un grand sourire.

— Je plaisantais, dit-il. Sacré yankee. Izzy fera l'affaire.

Izzy s'avéra vite précieux. Outre sa connaissance de l'araméen et sa bonne humeur, c'était un homme de la terre. Selon la légende familiale, il descendait de Siméon le Stylite, dit Siméon l'ancien, un ermite qui, fatigué d'être dérangé par les hommes, passa les quarante dernières années de sa vie assis en haut d'une colonne.

— Ce vieux Siméon, raconta Izzy, a lancé un véritable mouvement qui s'est étendu dans toute l'Europe où les moines construisaient des colonnes de plus en plus hautes. Cela me rappelle cette « Everestmania » dans les années 1990, quand tous ces types qui ne voulaient soi-disant rien avoir à faire avec les hommes se perchaient dans des coins publics où vous ne pouviez pas les rater. Même chose, avec les stylites. Ils mourraient de faim ou de froid en haut de leurs perchoirs et quand ils dégringolaient finalement, les pèlerins se battaient pour un morceau de leurs corps. Des martyrs. Il y a toujours un idiot prêt à y croire.

Nathan Lee lui expliqua son plan pour se faire accepter par les clones.

— Je ne sais pas comment ils réagiront, le prévint-il. Nous allons devoir nous déguiser. Ce pourrait être dangereux.

— Je suis partant, répondit Izzy. Je suis presque aveugle à force de fixer mon microscope. Un peu de soleil ne me fera pas de mal. Je suis impatient de les rencontrer.

À midi, le 20 août, jour du premier contact, les clones sortirent un à un dans la cour. Tous portaient les mêmes sandales de douche en caoutchouc et des peignoirs blancs sans ceinture que Nathan Lee avait obtenus de l'intendance à force de supplications. C'était suffisant pour l'instant, cela couvrait leur nudité, mais sans boutons ou fermetures Éclair.

Izzy se tenait à côté du premier des clones, Nathan Lee, près du dernier. Ils étaient trente-huit en tout, Miranda en ayant récupéré quelques-uns de plus. En émergeant sous les rayons du soleil, aveuglés, ils se regroupèrent devant la porte, les mains levées pour protéger leurs yeux.

L'air sentait les pins et l'armoise et un des hommes gémit. Un long gémissement d'extase. Lorsqu'il se tut, l'écho se prolongea entre les murs. Mais dans l'ensemble, ils gardèrent le silence.

Nathan Lee éprouvait une sensation bizarre à se retrouver ainsi parmi eux. Pendant près d'un mois, il les avait observés sur ses écrans. Il en connaissait certains par leur nom et savait depuis combien de temps ils avaient été ramenés à la vie. Il avait une petite idée des expériences qu'ils avaient subies et des circonstances de leur mort, il y avait des siècles de cela. Il aurait pu leur montrer les morceaux d'os ou de chair momifiée dont ils étaient sortis. Si ça se trouvait, une nuit, quelques années plus tôt, il avait lui-même extrait ces hommes du Golgotha, éclairé par la lampe torche d'Ochs. Aujourd'hui, ils se serraient autour de lui et il percevait la chaleur de leurs corps.

Il attendit. Leur odeur lui rappelait celle d'un laboratoire d'anatomie. Les douches de désinfectant qu'ils recevaient chaque jour depuis des mois avaient fini par imprégner leur peau.

Il essaya de voir par leurs yeux. Le goudron devait leur paraître mystérieux avec ses marques blanches qui s'effaçaient. Les murs les dominaient sur lesquels des caméras pivotaient sur leurs supports métalliques, hors d'atteinte. Un feu les attendait près du grand arbre. Une chose familière au moins. Après quelques minutes, le crépitement des flammes et la bonne odeur de la fumée de pin les attirèrent.

L'un d'eux s'éloigna de la porte. Puis un autre. Affaiblis, ils avançaient en chancelant et en traînant les pieds. Nathan Lee imita leur démarche. Les os de certains hommes s'étaient mal ressoudés et ils se déplaçaient, pliés en avant et grimaçant de douleur. Il y avait moins de cinquante mètres à parcourir, mais cela aurait pu être deux kilomètres. Un homme tomba et Nathan Lee remarqua que personne ne tendait le bras pour l'aider. Ils n'avaient pas encore reconstitué la tribu. Chacun ne se souciait que de lui-même.

En ethnographie pure, l'anthropologue est censé observer, pas influencer, surtout au début. Imitant les autres, Nathan Lee passa donc à côté de l'homme qui gémissait, étendu sur le goudron. Quand Nathan Lee regarda en arrière, il essayait de ramper pour rejoindre les autres, mais sa peau, fragilisée par la captivité, s'écorcha vite au niveau de ses genoux nus et son sang tacha bientôt l'asphalte.

Les clones se rassemblèrent autour du feu. Ceux qui remarquèrent leur frère tombé se contentèrent de le regarder. Leur peau était peut-être douce, mais leurs yeux brillaient d'un éclat dur. Nathan Lee comprenait, ou croyait comprendre. La faiblesse de l'homme les rebutait parce qu'elle leur rappelait la leur. Leur fragilité les étonnait, aussi choisissaient-ils d'ignorer l'étranger. En l'espace de quelques mètres, le peignoir blanc de celui-ci se salit. Il se fatiguait vite et, après une autre minute, il abandonna, restant tout simplement couché au milieu du parking.

Nathan Lee surprit le regard d'un clone posé sur lui. C'était le fugitif, dont le visage balafré ressemblait à un patchwork d'expressions. Une de ses paupières, recousue trop serrée, suggérait la colère. La bouche, que le barbelé avait cisaillée, présentait un côté tombant tandis que l'autre remontait dans un sourire idiot. Nathan Lee lui fit un signe de tête et la paupière en plastique de l'homme cligna. Du mépris ou un salut ?

Personne ne parlait. De l'autre côté du feu, Izzy jeta un coup d'œil interrogateur à Nathan Lee. Les avait-il mal jugés ? La moitié de ces hommes n'avait encore jamais prononcé un mot. Les mois d'isolation et de tortures médicales les avaient peut-être brisés. À moins que les sceptiques n'aient raison et que le clonage ne crée que des ombres humaines. Les paroles qu'ils murmuraient se résumaient peut-être à de simples convulsions neuronales, un fouillis de vieilles syllabes et d'inepties.

Seulement troublé par les pleurs de l'homme à terre, le silence se prolongea encore pendant près de dix minutes. Nathan Lee observait Isaïe et Matthieu, le grand Jean et l'autre Jean, celui avec des chevilles et des poignets épais, et tous les autres. À l'exception du fugitif, ils revoyaient tous le soleil pour la première fois depuis deux mille ans.

Finalement, Nathan Lee ne put plus supporter les gémissements de l'homme et l'indignité de la situation. L'homme était faible, voilà tout, aussi irréprochable que les lépreux qui avaient un jour pris soin de lui. Alors, pour cette seule raison, une sorte de dédommagement, il s'écarta du groupe.

Il savait que sa démarche allait rendre les autres soupçonneux, mais il s'approcha quand même de l'homme et plaça la main sur son dos. Sa mâchoire était à vif et une mare d'urine l'entourait. Ses yeux roulèrent lorsque Nathan Lee le toucha.

— Venez, relevez-vous, dit Nathan Lee en anglais.

Glissant ses mains sous les bras de l'homme, il le remit sur ses pieds. Le clone gémit et vacilla. Pour lui, tout ceci n'était probablement qu'un mauvais rêve. Quoi qu'il en soit, il ne souhaitait pas être aidé et se débattit faiblement.

Derrière lui, Nathan Lee essayait de le soutenir. L'homme crachait, donnait des coups et jacassait. Nathan Lee entendit un des hommes rire. Il avait créé un spectacle. Tout était de sa faute, la cour, le soleil, le goût de la liberté. Une belle erreur. Mais il s'accrocha quand même.

Finalement, le clone abandonna la lutte. Il posa la tête sur l'épaule de Nathan Lee et se mit à pleurer doucement. Nathan Lee passa un bras autour de ses épaules et ils rejoignirent les autres près du feu. Au début, personne ne se poussa pour leur faire de la place. Rien d'hostile, plutôt une réaction bovine, instinctive. Il insista et ils se séparèrent. Tenant toujours l'homme, il jeta un coup d'œil autour de lui. Quelques clones l'observaient, s'interrogeant sur son geste. De toute évidence, ils le prenaient pour un idiot. Maintenant, il était couvert des crachats et de l'urine de l'autre. Le fugitif le fixait avec son masque de monstre impossible à déchiffrer.

Nathan Lee releva le menton et fixa le feu. *Qu'ils aillent se faire foutre !* Il était mécontent de lui. Ils devaient le prendre pour un sentimental.

Mais l'épisode sembla les réveiller. L'un d'eux ramassa une aiguille de pin et la cassa entre ses doigts. Il la respira et la toucha du bout de sa langue.

Un deuxième homme passa les mains au-dessus du feu, bientôt imité par les autres. Les poils sur le dos de leurs mains roussissaient. Les brûlures réveillèrent leur conscience.

— *Shaa !* déclara soudain le grand Jean.

Le soleil, traduisit Izzy dans un souffle.

Les hommes regardèrent Jean et levèrent la tête vers la lumière. Un autre homme cria

— *Regardez le ciel ! Le ciel est beau !*

C'était Ezra qui restait étendu pendant des heures face au mur de sa cellule, chantonnant doucement.

— *Khee-rroo-taa*, dit un autre. *Liberté*.

Ce fut le signal. Des murmures accueillirent ces paroles. Leurs visages se détendirent. Leurs fronts se plissèrent, leurs bouches s'arrondirent, leurs narines s'ouvrirent, testant l'air. Leurs yeux s'éveillèrent. On pouvait deviner les rouages qui s'ébranlaient lentement dans leur tête.

— Je suis mort, déclara l'un d'eux.

— Sommes-nous à Rome ? demanda un autre.

Nathan Lee avait réfléchi à ceci. Les sandales qu'ils portaient pouvaient effectivement faire penser à Rome.

Un des hommes sans nom et silencieux, prit soudain la parole. De taille moyenne, il avait des yeux vifs et un teint olivâtre.

— Égypte, affirma-t-il.

— Non, dit Matthieu. Je suis allé en Égypte et ce n'est pas comme ici.

L'homme sans nom répondit par une longue tirade trop compliquée pour le niveau d'araméen de Nathan Lee. Il n'en comprit pas un mot. Izzy écoutait avec attention. Quoi qu'il ait dit, cela donna à réfléchir aux autres, dont l'optimisme se refroidit brusquement. Les visages s'assombrirent.

Nathan Lee fit un signe en direction des caméras. La porte en acier s'ouvrit derrière eux et un chariot fut poussé dans la cour. Puis la porte se referma. Sur le chariot, se trouvait un agneau rôti à la broche par un des hommes du Capitaine.

Ce repas représentait plus qu'une façon de briser la glace. Il sortait directement du sac de ruses anthropologiques de Nathan Lee. Il appelait cela la Table Commune. En regardant les gens manger ensemble, la place qu'ils choisissaient, comment ils partageaient, vous obteniez la hiérarchie de la tribu.

Les hommes fixèrent l'agneau d'un œil soupçonneux. Mais l'odeur de la viande ne tarda pas à balayer leurs derniers doutes.

— Pourquoi ? demanda l'un d'eux.

— Ils nous nourrissent, répondit un autre.

Un petit groupe se détacha pour aller examiner la nourriture de plus près.

Izzy se rapprocha de Nathan Lee.

— Qu'a-t-il raconté ? chuchota ce dernier.

— Je n'en suis pas sûr. Il a dit qu'ils avaient été sortis de Jordanie et emmenés en Égypte. Dans la fournaise de fer où le ciel est de bronze.

— Qu'est-ce que ça veut dire ? Il faisait peut-être allusion aux murs en acier de leurs cellules.

— Aucune idée. Veux-tu que je le lui demande ?

— Trop tôt. Garde les oreilles ouvertes. On dirait que le festin va commencer.

Après quelques discussions, les hommes décidèrent de transporter la nourriture près du feu. Certains se chargèrent de l'agneau, tandis que les autres trimballaient les cruches d'eau en plastique et le reste de la nourriture glissée sous le chariot. Ils ranimèrent le feu avec les bûches que les gardes avaient laissées et s'assirent en formant un grand cercle.

La nourriture les rapprocha. Nathan Lee avait déniché de grands pots d'olives et des sacs de dattes sèches. Une des boulangeries avait fourni le pain qui fumait encore. Bientôt, tous arrachaient des morceaux d'agneau à la main.

Le repas dura des heures.

Le ciel et la nourriture firent des miracles. L'estomac plein, les clones commencèrent à parler, tranquillement d'abord, puis avec plus de clarté et d'excitation. Deux mille ans plus tôt, ils ne se seraient probablement jamais rencontrés. Au Ier siècle, Jérusalem comptait déjà quelque cinquante mille habitants. Et au moment des fêtes religieuses, des milliers d'autres franchissaient les portes en provenance de tout le pays. Aujourd'hui, leur seul point commun était Jérusalem. Et leur captivité.

Quelques clones se levèrent pour marcher et digérer. Les caméras pivotaient pour les suivre. Les plus fatigués posèrent la tête sur leurs bras et firent une petite sieste sous l'arbre.

La vue d'autres visages humains et le son de leur propre langue les firent renaître avec une étonnante facilité. Les inconsolables, qui hurlaient la nuit, semblaient apaisés. Certains se promenaient, main dans la main, sous le soleil. D'autres discutaient de cousins depuis longtemps disparus. Izzy écoutait. Les larmes coulaient sur les joues de Matthieu et de quelques autres. Ezra et Jacob n'arrêtaient pas de rire, acclamant Dieu au ciel.

Assis sur ses talons, Nathan Lee se laissait bercer par le rythme de la cour. Plusieurs clones avaient entrepris d'arpenter agressivement le périmètre dans le sens des aiguilles d'une montre, leurs sandales frappant l'asphalte. Un homme se plaçait devant chacun des murs et criait son nom en se frappant la poitrine. Deux autres, des philosophes ou des *magi* peut-être, se lancèrent dans une grande discussion sur la signification des marques blanches sur le goudron du parking.

Le fugitif surtout retenait toute son attention. Déambulant tranquillement le long des murs, à l'écart des autres, il ne manifestait aucune impatience et Nathan Lee devina qu'il planifiait déjà sa prochaine évasion.

Maintenant qu'ils étaient réunis, les clones se différenciaient plus facilement. Dans les cellules, seules leurs manies comportementales permettaient de les distinguer. Ici, en plein jour, leurs caractéristiques physiques ressortaient clairement, révélant les individus qu'ils avaient été et dont les cadavres – pour une raison ou pour une autre – avaient fini sous les remparts de la vieille ville de Jérusalem. Grands, trapus, extravertis ou solitaires méfiants, leurs attitudes et leur façon de s'exprimer trahissaient leur passé et leurs activités : tyran, sorcier, marchand, berger, esclave ou paysan. Issus de milieux et de régions bien différents, ils avaient pourtant tous échoué sur le Golgotha.

Tous ne se joignirent pas à la fête. Un pauvre type, dans un coin, criait par-dessus son épaule, possédé. Un autre manifesta soudain le besoin de se masturber en public et fut chassé par de véhémentes protestations. Mais à part ces quelques inadaptés, tous semblaient à peu près sains d'esprit et faisaient preuve d'une dignité assez exceptionnelle compte tenu des cruautés qu'ils avaient subies.

Un cri jaillit soudain et deux clones s'embrassèrent en parlant avec animation. Izzy resta près d'eux un moment avant de revenir s'accroupir près de Nathan Lee. Apparemment, l'un des deux hommes était l'arrière-grand-père de l'autre. Morts à quatre-vingt-dix ans d'écart, ils se ressemblaient comme deux gouttes d'eau, tous les deux âgés aujourd'hui de vingt-cinq ans, avec un nez de faucon et des cheveux noirs et crépus. Ils se touchaient mutuellement le visage.

Un autre cri. Izzy tendit l'oreille. Deux hommes avaient été crucifiés ensemble, dos à dos. Ils n'avaient jamais vu leur visage, mais reconnaissaient leur voix. Avec une incrédulité grandissante, chacun palpa les membres de l'autre, touchant les traces des coups de fouet et les fractures, vestiges de leurs derniers jours ensemble. En pleurant, l'un des deux raconta à l'autre son dernier souffle et lui confia que cela avait été comme assister à la mort de son propre enfant.

L'après-midi fut ponctué de nouvelles découvertes. Ils reconstituaient leurs liens familiaux et se souvenaient de villages voisins et de commerces partagés. Sous les yeux de Nathan Lee, ils redevenaient un peuple, uni par leurs mondes perdus au cœur de cet étrange paradis ou enfer.

Comme un oiseau de proie, Izzy volait de l'un à l'autre avant de revenir se poser près de Nathan Lee avec sa nouvelle cueillette d'histoires.

— C'est trop, c'est trop, ne cessait-il de répéter. Je ne peux pas tout écouter. Ils me donnent la migraine.

Trois hommes s'approchèrent de Nathan Lee et lui demandèrent qui il était.

— Nathaniel, répondit-il.

— Où est ton village ?

— *Gurrr-byaa-td'oo-rraa-n'e. Au nord, dans les montagnes.*

Ils avaient convenu avec Izzy que c'était le meilleur choix pour lui. Un péquenot du fin fond du pays araméen.

L'un d'eux lui posa une question sur Jérusalem. Au hasard, Nathan Lee répondit « *saa-paarr-chee* ». Il avait été un voyageur. Sa réponse parut les satisfaire et ils reprirent leur ronde pour interroger d'autres prisonniers. Il comprit qu'ils se constituaient une base de données. Ils s'organisaient.

Quant à lui, il s'imprégnait des mots, saisissait la cadence, élargissait sa compréhension. L'araméen – chargé en consonnes, très guttural, très macho – n'était pas une belle langue. En s'aidant de leurs attitudes corporelles, Nathan Lee réussit à saisir l'essentiel de certaines conversations.

Un sujet les fascinait plus particulièrement : leurs nouvelles enveloppes charnelles. Ils en parlaient comme s'il s'agissait d'animaux exotiques. Qu'ils soient morts à dix-sept ou soixante-dix ans n'avait aucune importance. Miranda les avait ressuscités avec le physique de leur jeunesse. Leurs corps avaient métaboliquement vingt-cinq ans… et étaient vierges de leurs précédents défauts.

La plupart s'en estimaient satisfaits. Des esclaves habitués au tatouage de leur propriétaire semblaient perdus sans cette marque incrustée dans leur chair. Ceux qui avaient eu les os brisés ou avaient été handicapés étaient sidérés de se retrouver entiers. De même que les guerriers qui avaient perdu un bras ou une jambe. Disparues aussi les maladies de peau, la goutte ou l'arthrite. Le jury semblait partagé. La résurrection était difficile, mais avait du bon.

— Je n'étais pas aussi grand, s'émerveillait l'un.

— Je ressemble à un homme riche, rigolait un autre en tapotant la graisse de son ventre.

Ils ouvraient leur peignoir et comparaient leurs cicatrices ou constataient l'absence d'une tache de naissance. Par contre, leurs parties génitales les dégoûtaient et Nathan Lee finit par comprendre qu'ils étaient choqués de se découvrir non circoncis.

— Qui a dit que la vie serait facile ? déclara un gros homme.

— Pourquoi sommes-nous ici ?

— Quand ma famille me rejoindra-t-elle ?

Ils étaient intenables. Le parking avait été balayé, mais ils trouvèrent toutes sortes d'objets étranges : un bouchon de bouteille, une paire de lunettes de soleil oubliée par un chercheur, des bouts de câbles, des clous et quelques dollars en petite monnaie. Les pièces furent examinées et commentées avec grand intérêt.

Quand le soleil descendit, la température se rafraîchit et ils ajoutèrent des bûches dans le feu. L'un des hommes cassa une branche d'aiguilles vertes et la jeta dans les flammes. Une fumée âcre s'éleva. Alors, les hommes se rassemblèrent en récitant des prières et passèrent leurs mains dans la fumée, la ramenant vers leur visage et dans leurs poumons dans un geste universel.

Un groupe se forma qui s'agenouilla et se prosterna, leur front touchant le sol.

— Comment est-ce possible ? chuchota Nathan Lee à Izzy.

— Mahomet n'a vu le jour que cinq siècles plus tard.

— De qui crois-tu que les musulmans se sont inspirés ? demanda Izzy. Des premiers chrétiens. Tu les entends ?

— *Abwoon d'bwashmaya*, chantaient-ils tous ensemble. *Nethqadash shmakh, teytey makuthakh.*

— *Notre père qui êtes aux cieux, que Ton nom soit sanctifié, que Ton règne vienne*, traduisit Izzy.

Ses yeux brillaient.

— Le Notre Père. Jésus lui-même ne l'aurait pas mieux dit.

Les yeux de Nathan Lee se tournèrent aussitôt vers les caméras toutes braquées sur le groupe des premiers chrétiens. Les autres clones, pour l'essentiel, les ignoraient. Pour eux, ce devait ressembler à quelque culte New Age. Seuls deux d'entre eux les observaient : celui qui affirmait être en Égypte et dont les yeux s'étaient plissés, songeurs, et le fugitif qui se tenait à l'écart comme s'il venait d'être jeté dans la fosse aux lions.

24.

L'heure de l'Année zéro

Septembre

Dans une autre vie, Job avait été berger à Hébron. Aujourd'hui, il grimpait dans les arbres. Nathan Lee n'avait jamais vu un homme, ou un gamin, aimer autant crapahuter dans les branches. Probablement qu'il n'y avait pas d'arbres aussi beaux à Hébron. Et quand il n'était pas en train de monter ou descendre de l'arbre, Job le surveillait à distance. Comme aucun des autres clones n'avait l'air de trouver cela bizarre, Nathan Lee n'y accorda pas grande attention.

Puis, un matin, il aperçut un geai bleu qui se débattait en haut de l'arbre dans ce qui ressemblait à une grande toile d'araignée pratiquement invisible. Vif comme un singe, Job s'élança et grimpa très vite le long du tronc. En fait, il s'avéra que la toile d'araignée était un filet qu'il avait confectionné avec des fils de son peignoir. Après avoir doucement dégagé l'oiseau affolé, Job redescendit près du feu.

Mais cette fois, les clones avaient remarqué la capture et se rassemblèrent autour de lui. Il y eut quelques discussions sur la couleur et la taille de l'oiseau et pour savoir s'il faisait l'affaire. Puis Lazare prit l'oiseau et d'un mouvement du poignet, lui tordit le cou. Ensuite, il écarta largement ses ailes et coucha l'oiseau sur le feu.

Nathan Lee crut qu'ils voulaient le manger. Mais les hommes se mirent à se balancer et à marmonner. Un chantre entonna une prière. Les chrétiens se rassemblèrent et se prosternèrent comme des musulmans. Après s'être mis en file indienne, des clones défilèrent devant le feu. Ils tendaient de petites amulettes dans la fumée ou passaient leurs doigts dans la chaleur avant de les porter à leur front, leurs yeux ou leur cœur. D'autres observaient d'un œil clinique en commentant les différentes étapes de l'incinération.

Ce fut le premier sacrifice par le feu.

Los Alamos observait les clones avec émerveillement.

Avec la peste, la ville avait déjà accumulé un véritable trésor d'objets inestimables. Un des chercheurs japonais avait apporté l'original des *Tournesols* de Van Gogh. On ne comptait plus les œuvres de Charles Russell ou Frederic Remington. Il y avait également deux Paul Klee, une tour en ivoire sculpté de la période Ming sur laquelle les dragons étaient si minuscules qu'il fallait une loupe pour les distinguer, des collections de pièces de monnaie, des livres originaux dédicacés, des lettres écrites par des présidents, des masques africains, plusieurs morceaux de météorites martiennes, un crâne de tricératops, et beaucoup d'autres merveilles.

Leur petit refuge sur la colline avait attiré à lui les objets précieux comme un aimant. L'approvisionnement ne manquait pas : les soldats avaient pillé les musées, les maires des villes de la vallée avaient échangé les richesses de leur commune contre de la nourriture, les arrivants de la onzième heure, comme Nathan Lee s'étaient présentés à la grille avec des trésors ou des talents inédits pour gagner leur droit d'entrée : des danseurs du Bolchoï, les *Cowboy Junkies* qui avaient réussi à franchir la grille après que leur chanteuse, une beauté canadienne du nom de Margot, ait envoûté les gardes en interprétant, *a cappella*, *La maison du Soleil Levant*. Et la liste ne s'arrêtait pas là : pianistes, peintres, acteurs d'Hollywood et écrivains se trouvaient maintenant hébergés ici, chantant pour payer leurs repas. Les petites filles apprenaient à exécuter des arabesques avec les plus grandes ballerines. La ville pouvait s'offrir des opéras, des expositions et des concerts de niveau mondial.

Mais rien de tout cela ne pouvait être comparé aux clones. La fascination que la population éprouvait devant eux dépassait le cadre de sa soif de bonnes nouvelles ou de divertissements. Las de surfer sur le Net pour assister en direct à la désagrégation du monde qu'ils avaient contribué à édifier, ils retrouvaient dans les voyageurs du temps un monde perdu. Étrange et pourtant vaguement familier.

Tout avait commencé avec une vidéo de la prière du Notre Père, piratée par un garde. Des copies de la cassette n'avaient pas tardé à circuler, de main en main et d'un ordinateur à l'autre, et Nathan Lee avait été bien trop occupé pour prêter attention à l'excitation grandissante qu'elle suscitait. Pressentant quelque chose d'extraordinaire, le Bureau des affaires publiques avait pris les choses en mains. Une nuit, deux semaines après leur première sortie au soleil, les clones passèrent en direct à l'heure de pointe sur la chaîne câblée de la ville. L'émission fut baptisée « L'Heure de l'Année Zéro » et Nathan Lee fut sidéré de découvrir ses garçons sur le petit écran, célèbres malgré eux.

Au début, l'émission se résumait à une heure de plans saccadés, retouchés et sous-titrés en anglais. Les séquences en noir et blanc avaient la qualité d'enregistrement d'une caméra de sécurité dans un supermarché. Mais la retransmission s'améliora grandement quand un célèbre metteur en scène hollywoodien hébergé à Los Alamos proposa ses services. Des appareils plus perfectionnés et de nouveaux micros furent alors installés sur le parking et une bande-son ajoutée en début et fin d'émission. Mais la sophistication s'arrêta là. Pas de commentateur pour guider le téléspectateur, aucune transition pour relier les vues, aucun fil à suivre. Simplement les clones discutant dans une langue morte, assis autour du feu, ou se promenant sur le parking.

Chacun d'eux croyait en un dieu et avait apporté avec lui ses rituels. À côté des sacrifices par le feu, ils commencèrent à confectionner des amulettes, des gris-gris ou des chapelets, à nouer des ficelles rouges autour de leurs poignets ou de leur cou ou à se faire des tatouages sur le visage ou les bras avec un clou et des cendres.

Izzy suggéra de mettre à leur disposition diverses matières premières et les clones ne tardèrent pas à fabriquer des sandales ou des cordes tressées, à remettre les lyres à la mode, à jouer de la flûte, à cuisiner, à organiser un petit bazar, à façonner des bijoux ou à dessiner des graffitis sur les murs. Jean le Second, comme ils avaient surnommé le plus trapu des deux Jean, s'avéra être un remarquable artiste qui passait ses journées à peindre un immense bateau de pêche sur un des murs.

— Qu'avez-vous déclenché ? demanda Miranda à Nathan Lee.

Ils se trouvaient dans la salle des archives Nécro à une heure tardive de la nuit. Miranda avait pris l'habitude d'y venir de plus en plus souvent. *Toc, Toc*, disait-elle en arrivant, généralement aux alentours de minuit, une fois les couloirs déserts et le laboratoire tranquille.

Nathan Lee, quant à lui, y mangeait et y dormait pour gagner du temps. Quatre semaines s'étaient écoulées qui lui paraissaient quatre mois. Il n'avait jamais eu l'intention de s'investir autant dans la vie des clones. Ce ne devait être qu'une façon de passer le temps en attendant Ochs et en préparant son départ. Rien de plus.

Il s'efforçait pourtant de rester fidèle à Grace. Un des techniciens avait redonné une seconde vie à sa photo délavée qu'il conservait sur une étagère comme un rappel quotidien. Mais l'amélioration de la photo avait légèrement déformé les traits de sa fille qu'il ne reconnaissait plus vraiment et son souvenir s'effaçait inexorablement.

Jour après jour pourtant, il s'impliquait plus avant dans le monde de l'Année Zéro. Bien après minuit, il revoyait ses notes et visualisait les cassettes, traçant des diagrammes de parenté, tissant les fils des histoires de ces hommes, cherchant des indices. Un peu avant l'aube, Izzy le rejoignait et ils décidaient ensemble de la stratégie de la journée à venir.

Miranda vivait maintenant essentiellement dans ce bâtiment elle aussi. Le virus avait de nouveau muté. Après être monté en régime au cours des deux dernières années, frappant les populations avec la puissance d'un tir de roquettes, la dernière souche semblait agir plus lentement. Les symptômes habituels de transparence de la peau et d'amnésie précoce ne se manifestaient qu'au bout d'une semaine et la disparition progressive des fonctions neurologiques pouvait s'étaler sur un mois. Un bon et un mauvais signe à la fois. Bon parce que le virus donnait l'impression de s'épuiser – même si personne n'y croyait vraiment. Mauvais parce qu'il commençait à se comporter comme un virus normal, ce qui suggérait le début d'une co-évolution.

— Il veut danser, lui dit Miranda. Comme tous les parasites, il recherche un partenaire pour partager son voyage, un hôte pour co-évoluer avec lui. L'homme et le Corfou ne forment pas vraiment un couple idéal. Nous devons continuer nos recherches.

Des bruits couraient que Miranda avait trouvé quelque chose. Personne ne savait quoi et elle n'en parlait jamais lors de ses visites.

Nathan Lee se montrait particulièrement prudent avec elle, s'assurant que la porte restait ouverte quand ils étaient ensemble, restant à distance respectable. Pas de bises amicales ou de gestes affectueux. Les amourettes ne manquaient pas autour d'eux et les mauvaises langues s'en donnaient à cœur joie. Miranda méritait mieux que cela. Elle n'était qu'une enfant et il se sentait l'âme d'un vieillard à côté d'elle. Alors, il se dominait. Platon aurait été fier de lui.

Ils étaient assis face à face, presque genoux contre genoux, mais pas tout à fait, Nathan Lee, hâlé par le soleil, et elle, très pâle. Sur une table, trois écrans vidéo retransmettaient les cassettes du jour enregistrées à partir des différentes caméras. Le son avait été coupé.

— Sont-ils en train de parier ? demanda Miranda.

— Jeu de hasard. C'est de circonstance, vous ne croyez pas ?

Elle indiqua un autre écran montrant Job accroupi près de ses prises du jour, un moineau aux ailes attachées et un écureuil dans une cage fabriquée avec des bandes d'écorce de pin.

— Il les vend, expliqua Nathan Lee. Comme dans un souk.

Il monta le son pour lui permettre d'entendre les marchandages.

— Des sandales ? Des pommes de pin ? s'étonna-t-elle. Des statues de femmes ?

— Ou des fétiches fabriqués avec de la mie de pain. Ils sont très créatifs. Ils utilisent tout ce qui leur tombe sous la main. Et ils adorent le troc. Ils attaquent dès qu'ils mettent un pied dehors. Toute la journée, ils échangent et marchandent. Leur façon à eux d'être ensemble. Vous avez devant vous un village en formation. Vous voyez cet homme ? C'est un diseur de bonne aventure. Et celui-ci ? Il fabrique des bracelets à partir de fils de couleur et de morceaux de tendons d'agneau. Et lui ? Un déboucheur d'oreilles professionnel.

— Vous plaisantez ?

L'homme, accroupi à côté de son client, maniait une tige de fer avec la concentration d'un neurochirurgien.

— Vous n'avez jamais voyagé dans le tiers-monde ?

— Que fait celui-ci ? demanda-t-elle en montrant un homme qui marchait en tenant un morceau de tissu plié contre son front.

— Remède contre la migraine. Un tissu magique. Un de ses amis a jeté un sort dessus. Ça a l'air de fonctionner.

Nathan Lee coupa le son et Miranda se détourna des écrans.

— Cavendish a appelé, annonça-t-elle. Il est sur le sentier de la guerre.

Nathan Lee se tendit. Ochs avait Cavendish. Lui avait Miranda. Des allégeances clairement établies.

— Pourquoi ?

— Il veut savoir où vous voulez en venir avec tout ceci ?

Elle montra les écrans.

— Je lui ai dit que vous cherchiez à obtenir des informations. Vous allez devoir poser des questions aux clones. Les interroger sur la peste.

— Cela viendra. Chaque chose en son temps.

— Cavendish raconte que ce n'est qu'un canular. Il veut vous arrêter. Il a rédigé un ordre de déportation à votre nom.

— Quoi ?

Nathan Lee fut si surpris que le crayon lui échappa des mains. *C'était fini. Juste comme ça ?* Mais il n'avait pas encore obtenu de réponses. À qui la faute ? Il s'était laissé distraire par cette autre réalité qu'il avait lui-même créée. Les clones ne le concernaient pas. Ils vivaient leurs vies. Lui aurait dû vivre la sienne et passer chaque minute de son temps à traquer son ennemi.

— Ochs, dit-il.

Tout n'était peut-être pas perdu. Il pouvait encore se cacher dans un canyon ou dans la forêt. Un jour ou l'autre, Ochs serait bien obligé de se montrer. Mais Nathan Lee savait que c'était futile. Les mesures de sécurité étaient draconiennes.

— Ochs ? Oh, je suis certaine qu'il a dû distiller son poison à votre sujet. Mais Cavendish a ses propres raisons pour souhaiter votre départ. Vous représentez une menace pour lui.

— Une menace ? En quoi suis-je menaçant pour Cavendish ?

Il ne l'avait même jamais rencontré. Selon certains, la réclusion grandissante du Directeur s'expliquait soit par une maladie qui le défigurait en plus de son handicap physique, soit par une ruse pour renforcer son omniprésence ; l'impression qu'il donnait d'être partout et nulle part à la fois à tout moment de la journée. Miranda qualifiait cela de paranoïa. Quoi qu'il en soit, Cavendish s'était depuis longtemps éloigné de la compagnie des hommes. Un peu comme les quarks des physiciens, ou quel que soit le nom qu'ils donnaient à leurs particules subatomiques. La théorie du chaos, mais sans la théorie.

— Il est persuadé que j'essaye de prendre sa place, expliqua Miranda. Grâce à vous.

— C'est ridicule !

— Non, il a parfaitement raison.

Miranda sourit.

— Je me sers de vous. N'ayez pas l'air aussi choqué. Vous m'utilisez également. C'est comme cela que ça marche, non ? Un grand cercle vicieux.

— Comme arme, il y a mieux. Pourquoi Cavendish s'inquiète-t-il ?

— La ville se rassemble. Une ville fantôme. Une confédération. J'ai rencontré certains des directeurs de laboratoire et eux aussi ont remarqué les changements. Les statistiques mensuelles sont arrivées. De moins en moins de gens prennent des arrêts maladie. De nouvelles expériences sont lancées. Les overdoses de drogues ont diminué. Le moral remonte, comme si l'obscurité se déchirait.

— Qu'est-ce que j'ai à voir avec ça ?

— Personne ne peut l'expliquer vraiment, mais d'une façon ou d'une autre, c'est lié à cette histoire d'Année Zéro. Le travail pendant la journée, les sacrifices d'animaux la nuit. Les gens sont collés devant leurs écrans. Ils se sentent concernés. Non, ce n'est pas le terme. Ensorcelés. Et vous ai-je dit que les expériences humaines étaient réduites au minimum ?

— Et vous croyez les clones responsables de cet état de fait ?

— En partie. Cette vague de modification des comportements a débuté avec le parking.

— Difficile à croire, dit-il.

Mais il le sentait lui aussi. La petite tribu de clones avait vaincu la mort. Ils avaient survécu à l'apocalypse et joint les mains. Le paradis.

— Toute la ville vit à l'heure des clones. Les professeurs d'histoire et de géographie utilisent les cassettes pour enseigner aux enfants les frontières et les coutumes de la Palestine au Ier siècle. Certaines salles de classe ont adopté des clones pour effectuer des recherches et écrire leurs biographies. Dans les cantines ou dans les bars, on ne parle que des dernières révélations. Les églises récitent le Notre Père.

— Du pain et des jeux, dit-il avec un signe de la main.

— Ne voyez-vous pas ? Vous représentez une menace pour le vaccin. C'est ce que pense Cavendish.

— Il ne s'agit que d'un show télévisé. Le dernier cri en matière de *téléréalité*.

— Non. Cavendish a raison. Vous avez fait d'eux des êtres humains.

— Ils l'ont toujours été.

— Mais nous ne le savions pas. C'était la différence. Deux laboratoires ont déjà suspendu leurs expériences à cause de vous. D'autres en parlent. Cavendish comprend. Ils s'écartent de la méthodologie. Ils s'éloignent du précipice.

— Des expériences humaines ? Cela fait partie de la culture. Les gens ont signé un pacte avec le Diable il y a longtemps.

— Ce qui explique pourquoi c'est si dangereux. Cavendish est le Diable. Tout a commencé avec lui.

— C'est faux. Cela fait partie de Los Alamos. J'ai entendu parler des débuts à l'époque de la bombe. Dans les années cinquante, des milliers de bébés morts étaient envoyés ici de tous les coins du monde pour étudier l'étendue des retombées radioactives. Les chercheurs avaient l'habitude de s'auto-injecter du plutonium. Ils en donnaient à leurs propres enfants.

— C'est terminé.

— Mais cela constitue un précédent. Difficile de faire pire.

Leurs propres enfants ?

— J'ignore si vous savez exactement ce qui se passe ici. Personne n'en parle.

— De quoi ?

— Vous souvenez-vous de votre arrivée ? demanda-t-elle. Nous marchions et la cendre a commencé à tomber. Vous avez plaisanté au sujet de la neige en juillet.

Elle avait appelé cela des *déchets intellectuels*. Brusquement, la vérité lui apparut et il fut surpris d'avoir mis si longtemps à comprendre.

— Des cendres humaines ! dit-il.

Miranda hocha la tête.

— Des clones. Des porteurs ramassés dans les villes. Même des chercheurs infectés. Je n'ai pas les chiffres. Des milliers. Ces deux dernières années, nous avons fait tout ce qui était possible pour les écarter de notre esprit. Nous ne voulions pas devenir un nouvel Auschwitz. Vous comprenez maintenant ? Vous avez changé la donne. Les méthodes de Cavendish ne sont plus appliquées. Il perd du temps.

— Nous perdons tous du temps. Je ne fais que vous aider à le passer.

— C'est ce que j'ai cru aussi, au début. Comme vous l'avez fait remarquer, ce n'est que de la télévision. Mais les choses ont évolué. Les gens attendent quelque chose. Une réponse que le parking détient et que vous allez leur fournir.

Il pouvait répondre de différentes façons. Il choisit la simplicité.

— Des indices pour vaincre l'épidémie ? Je n'y croirais pas trop à leur place. Je continue de chercher, mais rien n'est moins sûr.

— Les clones n'ont rien à nous apprendre sur la peste et vous le savez.

Nathan Lee rejeta la tête en arrière. Il le savait, ou du moins, il le pressentait. Aucun des clones n'avait souvenir d'une épidémie de peste deux mille ans plus tôt. Quant à leurs analyses sanguines, si elles semblaient indiquer un contact avec une forme primitive du Corfou, il s'agissait de toute évidence d'une souche dérivée bénigne. Le produit contenu dans la relique de Corfou ne provenait pas de la Terre sainte. Les chercheurs avaient visé la bonne époque, mais pas le bon endroit. Le Golgotha ne détenait pas la réponse.

— Que va-t-il se passer maintenant ? demanda-t-il.

Ouvre les yeux, se dit-il. Cavendish a parlé. La sentence est tombée. Mais où aller à partir d'ici ? Toutes les routes conduisaient à Los Alamos. Il se sentit hors course, déboussolé, en perte d'élan.

— J'ai bloqué l'ordre de déportation, répondit Miranda en haussant les épaules.

Il respira.

— Vous pouvez faire cela ?

— Le spectacle continue. J'ai besoin de vous.

— Vous voulez prolonger l'expérience avec les clones ? Mais vous venez de dire qu'il s'agissait d'une voie sans issue.

— Comme Los Alamos si vous regardez sur une carte. Mais cela reste quand même notre dernier et meilleur espoir. Et vous contribuez à maintenir la cohésion, dehors à la lumière du jour.

Dehors, comprit-il soudain. *À la lumière du jour. Loin des ténèbres du monde souterrain de son père*. Voilà à quoi il servait. Elle ne se battait pas contre Cavendish, mais contre son propre père.

Les clones prenaient des forces. Leur graisse de bébé avait fondu et ils étaient impatients de tester leurs muscles. Des courses à pied s'organisèrent, des compétitions de lutte sur l'asphalte qui les laissaient couverts de bleus et de sang, mais heureux.

L'automne arriva et avec lui, la fraîcheur. Le feu devint le point central. Chaque nuit, les hommes du Capitaine stockaient du bois sur le parking. Chaque matin, les prisonniers trouvaient le feu allumé et reprenaient là où ils avaient laissé la veille.

Au cours de la quatrième semaine, Nathan Lee modifia son personnage. Son araméen s'améliorait. Il restait le péquenot des montagnes, mais il devint leur scribe. Tel un magicien, il apporta du papier et un stylo. À travers lui, ils crurent qu'ils pouvaient communiquer avec leur famille et leur village. Le fait que Nathan Lee écrivait les lettres dans sa propre langue, utilisant son propre alphabet, n'était pas plus étrange que l'encre inépuisable de ses crayons.

Les clones déversaient maintenant sur lui leurs pensées les plus intimes. Izzy traduisait, Nathan Lee écrivait et les caméras enregistraient.

Ils vivaient résolument dans le présent. Ils savaient qu'ils étaient morts, mais pour eux, il n'y avait pas plus d'un an ou deux de cela. Leur famille leur manquait. Ils voulaient avoir des nouvelles des récoltes, de leurs troupeaux et de leurs enfants. Ceux qui avaient été tués lors de la destruction de Jérusalem s'inquiétaient du sort de leurs proches.

« Soyez forts, dictaient-ils à Nathan Lee. Nous serons bientôt réunis. »

Tous essayaient de décrire ce monde étrange de l'au-delà qu'ils appelaient *Sheol, Tophet* ou *Gehenna*… Pour eux, il s'agissait d'un lieu de punition, mais également de récompenses progressives. Ils insistaient sur les récompenses. Le ciel y était très bleu, s'émerveillaient-ils. Les agneaux gras et ils respiraient le doux parfum d'une forêt derrière les murs. Un jour, ces murs tomberaient, ils en étaient certains. Tout irait de mieux en mieux. Ceux qu'ils aimaient ne tarderaient pas à les rejoindre.

25.

Le cheval

Octobre

17 °C, annonça Nathan Lee à la petite fille alors qu'ils roulaient vers l'est sur la Jemez road. Vent ouest-sud-ouest de force 1. Ciel dégagé.

Il commença à chanter.

— J'étais au volant de ma voiture, mon bébé à côté de moi…

Tara souriait. Elle n'avait aucune idée de ce qu'il racontait, mais il semblait heureux de sa compagnie et il lui appartenait pour la journée. Il tourna à gauche en direction du vieux *Neutron Science Center*. L'endroit, désaffecté depuis des années, servait maintenant de résidence à un contingent de soldats des Forces Spéciales. Là, l'appaloosa vivait très confortablement.

Les soldats d'élite l'avaient adoptée et lui avaient construit un box au milieu des pins. Elle représentait l'Ouest sauvage pour eux qui avaient grandi dans des villes ou des banlieues et n'étaient jamais montés sur un cheval avant que Nathan Lee ne la conduise jusqu'ici.

Pour elle, le médecin de l'équipe s'était plongé dans la médecine vétérinaire. Les spécialistes des armes à feu l'étrillaient et lui avaient installé une baignoire en émail pour qu'elle ait toujours de l'eau fraîche. Ils avaient appris quelles fétuques elle aimait, entassé les bottes de foin pour l'hiver et – avant que la vallée ne soit déclarée hors limites et que les déplacements au-delà du Rio soient interdits – avaient acheté aux fermiers de Taos assez de sacs d'avoine pour nourrir une cavalerie. Ils balayaient régulièrement le champ et tuaient les serpents, dormant à tour de rôle dans une tente près de l'écurie pour décourager les coyotes. En riant, ils avaient prévenu Nathan Lee qu'il allait devoir se battre pour la leur reprendre. En riant, celui-ci avait répondu qu'ils ne se rendraient même pas compte qu'elle était partie la nuit où il quitterait la mesa avec elle. Les soldats avaient aimé la réponse. Dans leur esprit, personne ne quitterait jamais Los Alamos, sauf s'ils trouvaient un vaccin contre la peste ou si le Jour mythique de l'Évacuation finissait par arriver.

Pour Nathan Lee, l'appaloosa représentait une promesse faite à lui-même. Son seul lien avec sa vie d'antan. Il venait la voir de temps en temps, généralement après une nuit peuplée de cauchemars. D'une façon ou d'une autre, ses mauvais rêves avaient toujours un rapport avec sa fille et il se réveillait en nage et le cœur battant. Mais ces cauchemars n'étaient pas assez forts pour triompher de ses bons rêves qui concernaient de plus en plus Miranda, l'amitié qu'ils partageaient et les liens qui se nouaient entre eux. Une séquence revenait souvent, dans laquelle ses pieds prenaient racine dans le sol de Los Alamos, ses bras devenaient des branches et il se retrouvait planté au bord d'une falaise surplombant la vallée.

Mais l'appaloosa chassait ses peurs nocturnes. Sa seule vue apaisait son sentiment de culpabilité et de trahison. Un jour, il repartirait sur son dos.

Amener Tara ici lui avait paru une bonne idée. Deux mois s'étaient écoulés depuis qu'il avait brisé sa solitude. Deux mois pendant lesquels thérapeutes et gardiens s'étaient succédé auprès de l'enfant pour l'habituer à la compagnie des humains. Le Capitaine et sa femme souhaitaient la prendre avec eux, mais Tara n'était pas encore prête. Elle demeurait une enfant sauvage. Ses premières sorties dans Los Alamos s'étaient soldées par de petits désastres : une crise de colère sur le marché, des hurlements sur l'aire de jeux, un nouvel incident avec ses matières fécales et d'autres écarts de conduite du même type de retour dans sa cellule. Pour Nathan Lee, son comportement n'était que la conséquence de sa captivité depuis sa naissance. Les gens ne cessaient de faire allusion à son origine Neandertal comme s'il s'agissait d'une tare qui expliquait tout, ce qui l'agaçait prodigieusement. Mais il n'en demeurait pas moins qu'au moment de ses crises, Tara devenait une petite brute dangereuse et qu'elle n'avait pas encore sa place parmi les autres enfants et ne l'aurait peut-être jamais.

Alors, il avait décidé de l'emmener voir le cheval. Il aurait bien amené le cheval à elle, mais elle n'avait jamais été autorisée à sortir sur le parking. D'abord parce que les clones s'y trouvaient et que les thérapeutes – et l'instinct de Nathan Lee – refusaient de mettre l'enfant en présence des hommes de l'Année Zéro. Ces derniers pouvaient très bien la traiter en petite sœur, mais ils restaient eux-mêmes des hommes blessés. Au mieux, l'arrivée de la fillette réveillerait leur désir de voir leur famille. Au pire, nul ne pouvait prédire ce qui se passerait. Il ne fallait pas oublier qu'ils avaient tous péri crucifiés. Et Nathan Lee ignorait toujours l'étendue de leurs crimes.

La visite de Tara avait été organisée à l'avance. Le camp des Forces Spéciales occupait quelques hectares de terrain à l'est des bâtiments abandonnés et, en prévision de sa venue, les soldats avaient attaché l'appaloosa au milieu de nulle part, loin de toute présence humaine.

Nathan Lee et Tara prirent leur temps pour traverser le champ de terre brune et chaude. L'enfant s'arrêtait sans cesse, fascinée par les sauterelles, les coccinelles et les pierres. Nathan Lee frotta quelques brins d'armoise entre ses doigts pour lui en faire sentir l'odeur.

— Regarde ! ne cessait-elle de crier.

Il ne lui avait pas parlé du cheval. Il voulait qu'elle le découvre toute seule.

En apercevant l'appaloosa, elle se figea. La jument broutait tranquillement l'herbe sèche et sa longue queue balayait l'air à droite et à gauche. Elle était sellée et magnifique avec sa crinière bien peignée.

— On s'approche ? demanda Nathan Lee.

Tara tendit sa main, craintive comme n'importe quel enfant, ses yeux grands ouverts devant la majesté de cet animal géant. Elle serrait sa poupée Barbie contre elle.

La jument ne s'arrêta pas de brouter à leur approche, mais ses oreilles tournèrent dans leur direction.

— Touche-la, dit Nathan Lee en caressant les flancs blancs et noirs.

Tara posa le bout d'un doigt sur le ventre musclé de l'animal qui tourna la tête pour examiner cette petite créature. Tara se serra timidement contre Nathan Lee.

— Elle veut te voir, dit-il. Te sentir.

Les naseaux frémirent et soufflèrent.

— Je crois qu'elle t'aime bien.

Tara gardait le silence.

— Regarde, vous avez les mêmes cheveux.

Nathan Lee passa la main dans l'épaisse crinière blanche et la laissa retomber. Tara semblait impressionnée par l'animal.

Nathan Lee avait apporté une surprise achetée au marché de Los Alamos. Les gens avaient construit des serres au sommet des immeubles, défriché les terrains vagues dans les parcs et dans les forêts. La saison avait été inhabituellement longue cette année, et depuis des semaines, les étals débordaient de toutes sortes de légumes et de fruits : des haricots verts, des poivrons rouges ou verts, des épis de maïs, des melons, des courges, des laitues, du basilique, du thym, des oignons… et de magnifiques carottes.

— Là, dit-il.

Il donna la carotte à Tara et, ensemble, ils la présentèrent à la jument qui s'en empara délicatement de ses grosses lèvres et la croqua entre ses grandes dents. Puis elle baissa la tête pour en demander plus. Après cela, Tara n'eut plus besoin de l'aide de Nathan Lee. L'animal et l'enfant s'étaient trouvés.

— Tu veux monter dessus ?

Pour l'enfant, c'était inimaginable. Il aurait tout aussi bien pu lui proposer de voler. Nathan Lee monta d'abord sur la selle, puis il se pencha et attrapa Tara. Elle n'avait pas encore cinq ans, mais elle devait bien peser une trentaine de kilos. Et que du muscle.

Ses bras autour de l'enfant, il talonna doucement les flancs de la jument pour la faire avancer. La fillette tremblait.

— Tu veux descendre ? demanda-t-il.

— Non, répondit-elle dans un murmure.

Ils firent une promenade qui les conduisit jusqu'au bord de la mesa. Sur le chemin du retour, Nathan Lee lui montra comment tenir les rênes. Revenus à leur point de départ, il lui demanda si elle voulait continuer.

— Encore ! dit-elle dans un souffle.

Nathan Lee dessella l'appaloosa et ôta la couverture. Puis il déposa Tara sur le dos chaud de l'animal et, tenant les rênes, entraîna le cheval dans une grande balade. À la fin de la journée, il ramena le cheval jusqu'au camp des Forces Spéciales.

— Je pourrais revenir avec Tara un de ces jours ? demanda-t-il aux soldats qui les accueillirent.

Toujours sur le dos de l'animal, Tara attendait, retenant son souffle.

L'un des soldats s'approcha du cheval et le caressa.

— Ça me paraît une bonne idée. Qu'en penses-tu ? demanda-t-il en s'adressant à la jument.

Les yeux de Tara s'élargirent. Le cheval parlait ?

À ce moment-là, une mouche se posa sur les naseaux de l'animal qui secoua la tête de haut en bas pour la chasser. La réponse était évidente et la petite fille en resta bouche bée. Nathan Lee la laissa encore un moment assise sur le dos du cheval avant de reprendre le chemin du retour. Cette nuit-là, il rêva de cette belle journée.

26.

Les loups et les agneaux

Une semaine plus tard

Les hommes crucifiés parlaient peu de leur mort ou de ce qui venait après. Mais naturellement les citoyens menacés de Los Alamos brûlaient d'en apprendre le plus possible sur ce sujet et harcelaient Nathan Lee pour qu'il pose plus de questions sur la vie après la mort. Ils voulaient savoir à quoi ressemblait le « roi des épouvantements », comme disait la Bible. « Un peu de sommeil, un peu d'assoupissement, un peu croiser les mains pour dormir. » Mais Nathan Lee redoutait de demander.

Au cours de l'été, Los Alamos avait perdu le contact avec l'Amérique. Les technologies de l'information ne s'étaient pas désintégrées progressivement comme tout le monde l'avait prévu. Le crash avait été brutal et catastrophique. Un jour, ils recevaient des émissions de présentateurs terrifiés à St George, Lincoln ou Laramie. Et le lendemain, plus rien. Silence radio. Comme si l'Amérique avait brusquement plongé dans le néant comme l'Asie, l'Afrique ou l'Europe. Pourtant, Nathan Lee refusait de perdre espoir et de considérer ce silence comme une preuve de vide. Des gens – des villes, des enclaves, des tribus – se cachaient là, dehors. Et sa fille se trouvait parmi eux. La vie seule l'intéressait. Pas la mort.

Mais de temps en temps, cédant à la pression, il se lançait et interrogeait les clones sur leur mort et sur ce qui se passait ensuite, à quoi ces derniers répondaient invariablement.

— Tu le sais aussi bien que moi.

Non pas qu'ils aient oublié – il suffisait de voir leurs visages s'assombrir et leurs yeux brûler pour s'en convaincre – mais ils refusaient de se souvenir. Avec le temps, Nathan Lee comprit que mourir crucifié restait dans leur mémoire comme une terrible humiliation. Plus que leurs souffrances et leur agonie, la honte ressentie les hantait toujours. Nus, insultés, dépouillés de leur réputation, de leur nom et de leurs terres, ils avaient tout perdu et attiré la malédiction sur leur famille. Alors, le sujet demeurait tabou.

Nathan Lee s'avouait impressionné par leur dignité. Dans les lettres à leurs proches, ils parlaient de leur nouvelle vie et qualifiaient cette renaissance de grande réussite. Un nouveau départ, un nouveau pays, une opportunité. Ils se voyaient comme des pionniers, leur emprisonnement ne constituant qu'une simple étape du voyage. Il ne durerait pas. Ils agissaient comme si leurs troupeaux, leurs vergers ou leurs commerces existaient toujours dans leur ancienne vie. Certains expliquaient avec force détails à leurs femmes, à leurs enfants ou à leurs frères comment ils devaient traiter les affaires courantes en leur absence.

« Ne paye pas plus de trois shekels, expliquait l'un à son épouse. Et surtout, ne parle pas à Elias. Je ne lui ai jamais fait confiance. »

Toute la journée, Nathan Lee, assis contre l'arbre, écoutait leurs histoires et prenait des notes. Dès la cinquième semaine, il comprenait suffisamment la langue pour se passer d'Izzy pendant de longues heures. Ce qui convenait très bien à ce dernier qui adorait s'encanailler avec les clones. Le parking résonnait alors de rires, avec Izzy généralement au cœur de l'action. Ou bien, il essayait de traduire les plaisanteries pour

Nathan Lee – des histoires de pêches pour la plupart, des anecdotes racontées par un commerçant ou les frasques d'une fille de fermier, des événements vieux de deux mille ans.

Régulièrement, pour se détendre, Nathan Lee déambulait lui aussi au milieu des clones. Ce matin, Joshua, un petit homme avec de longs doigts, racontait sa participation dans une grande bataille. Mordechai, un homme laid avec de grandes oreilles, fanfaronnait comme à son habitude en expliquant comment il avait séduit la femme d'un centurion romain. Pour ceux qui écoutaient, il décrivait ses hanches rondes et ses gémissements de plaisir. Micah parlait une nouvelle fois de sa richesse, un troupeau de moutons qui, d'après lui, devait bien compter cinq cents têtes maintenant.

— Aucun d'eux n'était donc un meurtrier ou un voleur ? s'étonna Nathan Lee auprès d'Izzy.

— Tu l'as remarqué toi aussi ? Je n'ai jamais rencontré autant de patriotes, de nobles, de prisonniers politiques et de martyrs de la foi.

On se serait cru à Katmandou, un chaudron de fiction et de réalité, de disgrâce et de gloire. La préférence de Nathan Lee allait quand même aux solitaires qui se comportaient comme s'ils n'avaient aucune raison de se vanter ou d'écrire des lettres. Ils restaient près du feu, mangeaient et s'exprimaient rarement. Parmi eux, se trouvait le fugitif, Ben de son nom – celui qui aurait pourtant eu le plus à dire de l'avis de Nathan Lee puisqu'il avait entraperçu le monde extérieur.

S'évader figurait parmi les sujets de conversation les plus populaires et les yeux revenaient souvent se poser sur le haut des murs. Ignorant toujours la véritable identité de Nathan Lee et d'Izzy, les clones discutaient ouvertement de moyens de sortie et Nathan Lee découvrit que le dessin de Jean sur le mur cachait de profondes entailles qui pouvaient servir de prises pour les pieds.

Un après-midi, une petite délégation s'approcha de Ben et Nathan Lee rôda à proximité, curieux. Ils s'adressèrent à l'homme avec respect, comme à un *maal-paa-naa*, un *professeur.*

— Comment est-ce de l'autre côté du mur ? lui demandèrent-ils.

— Il y a une ville. Une ville toute de métal. Et une région sauvage, répondit-il d'un ton bourru.

— Y a-t-il de l'eau ? Des loups ?

— C'est une terre morte. Même les arbres sont morts.

— Et des villages ?

— Morts également.

— Nous nous préparons, lui confièrent-ils.

— Qu'iriez-vous faire dehors ?

— Retrouver nos maisons, bien sûr.

Il ricana.

— Aide-nous, *maal-paa-naa.*

Il leur tourna le dos et s'éloigna.

Nathan Lee mit le Capitaine au courant de ces projets d'évasion, au cas où. Il ne voulait pas que les gardes perdent les pédales.

— Il ne s'agit que de paroles, insista-t-il. Et ils me font confiance. Si quelque chose se prépare, je le saurai et nous prendrons les mesures appropriées.

Mais le Capitaine ne parut pas inquiet.

Miranda avait également eu vent de ces projets de fuite et aborda le sujet un soir, sur le toit d'Alpha Lab. C'était devenu leur nouveau lieu de rendez-vous, un endroit où partager un pique-nique avant de retourner travailler. De là-haut, assis sur une vieille couverture indienne étalée sur le gravier, ils pouvaient contempler la vallée lointaine à l'ouest et les lumières de Los Alamos de l'autre côté du pont. En général, ils apportaient tout ce qui leur tombait sous la main et ce soir, le menu se composait de pommes et de beurre de cacahuète. Ils avaient maintenant abandonné le vouvoiement.

— Et s'ils mettaient vraiment leur projet à exécution ? demanda Miranda. Tu n'étais pas là lors de l'évasion de Ben. La ville entière a paniqué. Il a failli mourir.

— Ne t'en fais pas. Rêver de liberté est une chose, s'évader en groupe en est une autre. Cela demande du temps, de la préparation et cela arrive rarement.

Il lui parla du groupe de maoïstes qui avait prévu de s'échapper de Bhadragol, sa prison de Katmandou.

— Ils complotaient, encore et encore. Cela a duré pendant des mois. Mais un plan ne sert à rien sans la foi. Il faut d'abord y croire. Ils ne sont jamais parvenus à briser leurs chaînes mentales et n'ont jamais sauté le mur. Les clones ne le feront pas non plus.

— Mais ils pourraient. Tu aimerais qu'ils le fassent.

— Cela n'arrivera pas.

— De toute façon, même s'ils réussissaient, le virus les tuerait.

— Tu as dis que leur système immunitaire avait un avantage sur le nôtre. Ils survivraient pendant trois ans.

— Mais ils seraient condamnés. Trois ans, pas un jour de plus.

— Trois ans représentent déjà beaucoup de mondes à découvrir.

Elle fronça les sourcils.

— Les lâcher au milieu d'une épidémie de peste reviendrait à leur injecter le virus. Ici, ils sont en sécurité.

— Je ne parle pas de les lâcher à l'aventure.

— Mais tu y penses, je le vois. Ce serait signer leur arrêt de mort.

— Pour eux, ce serait une nouvelle vie.

— Trois ans, répéta-t-elle. Aucun ne survivrait. Nous en avons la certitude. Leurs clones jumeaux ont été exposés au virus dans le laboratoire du Secteur Sud, il y a trois ans. Au début, nous étions plein d'espoir parce qu'ils paraissaient immunisés. Mais en fait, leur immunité ne concernait que la souche bénigne qui avait frappé en l'An Zéro. Le Corfou représente une tout autre histoire. Ils sont plus en sécurité ici.

— Pour l'instant.

— Quand nous trouverons le vaccin, ils auront une vraie vie devant eux. Trente, quarante, peut-être même cinquante années.

Nathan Lee étala du beurre de cacahuète sur un quartier

de pomme et croqua dedans, pensif. *Quand* et pas si. Comme si elle ne doutait pas un instant de découvrir un vaccin.

— Mets-toi à leur place, reprit-il. Tu choisirais ces trois ans sans hésiter. Et moi aussi.

— Si je t'offrais l'assurance de trois années de vie contre la possibilité de trente, tu prendrais les trois ?

— Hypothétiquement parlant ?

— Comme tu veux.

Il se sentit brusquement plein d'audace

— Pense à ce que nous pourrions voir dehors, Miranda.

— Nous ?

Elle avait entendu. Le mot resta suspendu entre eux. Qu'elle l'interprète comme elle voulait, il s'agissait bel et bien d'une invitation.

Il ne cessait de penser à sa fille. C'était lassant et sa lassitude lui laissait un goût amer de culpabilité, comme la pire des trahisons. Sa quête s'était transformée en une malédiction, son amour en une maladie, ou pire, une abstraction. Il adorait sa fille, mais aujourd'hui, il ne pouvait plus avancer, avec ou sans elle. Le simple fait de respirer lui demandait parfois un effort incroyable. Dans ces conditions, comment parler de liberté ?

Comme il gardait le silence, Miranda reprit la parole.

— C'est ce que tu voudrais faire alors ? T'enfuir ?

— Je n'appellerais pas cela ainsi.

Brusquement, il se lança. As-tu déjà vu Paris ?

— Paris ?

— La ville nous appartiendrait. Ou Barcelone, Vienne. Les Alpes en été. La Syrie. Je connais les ruines. Et Petra ? Incroyable. La lumière à midi qui embrase les falaises.

— Serais-tu en train de me séduire ? demanda-t-elle d'un air sévère, analytique.

Il fit rapidement marche arrière.

— Tu as dit que nous parlions hypothétiquement.

— Non, je n'ai pas dit cela.

— Si.

— C'est toi qui l'as dit.

Elle était sincère. Elle ne jouait pas. Il avait gaffé.

— J'apprends à piloter, dit-il en abandonnant le « nous ». J'ai pris des livres à la bibliothèque. Il existe des logiciels pour apprendre à construire un petit aéronef à ailes fixes. C'est ce qu'il faut faire, sauter d'un aéroport à un autre.

Dans son esprit, il se voyait déjà survoler les vestiges, plonger entre les tours de Manhattan, traverser l'Atlantique, pillant de magnifiques trésors, explorant.

— Paris serait aussi vieux qu'Angkor, dit-il. Et le Louvre couvert de mousse. Les corps, des squelettes. Tu pourrais camper sur les plages des îles grecques.

Elle fronça les sourcils et il corrigea de lui-même.

— *Je* dormirais en haut des pyramides. J'irais où bon me semble.

Il connaissait déjà le pays des morts. En faisant attention, il pourrait faire le tour de la planète. Le monde l'engloutirait, mais pas avant qu'il ne l'ait lui-même dévoré.

— Tu vas partir ? demanda-t-elle.

— Disons que c'est un rêve.

Il ressentait un tel besoin d'aimer quelqu'un de vivant ou, du moins, quelqu'un qui soit accessible pour changer. Il chassa de son esprit la culpabilité. S'il prenait le temps de réfléchir, il ne bougerait plus.

— Mais tu ne peux pas.

Son cœur bondit. Cherchait-elle à le retenir ?

— Je ne manquerais à personne, lança-t-il pour voir.

— Et la ville ?

Son incrédulité le refroidit. Il ne l'avait jamais entendue en parler ainsi, comme si elle tenait la vie de cette cité entre ses mains.

— Los Alamos ?

— Oui. Nous avons besoin de tout le monde ici. Tout se passe ici.

— Tout quoi ?

— Tout.

Elle balaya l'air de la main.

— Le salut, dit-elle d'un ton terriblement sérieux.

— J'ai cru que tu allais dire un truc du genre la fin de la civilisation, plaisanta-t-il.

— Cela aussi, ajouta-t-elle après un instant de réflexion. Quand tout le reste sera mort, nous resterons le dernier bastion.

— Belle épitaphe pour une pierre tombale.

Il souhaitait une dernière grande expédition au milieu des ruines et elle voulait bercer la civilisation jusqu'à son dernier souffle. Il se sentit seul.

— Ne vois-tu pas, dit-elle. Les survivants viendront.

— Ah, eux.

Le maillon manquant.

— Les équipes ont repéré près de sept cents survivants jusqu'à présent grâce aux feux de camp. Ils sont là, quelque part, luttant pour survivre.

Les héritiers de la terre, pensa Nathan Lee. *Faisant ce que je rêve de faire.*

— Ils sont de l'autre côté de l'océan, fit-il remarquer. Ils n'arriveront jamais jusqu'ici. Ils ignorent même notre existence.

— Mais des Américains survivront également.

— Pourquoi viendraient-il ici ?

Elle montra les lumières.

— Ils nous verront de loin.

— Et qui seront-ils ?

— Peut-être notre dernier espoir, répondit-elle. S'ils ont développé des anticorps contre le Corfou…

— Non, coupa-t-il. Je veux dire, qui seront-ils ?

— Des Américains, dit-elle d'un air étonné. Ou des migrants descendus du Canada…

— Méfie-toi de ce que tu souhaites. Tu t'attends à des agneaux. Et s'il venait des loups ?

Elle ne répondit rien.

— Tu n'as aucune idée de ce qui se trouve là-dehors. Tu devrais peut-être avoir peur.

Elle regarda en direction de sa ville chérie.

— J'attendais mieux de toi, dit-elle en se levant.

Il écouta ses pas s'éloigner sur le gravier et la porte se refermer derrière elle. Après son départ, il ne bougea pas, se demandant ce qui était réel en dehors de son désir.

Une heure plus tard, il s'arrêtait à bout de souffle en bordure du Secteur Sud – une destination récurrente depuis quelque temps. Il faisait froid, mais son jogging l'avait réchauffé. Le laboratoire s'étendait au-delà de la forêt comme une île de lumières. Pour un lieu doté d'une si sombre réputation, il brillait de mille feux.

C'était devenu un de ses lieux de pèlerinage. Ochs se cachait là et lui seul connaissait le chemin jusqu'à Grace. Nathan Lee possédait les cisailles et le couteau pour la libérer, mais pas le courage. Plus grave encore. Il avait perdu le sens de l'orientation. Le monde ne lui avait jamais paru si grand. Et s'il se servait d'Ochs pour justifier son désarroi ? Et si Grace n'existait plus ? Il luttait contre ses doutes.

Nathan Lee avança entre les arbres. Les toits des bâtiments dépassaient par-dessus la triple clôture. Il se rapprocha jusqu'à ne plus voir que les tours de garde et les fils de fer barbelé avec leurs pancartes d'avertissement.

Le terrain dégagé luisait d'un éclat argenté. Il n'y avait rien sur ce *no man's land.* Aucune ombre. C'était toujours ainsi. Les clones voulaient sortir. Lui voulait entrer.

Il se ferait prendre, aucun doute là-dessus. La clairière devait être minée, sans parler des détecteurs de mouvement, des caméras et des patrouilles. Pourtant, il n'aurait pas hésité à avancer dans la lumière. Mais il ne croyait pas en son destin.

— Nathan Lee.

Il ignora le murmure. La forêt – ou le vent – lui jouait des tours.

La voix chuchota de nouveau. Cette fois, il se baissa et se retourna. C'était Miranda.

Ses yeux brillaient comme des phares verts dans l'obscurité.

Elle l'avait suivi. Il était troublé, autant par sa ruse que par sa négligence. Elle marchait vite pendant la journée, mais où avait-elle appris à se déplacer dans la nuit ? Il n'y avait aucun chemin pour venir ici. D'un jour à l'autre, il ne savait même pas comment il retrouvait sa route.

— Que fais-tu ici ?

Elle recula dans l'ombre, sûre d'elle. Une branche craqua sous le pied de Nathan Lee et elle disparut de sa vue. Puis elle bougea et il la repéra. Les ombres fuyaient comme de l'eau.

Il la suivit, s'éloignant du Secteur Sud. La luminosité diminua. Elle ralentit pour lui permettre de la rejoindre, mais resta en mouvement.

— Comment m'as-tu trouvé ? demanda-t-il.

Elle ne répondit pas, mais c'était inutile. Il ne devait pas être difficile à filer. Et ce n'était certainement pas la première fois. Cela le secoua. Elle avait dû le regarder s'avachir au bord de la clairière. Il se sentit ridicule.

— Je viens ici pour réfléchir, dit-il.

— Pourquoi gâches-tu ainsi ta vie ?

— Je ne gâche pas ma vie.

— Mais tu en as envie.

— Envie, dit-il amer. Ce dont j'ai envie, je ne peux pas l'avoir.

— C'est stupide.

De la main, elle le poussa sans ménagement et il trébucha. Elle le poussa de nouveau, mais cette fois, Nathan Lee lui saisit le poignet autant pour se retenir que pour éviter le coup. Miranda aurait pu se libérer, mais elle tira au contraire. Elle le tira à elle.

Plus tard, ils joueraient à s'accuser l'un l'autre d'avoir pris l'initiative du premier baiser avant d'en réclamer tour à tour la paternité. Puis ils recommenceraient encore et encore jusqu'à ce que cela fasse partie d'eux. Comme tous les amoureux, créant un monde à eux. Mais certains bénéficiaient de moins de temps que d'autres. Aussi, se dépêchèrent-ils d'en profiter.

27.

Le golgotha

Octobre

Une nuit, quelqu'un s'introduisit sur le parking et accrocha un crucifix à une branche de l'arbre. Le lendemain matin, quand Nathan Lee arriva, le mal était fait. Izzy l'attendait.

— Dès que les clones ont aperçu la croix, ils ont foncé sur la porte, lui dit-il. Ils ne veulent plus sortir.

Nathan Lee décrocha le crucifix sur lequel la petite figurine avait les bras largement écartés. Le coupable devait donc être catholique ou l'avoir volé à un catholique – la croix protestante est nue pour satisfaire au deuxième commandement qui interdit les représentations.

— Qui pourrait bien se donner autant de mal ? Et surtout, pourquoi ?

— Il faut peut-être la considérer comme un cadeau, dit Izzy. En remerciement pour le Notre Père, en témoignage de solidarité. De la part des chrétiens modernes aux chrétiens primitifs. Probablement rien de méchant.

Le souvenir de Miranda, de son corps souple, de ses yeux verts occupait tout l'esprit de Nathan Lee qui ne voulait pas d'interférence. Il jeta la croix au feu.

— Et maintenant ?

— Il faut leur expliquer, plaisanta Izzy. Au fait, les gars, nous avons fabriqué une religion à partir d'un corps cloué sur un morceau de bois.

Ils en avaient déjà parlé. Même les plus chrétiens du groupe n'y croiraient pas. L'adoration de la croix n'avait commencé que plusieurs siècles après le début de l'Église. Pour cela, il avait d'abord fallu que la pratique de la crucifixion soit abandonnée.

— Ils y voient un présage de ce qui les attend. S'ils avaient encore des doutes, c'est terminé. Ils sont en enfer, entre les mains des démons.

Le monde surnaturel était extrêmement réel pour eux. Nathan Lee en avait eu la preuve au travers des témoignages qu'ils envoyaient à leur famille. Les démons étaient responsables de tout, du froid, des maux d'estomac comme de leurs migraines, des bruits étranges derrière les murs, de leur captivité et des voix dans les micros, de leur dépression ou de leur colère.

Il existait une théorie selon laquelle la conscience, l'idée du moi, ne serait apparue qu'il y a deux ou trois mille ans. Jusque-là, le cerveau humain ne possédait pas les connexions nécessaires pour distinguer le moi de l'être. Les clones de l'Année Zéro se trouvaient à cheval sur ce fossé psychologique. Pour eux, les démons et les esprits étaient partout. La Bible parlait de *go'el* ou d'esprits gardiens. Les rêves n'étaient que de la réalité alternative, leurs pensées les plus intimes, les voix de créatures invisibles. Une centaine de générations plus tôt, des gens pouvaient regarder un buisson brûler et croire qu'ils entendaient la voix de Dieu.

— On recommence tout depuis le début, dit Nathan Lee.

— Pourquoi ?, demanda Izzy. Pourquoi leur faire revivre tout cela ? Peut-être sont-ils aussi bien enfermés dans leurs cellules ?

— Non, ils ne le sont pas.

Ils essayèrent de montrer l'exemple en passant devant les cellules ouvertes des clones.

— Vous voyez, il n'y a pas de danger.

— Non, répondaient les hommes. Les démons nous attendent.

En fin de journée, quand les ombres devinrent pourpres, Ben sortit sur le parking. Nathan Lee se trouvait près du feu.

Un front froid traversait le plateau et le parking paraissait désolé comme une arène vide avec ses murs noircis de fumée. Les feuilles virevoltaient sous la brise.

— Où est cette chose ? demanda Ben en parlant de la croix.

— Dans le feu.

Nathan Lee tisonna les cendres.

— Là.

— Pourquoi n'as-tu pas peur ?

Nathan Lee chercha les mots qui convenaient à son personnage de scribe.

— Dieu écrit notre vie, dit-il.

— Si nous Le laissons faire, répondit Ben. À moins qu'il n'ait dit : « Pas si nous l'en empêchons. » Quelque chose comme ça.

Son araméen restait élémentaire. Ben hésita un instant, puis il s'accroupit à côté de Nathan Lee près du feu qu'il entreprit de tisonner à son tour.

Izzy apparut à la porte et vint les rejoindre en courant, ses sandales claquant sur le sol.

Ben pointa sa branche vers les pieds de Nathan Lee où manquaient des orteils.

— Ils disent que tu as tenté de t'échapper.

— Comme toi.

Il désigna à son tour les cicatrices du clone.

— Nous nous ressemblons, je crois.

Les sutures de son visage écorché avaient pris une couleur violacée sous le froid. Elles couraient sur sa peau comme des veines.

— Oui, deux beaux hommes, plaisanta Nathan Lee.

Un grognement.

— Ça doit être ça, dit Ben.

Izzy les regarda tour à tour. Quelque chose se préparait. Il attendit.

— Je te regarde écouter. Et écouter encore, reprit Ben. J'ai été comme cela moi aussi. Jetant mon filet dans l'air et attrapant les histoires emportées par le vent.

Nathan Lee ne dit rien, laissant à Ben l'initiative.

— Je rassemblais les histoires d'hommes comme eux.

— Nos pauvres frères ?

Les yeux de Ben brûlèrent.

— Les damnés, dit-il. Les hommes sur leurs arbres.

Le crucifix.

— À quinze ans, j'ai quitté ma famille pour voir du pays. Vous connaissez les jeunes. Pleins de questions. Impatients de voir le monde.

Nathan Lee se tourna vers Izzy.

— Demande-lui où il a été.

Izzy se fit transparent. Les mots coulaient de sa bouche.

— Le long de la rivière, répondit Ben. Je marchais vers le sud en direction de la mer Morte. Cela m'a pris des années. En chemin, je m'écartais un moment, une semaine ou un mois, parfois seul, parfois pour travailler dans un village. Beaucoup de gens erraient ainsi. Quelquefois je me joignais à un groupe. J'ai étudié avec les pharisiens et les saducéens. Les hérétiques et les païens m'ont fait découvrir la magie. Les stoïques partageaient avec moi leurs feux de camp. Une colonie d'esséniens m'a accueilli. Ils m'ont nourri et appris à lire et à écrire. Je les ai quittés au bout de trois ans. Mon professeur voulait que je reste. Il était en colère, non sans raison, je suppose, mais je devais trouver ma propre voie.

Il se tut. Nathan Lee ajouta une autre bûche dans le feu avant de demander :

— Quelle voie ?

— Au travers de l'endroit le plus vide que je puisse trouver. Dans le désert. Mais c'était un endroit dangereux, peuplé de bandits, de prophètes et d'animaux sauvages. Je pensais qu'une terre aussi nue ne pouvait pas cacher la vérité. Mais je n'y ai trouvé aucune réponse. Alors j'ai quitté la vallée et j'ai rejoint la terre des damnés.

Izzy termina la traduction et se tut. Quand Ben reprit la parole, Izzy n'eut pas besoin de traduire.

— Le Golgotha, dit-il.

Nathan Lee sentit les battements de son cœur s'accélérer. Il jeta un coup d'œil aux caméras, toutes fixées sur eux, trois hommes blottis auprès du feu.

— As-tu déjà été là-bas ? demanda Ben.

— Il y a longtemps, répondit Nathan Lee en le regardant dans les yeux, mais sans donner de détails.

— C'est devenu ma maison.

— Jérusalem ?

— Non, le jardin. Au milieu des arbres.

Le Golgotha ? Nathan Lee garda prudemment les yeux sur le feu. De quoi parlait-il ?

— J'ai vécu là une année entière. Je choisissais une tombe vide pour dormir. Quand son riche propriétaire décédait et que la tombe était refermée, j'en trouvais une autre.

— Tu dormais dans des tombes ?

— Il était impossible de rester à découvert. À cause du froid et des chiens. J'ai appris à dormir avec un tas de cailloux à portée de mains.

— Pour les lancer sur les chiens ?

Nathan Lee se rappela l'Asie.

— Oui, et sur les femmes également. Les veuves et les mères des hommes crucifiés. Possédées par le démon, elles erraient la nuit. Même les soldats en avaient peur.

Les flammes dansaient et la résine du bois éclatait.

— C'était un désert différent, reprit Ben. Plus loin, sur le chemin, se dressaient les murs de Jérusalem. Mais tu sais cela.

— Pas comme toi.

Ben grogna.

— La nuit, on pouvait entendre des bébés pleurer et des gens parler et rire. Les odeurs de nourriture flottaient dans l'air par-dessus les murs. On ne voyait pas les feux et les lampes, mais ils projetaient une lumière dorée comme de l'or ou du beurre. Les crucifiés devaient croire qu'ils rêvaient. Mais évidemment, ils ne le pouvaient pas. Dormir, c'était mourir.

Littéralement. Le processus de la mort sur la croix s'est perdu dans la nuit des temps. Dans les siècles qui suivirent l'abolition de la crucifixion, les artistes ont commencé à peindre Dieu dans des poses héroïques, avec des clous plantés dans la paume de ses mains. Léonard de Vinci apporta la preuve, grâce à des expériences avec des cadavres, que c'était impossible parce que, sous le poids du corps, les chairs des mains se seraient déchirées et auraient arraché les clous. Mais la croyance populaire a continué d'accepter cette représentation. De la même façon, toujours sous l'influence des artistes et des prêtres, tout le monde croyait que les crucifiés mourraient suite à la torture et à la perte de leur sang. Il fallut attendre le XXe siècle et la reconstitution médicale d'un médecin pour se rendre compte que la mort survenait par asphyxie. Une fois que les jambes cédaient et que l'homme pendait à bout de bras, le diaphragme se fatiguait et l'homme suffoquait.

— Quand la lune se levait, leurs ombres évoquaient une forêt. Je me souviens du chien d'un homme qui s'était couché au pied de sa croix et s'était laissé mourir de faim, veillant sur son maître. Quelquefois, ils chantaient les uns pour les autres. Des chansons de village. Des prières. Cela pouvait être magnifique.

Il s'arrêta, plissant les yeux comme s'il regardait au travers d'un trou.

— Pourquoi ? demanda Nathan Lee.

Ben sursauta, comme sortant d'un rêve.

— Pourquoi vivais-tu avec les morts ?

Nathan Lee s'en doutait déjà un peu. Il avait visité les *ghats* brûlant le long des rivières en Inde et au Népal. Bien avant Siddhârta, les ascètes se rassemblaient comme des vautours autour des malades, des mourants ou des morts pour méditer sur la fugacité de toute chose et sur la souffrance. Il y a deux mille ans, les épices et la soie ne représentaient pas les seules denrées sur les routes du commerce. Les philosophies y fleurissaient également.

— Pas les morts, corrigea Ben. Les mourants. Chaque matin, le soleil se levait sur le mont des Oliviers. À ce moment-là, je commençais mon tour, passant de croix en croix et parlant aux hommes. Ils pouvaient survivre plusieurs jours sur leur morceau de bois. Les plus costauds duraient jusqu'à une semaine. Je m'asseyais à leurs pieds et nous parlions comme je parle avec toi maintenant. Ils me racontaient leurs vies. Leur famille, leurs cultures, leurs animaux, leurs échecs et leurs réussites, leur première fois avec une femme, combien de *shekels* ou de *denarii* leurs voisins leur devaient encore ou eux-mêmes devaient à leurs voisins. Quel bonheur quand un nuage cachait un peu le soleil. Ils me parlaient de leurs faiblesses et des tentations. Des démons. Et ils parlaient de leurs espoirs.

— Leurs espoirs ?

— Oui. Même cloués sur une croix, écrasés par la chaleur du soleil, ils conservaient l'espoir. Ils parlaient de l'avenir. De leurs projets. Comment ils construiraient une pièce supplémentaire à leur maison. Comment leurs fils prospéreraient et leurs filles deviendraient belles. Toute la journée, je restais avec eux. Quand la fin était proche, je me tenais sur une pierre et je regardais leurs yeux.

Il leva un doigt juste devant son visage et le fixa.

— Il dormait dans des tombes, chuchota Izzy en anglais. Traînait avec les prisonniers mourants. Les accompagnait dans leur expérience de mort.

— Laisse-le parler, dit Nathan Lee.

— As-tu déjà suivi un homme sur sa croix ? demanda Ben.

— Que veux-tu dire ?

Une bûche s'effondra dans une gerbe d'étincelles. Le froid et l'obscurité se pressaient dans leurs dos. Ils ajoutèrent du bois. Nathan Lee se pencha et souffla sur les braises. Les flammes s'élevèrent et les réchauffèrent. Après quelques minutes, Ben reprit la parole.

— C'est comme regarder un homme préparer le feu, dit-il.

Il possédait ce don de conteur d'utiliser ce qui l'entourait pour illustrer son histoire. Son voyage sur la croix.

— Au début, il y a de la fumée et vos yeux piquent. Puis la chaleur et la lumière apparaissent. Et finalement, la fumée s'envole.

— Je ne comprends pas.

— Au début, tu résistes. Tu luttes. Cela peut durer longtemps. Mais vers la fin, il y a des pauses dans la souffrance. Après toute cette violence, il y a la paix. Dieu arrive sur la pointe des pieds.

— C'est ce que tu découvrais dans leurs regards ?

— Oui, comme dans les yeux d'un nouveau-né. Dieu.

En haut de l'arbre, un bruit de feuille attira leur attention. Un oiseau s'était pris dans le filet de Job. Dieu aurait un petit-déjeuner demain matin.

— Ces mourants, que pensaient-ils de toi ?

— Certains me maudissaient. D'autres me suppliaient de rester. Ils se sentaient terriblement seuls sur la croix. Ils me donnaient toutes sortes de noms. Dans leur esprit, j'étais un ami et un ennemi à la fois. Le serviteur de Dieu et le diable. Ils m'appelaient frère, fils, père ou *rru-bee*.

— C'est ce qu'ils voyaient en toi ? Un rabbin ?

— Non. J'étais l'étudiant. Ils étaient les maîtres.

— Étais-tu là pour les sauver ?

— Certains m'ont posé cette question.

— Alors, pourquoi les tourmentais-tu ?

— Pourquoi nous tourmentes-tu ? rétorqua Ben, mais sans hostilité.

Il sait qui nous sommes, pensa Nathan Lee. *Il est sorti parmi nous.*

— Pour apprendre, répondit-il.

Ben sourit, une horrible torsion de sa bouche.

— Tu vois, nous sommes pareils. Nous cherchons le fil conducteur, ce qui connecte les rois et les voleurs, les enfants et les mourants.

— Les soldats ne te chassaient pas ?

— Quelquefois. Mais, dans l'ensemble, ils étaient contents de ma présence. Ils se sentaient seuls eux aussi, loin de chez eux. Certains appréciaient également que quelqu'un soit témoin de leur cruauté. Ou de leur compassion. Mais oui, les soldats pouvaient se montrer compatissants. Moyennant une somme d'argent, ils mélangeaient de la bile à l'eau et donnaient le poison aux crucifiés grâce à une éponge plantée sur un bâton. Il arrivait même qu'ils le fassent gratuitement. Ils pouvaient aussi briser leurs jambes quand leur calvaire durait trop longtemps. Ou couper le tendon de leurs genoux avec un couteau.

Il mima le geste.

— Quand ils ne pouvaient plus prendre appui sur leurs jambes, les crucifiés mouraient dans l'heure, évitant ainsi des jours et des nuits d'agonie.

— L'as-tu fait toi aussi ? Leur donner du poison ou briser leurs jambes ?

S'agissait-il d'une confession ? Avait-il été un ange de la mort ?

— Non, j'avais peur. Les soldats m'auraient mis sur la croix à leur place. Ces corps étaient la propriété de l'Empereur.

— Dans ce cas, as-tu aidé à les enterrer ?

— Non plus. Ils restaient pendus ou bien étaient jetés dans les carrières où ils servaient ensuite de nourriture aux oiseaux et aux mouches. Même leurs noms étaient dévorés.

— Mais certains des corps étaient enterrés ?

— Peu. Je me souviens d'un. La famille avait payé les soldats. Le corps a été descendu pendant la nuit. Ils travaillaient vite. Le corps d'un esclave fut déterré et accroché sur la croix à sa place sinon les soldats auraient été crucifiés eux aussi. Je venais juste d'arriver sur le Golgotha et cela m'a choqué. Cela me paraissait injuste. Même mort, ce pauvre bougre n'avait pas sa place dans ce monde.

— Connaissais-tu un homme appelé *m-shee-haa* ? demanda soudain Izzy, surprenant Nathan Lee. Puis, il comprit qu'Izzy tendait un piège à Ben.

— Oui, répondit ce dernier.

— Tu l'as vu ?

— Les messies ne manquaient pas.

Izzy rit, soulagé, et Ben ne parut pas s'en offusquer. Au contraire, la réaction d'Izzy sembla l'amuser.

— Après une année sur le Golgotha, que s'est-il passé ? demanda Nathan Lee.

— Je suis parti.

— Mais tu y es retourné ?

— Dix ans plus tard.

— Pourquoi ? Pourquoi retourner là-bas ?

— Bonne question, répondit Ben en passant la main audessus des flammes.

Nathan Lee jeta un coup d'œil à Izzy, qui affichait un air soupçonneux, cynique même. Il ne croyait pas à ces bêtises au sujet du messie. Ben ne dit rien pendant une bonne minute et Nathan Lee n'insista pas. Cette histoire lui suffisait. Il n'y croyait pas non plus.

— Je pensais que je ne retournerais jamais à Jérusalem, reprit soudain Ben. Mais je tournais en rond. J'ignore comment c'est possible. J'avais les yeux ouverts et le contrôle de mes pieds et pourtant, un jour, je me suis retrouvé là-bas de nouveau. Et cette fois, ils m'ont attribué mon propre arbre.

L'histoire s'arrêta ainsi. Il se leva et contourna le feu pour gagner la porte.

— Était-ce comme tu croyais que ce serait ? demanda Nathan Lee. La lumière. La paix. Dieu.

— Non, rien de tout ça. Je contemplais le monde de là-haut et il me paraissait magnifique.

Il regarda Nathan Lee par-dessus les flammes.

— Je ne voulais pas le quitter.

28.

Révélation

Octobre

Dans l'après-midi, un orage éclata brusquement et fouetta la mesa. Un temps idéal pour les amoureux. La pluie chassa les oiseaux et les promeneurs hors des rues. Les éclairs zébraient le ciel, le tonnerre grondait et la grêle giflait les carreaux de la chambre de Miranda.

Mais elle et Nathan Lee n'en avaient cure. Ils ne sortaient pratiquement plus. Alpha Lab était devenu pour eux un simple intermède, un endroit où reprendre leur souffle avant de se retrouver à nouveau.

Assise sur lui, Miranda le dominait de toute sa hauteur. Il voulait la toucher, mais elle le maintenait cloué au lit. L'orage accompagna leur étreinte et s'acheva en même temps qu'eux. Bientôt le soleil pointa son nez, illuminant la chaîne de montagnes dans le lointain. La nuit prit son temps pour descendre.

Ils reposaient dans les bras l'un de l'autre, échangeant leurs souffles et leurs pensées. Sous la couverture, leurs mains s'aventuraient, partant lentement à la découverte de l'autre, caressant, mémorisant les repères, les creux ou les bosses, la forme d'une hanche. Ils avaient maintenant pris possession des territoires interdits.

Pourtant, ni l'un, ni l'autre n'avaient de temps à perdre en badinage. D'autres priorités les réclamaient. Sans parler de l'âge. Dix ans les séparaient et Nathan Lee se considérait comme un vieillard par rapport à elle qui n'avait que vingt ans. Pratiquement une mineure. Mais ils ne faisaient que partager leur solitude et se rassuraient mutuellement. *Il ne s'agit que d'un arrangement temporaire. Un jour, je te quitterai.* Alors même qu'ils avaient l'impression que cela durerait éternellement.

Finalement, la nuit les enveloppa et ils s'endormirent, blottis l'un contre l'autre.

Le téléphone les réveilla et Miranda décrocha.

— Allô ? Oui, il est là également.

Le récepteur à l'oreille, elle chuchota : « le Capitaine à l'attention de Nathan Lee. »

— Il a fait quoi ? Mais c'est complètement dingue.

Les clones, pensa aussitôt Nathan Lee. L'un d'eux était-il parvenu à s'échapper ? Ben ?

Miranda jeta un coup d'œil au réveil.

— C'est ça, dit-elle. Nous savions que cela finirait probablement par arriver. Que voulez-vous que je vous dise ? Personne ne prendra cela au sérieux.

Elle écouta le Capitaine, penchée en avant.

— C'est une plaisanterie ? s'exclama-t-elle. Comment est-ce possible ? Aucune importance. Nous arrivons.

— Tu vas adorer ça, dit-elle en raccrochant. Un des clones a décrété qu'il était le Sauveur.

Elle lui lança sa chemise.

— Le bruit court déjà. Jésus-Christ est parmi nous.

Une petite foule s'était rassemblée devant l'entrée du bâtiment quand Nathan Lee et Miranda arrivèrent. A priori, cela n'avait en soi rien d'inquiétant. Depuis le début, des plaisantins lançaient des paris sur le temps qu'il faudrait pour que quelqu'un reconnaisse dans les os de l'Année Zéro ceux du Roi des Rois. La ville ne manquait pas de « drôles de zèbres », comme Izzy les appelait – des cinglés, des rebelles ou des superstitieux pour la plupart. Le fait qu'ils consacrent leur vie à des sciences rationnelles n'excluait pas quelques dérives irrationnelles ici et là. Particulièrement, en des temps aussi troublés où il fallait s'attendre à des explosions de violence. Mais ce matin, rien d'hystérique dans l'attitude de la foule.

Il était très tôt et il faisait froid. Le soleil ne se montrerait pas avant des heures et les gens avaient enfilé vestes et pulls.

Quelques femmes âgées portaient des foulards, probablement en prévision de leur rencontre avec Jésus. L'une d'elles serrait une icône russe contre sa poitrine. Sinon, la foule se composait essentiellement d'employés de laboratoires et de noctambules.

— Hé, Miranda ! Nathan Lee ! lança un jeune microbiologiste qui aimait jouer au frisbee pendant l'heure du déjeuner.

— Que faites-vous ici ? demanda Miranda en s'adressant à tous.

— Nous avons entendu la nouvelle, expliqua l'homme tout excité.

— Vous devriez être dans votre lit.

— Quand le rencontrerons-nous ?

— Êtes-vous devenu fou ?

L'homme pâlit et recula.

Nathan Lee prit le bras de Miranda et l'entraîna vers la porte.

— Tu as entendu ? dit-elle. Regarde-les. Ne devinent-ils pas qu'il s'agit d'une plaisanterie ?

— Chaque chose en son temps, répondit Nathan Lee. Voyons d'abord de quoi il retourne. Il doit bien y avoir une explication.

Le Capitaine les attendait dans son bureau dont les fenêtres dominaient la cour. Deux gardes étaient assis en face de lui, Joe, un grand texan, et Ross, un petit gars. Nathan

Lee les connaissait tous les deux, mais n'avait jamais vu Ross aussi pâle.

— Racontez-leur, ordonna le Capitaine, en rogne.

Une Bible se trouvait sur son bureau, un crayon jaune marquant une page.

— Nous étions dans la salle de contrôle, commença Ross en jetant un coup d'œil à son collègue qui, de toute évidence, ne voulait rien avoir à faire avec cette histoire. J'ai entendu un prisonnier appeler. L'incident s'est produit à 2 h 25.

— Quel incident ? demanda Miranda.

— Il a dit *Eli, Eli…*

Ross se tut et regarda Nathan Lee, gêné.

— Je ne peux pas répéter le reste. Je ne parle peut-être pas la langue, mais je connais la Bible. Tout est là. J'ai vérifié. Il l'a dit juste comme c'est écrit.

— De quoi parlez-vous ? demanda Miranda.

— *Lama sabachthani*, récita Nathan Lee.

— C'est ça, s'écria Ross. Exactement ça.

Nathan Lee prit la Bible et l'ouvrit à la page marquée. Le passage était bien là. Il tendit le livre à Miranda.

— La question posée par le Christ sur la croix, dit-il. « *Mon Dieu, mon Dieu, pourquoi m'as-tu abandonné* ? »

Miranda regarda le livre. Et alors ? fit-elle.

— Il l'a dit, insista Ross. Il a prononcé ces paroles.

— Comme par hasard, c'est la seule partie qui soit en araméen, dit-elle en feuilletant quelques pages. Vous les lui avez lues.

— Non, Dr Abbot, je vous le jure, s'indigna Ross en se penchant pour poser sa main sur le livre ouvert.

— Asseyez-vous, gronda le Capitaine.

Ross désigna son collègue.

— Demandez à Joe. Il a entendu lui aussi.

Joe détourna la tête, mais ne nia pas.

— Je repose ma question, insista Miranda. Et alors ?

— Eh bien, comment pouvait-il connaître ces paroles ?

— Parce que quelqu'un a dû les prononcer.

— Pas nous.

— Alors un autre clone. Ils passent leurs journées ensemble à prier, à faire des sacrifices et à prêcher. L'un d'eux a dû citer la Bible, c'est tout.

— Mais la Bible n'était pas encore écrite à leur époque, fit remarquer Ross.

— Elle s'écrivait. Les sectes ne manquent pas sur le parking. Des chrétiens, des païens, des juifs. Les histoires prenaient forme.

— Il a prononcé ces mots à 2 h 25.

Nathan Lee regarda le Capitaine qui semblait douloureusement conscient de l'intelligence limitée de Ross.

— De quel clone s'agit-il ? demanda Nathan Lee.

Mais il le savait déjà. Ben. Le crucifix les avait terrifiés, faisant renaître leurs démons. Et Izzy avait pratiquement demandé à Ben d'avouer qu'il était le messie pendant leur discussion près du feu.

— Un de ceux qui n'a pas de nom, répondit Ross.

— Pas Ben ?

— Non.

— Donc, il a un nom maintenant, intervint Miranda.

— Oui, Madame. Il l'a dit en me regardant dans les yeux. Jésus-Christ.

— En vous regardant ? Vous lui avez parlé ?

Ross ne répondit pas. À côté de lui, Joe grogna.

— Je n'ai pas pu le retenir. Ce petit *pendejo*[1].

— Vous êtes entré dans sa cellule ?

Ross détourna les yeux, mais Joe répondit à sa place.

— C'est ce qu'il a fait.

— Et que lui avez-vous dit ?

— Je lui ai demandé si son nom était Jésus.

— Vous lui avez demandé ? Miranda referma le livre. Et qu'en concluez-vous ?

Ross releva le menton.

— Qu'il est Jésus-Christ.

1. Crétin.

— *Ipso facto.*

À ces mots, Ross se referma sur lui-même. Après une minute de silence, Miranda reprit la parole.

— Vous savez bien que c'est impossible, dit-elle.

— Mais c'est écrit ! répliqua Ross.

Le cœur de Nathan Lee se serra. Jusque-là, il avait cru à une blague, mais Ross était fermement convaincu et la foule augmentait sous les fenêtres.

— Oublions un instant ce qui est écrit, d'accord ? dit Miranda. Ces hommes ont été clonés à partir d'os récupérés dans une décharge publique romaine. Même si Jésus a existé, quelles sont les probabilités pour que nous ayons retrouvé ses os ?

Ross les considéra à son tour avec pitié.

— Il a existé, aucun doute là-dessus, déclara-t-il. Sinon, il n'y aurait pas le Verbe. Et vos probabilités n'ont aucune importance s'il veut qu'on le retrouve. Il a choisi de venir parmi nous. Et j'étais là.

— Dans ce cas, parlons de sa dépouille mortuaire, reprit Miranda. Si le Christ est monté au ciel, il n'a pas pu laisser de cadavre. Et il est monté au ciel, n'est-ce pas ? C'est bien spécifié dans la Parole du Christ ?

Quelques années auparavant, Nathan Lee avait écouté Ochs utiliser ce même argument pour contrer les opposants au projet Année Zéro. Mais le problème aujourd'hui était que Ross ne se posait pas en détracteur.

— Il n'a pas laissé des os, répondit ce dernier. Seulement du sang. Partout. C'est écrit ici.

Miranda regarda la Bible.

— Je ne l'ai lue qu'une fois, dit-elle. Mais je ne me rappelle pas cette version.

— Pas dans la Bible, corrigea Ross.

Il pointa le doigt vers le bureau du Capitaine.

— Là, fit-il.

Nathan Lee avait remarqué le dossier en entrant et reconnut son écriture. Il s'agissait d'une des biographies qu'il avait obtenu des clones. Il s'empara du dossier. Il était facile de considérer Ross comme un pauvre naïf. Mais celui-ci n'avait pas hésité à mettre en doute sa foi et à aller jusqu'à la salle des archives Nécro pour chercher des preuves. Nathan Lee ouvrit le dossier et c'était bien là, écrit noir sur blanc.

Le clone 2YZ-87 était né treize mois plus tôt, le second d'un lot de neuf autres identiques. Son ADN avait été extrait du 87e échantillon de l'Année Zéro, un éclat de bois imprégné de sang.

Une relique de sang, pas un des os du Golgotha. Son rapport d'archéologie génétique était banal. Deux méthodes permettaient de dater les échantillons génétiques. La plus fiable utilisait l'ADN mitochondrial, ou ADNmt, uniquement transmis par la mère. Selon cette méthode, la mère du clone serait née quinze ou trente ans avant le premier millénaire. Ce qui, en toute logique, plaçait sa naissance autour de l'Année Zéro.

Son phénotype sanguin était celui d'un homme du Moyen-Orient présentant une prédisposition à la maladie de Tay-Sachs et à d'autres maladies génétiques qui touchaient généralement les populations sémites. Aucun de ses huit frères n'avait survécu à son passage au Secteur Sud.

Nathan Lee tendit le dossier à Miranda qui y jeta à peine un regard.

— Il n'y a là-dedans aucune preuve de ce que tu avances, dit Nathan Lee.

Malheureusement, rien non plus ne le contredisait.

— Nous avons un homme né au Ier siècle comme trois douzaines d'autres clones dans le sous-sol. Et aucun autre n'affirme être le fils de Dieu.

— Exactement, dit Ross.

Izzy arriva à cet instant, les yeux larmoyants et les cheveux en bataille.

— Je suis venu aussi vite que j'ai pu, dit-il. On se croirait à la sortie d'un concert de rock là-dehors. Que se passe-t-il ?

— Oh, très fort ! s'exclama-t-il après qu'ils lui eurent expliqué la situation.

Nathan Lee attrapa une chaise et s'assit en face de Ross.

— Parlons encore un peu de toute cette histoire, commença-t-il.

L'homme était juste un peu têtu, rien d'autre. Il suffisait de le convaincre de se rétracter et tout serait terminé. Évidemment, il se sentirait probablement un peu gêné, mais après tout, à qui la faute ?

— Tu as demandé à cet homme si son nom était Jésus-Christ.

— Non ! répondit Ross d'un ton catégorique.

— Mais c'est ce que tu nous as dit.

— J'ai dit que je lui avais demandé si son nom était Jésus.

— Et qu'a-t-il répondu ?

— Jésus-*Christ.*

— Christ ? répéta Izzy. En es-tu certain ?

— C'est ce qu'il a dit.

— Rien d'autre ?

— Plein d'autres choses, mais je n'ai rien compris.

— C'était donc ça, s'exclama Izzy. La pierre à soupe.

Il les regarda tous d'un air triomphant.

— La pierre à soupe ? répéta Miranda, perplexe.

— Vous ne connaissez pas cette vieille histoire ? Un soldat sans le sou arriva un jour dans un village. Comme il avait faim, il promit aux villageois de leur préparer un vrai festin avec sa pierre magique. Il demanda une marmite d'eau chaude et jeta sa pierre dedans. Puis, par ruse, il obtint de chacun des villageois d'apporter de chez eux quelques légumes ou un morceau de viande ou des épices et il jeta le tout dans la marmite. Bientôt un bon fumet se répandait et sa soupe magique était prête.

Ils attendirent.

— Un peu de ceci, un peu de cela, développa Izzy. Notre clone a entendu les chrétiens raconter des histoires sur le parking. Il a mémorisé tout cela et voilà que Ross ici présent le baptise Jésus-Christ.

— J'ai seulement dit Jésus, rappela ce dernier.

— Alors quelqu'un d'autre a dû le prononcer devant lui parce que ce mot n'existait pas à son époque.

Ross fronça les sourcils.

— Jésus était un nom très répandu à ce moment-là, comme Pierre ou Jean aujourd'hui, expliqua Izzy. Mais le titre honorifique de *Christ* n'existait pas. Christ est une vieille abréviation anglaise de *Christus,* qui est la traduction latine de *Khristós,* qui est lui-même la traduction grecque du mot hébreu *meshiah* qui signifie l'Oint – celui qui est consacré par une onction divine. Le mot *Khristós* n'a été utilisé que lors de la rédaction du Nouveau Testament... des décennies après la crucifixion. Et la forme abrégée de Christ n'est arrivée que bien des siècles plus tard. Le Jésus historique n'aurait jamais eu le vocabulaire pour se nommer lui-même Christ. D'ailleurs, nulle part dans la Bible, il n'est noté qu'il s'est présenté comme le messie. Tu comprends ? Si cet homme s'est lui-même donné le nom de Christ, cela signifie qu'il raconte des histoires. Soit c'est un imposteur, soit quelqu'un lui a fait une blague. Mais il n'y a rien de vrai là-dedans.

— Pourquoi quelqu'un aurait-il fait ça ? demanda Miranda.

— Je n'en sais rien. Pour plaisanter probablement.

— Mais qui aurait pu lui parler ? fit remarquer Nathan Lee. Nous faisons très attention.

— Pas tant que cela. Quelqu'un a bien laissé un crucifix dans l'arbre, tu te souviens ? Si ça se trouve, il s'agit d'une seule et même personne. Quelqu'un qui a accès à cet endroit.

Ils se tournèrent tous vers Ross.

— Qu'en dis-tu ? As-tu déposé la croix dans l'arbre ?

— Non, Monsieur, jura Ross, avant d'ajouter. Encore que je ne vois pas quel mal il y aurait là.

— Pourquoi ?

Ross considéra Nathan Lee comme s'il était un peu simple d'esprit.

— Ce sont des chrétiens.

Nathan Lee se frappa les cuisses.

— Mais bien sûr !

— Ce que j'aimerais savoir, c'est d'où vient la fuite ? intervint Miranda. Avez-vous vu cette foule dehors ?

Ross garda le silence, mais son collègue répéta :

— *Pendejo.*

— C'est toi ?

— J'ai appelé ma femme, confessa Ross. Mais je lui avais dit de ne pas en parler à sa sœur.

— Je ne le crois pas, gémit Miranda.

— Quel mal ?

— Nous venons de vous l'expliquer.

Nathan Lee soupira.

— Sortez-le d'ici, ordonna le Capitaine.

— Où dois-je l'emmener, Capitaine ? demanda Joe.

— Donnez-lui une serpillière, faites-lui changer les ampoules, n'importe quoi, mais qu'il reste loin d'ici et des téléphones. Et empêchez-le de mettre le nez dehors. Qu'il n'aille pas raconter ses histoires à cette foule.

— Incroyable ! s'exclama Miranda une fois les deux hommes sortis.

Ils s'approchèrent de la fenêtre. Dehors, le rassemblement avait grossi, passant de quelques douzaines à plusieurs centaines de personnes. Les flammes des bougies vacillaient dans la nuit.

— Mais ce sont des gens cultivés ! protesta Izzy. Ils ne peuvent décemment pas croire que le fils de Dieu se trouve dans notre sous-sol ?

— Alors que font-ils ici ?

— Curiosité humaine.

— Il est trois heures du matin.

— Je n'aime pas ça, dit le Capitaine. Cette situation pourrait dégénérer. Il faut dégager le terrain.

Il décrocha son téléphone et appela la Pro Force, une troupe de choc, armée et menaçante.

— Allez-y en douceur, ordonna-t-il. Raccompagnez simplement tous ces gens jusqu'en bas de la colline et fermez la route d'accès.

L'événement se développait sous leurs yeux. Les gens avaient remarqué la fenêtre éclairée et leur faisaient des signes. Ils entonnèrent « Jésus-Christ ».

— Ils ne sont pas dangereux, dit Izzy. Nous les connaissons tous.

Et, de fait, ils paraissaient pacifiques, occupés pour la plupart à protéger leurs bougies du vent.

— Les foules ne sont pas des individus, fit remarquer le Capitaine.

— Tout cela n'a aucun sens, dit Izzy.

— La Pro Force risque de donner un caractère réel aux choses, fit remarquer Nathan Lee. La simple présence des soldats légitimera l'événement.

Le Capitaine poussa un profond soupir.

— Je crois que la situation nous échappe.

— Le Capitaine a raison, dit Miranda à Nathan Lee. Il a son travail et toi le tien. Nous devons limiter les dégâts. Et vite.

Nathan Lee se leva.

— Très bien. Dans ce cas, remontons à la source.

Il fit signe à Izzy de le suivre.

Joe avait repris sa place dans la salle de contrôle et Ross se tournait les pouces quelque part. Joe indiqua un des écrans.

— C'est lui, annonça-t-il.

Nathan Lee attira une chaise et scruta l'image.

— Ah, le clone qui se croyait en Égypte. Il ne nous avait jamais donné son nom.

L'homme, assis au bord de son lit, avait l'air d'attendre un visiteur. Mince, les épaules larges, il avait de grands pieds et de grandes mains, des cheveux et une barbe noirs. À l'exception du jour où il avait fait allusion à un ciel de bronze, il s'était toujours montré timide et réservé. Mais aujourd'hui, une lueur féroce brillait dans son regard. Les dés étaient jetés et il ne pouvait plus reculer.

— Que sais-tu de lui ? demanda Nathan Lee à Izzy.

— Il est assez content de lui, si tu veux mon avis. Il reste à l'écart et m'a rembarré plusieurs fois lorsque j'essayais d'engager la conversation. Je ne sais rien de lui.

— Repasse la cassette, dit Nathan Lee à Joe. Je veux entendre ce qu'il a raconté à Ross.

La scène se rejoua devant leurs yeux. Ils virent Ross entrer lentement dans la cellule et se signer. Le clone l'observait.

Il n'avait pas l'air particulièrement malheureux ou angoissé, bien qu'une minute plus tôt, il ait marmonné quelque chose comme « Dieu pardonne-moi ». *Êtes-vous Jésus* ? demanda Ross en anglais. Très clairement, le clone répondit *Jésus-Christ*.

Ross avait raison pour la suite du discours. Le clone parla si vite en araméen que Nathan Lee ne comprit rien. Puis Joe apparut à la porte et tira Ross hors de la cellule dont la porte claqua.

— Encore une fois, demanda Izzy. Tu vas adorer ça, dit-il après avoir visualisé le film une deuxième fois. Directement tiré de l'Apocalypse de Jean. *Je suis l'alpha et l'oméga. Celui qui est, qui était et qui vient.* Ensuite, il parle de souffrance et de repentir.

Nathan Lee fouilla dans ses souvenirs du Nouveau Testament.

— L'Apocalypse. Mais il n'a été écrit qu'au IIe siècle. Ce type mélange tout. L'Égypte. L'Apocalypse. L'Ancien et le Nouveau Testament.

— Il ne ressemble guère à un Jésus de toute façon.

Nathan Lee comprit ce qu'il voulait dire. Jésus était hors norme : une idole, une star de cinéma... pas un homme. Il avait de longues tresses blondes avec une petite barbiche ou des mèches noires et une barbe à la ZZ Top. Des yeux bleus ou bien noirs, un nez droit ou busqué. On le trouvait dans les crèches de Noël, les mosaïques byzantines ou les cartes de prière mexicaines, dans des verres sales ou des statues en marbre. Il était une création artistique, une créature des moines, de Michel Ange ou de Mapplethorpe. Intellectuellement, Nathan Lee savait que cet homme ne pouvait pas être le dieu chrétien. Mais une petite partie « préhistorique » en lui ne pouvait s'empêcher de se demander *Et si c'était vrai* ?

— Il cherche à attirer l'attention, reprit Izzy. C'est une mystification.

— Mais pourquoi maintenant ?

— À cause de ce crucifix dans l'arbre, je crois. Qu'a-t-il à perdre ?

— En y réfléchissant, ce crucifix ressemble un peu à un signal. Un feu vert pour entrer en action.

— Eh bien, il est finalement sorti du placard.

— Finissons-en maintenant, dit Nathan Lee. Ce ne sera pas long et ensuite, nous pourrons tous retourner nous coucher.

Quand ils pénétrèrent dans la cellule, le clone ne se leva pas.

— *Shlaa-ma um ook*, dit Nathan Lee. *La paix soit avec toi.*

Le clone ne se montra guère accueillant.

— Ismaël et Nathaniel. Pourquoi vous ont-ils envoyés ? demanda-t-il. *Ils*. Leurs ravisseurs et leurs geôliers.

— Ils nous ont envoyés.

— Qui êtes-vous ? demanda le clone.

Cela aurait dû être leur question.

— Vous n'êtes pas ce que vous prétendez être.

C'était la vérité.

— Comment t'appelles-tu ? demanda Izzy.

— Tu es l'un d'eux.

— Ton nom.

— Eesho. Ils m'appellent Yeshua. Vous dites Jésus. Le *meshiah*. Le Messie.

— Christ ? demanda Izzy.

— Cela aussi.

— Jésus est un nom répandu, fit remarquer Nathan Lee. Es-tu celui qu'ils appellent Jésus Barabbas ?

C'était une question piège. Barabbas n'avait pas été crucifié. Si Eesho ne faisait que répéter ce qu'il avait appris, il allait acquiescer et tomber dans le piège.

— M'honoreriez-vous si j'étais un *lestai* ? demanda Eesho d'un ton méprisant.

— L'honorer ! s'exclama Izzy en anglais. C'est ce qu'il croit ?

— C'est quoi un *lestai ?* demanda Nathan Lee.

— Je n'ai jamais entendu ce mot.

— Commençons par ça alors. Utilise ses propres termes.

Izzy se lança dans une discussion en araméen.

— C'est une sorte d'assassin, dit-il finalement. Un terroriste politique.

Il écouta le clone qui avait repris la parole.

— C'est ça. *Sicarri* est un autre terme. Comme Judas Iscariote. Judas le Sicaire. Un fanatique.

— Attention, souffla Nathan Lee. Ne donne pas de noms. Il se nourrit de nos erreurs.

— Je n'ai rien dit. C'est lui qui a prononcé le nom de Judas.

Le clone vit l'hésitation de Nathan Lee et son visage exprima la satisfaction.

— Bon sang, murmura Nathan Lee.

Eesho, si c'était bien son nom, en savait plus qu'il ne le craignait.

Pendant deux heures, ils lui posèrent des questions. Où était-il né ? Où était sa famille ? Le nom de ses voisins ? Qui était le Gouverneur ? Ses professeurs ? Avait-il été à Jérusalem ? Combien de fois ? Pourquoi ?

Le clone répondait consciencieusement, presque mécaniquement. Il était né à Bethléem, dans une grotte. Son père était charpentier et descendait du roi David qui descendait lui-même d'Abraham. Pour le prouver, il récita de mémoire une longue liste de noms qui reliaient son père, génération après génération, aux grands prophètes.

— Es-tu le fils de David ou le fils de Dieu ? demanda Nathan Lee.

— Je suis le Nazaréen, déclara simplement le clone, parfaitement à l'aise.

S'il s'était contredit, à eux de le découvrir.

— Mais tu as dit être né à Bethléem.

— Le Seigneur parla par la bouche du prophète Osée et dit : « *Et j'appelai mon fils hors d'Égypte.* »

Là, pensa Nathan Lee. Une nouvelle référence à l'Égypte.

— Il est malin, dit-il à Izzy. Depuis le début, il nous mène en bateau.

— Que veux-tu dire ?

— Il prophétisait sa propre venue. Le premier jour sur le parking, il a dit que nous étions en Égypte. Le fils a été rappelé d'Égypte. Donc, il est le fils.

— Mais qui lui a fourni ces références bibliques ?

— Continue de l'interroger. Nous allons trouver.

Eesho raconta qu'il avait eu quatre frères prénommés Jacques, José, Simon et Jude, et trois sœurs dont il ne se fatigua pas à donner les noms. Parmi ses professeurs, il y avait Jean le Baptiste. Il avait marché pendant des années sur les rivages de la mer Morte et médité dans le désert. Et il reconnaissait avoir attaqué les marchands et les changeurs d'argent au Temple.

— Après cela, j'étais marqué. Ils m'ont exécuté.

— Qui t'a exécuté ?

Eesho raconta alors le récit de la Passion, exactement comme dans la Bible. Un récit plein de méchants juifs, de trahison et de lâcheté. Judas le Zélote l'avait trahi. Il fut arrêté et traîné devant les Grands Prêtres du Temple qui lui crachèrent dessus et le frappèrent. Puis ils l'accusèrent de blasphème et le livrèrent à Ponce Pilate qui le condamna. Comme dans la Bible, Pilate ne s'opposa pas à la sentence.

D'un ton parfaitement neutre, Eesho continua son récit, décrivant la flagellation, la couronne d'épines et les railleries des soldats, puis son cheminement dans les rues étroites jusqu'à la grille ouest du Golgotha. Là, il fut cloué sur la croix et sa croix plantée entre deux autres portant chacune un voleur.

— Et ensuite, je suis mort, conclut-il sans émotion.

Nathan Lee regarda les poignets d'Eesho et le tracé des veines bleues sous la peau olivâtre. Un clou avait traversé ces os et cette chair, mais il semblait l'avoir oublié. À moins qu'il ne soit un menteur.

— Tu es donc mort, dit Nathan Lee. Te souviens-tu de ce qui s'est passé ensuite ?

— Je me souviens de tout ce qu'il y a à se rappeler.

Ils assistaient là à une véritable performance, du début à la fin, directement tirée de la Bible.

— Quelqu'un lui a fourni le script, dit Nathan Lee.

— Mais qui ? Et surtout, pourquoi ?

— Quelqu'un qui a du temps. Cela a dû prendre des semaines ou des mois pour lui faire apprendre tout cela. Il connaît l'histoire sur le bout des doigts. Et le tout en araméen. Celui qui l'a formé parle donc couramment cette langue. Ce qui exclut Ross et les autres gardes. Il ne peut s'agir que d'un visiteur ou en tout cas d'une personne extérieure.

— Je ne sais pas, dit Izzy en secouant la tête. Quelqu'un pourrait peut-être parvenir à neutraliser le système de sécurité une fois ou deux, mais pendant des semaines…

— Il est possible qu'il n'ait pas été préparé ici, fit remarquer Nathan Lee en feuilletant le dossier. Il est resté près de six mois dans le Secteur Sud avant d'être transféré ici. Cela s'est probablement passé à ce moment-là.

— Tu en parles comme d'un acte de sabotage. Une grenade. À t'entendre, quelqu'un lui aurait fait répéter le rôle de Jésus, puis l'aurait envoyé chez nous et aurait attendu tous ces mois avant de le dégoupiller. Cela paraît bien compliqué. Tellement prémédité.

— Comme toutes les bonnes escroqueries.

Mais il garda pour lui ses soupçons. Izzy avait raison. C'était un peu trop tiré par les cheveux.

— Pourquoi le faire parler aujourd'hui ?

— Je l'ignore.

— Pourquoi as-tu attendu aussi longtemps pour parler ? demanda Izzy au clone. Pourquoi ce soir ?

Le visage d'Eesho se détendit. Il leva un doigt :

— L'heure de l'Apocalypse a sonné, répondit-il.

L'espace d'un instant, Nathan Lee revit le français à Katmandou, empli de cette même certitude tranquille.

— Les gens prédisent l'apocalypse depuis le début des temps, fit remarquer Nathan Lee. Dis-lui que chaque fois que le soleil se couche, une personne annonce la fin du monde. De quelle apocalypse parle-t-il ?

La réponse d'Eesho fut longue.

— Il dit qu'il voit la peste dans nos yeux, traduisit Izzy. Il dit que le Seigneur a lancé sur nous une peste mortelle. Toutes les plaies d'Égypte, plus d'autres dont nous n'avons jamais entendu parler. Nous mourrons tous parce que nous n'avons pas respecté Sa Parole. Nos peuples vont se dessécher et perdront la mémoire d'eux-mêmes, ce qui est la pire des morts. La fin des temps. *Cette* Apocalypse-là.

— Qui lui a parlé de la peste ?

— Il ne cherche peut-être qu'à nous bluffer. Il n'a pas froid aux yeux.

— Non, il sait. Quelqu'un lui a dit.

— La voix de Dieu, répondit Eesho en pointant un doigt vers le plafond.

Pendant un instant, Nathan Lee crut qu'il indiquait les micros.

— Pourquoi as-tu crié que Dieu t'avait abandonné ?

— J'ai crié parce que j'étais sur la croix et que je souffrais.

— Que veux-tu exactement ? demanda Nathan Lee.

C'était une question ridicule à poser à un prisonnier. Il voulait probablement la même chose que tous les prisonniers du monde. La liberté.

Brusquement, Eesho ferma les yeux et tendit les mains, paumes en l'air. Puis il commença à se balancer d'avant en arrière, marmonnant des prières. Nathan Lee avait déjà vu cela auparavant au cours de ses pérégrinations, du Mur des Lamentations au monastère de Rongbuk au Tibet. Des psalmodies rapides que les ascètes utilisaient pour chasser les démons de leurs esprits. Pour le clone, Nathan Lee ne représentait déjà plus qu'un bruit de fond.

L'aube venait de se lever lorsque Nathan Lee quitta le sous-sol d'Alpha Lab. Il monta sur le toit et contempla les premiers rayons du soleil qui caressaient le relief de la mesa. Plusieurs milliers de personnes étaient rassemblés sur la route où elles attendaient tranquillement, sans bousculade. Les soldats de la Pro Force veillaient dans leurs uniformes noirs, de l'autre côté du ruban jaune qui délimitait la scène de crime. Une femme leur distribuait du café dans des gobelets en polystyrène. Après tout, ils étaient tous du même bord.

Miranda le rejoignit.

— On ne parle plus que de ça sur le Net. La nouvelle s'est répandue à une vitesse incroyable. Comment ça s'est passé dans le donjon ? Tu as l'air… démoralisé.

— Fatigué, c'est tout. Mais ça se complique.

— J'en conclu que tu n'as pas réussi à le faire parler.

— Celui qui l'a briefé a fait du bon boulot. Il n'a pas commis la moindre erreur. Si tu crois en la Bible, tu crois en lui.

— Et tu y crois ?

— Bien sûr que non. Ce type ne se croit pas lui-même et paraît surpris de l'intérêt qu'il suscite. À mon avis, il n'a jamais entendu parler de Jésus-Christ. Le vrai messie était supposé être un général militaire sorti du peuple pour vaincre ses assaillants, une sorte de Conan le Barbare. Il a l'air amusé que nous puissions ajouter foi à son mythe du guérisseur ambulant crucifié sur la croix. Il maîtrise parfaitement son personnage, mais il ne fait que citer la Bible. Pas de réalité tangible derrière tout ça. Son histoire est trop belle pour être vraie. Quelqu'un l'a préparé, j'en suis convaincu.

— Va leur dire dans ce cas, fit Miranda en montrant la foule. Nous sommes mercredi matin et ils sont supposés travailler.

— Ce n'est pas aussi simple.

— Cette fable est une bombe à retardement qui nous met tous en danger. Désamorce-la.

— Je serais étonné qu'ils soient nombreux à croire à cette histoire.

— L'entrée de mon laboratoire est protégée par la police, fit-elle remarquer, en colère.

La présence de tous ces gens la blessait, Nathan Lee pouvait le voir. À moins qu'ils ne lui fassent peur. Ce n'était pas leur nombre, qui restait contrôlable, ni leur ferveur, pour l'instant docile. Mais il s'agissait de chercheurs qui n'auraient pas dû se trouver là.

— Il porte un masque, Miranda. Et je ne peux pas l'enlever. Il va devoir l'ôter lui-même.

— Tu te montres trop gentil avec lui. Tu les considères tous comme des copains.

Nathan Lee devait reconnaître qu'il ne savait plus très bien ce qu'ils étaient pour lui. Sûrement pas des patients, ni des sujets. Mais certainement pas des copains.

— Je ne crois pas. Surtout celui-là. Je ne lui avais jamais parlé avant ce matin.

— Tu es trop impliqué pour t'en rendre compte. C'est un peu comme le syndrome de Stockholm à l'envers. Ici, au lieu que le prisonnier s'identifie à son geôlier, c'est toi qui t'identifies à eux.

— C'était le but. L'unique moyen pour Izzy et moi de nous faire accepter.

— Cela dure depuis trop longtemps. Il faut que cela cesse, ajouta-t-elle en se dirigeant vers la porte.

— Que vas-tu faire, Miranda ?

— Nous nous trompons en traitant avec lui à son niveau. À lui maintenant de se mettre au nôtre.

Le temps que Nathan Lee rejoigne l'ascenseur, Miranda avait déjà dévalé l'escalier. Il courut jusqu'à la cellule, mais Miranda, avec l'aide d'Izzy, avait emmené Eesho à l'étage des clones. Nathan Lee regagna l'ascenseur et appuya sur le bouton.

Il les retrouva dans la salle d'incubation. Eesho semblait en état de choc. Son monde – sa cellule aux parois en acier et le parking entouré de murs – venait de voler en éclats. Dans la lumière bleue de cette usine à naissances, il se trouvait face à une genèse qui dépassait tout ce qu'il aurait pu imaginer.

Nathan Lee n'était pas revenu dans cette pièce depuis des mois. Le clonage avait cessé. Un seul des bassins était occupé. Le fœtus – un homme presque achevé – se balançait dans l'eau.

— Dis-lui, ordonna Miranda à Izzy.

Elle tenait Eesho par le bras et le forçait à regarder. Elle avait un air féroce que Nathan Lee ne lui avait jamais vu.

— Que veux-tu qu'il lui dise, Miranda ? demanda Nathan Lee. Il est déjà terrifié.

Eesho fixait le bassin. L'humidité laissait des traces sur son visage.

À l'envers dans son sac, le fœtus prenait vie. Ses paupières se soulevèrent et ses yeux se posèrent sur Eesho.

— Dieu ne l'a pas créé, dit Miranda. Elle dépassait Eesho d'une tête. Et Dieu ne t'a pas créé. Je l'ai fait.

Mais Eesho ne renia pas sa parole.

Dans l'après-midi, Nathan Lee reçut un appel.

— Prépare ton paquetage, ordonna la voix.

Le temps s'arrêta. Les années avaient passé, mais il s'en souvenait comme si c'était la veille. *Prépare ton paquetage.* L'appel aux armes.

— Ochs ?

Nathan Lee serra l'écouteur contre son oreille comme pour piéger les mots. Il avait tellement lutté pour ne pas se laisser pervertir par cette haine qui l'étouffait, espérant qu'elle finirait par se consumer toute seule. En vain. Il serra les poings.

— Où es-tu ?

— Là où tu ne peux pas m'atteindre.

— Dans le Secteur Sud.

— Sais-tu à quel point c'est déplaisant de te savoir si près, à rôder dans les environs ?

Nathan Lee respira un grand coup.

— Nous devons parler, David, dit-il.

— Tu dois écouter, répondit Ochs, pas dupe.

— Où est-elle ?

— Chaque chose en son temps.

— Quel temps ? La peste est partout.

— Je prends la suite.

— La suite de quoi ?

— De ton inquisition. De ton interrogatoire du prisonnier. Tu pars et je sors de ma tanière. Je prends ta place. Tu n'es pas qualifié.

Nathan Lee fut pris au dépourvu. Depuis des mois, il traquait cet homme et voilà qu'il venait à lui. Le professeur d'antiquités bibliques voulait le clone évidemment. Le sang d'Ochs avait dû bouillir pendant qu'il observait de loin Nathan Lee ramener le peuple de l'An Zéro à la vie. La controverse de Jésus devait être irrésistible pour lui. Puis Nathan Lee comprit.

— C'était toi ?

— Moi ? demanda Ochs d'une voix mal assurée.

— C'est toi qui lui as fourré toutes ces idées dans la tête.

— De quoi parles-tu ?

— C'est toi qui lui as enseigné les Écritures.

— Pourquoi aurais-je fait cela ?

L'espace d'un instant, Ochs parut… décontenancé.

Mais Nathan Lee ne s'attarda pas là-dessus. Il s'en moquait. Ils échangeaient leurs places, l'intérieur pour l'extérieur. Ochs pouvait avoir le clone.

— Où est-elle ? demanda-t-il.

— Tout est arrangé. Il faut seulement que tu partes.

— Où ?

— Elle n'a jamais vraiment su que tu existais, tu sais. Elle n'avait que quatre ans quand tu as disparu. Lydia a jeté toutes les photos de toi.

— Tu lui as parlé ?

— Crois-moi, dit-il avant de réaliser que c'était ridicule. Tu ramèneras Lydia avec toi, ajouta-t-il.

— Pourquoi ne m'as-tu rien dit avant ?

— C'était trop tôt. Les conditions n'étaient pas réunies. Je devais te garder en réserve.

Ce que disait Ochs n'avait aucun sens.

— Grace est donc en vie, dit Nathan Lee apaisé.

— Je crois que l'heure de ton voyage a sonné, Nathan Lee. Le moment est venu de les mettre à l'abri.

QUATRIÈME PARTIE

Année zéro

29.

Grace

Le 10 octobre

Nathan Lee avait entendu parler des raids. Des légendes couraient à ce sujet. Les soldats qui s'en chargeaient vivaient à l'écart, sur leur propre campement dans un coin reculé du Secteur Sud, et ne venaient jamais à Los Alamos. On racontait qu'ils étaient trop perturbés pour se mélanger aux gens normaux.

Les projecteurs illuminaient l'aérodrome. Le temps que Nathan Lee les rejoigne, la plupart des soldats avaient déjà enfilé leurs combinaisons d'astronaute et attrapé leurs armes, fusils ou carabines.

Certains portaient des filets, des chaînes, des battes de base-ball en aluminium ou des matraques télescopiques. Ils le dévisagèrent froidement, leurs cheveux blanchis par les produits de décontamination.

Nathan Lee comprenait leur hostilité. Il ne faisait pas partie de leur groupe, ils avaient leurs propres codes, mais il s'en moquait. Il allait chercher sa fille.

S'habiller représentait une tâche compliquée et des habilleurs devaient les aider à enfiler leur équipement. Un homme vif, au corps sec et musclé, se chargea de Nathan Lee et débita ses instructions.

— Voici ce qui constituera votre seconde peau pour la journée : une combinaison de protection chimique en Tyvek de quatrième génération. Neuve. Ici, pas de recyclage. Les tenues sont portées une seule fois avant d'être jetées.

Puis, il lui tendit des bottes de pompier à semelles en acier que Nathan Lee glissa par-dessus ses pieds enveloppés de plastique. Elles montaient jusqu'à ses genoux.

— C'est un environnement dangereux là-dehors, expliqua son habilleur. Évitez tout ce qui coupe comme les morceaux de verre ou de métal. D'os surtout, ce sont les plus contagieux. Compris ? Pensez vite, mais déplacez-vous lentement. Regardez où vous posez les pieds et surtout évitez de déchirer votre combinaison.

— Combien de fois êtes-vous sorti ? demanda Nathan Lee.

— Moi ? Vous plaisantez ?

Nathan enfila trois paires de gants successives : les deux premières en latex et la dernière en kevlar. L'habilleur lui donna un micro et des écouteurs à porter sous son casque. Puis il harnacha Nathan Lee avec un système respiratoire qui stérilisait chaque souffle dans une lumière ultraviolette.

— Voici votre bosse de chameau, annonça-t-il en attachant une vessie sur le dos de Nathan Lee. Elle contient quatre litres d'eau. Vous allez avoir soif et faim dans cette combinaison. Il est important que vous vous hydratiez. Prenez une gorgée tous les quarts d'heure.

Il montra le tuyau qui courait de la vessie jusqu'à la bouche de Nathan Lee.

— L'eau contient un mélange de glucose et de protéines. Vous avez été testé pour la claustrophobie ?

— Non. Pas le temps, mais ça ira, affirma Nathan Lee.

— Ouais. Une fois la combinaison fermée, vous allez vous sentir à l'étroit là-dedans. Ajoutez à cela la chaleur, la faim et la déshydratation, et à la fin de la journée, vous n'aurez qu'une envie : sortir de ce truc. Nous nous chargerons de vous en débarrasser en décontamination. Parfois, un soldat perd la tête et l'enlève dehors. Il suffit d'une seconde. Ôtez votre casque et c'est terminé.

L'habilleur tira fort sur les sangles.

— Nous saurons si vous avez dégrafé votre casque. Alors, contrôlez-vous. Ne vous autodétruisez pas.

Il étala le contenu du kit de terrain : une petite bouteille d'eau de Javel pour rincer une déchirure éventuelle, du ruban adhésif pour boucher les trous, une pompe à main pour siphonner de l'essence et un GPS pour se repérer. Pas de trousse de premier secours. Le message était clair. Pas de blessés. Une coupure, une entaille et vous passiez par pertes et profits.

— Eh ! cria un soldat en montrant ses oreilles. Sur la 4.

— Vous avez un appel, expliqua l'habilleur.

Il régla le cadran au poignet de Nathan Lee sur 4. Nathan Lee espéra que c'était Miranda. Mais ce fut Ochs.

— Prêt à plonger dans les abysses ? demanda ce dernier.

— Où suis-je censé aller ?

— Patience, fils. Ne gâche pas le suspense.

Ochs lui tendait un piège, il en était certain. Mais il n'avait pas le choix. Lui seul détenait la solution.

— Tu aurais pu m'envoyer il y a des mois. J'y serais allé.

— Je t'ai dit que c'était trop tôt.

— Trop tôt pour quoi ?

Ils avaient déjà eu cette conversation.

— C'est comme au bon vieux temps. Fais-moi confiance. Reste en contact, obéis-moi et tout ira bien.

Ochs coupa la communication.

L'habilleur scotcha les gants en kevlar autour des poignets de Nathan Lee avec du ruban adhésif, de même que ses bottes autour de ses jambes et l'armure en plastique autour de ses coudes, de sa poitrine et de ses genoux. Finalement, il lui mit le casque. Il y eut comme une brusque arrivée d'air et les oreilles de Nathan Lee se débouchèrent. Il entendait par la radio, mais les bruits extérieurs lui parvenaient étouffés. Quand l'habilleur tapota son casque, il lui parut très loin. Nathan Lee leva le pouce et l'habilleur le salua.

Trois hélicoptères de transport de troupes et un cargo attendaient. Les pilotes portaient également des tenues de protection. À l'intérieur de l'hélico cargo, Nathan Lee aperçut des cages vides.

Les hélicoptères décollèrent et plongèrent aussitôt vers le nord. Les soldats étaient attachés dans la carlingue où l'air se refroidit très vite. Ils survolèrent la vallée et Nathan Lee aperçut le pueblo où il s'était arrêté en arrivant à Los Alamos, il y avait des siècles de cela. Le tank avait disparu et l'endroit semblait désert. Plus loin, il vit des feux de camp le long du Rio Grande. Des gens marchaient sur l'autoroute.

— Des pèlerins, annonça le chef de section dans l'écouteur. Les nouvelles vont vite. Ils ont commencé à arriver hier.

— D'où viennent-ils ?

— Des villes du coin. Chama, Española ou Tres Piedras.

Les hélicoptères fonçaient au-dessus des vieux volcans, puis ils bifurquèrent en direction des Rocheuses pour suivre le Front Range, la cordillère située sur le bord oriental de la chaîne. Pas une voiture ne roulait sur le ruban noir de la I-25.

Ils dépassèrent Colorado Springs et l'aube illumina les hautes montagnes et les tours de bureaux. Nathan Lee savait que, pas très loin de là, dans les entrailles de Cheyenne Mountain, se cachait le siège du gouvernement fédéral. Comme le roi Arthur, le Président, ses ministres, les membres du Congrès et de la Cour suprême hibernaient dans cet abri souterrain en attendant le jour où la nation se relèverait et les rappellerait.

Quand il était passé par là, l'été dernier, l'endroit grouillait de camions et de bataillons de soldats occupés à remplir les donjons de la démocratie. Aujourd'hui, plus rien ne bougeait.

Les trembles changeaient de couleurs et les collines flamboyaient d'or et de rouge. Ils dépassèrent l'Air Force Academy et se posèrent sur le sommet plat d'une colline hérissée de pièges à chars d'assaut et de barbelés. Des petites antennes paraboliques avaient suivi leur approche. Les hélicoptères se ravitaillèrent en essence.

Nathan Lee aurait apprécié de vider sa vessie, mais ne se risqua pas à demander. Pas de pause pipi en zone de peste. Il jeta un coup d'œil à ses compagnons stoïques et se remémora ces histoires de Croisés qui continuaient de chevaucher malgré la diarrhée qui inondait leurs selles. Il resta donc assis dans son urine chaude, l'air impassible.

Puis ils décollèrent à nouveau et mirent le cap au nord. *Denver,* reconnut Nathan Lee. Le soleil continuait son ascension au-dessus des plaines. À perte de vue, des champs de blé et de maïs s'étendaient, non moissonnés et montés en graine. Le souffle des rotors chassait les animaux. Un troupeau de chevaux affolés détala au galop. Enfin, l'hélicoptère mit le cap sur la ville et les soldats commencèrent à vérifier leur tenue et leurs armes.

Ils survolèrent les banlieues désertes à l'est. Des os blancs jonchaient les rues et des vols d'oiseaux noirs planaient à la recherche de nourriture. Les craintes de Nathan Lee redoublèrent. L'Amérique ressemblait maintenant à l'Asie. *Dans quoi Ochs l'avait-il envoyé ?*

Une douzaine de pestiférés était rassemblée sur un terrain de golf à côté d'une mare. Le pilote de l'hélico descendit pour avoir une meilleure vue. Des corps flottaient sur l'eau, gonflés comme des ballons. Aucun des survivants ne réagit à la présence de l'appareil. La plupart avaient inconsciemment retiré leurs vêtements à cause de la chaleur des derniers jours et en cette matinée froide, ils fixaient le soleil sans un mot.

Nathan Lee remarqua les traces dans les herbes. Puis il vit les chiens. Des chiens domestiques, appartenant aux races les plus grosses : des golden retrievers, des dalmatiens, des labradors, de robustes clébards. Des meutes groupées autour du troupeau humain. Nathan Lee avait vu des hyènes et des chiens sauvages se comporter de la même façon au Kenya pour dévorer les animaux égarés.

Le pilote faisait du surplace à quelques mètres au-dessus des pestiférés. À travers leurs tissus infectés, Nathan Lee pouvait voir leurs dents comme des grimaces affamées et la masse sombre de leurs viscères.

— Pas d'enfants, aucune femme enceinte, dit le pilote. Je me trompe ?

— Non, rien ici, déclara le chef d'équipe après avoir scanné le groupe.

L'hélicoptère reprit de l'altitude et s'éloigna.

Pendant les vingt minutes suivantes, le manège se répéta. Ils repéraient un groupe d'individus sur un parking, une aire de jeux ou au milieu des décombres, descendaient pour les observer de plus près et repartaient. Ils atteignirent ainsi le stade de base-ball des *Coors*. Pendant sa traversée des USA, Nathan Lee avait appris que les stades servaient maintenant à parquer les dizaines de milliers de personnes infectées par le virus. Mais le *Coors* était vide, à l'exception de quelques corps avachis dans les tribunes. Soit l'effondrement de Denver s'était produit trop vite pour que les autorités aient le temps de réagir, soit ils avaient compris l'inutilité de la quarantaine. L'hélicoptère se posa au centre du terrain.

Les soldats connaissaient leur travail. Des sentinelles armées de mitraillettes coururent prendre position en haut des tribunes pour surveiller les rues alentours. Une équipe installa une antenne parabolique et établit la liaison avec Los Alamos. Une autre dégagea les lieux d'accès. Nathan Lee donnait un coup de main pour les tâches évidentes et restait à l'écart le reste du temps, écoutant les échanges radio.

Puis il se connecta sur la chaîne 4.

La voix d'Ochs l'accueillit.

— Bienvenue à *Mile High City*[1], lança-t-il.

— Ça se présente mal, dit Nathan Lee à la recherche d'encouragements.

— Dans le cas contraire, tu ne serais pas là, répondit Ochs. Ils ont appris à ne pas s'embêter avec les villes au premier stade de la maladie. Trop de folie. Trop d'armes. Trop de tarés. Des familles cherchant à protéger leurs proches.

— Tu as dit que Grace était vivante.

En fait, Ochs n'avait jamais rien dit de tel.

— Reste en contact. Je te fournis les coordonnées. J'ai une carte et on va les retrouver ensemble.

Laissant aux pilotes le soin de surveiller les appareils, les soldats se dispersèrent. Transportant des jerrycans d'essence, ils se mirent en quête de véhicules. Denver, paradis de la voiture tout terrain. Par équipe de deux, les soldats choisissaient une voiture parmi celles abandonnées, remplissaient son réservoir et s'éloignaient.

Nathan Lee se retrouva seul. Il dénicha une Toyota avec une batterie en état de marche et les clés sur le contact. Le moteur démarra avec ce qui restait dans son réservoir et le toit s'avéra suffisamment haut pour lui permettre de s'asseoir avec son casque. Il vida son jerrycan dans le réservoir, ce qui lui permettrait une virée d'une centaine de kilomètres.

Ochs jouait au navigateur et Nathan suivait ses instructions. Quand il tombait sur des rues bouchées par les épaves de voitures, Ochs lui trouvait une déviation. Ensemble, ils atteignirent un quartier confortable ombré de peupliers. Comparé aux enchevêtrements de métal des autoroutes et aux carcasses brûlées de centres commerciaux, ce quartier donnait l'impression d'un refuge bien protégé. Une voiture gisait sur le toit sur une pelouse, une autre était à moitié sortie d'un garage comme si, jusqu'à la dernière minute, les hommes avaient éprouvé le besoin de tenir un volant

1. La ville de Denver est ainsi surnommée en raison de son altitude officielle qui est de 1 mile (1.609 m) au-dessus du niveau de la mer.

entre leurs mains. S'ils ne pouvaient contrôler leur destin, au moins pouvaient-ils conduire une voiture.

— 1020 Lakeridge Road, dit Ochs. Une maison à deux étages en brique. Il y a une girouette avec un coq.

— J'y suis.

— Dis-moi ce que tu vois.

— Que suis-je venu faire ici ? demanda Nathan Lee d'une voix blanche.

Depuis deux heures qu'il roulait, il n'avait pas croisé un seul survivant sain. Seulement des cadavres et des anges à la dérive. Il ne pouvait s'agir que d'une fausse piste ou d'un piège.

— Entre dans la maison et raconte-moi. Je veux tout savoir, dit Ochs.

Nathan Lee coupa le son avant de se diriger vers la porte d'entrée. Un drapeau en nylon décoré d'un papillon dépassait d'une charnière de la véranda et un soleil en terre cuite pendait près de la porte. Un carillon éolien tinta. Le paillasson lui souhaitait la *Bienvenue*.

Il frappa à la porte, mais le bruit fut amorti par le gant. Ses mouvements étaient lents et sa respiration résonnait dans le casque.

La porte était ouverte. À l'intérieur, la maison semblait attendre le photographe d'un magazine de décoration. Lydia était passée par là. Des pétales de fleurs tombés en poussière recouvraient un napperon blanc sous un vase. La maison donnait l'impression d'être habitée, sans l'être vraiment. Trop bien rangée. Il n'y avait pas ces petits désordres habituels de la vie de tous les jours, pas de paires de chaussures près de la porte d'entrée.

Une partition sur le piano portait le nom de Grace. Ses doigts avaient caressé les touches. Nathan Lee entendit à peine les notes à travers son casque.

Les preuves s'accumulaient. Scotchés sur le réfrigérateur, ses dessins de l'école primaire Alameda : un arbre, une maison avec des petites filles qui arrosaient des fleurs et en dessous sa signature en lettres capitales. Dans le congélateur, les glaces avaient fondu.

Nathan Lee avait du mal à respirer, s'efforçant de ne pas réfléchir. Sa fille avait habité ici.

Sur un tableau au mur, des photos de famille. Lydia avec un sourire à mille watts à côté d'un bourgeois trapu doté d'une belle bedaine. Lydia s'était trouvé un protecteur. Finis les globe-trotters et les ratés. Son mari ressemblait même à son frère. Ils affichaient un air satisfait.

Sur un autre cliché, Grace avait perdu deux dents et un chapeau de paille ombrait ses yeux. La main de Nathan Lee caressa les photos, prononçant le nom de sa fille dans son casque : près d'une cascade, à la piscine, sur un chemin de randonnée avec un panier de petites framboises. Elle avait hérité du sourire de sa mère et du visage étroit de son père. Mais pour l'essentiel, elle ne ressemblait qu'à elle-même.

Debout devant le tableau, Nathan Lee sentit son cœur se serrer. Il aurait dû être sur ces photos. C'est sur ses épaules qu'elle aurait dû être assise et sur sa tête qu'aurait dû pointer le ridicule petit chapeau d'anniversaire. Tout ce dont il avait toujours rêvé. Un autre homme avait vécu sa vie.

Nathan Lee descendit à la cave, la meilleure cachette selon lui. Il aurait emmené sa fille dans le désert ou en haut d'une montagne, mais s'il avait dû rester, le mieux aurait été de s'enterrer profond. Il se mit à imaginer un véritable dédale de tunnels reliant les banlieues et des familles de survivants se débrouillant sous ses pieds.

Au sous-sol, du papier peint décorait les murs et du carrelage le sol. Pas de portes cachées ou de tas de terre. Il reprit l'escalier et monta au deuxième étage. Il trouva le mari de Lydia dans la chambre. Un suicide bien propre. L'homme avait avalé des cachets, s'était couché et endormi. Lydia n'était pas avec lui. Elle devait être avec son enfant.

Nathan Lee suivit le couloir jusqu'à la dernière porte. Plein d'appréhension, il l'ouvrit. Le lit était vide. Elle avait recommencé. Lydia avait trompé son mari. Il l'imaginait fuyant avec Grace, abandonnant son idiot de mari à son suicide. Pour la première fois, la perfidie de Lydia lui fit plaisir. Elle avait peut-être sauvé la vie de sa fille en agissant ainsi. Sa quête ne s'arrêtait pas là.

Il s'assit sur le lit et examina les murs peints en rose et les douzaines de poupées alignées sur des étagères. Il s'empara d'une brosse sur une petite coiffeuse et dégagea les longs cheveux blonds pris dans les poils. Lentement, ses yeux passèrent en revue les poupées si bien rangées. Pas une de travers, pas une qui manquait. Il se leva et s'approcha de la fenêtre qui donnait sur la cour derrière.

Et là, il eut l'impression de mourir.

Il ne les avait pas vues de la fenêtre de la cuisine parce qu'elles étaient cachées par les hautes herbes. Mais d'ici, les deux croix blanches étaient clairement visibles. Le mari de Lydia les avait enterrées avant de se donner la mort.

Nathan Lee se retrouva devant les tombes sans se souvenir d'avoir bougé. Il s'agenouilla devant la croix de sa fille avant de rétablir la communication.

— Où étais-tu ? s'écria Ochs.

— Je les ai trouvées. J'ai trouvé les tombes.

— Des tombes ? Merci mon Dieu.

— Elles sont mortes, Ochs.

— Évidemment qu'elles sont mortes, répondit ce dernier. Tu es à Denver. Mais elles ont été enterrées. C'est l'essentiel.

Il semblait fou de joie.

— Tu perds la tête où quoi ? hurla Nathan Lee. La rage l'étouffait.

Ochs était un monstre. Un lézard froid et insensible.

— Comment peux-tu être sûr que ce sont elles ? demanda ce dernier.

— C'est écrit. Il a gravé leurs noms.

— Tu as réussi ! s'écria Ochs. Maintenant, attention. Tu es presque au bout du chemin.

Le mari de Lydia avait creusé les tombes sur un léger surplomb de la cour avec vue sur les Rocheuses. Il avait bien tassé la terre et planté des graines de fleurs. La jalousie envahit Nathan Lee, menaçant de l'étouffer. Cet homme avait été un bon père pour sa fille. Il avait merveilleusement préparé sa dernière demeure.

— Tu es toujours là ?

— Oui.

— Écoute-moi bien, Nathan Lee. Tu m'écoutes ?

— Oui.

— Aimes-tu Grace plus que tout au monde ?

Depuis combien de temps sont-elles mortes ? se demanda brusquement Nathan Lee. La peinture des croix était craquelée par le froid, mais les tournesols et les pâquerettes n'avaient pas encore connu une pleine saison de floraison. Les graines avaient dû être plantées au milieu de l'été ou plus tard. En août, probablement. S'il avait su, il aurait pu la retrouver vivante.

— Tu dois l'aimer plus que tout, disait Ochs.

— Tu aurais pu me le dire, coupa Nathan Lee. C'est en tout cas ce qui m'intéressait, je n'étais pas après toi.

Maintenant, il comprenait. Ochs l'avait entraîné ici pour mourir. Les soldats allaient repartir sans lui. Ochs était libre.

— Je te l'ai déjà dit, c'était trop tôt. Je ne voulais pas te perdre.

— Me perdre ?

— J'ai essayé de les faire venir à Los Alamos, il y a six mois. J'ai vraiment fait tout ce qui était en mon pouvoir. J'ai soudoyé, menacé, prié, dit Ochs. Ma propre sœur et ma nièce. Mais le conseil a dit non. Miranda a refusé, je sais que c'est elle. Pour se venger. Et puis, tu es arrivé.

En août. Il aurait pu la tenir dans ses bras une dernière fois. Il ne se sentait même plus la force d'être en colère.

— Ne me laisse pas tomber, Nathan Lee. Nous y sommes presque.

Nathan Lee ressemblait à une feuille sur le point de tomber.

— Trouve une pelle, reprit Ochs.

— Quoi ?

— Nous allons les ramener ici, à l'abri derrière les barrières. Mais tu dois faire vite. Les hélicoptères décolleront dans trois heures.

De quoi parlait-il ?

— Nathan Lee ?

— Que je la déterre ?

— Je sais. Mais tu dois être fort. Tu vas les ramener ici. Tu as vu ce qu'ils peuvent faire.

— Tu veux les cloner ?

— C'est le seul moyen.

— Grace ?

— Tu sais ce qu'il nous faut. Ce ne sera pas agréable, mais tu l'as déjà fait avant. Un doigt de chacune d'elles, ou une dent. Trouve des cisailles de jardin.

Nathan Lee avait l'impression de devenir fou.

— Il n'y avait pas d'autre moyen, continuait Ochs. Il fallait qu'elles meurent pour pouvoir vivre. Maintenant nous pouvons leur offrir une place dans le sanctuaire. Ma sœur et ta fille seront à l'abri. Parle-moi.

Nathan Lee n'en croyait pas ses oreilles. Ochs l'avait envoyé exhumer le corps de son propre enfant.

— Tu es le seul à pouvoir la sauver, Nathan Lee. Elle a besoin de toi.

— Non, répondit Nathan Lee.

— Si tu ne le fais pas, tu la tues.

— Elle est déjà morte.

— Creuse, Nathan Lee. Creuse dans ton cœur. Trouve la force et rapporte-moi ce que je te demande. Miranda les ressuscitera.

— Elle ne fera pas cela.

— Pour toi, Miranda ferait n'importe quoi.

L'espace d'un instant, Nathan Lee imagina la tombe ouverte et le petit corps sorti de la terre.

Il gémit.

— Il est tard, les hélicoptères ne t'attendront pas. Après cela, tu seras perdu.

Ochs alterna les prières et les menaces.

— Tu détiens le pouvoir de vie et de mort. Il n'y a aucune raison pour que Grace finisse sa vie ainsi. C'était une enfant adorable. Donne-lui une deuxième chance. Tu en as le pouvoir.

Mais l'horreur montait en Nathan Lee. Comme pourrait-il ouvrir cette tombe ? Comment ne le pourrait-il pas ?

Nathan Lee fouilla dans sa mémoire et se souvint d'un orage. Grace, bébé, dormait dans ses bras. Le vent hurlait à travers les fenêtres de leur maison de Washington et il osait à peine respirer de peur de la réveiller.

— Nathan Lee, les hélicoptères vont décoller. Ils ne volent pas de nuit. Tu te retrouveras seul.

Nathan Lee posa les mains sur la terre et s'allongea. Puis il posa la tête près de la croix. Sa quête était terminée. Il coupa la communication.

Plus tard, il retirerait son casque. Pour le moment, il était trop fatigué. Il ferma les yeux. Il ne souhaitait qu'une seule chose : tenir son bébé dans ses bras.

Un gros orage le réveilla.

Nathan Lee crut qu'il rêvait. Il ouvrit les yeux. C'était la nuit. L'herbe et les arbres s'agitaient autour de lui. Des saletés et des cailloux ricochaient sur son casque. Les croix vacillaient.

Un rayon de lumière venu du ciel le frappa. Une silhouette descendait dans le faisceau. Secoué par la tempête, l'homme s'approcha de lui et se pencha. Une corde le reliait à l'hélicoptère. Nathan Lee sentit une main saisir son poignet. Sa radio se reconnecta.

— Il est temps de partir, Nathan Lee, dit une voix dans ses oreilles. Venez avec moi.

— Je voudrais rester.

— Non, votre heure n'est pas venue.

Nathan Lee avait l'impression de ne pas avoir dormi depuis des années.

— Qui êtes-vous ?

— Je suis votre ami. Vous avez beaucoup d'amis, Nathan Lee.

Nathan Lee scruta le visage de l'homme. C'était le Capitaine.

— Je suis venu en même temps que vous ce matin, dit-il.

— Je ne vous ai pas vu.

— Miranda craignait qu'Ochs ne tente quelque chose.

— Miranda ?

— Je suis venu pour veiller sur vous.

— J'ai retrouvé ma fille.

— Je sais.

— J'aimerais rester encore un peu.

— Une autre fois.

Nathan Lee prit la main tendue et ensemble, ils s'élevèrent dans la nuit.

Pendant tout le trajet du retour, ils restèrent assis au milieu des cages pleines d'êtres humains attachés et immobiles. Des pestiférés dont les yeux luisaient dans la pénombre de la carlingue.

30.

Décontamination

La décontamination était comme un passage entre deux mondes. Isolés dans une cellule stérilisée quatorze jours durant, les candidats étaient épurés, frottés, saignés et surveillés. Comme dans une prescription biblique : quiconque aura été souillé restera hors du camp pendant une période déterminée.

Pour les soldats envoyés en reconnaissance, cela faisait partie de la routine. Mais des chercheurs pouvaient également se retrouver là après des accidents. Une simple piqûre d'aiguille suffisait ou une déchirure dans une combinaison. On vivait une époque effrayante. Une ère de prières. Votre test sanguin pouvait brusquement virer positif auquel cas, vous ne retourniez jamais en ville. En fait, le terme « décontamination » ne convenait pas vraiment, parce qu'une fois contaminé, vous étiez irrécupérable.

Pendant la première semaine, Nathan Lee porta pour seul vêtement une paire de lunettes contre les radiations. Cinq jours durant, il fut affamé, ne recevant pour nourriture que des jus de fruits, des électrolytes et des antibiotiques. Il s'affaiblit pour mieux s'endurcir. La deuxième semaine, ils lui accordèrent des vêtements en papier, changés et brûlés deux fois par jour.

Nathan Lee restait sur ses gardes. Il leur donna son corps, mais pas son esprit. S'il l'avait souhaité, ils auraient ajouté des hallucinogènes ou des somnifères dans sa transfusion. Pour les soldats, altérer la réalité était un moyen de survivre à leur temps mort.

Mais lui craignait de perdre le lien tenu qui le raccrochait à la réalité. Il se réjouissait que sa cellule n'ait pas de fenêtres et que les murs soient en acier. Que tout soit net et maîtrisé. Il vivait dans l'instant et commença à redouter la fin de la décontamination qui signerait son retour dans le monde extérieur.

Les portes étaient fermées de l'extérieur et leurs corps empoisonnés et isolés comme ceux de tueurs en série. Par l'interphone au plafond, le personnel médical s'excusait pour chaque indignité ou souffrance infligée. Ils le remercièrent de prélever lui-même son sang et de s'injecter les poisons chimiques qu'ils lui passaient par un sas. Ils appréciaient sa docilité.

À travers les murs, Nathan Lee entendait des hommes hurler et comprit que les soldats n'étaient pas tous revenus intacts de leur plongée dans l'horreur.

Grâce à un ordinateur encastré dans le mur, il pouvait lire, regarder des films, même des pornos, et charger des jeux vidéo. Mais il préférait jouer au bouddha, esprit vide, cœur vide. Quand il éprouvait le besoin de se dépenser, il faisait des pompes. Mais le reste du temps, il demeurait immobile, comme suspendu dans la lumière.

Un médecin entama avec lui un dialogue grâce aux micros dans le mur. Il ne se présenta pas et affirma être son psychiatre attitré bien que Nathan Lee en ait déjà un pendant la journée. Deux contre un, pensa-t-il. La voix de l'homme se manifestait généralement tard dans la nuit.

L'homme lui parlait du temps, de ses livres préférés et d'autres choses. Il lui posa des questions sur Denver et semblait fasciné par la destruction.

— Avez-vous une famille ? lui demanda Nathan Lee.

— Pourquoi me demandez-vous cela ?

— Vous devriez les emmener loin d'ici. Dans les montagnes ou le désert. Tout de suite.

— Vraiment ? Et le Jour E ?

Le jour de l'Évacuation. Tout le monde partageait cette idée du salut en allant s'enfermer dans un trou sous un dôme de sel.

— Ont-ils finalement fixé la date ?

— Elle a été repoussée. Circonstances atténuantes.

— Que s'est-il passé ?

— Les excavatrices ont heurté une poche d'eau qui n'était pas supposée se trouver là. L'eau et le sel font une très mauvaise combinaison. Le site a failli être totalement détruit. En conclusion, les deux étages les plus profonds ont fondu. Ils s'évertuent maintenant de pomper l'eau pour sauver le reste.

— Les gens ont dû paniquer.

— Personne n'est au courant.

— Vous l'êtes, fit remarquer Nathan Lee.

— Les secrets font partie de mon métier.

— Et maintenant ?

— Nous patientons, je suppose. Il y a toujours le Sera-III. Le joker.

Encore un secret.

— De quoi s'agit-il ?

— Miranda ne vous en a pas parlé ?

Nathan Lee fronça les sourcils. Qui était cet homme ? En quoi cela concerne-t-il Miranda ?

— Elle travaille dessus depuis des mois. Du sang de clone, essentiellement. Le Sera est un sérum bourré d'anticorps.

— Miranda a découvert un vaccin ?

— Non. Les anticorps ne résistent pas au-delà de trois ans. D'où le III de Sera-III. Rien à voir avec un remède miracle. En fait, ça s'apparenterait plutôt à un lent suicide. Pour être sauvé, vous devez vous infecter. Sauf que vous n'êtes pas sauvé de toute façon parce que trois ans plus tard, la Faucheuse vous attend au tournant.

— Donc, le sanctuaire est inondé et il n'existe pas de vaccin. Cela n'a pas l'air de vous poser de problèmes, remarqua Nathan Lee.

— Seule l'issue m'intéresse.

— Vous pensez que nous méritons de mourir ?

— La question est : méritons-nous de vivre ?

Un autre jour, ils parlèrent des pèlerinages. Les petits rassemblements de paysans que Nathan Lee avait aperçus le long du Rio Grande avaient été dispersés. Les militaires avaient largué des tracts leur demandant de retourner chez eux avant de pulvériser de l'Agent Orange[1].

— Mais ils reviennent, reprit le médecin. Sauf que c'est différent maintenant. Ils viennent de loin et les gens ont peur d'eux.

— Pourquoi ? Ils sont dangereux ?

— Nous n'en savons rien.

— Qui sont-ils ?

— Les derniers Américains. Beaucoup sont armés.

— Tout le monde est armé.

Nathan Lee l'avait constaté pendant sa traversée du pays. Cela s'apparentait à une guerre des gangs dehors.

— Ils s'en serviront les uns contre les autres. Ils sont divisés.

— Plus maintenant.

— Pourquoi ?

— Avez-vous jamais vérifié la définition du mot « apocalypse » ? demanda le médecin. La plupart des gens croient qu'il ne s'agit que d'un synonyme de destruction totale.

Nathan Lee le laissa délirer.

— En fait, une véritable philosophie se cache derrière ce terme, l'idée de certains élus détenant un savoir spécial et sauvés de la fin du monde. Les justes vivront heureux à jamais sur terre.

1. Défoliant utilisé par les Américains pendant la guerre du Vietnam.

— Oui. Un nouveau règne.

Où ce type voulait-il en venir ?

— C'est très tentant. Très américain, égalitaire et révolutionnaire. Le genre d'idée qui rassemble les barbares.

— De quoi parlez-vous ?

— De votre Jésus.

Nathan Lee s'assit, en alerte. Il comprenait brusquement que ces visites nocturnes avaient un but. Le psychiatre cherchait à s'infiltrer dans son esprit.

— *Mon* Jésus ?

— Je vous en prie. C'est vous qui l'avez libéré. Sans lui, ils erreraient toujours sans but. Maintenant, ils se sont trouvé une finalité.

— Vous parlez du clone ? Il s'accroche à son histoire ?

— Oui.

— Mais il n'est pas Jésus-Christ.

— Il l'est maintenant.

— C'est ridicule. C'est un canular.

— Essayez de le convaincre.

— Je l'ai fait. J'ai essayé.

Que s'était-il passé pendant son absence ?

— Je savais que vous chercheriez à le renier.

— Il ne m'appartient pas.

— Mais vous avez participé à sa création. Les clones sont des animaux muets. Du moins la plupart d'entre eux. Vous leur avez offert une alternative. Vous leur avez offert une scène. Je n'aurais jamais cru que quelqu'un en ferait autant pour eux.

— Ils sont inoffensifs. Le Messie n'est qu'une plaisanterie.

— La ville était tellement bien sécurisée. Un simple point sur la carte. Tout se passait bien. Et maintenant, ils arrivent en masse.

Le psychiatre n'exprimait pourtant aucun ressentiment.

— Les soldats nous protégeront.

Nathan Lee se sentait piégé. Enfermé dans cette cellule, il était à la merci de l'homme. Qu'attendait-il de lui ?

— Et si c'était trop tard ?

La question était purement rhétorique. Aucune amertume.

— Qui êtes-vous ? demanda Nathan Lee.

— Je voulais juste vous remercier, Nathan Lee.

— De quoi ?

— D'avoir rempli votre part.

— Ma part de quoi ?

— Comme vous l'avez dit vous-même, de la plaisanterie.

La voix se tut. Nathan Lee appela, mais seul le silence lui répondit. Il frappa à la porte, en vain.

Le lendemain, Nathan Lee demanda à l'infirmière le nom du psychiatre qui venait lui parler toutes les nuits. Celle-ci vérifia dans les registres, mais n'y trouva aucune mention d'un psychiatre nocturne. Au son de sa voix, Nathan Lee comprit qu'elle le croyait atteint d'hallucinations. Comme beaucoup de leurs patients.

La veille de sa libération, Miranda reçut l'autorisation de lui téléphoner. La décontamination, considérée comme une période de débriefing, interdisait tout contact avec l'extérieur. En fait, Nathan Lee soupçonnait surtout les autorités de vouloir cacher aux familles la violence de leurs patients, laissant aux psychiatres le soin de les apprivoiser avant de les relâcher.

L'ordinateur de Nathan Lee s'alluma et le visage de Miranda apparut sur l'écran. La caméra adoucissait ses traits. Nathan Lee la trouva différente, changée, sans parvenir à définir en quoi.

— Tes deux semaines sont presque terminées, annonça-t-elle d'un ton léger.

Il s'assit, maussade, les yeux douloureux de l'éclat des lumières sur les murs en acier.

— Miranda.

— C'est un bronzage naturel ? On dirait un gigolo.

Elle se trouvait devant l'ordinateur de sa cuisine et Nathan Lee devina à la profondeur des ombres que c'était la fin de l'après-midi. Miranda grignotait un toast en essayant de paraître naturelle, comme s'il s'agissait d'un appel banal.

— Tu me manques, dit-il.

— J'ai appris pour ta fille. Je suis désolée.

— Que se passe-t-il dehors ? J'ai entendu parler des pèlerins.

— Oui. Pauvres gens.

Nathan Lee changea de sujet.

— Tu n'aurais pas dû envoyer le Capitaine pour veiller sur moi.

— Ne m'accuse pas. Je ne lui aurais jamais demandé cela. Il est parti de son plein gré. Il avait ses raisons. Sa propre perte, tu sais.

Nathan Lee garda le silence.

— C'était une tentative courageuse. Vouée à l'échec, mais pleine de courage.

Nathan Lee détourna le regard. Il n'était pas un homme courageux. Rien qu'un homme ordinaire qui ne voulait plus d'épreuves, seulement un lit douillet et une douche chaude. Les gens considéraient ses actes comme des exploits sans comprendre qu'il ne cherchait en fait qu'à fuir ses propres erreurs et son indignité. Toute sa vie, il s'était senti… en manque.

— Ochs est parti, dit-elle. Au cas où tu voudrais le savoir.

Ochs.

— Que lui as-tu fait ?

— Pas moi. Mon père. Il est ici.

— Il a quitté le sanctuaire ?

— Il est arrivé en hélicoptère. Des affaires à régler.

Il avait tant à dire. Soudain, Nathan Lee se sentit impatient de sortir de là.

— Où est allé Ochs ?

— Il a quitté la mesa. Il a préféré partir avant d'être déporté. Les caméras de surveillance l'ont vu traverser le pont, mais personne ne sait où il est allé.

Elle hésita.

— Tu vas le poursuivre ?

Non. Pour lui, Ochs était mort. Il pouvait le dire de différentes façons, mais il choisit soigneusement ses mots.

— Et risquer de te perdre ?

C'était la bonne réponse. Elle ouvrit la bouche, mais ne dit rien.

— Nous devons parler, fit-il.

Ses cauchemars étaient revenus le tourmenter. Il rêvait des enfants et du bateau, de se couper des morts. *Et s'il les avait sauvés ?*

— Pas maintenant. Plus tard.

Elle sourit.

— Tiens-toi prêt. C'est la raison de mon appel. Mon père veut te rencontrer ?

— Moi ?

— Il dit que c'est important.

Cela lui sauta brusquement aux yeux. Son visage qui s'était arrondi, la disparition des cernes autour de ses yeux verts.

— Tu es enceinte ? lâcha-t-il.

Pendant un instant, la joie menaça de l'étouffer.

Elle parut ébranlée.

— Pourquoi dis-tu une chose pareille ?

— J'ai cru. Ton père. Nous…

Il se tut, gêné. Il devenait pathétique à vouloir ainsi une famille à lui. Il se rappela les paroles de Miranda affirmant que mettre un enfant au monde en ce moment serait cruel.

— Je me suis trompé, murmura-t-il.

— Va dormir, Nathan Lee, dit-elle en raccrochant.

Cette nuit-là, il rêva de nouveau du bateau russe et des visages dans l'eau noire.

Le lendemain matin, Nathan Lee et le Capitaine Énote, tous deux vêtus d'un survêtement propre, furent accompagnés jusqu'aux portes du Secteur Sud et libérés. Un Hummer les attendait dans la fraîcheur matinale.

Le Capitaine inspira de grandes bouffées d'air. Il avait

les traits tirés et le visage cuivré par les rayons du soleil. Il faisait très vieux et Nathan Lee se sentit honteux comme si le Capitaine avait souffert par sa faute.

— Merci, dit-il. Vous vous sentez bien ?

Le Capitaine hocha la tête.

— L'endroit n'est pas agréable, mais idéal pour réfléchir. Maintenant, les choses sont plus claires pour moi.

Le chauffeur avait reçu pour instruction de déposer d'abord Nathan Lee.

— Le Dr Abbot vous attend.

— Il attendra quelques minutes de plus, répliqua Nathan Lee en lui ordonnant de déposer d'abord le Capitaine. Sa maison se trouvait au milieu des pins, au-dessus de la ville, et Nathan Lee aperçut une petite cabane dans les arbres. Pour Tara probablement. Le Capitaine descendit avec raideur. Il n'avait pas de bagage.

— À plus tard, dit-il avant de s'éloigner.

Au bout de la mesa, le chauffeur s'arrêta devant la maison de Miranda. Nathan Lee s'approcha de la porte. Le goût du dentifrice du Secteur Sud persistait dans sa bouche. Après toute cette décontamination, il n'avait probablement jamais été aussi propre de sa vie.

Miranda ouvrit la porte avant qu'il frappe. Elle lui parut plus grande que dans son souvenir et il en fut intimidé. Il s'attendait presque à un baiser de la peste, la dernière mode à Los Alamos, un semblant de frottement joue contre joue, lèvres pincées, sans contact. Mais elle l'embrassa sur la bouche et le serra dans ses bras si fort qu'il put sentir son cœur battre contre sa poitrine.

— Tu es de retour, murmura-t-elle.

Un téléphone collé à l'oreille, son père arpentait la cuisine, tiré à quatre épingles et ses cheveux noirs et épais bien peignés en arrière de son front large. Il toisa Nathan Lee du coin de l'œil. Miranda tenait de lui sa taille et ses mâchoires carrées.

— Tu dois manger, dit-elle.

Du réfrigérateur, elle sortit du jus d'orange et lui en versa un verre qu'il dégusta lentement, savourant sa fraîcheur et son goût sucré. Après la taille réduite de sa cellule, tout lui semblait étrangement distant.

— Assieds-toi, ordonna Miranda. Elle avait l'air nerveuse.

— Je vais bien, Miranda.

Son père leva un doigt.

À de petits détails, Nathan Lee devina que Miranda cherchait à défier son père. Elle avait laissé traîner des assiettes sales dans l'évier, ce qui ne lui ressemblait guère, et des livres sur le comptoir.

Elle avait aussi apporté la statue de Matisse de Nathan Lee, qui se trouvait normalement dans la chambre. Le petit nu se remarquait instantanément dans la lumière où le jade semblait irradier, tout en courbes.

Puis il remarqua le cube de plastique transparent d'une vingtaine de centimètres carrés, posé sur la table de la cuisine. Suspendu à l'intérieur se trouvait ce qui ressemblait à une ampoule de morphine, du genre de celle que les soldats injectent à leurs camarades blessés.

Mais il en avait suffisamment vu pendant sa traversée des USA pour savoir que celle-ci ne contenait pas de la morphine. Le liquide était de couleur ambrée, comme le sérum que Miranda lui avait montré dans les congélateurs. Il n'était pas difficile d'en conclure qu'il s'agissait de ce que son visiteur de minuit avait appelé le Sera-III.

Abbot conclut son appel et, d'un seul mouvement, ferma son téléphone et tendit la main – un geste passé de mode – qu'il n'hésita pas à serrer.

— Nathan Lee Swift, dit-il.

À son regard, Nathan Lee comprit qu'Abbot savait déjà tout de lui, jusqu'aux résultats de ses derniers tests sanguins. En sa qualité d'homme le plus puissant de la planète, aucun doute qu'il avait dû disséquer avec un soin particulier la vie de l'amoureux de sa fille.

— Quel effet cela fait-il de revenir parmi les vivants ? demanda-t-il.

— Quand je suis parti, les feuilles changeaient de couleur. Aujourd'hui, elles sont tombées.

— Miranda m'a raconté votre tragique découverte à Denver.

Abbot attendit. Il avait lancé un appât et voulait que Nathan Lee morde à l'hameçon et montre sa peine… ou son cran.

— Papa ! intervint Miranda.

Mais Abbot ne quitta pas Nathan Lee des yeux.

— J'aurais dû m'en douter, répondit ce dernier. Maintenant, c'est fini.

Abbot ne lui présenta pas d'autres condoléances. Le monde était rempli d'âmes perdues et de tribus en deuil. Les étrangers le laissaient indifférent. Ses frontières étaient tracées, ses réserves énormes, mais pas inépuisables. Il réservait son domaine à quelques privilégiés et n'en éprouvait aucune gêne.

Miranda rôdait autour d'eux, ne sachant que faire de ces deux hommes qui prenaient tout l'espace dans sa cuisine.

— Asseyez-vous, dit-elle.

Mais Abbot resta debout, l'air amusé.

— Miranda vous a parlé de sa nomination ? Elle est la nouvelle directrice.

Qu'était devenu Cavendish ? Était-il parti ou mort ? Et son clone ? Dans le temps, la femme ou le fils du défunt héritait du pouvoir. Or, le clone était, paraît-il, la réplique exacte de Cavendish, au physique près. Pourtant Miranda avait hérité du trône, élue par son père.

— Félicitations, dit-il.

Maintenant, il comprenait mieux pourquoi la ville lui tenait tant à cœur. Elle lui appartenait. Encore qu'à y regarder de plus près, la nouvelle directrice ne paraissait pas particulièrement excitée par cette perspective. Bureaucratie et politique ne faisaient pas toujours bon ménage.

— Elle aura évidemment moins de temps à consacrer à la recherche. Mais, de toute façon, cette histoire de clonage n'avait que trop duré. Et le moment était venu pour Cavendish de passer la main. Tout le monde s'accordait sur ce point. L'homme ne faisait plus rien et n'apparaissait même plus aux réunions. J'ignore d'ailleurs ce qu'il fabrique exactement dans son laboratoire.

Donc, il n'est pas mort, pensa Nathan Lee.

— Il n'assurait plus le commandement. Aucune présence, poursuivit Abbot. Nous avons besoin d'unité, d'un élan commun. Surtout maintenant, avec la peur. Le sanctuaire sera bientôt prêt.

— J'ai entendu parler des contretemps, dit Nathan Lee.

Le visage d'Abbot changea de couleur et il plissa les yeux.

— Quels contretemps ?

— L'inondation. L'effondrement des étages.

Abbot se tourna brusquement vers sa fille.

— Tu lui as dit ?

Mais Miranda fixait Nathan Lee.

— Personne n'était censé être au courant. Qui t'a parlé de cela ?

— Un médecin.

Il montra le cube avec l'ampoule.

— Il a aussi dit : l'immunité pour trois ans.

— Quel médecin ? demanda Abbot.

— Un psychiatre. Je ne l'ai jamais vu, j'ai seulement entendu sa voix.

— Son nom. Je veux son nom.

— Il ne me l'a jamais donné. J'ai interrogé le personnel et ils ont cru que j'avais rêvé.

— Que se passe-t-il ici ? gronda Abbot d'un air sombre. Es-tu certaine que cela ne vient pas de toi, Miranda ?

— Je n'ai aucun intérêt à voir les gens paniquer, rétorqua-t-elle.

Abbot frappa la table de sa main.

— Occupe-toi de cette histoire. La dernière chose dont nous avons besoin, c'est d'un provocateur…

— Cavendish, coupa Miranda. On l'a dépouillé du pouvoir. Il cherche peut-être à semer le chaos.

— Je ne pense pas, intervint Nathan Lee. Je n'ai pas reconnu sa voix. Elle était trop forte.

— Il n'agirait pas de façon aussi directe, dit Abbot à sa fille. Reste quand même sur tes gardes. Il essayera de te saboter, mais il ne s'attaquera pas au sanctuaire, cela j'en suis certain. Il a perdu sa morgue. Il veut la même chose que tout le monde : un toit sur sa tête, un abri pendant la tempête.

— Tout le monde ne désire pas la même chose que toi, répliqua Miranda.

Mais ceux qui considéraient le sanctuaire comme un piège mortel restaient minoritaires. Tout le monde ou presque souhaitait se mettre à l'abri, même si cela signifiait se priver du soleil pendant les dix prochaines années ou plus.

— Des dissidents. Ton petit groupe d'optimistes. Des idiots.

— En tout cas, ils sont assez grands pour décider par eux-mêmes où ils veulent vivre.

Abbot ricana.

— On verra bien ce qu'ils choisiront quand le moment sera venu.

— Si nous passons l'hiver, nous n'aurons pas besoin de nous enterrer vivants. Ce sera terminé. La peste nous aura épargnés.

— La peste n'épargnera personne.

— Nous avons d'autres options, insista Miranda.

Abbot regarda le Sera-III, mais n'y toucha pas.

— Comme ta pilule de mort ?

— Il ne s'agit pas de mourir, protesta Miranda. Il y a des survivants dehors qui détiennent peut-être la solution. Il nous faudra du temps pour les rejoindre et pour cela, nous devons rester ici, à découvert. Le vaccin nous protégera.

— Pour mieux te tuer dans trois ans, dit-il. Alors que je t'offre trente ans. Cinquante, cent ans. Il est inutile d'avaler du poison. S'il y a des survivants, nous les trouverons. Ou les enfants de nos enfants.

— Enterré à huit cents mètres sous terre ?

Abbot changea brusquement de tactique. Souriant, il se tourna vers Nathan Lee.

— Ma fille est une rebelle.

Comme s'il venait juste de le remarquer, Abbot s'empara du petit nu. La statue était magique, lascive, impériale ou sereine selon qui la tenait. Abbot la contempla sous le soleil et, aux yeux de Nathan Lee, elle devint Miranda, nue entre ses bras. Puis Abbot la reposa.

— Je crois que nous devons avoir une petite conversation entre hommes, dit-il. Allons marcher dehors. Nous serons de retour dans quelques minutes, lança-t-il à Miranda qui ouvrait déjà la bouche pour protester.

Abbot tira la porte derrière eux.

Les papillons de Miranda étaient morts de froid et seule restait la cage vide. Abbot s'arrêta à trois mètres du bord de la mesa.

— C'est assez près, dit-il. Je n'ai pas votre pied de montagnard.

Une simple constatation, ni une excuse, ni un compliment.

Nathan Lee attendit.

— J'ai lu votre dossier, reprit Abbot. Un vrai roman. Vous avez le don de toujours retomber sur vos pieds.

Sa voix se fit grave et dure.

— C'est la raison pour laquelle je vous ai laissé vivre.

Cette brusquerie soulagea Nathan Lee. Il n'avait pas été invité à prendre le brunch avec papa. Ils entraient directement dans le vif du sujet. Abbot avait un marché à lui proposer.

Ce dernier sortit une lettre de sa poche et la déplia.

— Avez-vous déjà vu un ordre de déportation ?

— J'en ai seulement entendu parler.

— Je n'en avais jamais vu non plus jusqu'à celui-ci. Il porte votre nom.

Il lui tendit la lettre, une missive banale qui donnait pour instruction au porteur d'arrêter Nathan Lee Swift pour déportation dans la ville choisie par le prochain raid. L'ordre avait été émis par Ochs et entériné par un notaire. Il portait la date du lendemain du retour de Denver. À peine Nathan Lee arraché aux griffes de la mort qu'Ochs cherchait déjà à l'y renvoyer.

Mais quelqu'un avait barré le nom de Nathan Lee d'un trait de crayon bien propre et inscrit à la place celui de *David Ochs*, ce qui donnait l'impression qu'Ochs avait signé son propre arrêt de mort. Nathan Lee examina avec attention les initiales dans la marge et la signature en bas de la page. *Paul Abbot.*

— Un souvenir, dit ce dernier. Miranda m'a appelé et m'a supplié d'intervenir et, croyez-moi, c'est de sa part un acte extraordinaire. Elle avait la conviction qu'Ochs allait tenter quelque chose. Mes agents l'ont intercepté.

Nathan Lee devinait la haine sous l'écriture.

— Ochs, dit-il à voix haute.

— Ochs est parti. Mais il reviendra, soyez-en sûr.

— Ici ?

— Le raid avait pour destination Salt Lake City. Huit cents kilomètres à vol d'oiseau. Mais c'était trop loin pour mes projets. Alors j'ai eu un petit entretien avec lui et il a paru très heureux de quitter Los Alamos par ses propres moyens.

Nathan Lee comprit aussitôt l'astuce. Abbot n'avait pas sauvé une vie, mais deux, pour une raison connue de lui seul. En lui révélant ce secret, Abbot le prévenait. Il allait devoir s'acquitter de sa dette.

— Dites-moi, reprit Abbot. Ochs a-t-il toujours été aussi cinglé ?

— Que voulez-vous dire ?

— Cette fièvre messianique. C'est comme une maladie. A-t-il toujours été comme cela ?

— Je ne comprends pas de quoi vous parlez.

— Du miracle.

— Quel miracle ?

— Aucune importance. Les dés sont jetés maintenant.

Nathan Lee sentit le piège se refermer sur lui. Quel que

soit le rôle qu'on lui réservait, il n'en apprendrait pas plus pour l'instant.

— Pour le moment, continuez à faire ce qu'on attend de vous. Parlez à Dieu. Couchez avec ma fille, rendez-la heureuse, qu'elle continue de vous aimer. Quoi qu'il arrive, restez près d'elle.

Abbot lui tendit un de ses téléphones portables.

— Le jour arrive, dit-il. Le jour de l'Évacuation. Et je connais Miranda. Elle voudra rester ici. Alors, vous me l'amènerez. Elle se débattra et il se pourrait même qu'elle vous haïsse jusqu'à la fin des temps, mais vous l'emmènerez au Sanctuaire.

Abbot contempla le soleil par-dessus l'épaule de Nathan Lee.

— Si quelqu'un peut me comprendre, c'est bien vous. Je ne veux pas perdre ma fille.

31.

Le siège

Octobre se termine

Abbot repartit, laissant à Miranda le soin de les ramener tous dans la lumière. D'un trait de plume, elle détruisit la politique du secret de Cavendish, révélant au grand jour toutes les recherches en cours et organisant des séminaires et des conférences. Finie la compétition, l'heure de la coopération avait sonné. Comme un ancien instrument de torture, les tristement célèbres ordres de déportation furent bannis et le règne de la terreur cessa.

La décision qui créa le plus de controverse fut la suspension de l'expérimentation humaine. Miranda supprima les raids et annonça la fin du clonage. Cette mesure bouleversa les chercheurs qui s'étaient habitués à l'utilisation de cobayes humains.

Mais Miranda ne céda pas.

— Nous n'avons pas trouvé de vaccin *avec* l'expérimentation humaine, dit-elle. La fin ne justifie plus les moyens. Continuez les recherches et tout se passera bien.

Ils se plièrent à ses ordres et les chutes de cendres cessèrent.

Los Alamos retrouva sa tradition de dur labeur. Les enfants allaient à l'école et jouaient aux jeux vidéo. Le monde extérieur semblait plus éloigné que jamais. Aucun nuage à l'horizon dans le ciel toujours bleu.

Les cernes s'effacèrent autour des yeux verts de Miranda. Nathan Lee percevait un changement chez elle sans parvenir à mettre le doigt dessus et l'observait à la dérobée lorsqu'elle vaquait à ses occupations ou tenait tête aux membres du Conseil. Tous la respectaient et la ville entière s'était ralliée derrière cette femme à peine sortie de l'adolescence.

Pendant un temps, la paix ne fut troublée que par Cavendish. Pas un jour ne passait sans qu'il reproche à Miranda son indulgence et ne les inonde de ses prédictions de fin du monde. Sa tête de gnome surgissait sur leurs écrans de télévision ou d'ordinateur et les mettait en garde contre la présence de conspirateurs, l'arrivée d'une grande armée de pestiférés ou l'arrêt des recherches. Mais les conspirateurs ne se manifestèrent jamais. Des soldats surveillaient les abords de la mesa et n'aperçurent aucun pestiféré. Seuls quelques centaines de pèlerins épuisés revinrent sur leurs campements dans la vallée. Quant à l'arrêt des recherches, les scientifiques n'avaient jamais connu une telle liberté.

Les citoyens de Los Alamos prirent conscience que leur ancien tyran n'avait jamais été plus présent que depuis sa « mort » officielle. D'ailleurs, Cavendish commençait vraiment à ressembler à un cadavre. La maladie l'avait terriblement amaigri et ses lèvres se rétractaient sur ses dents. Tel un poltergeist, il apparaissait brusquement et diffusait son poison avant de disparaître des écrans, le tout en quelques secondes.

Nathan Lee replongea dans l'Année Zéro.

La fascination de la ville pour les clones s'était tarie. L'apparition des pèlerins désespérés dans la vallée avait dépouillé l'émission de son intérêt et les clones de leur statut de célébrités. Après trois semaines d'absence, Nathan Lee se demandait si la tribu l'accepterait à nouveau, mais Izzy fut catégorique : aucune chance. Le parking était devenu bien trop dangereux pour eux.

— Autant sauter de la falaise, déclara-t-il. J'ai écouté notre ami Eesho par l'intermédiaire des micros. Il a raconté aux autres ce que Miranda lui avait montré au sous-sol – le clone dans le bassin – et ce qu'elle lui avait dit – qu'elle l'avait créé. À sa façon de le dire, cela ressemblait à l'enfer. Et ils savent que nous faisons partie de la machination. Ils nous prennent pour des démons.

— Aucune chance alors ?

Nathan Lee se sentait déçu, non pas d'avoir perdu son travail, mais de ne pas pouvoir rejoindre le parking. Ses hauts murs et la compagnie de ces inadaptés lui manquaient. Depuis Denver, il se raccrochait à cette petite cour au soleil dans laquelle il pourrait ignorer le reste du monde et ne plus entendre parler d'espoir.

— Oublie ça, insista Izzy. Ochs a empoisonné l'eau du puits.

— Ochs ?

Cet homme n'en finirait donc jamais de lui pourrir la vie ?

— Foutue folie. Lui et Eesho.

— Qu'a-t-il fait ?

— Il s'est fait absoudre. Pendant que tu étais en décontamination. C'est enregistré.

Izzy lui montra les cassettes de l'entretien d'Ochs avec Eesho. L'enregistrement était daté du 11 octobre, le lendemain de la descente de Nathan Lee à Denver. La caméra montrait Izzy assis à côté du clone et Ochs qui ne cessait de s'essuyer les mains, l'air angoissé, mais excité, fiévreux même. Izzy passa le film en vitesse rapide.

— Je passe sur les premières séquences. Ochs a posé les mêmes questions que nous et obtenu les mêmes réponses.

— Finalement, Ochs est-il bien celui qui lui a donné le script ?

— Aucune chance. Il ne se serait jamais permis une chose pareille. À côté de lui, le pauvre Ross fait figure d'athée.

Izzy remit la cassette à vitesse normale, écouta un instant, puis accéléra de nouveau avant de ralentir encore.

— Nous y voilà. Ochs lui a posé une question sur les années qui manquent, entre la fin de son adolescence et la trentaine.

Ce qui restait un des grands mystères du Nouveau Testament. Pendant des siècles, les prêcheurs et les théologiens s'étaient interrogés sur l'évolution de Jésus, passé du stade d'enfant précoce au statut de Roi des Rois. Les théories ne manquaient pas, certaines allant même jusqu'à affirmer qu'Il était allé en Inde pour recevoir l'enseignement des gourous à la façon des Beatles.

— Comment Eesho s'en est-il tiré ? demanda Nathan Lee.

— Il affirme être allé à l'université, tu sais, le Temple. Il dit que son père l'avait confié à un professeur de vertu. Ne me demande pas d'où il sort cela.

— Des manuscrits de la mer Morte. Une histoire entre un professeur et son élève préféré qui l'avait trahi avec une sorte d'hérésie. Dans les manuscrits, l'étudiant est surnommé le mauvais Prêtre.

— Mais Eesho n'était pas un étudiant rebelle, dit Izzy. Ce type est bien trop convenable.

— Intéressant quand même. Eesho nous montre là un nouvel aspect. Il ne cesse de s'éloigner des Évangiles pour revenir aux manuscrits.

Izzy haussa les épaules.

— Malin, remarqua-t-il. Les années mystères. Il peut raconter ce qu'il veut parce que personne ne peut prouver le contraire.

La cassette défilait. Sur l'écran, Ochs avait préparé ses fiches et cherchait visiblement à en savoir plus.

— *Maintenant, sur un plan académique, avez-vous accompli des miracles ?*

Izzy traduisit la question à laquelle Eesho répondit par l'affirmative – une réponse apprise par cœur sur la multiplication des pains et des poissons et la guérison des aveugles et des handicapés. Ochs semblait satisfait, inspiré même.

— *Talitha, koumi*, dit-il – les seuls mots araméens de son répertoire, apparemment.

Nathan Lee les reconnut, tirés des Écritures. *Petite fille, lève-toi.* Il connaissait ce miracle. Ochs lançait sa ligne, espérant remonter une prise.

Eesho le regarda avec un pouvoir accru.

— *J'ai prononcé ces paroles et l'enfant s'est réveillée.*

— *Et Lazare* ? demanda Ochs.

Eesho donna son interprétation personnelle de la résurrection de ce corps.

Nathan Lee devina où Ochs voulait en venir. La veille, Nathan Lee avait refusé d'exhumer les corps de Lydia et de Grace. Alors, en désespoir de cause, Ochs se tournait vers le clone pour obtenir satisfaction.

— *Vous affirmez être capable de ressusciter les morts*, répéta Ochs.

Izzy traduisit la réponse.

— *Il veut savoir si vous lui demandez de faire un miracle ?*

Ochs répondit par l'affirmative.

— *Cela devient grotesque*, protesta Izzy.

Mais Ochs s'entêtait.

— *A-t-il le pouvoir de ressusciter les morts ? Demandez-lui !*

À contrecœur, Izzy posa la question et traduisit la réponse.

— *Si quelqu'un vous dit « le Christ est ici » ne le croyez pas. Il s'élèvera de faux christ et de faux prophètes. Ils feront de grands prodiges et des miracles au point de séduire, s'il était possible même les élus.*

Marc ou Luc ? Nathan Lee ne s'en souvenait plus[1].

Ochs se raidit et ses yeux s'illuminèrent. Nathan Lee ne comprenait plus. Eesho venait de refuser d'accomplir un miracle…

Et pourtant, Ochs avait l'air ravi.

---

1. En fait, citation tirée de l'Évangile selon Matthieu, 24.23.

— *Et la peste ? Demande-lui s'il peut nous libérer de cette malédiction.*

— *Vous me demandez d'annuler un jugement de Dieu,* répondit Eesho. *Et si je dis non ? Condamnerez-vous Dieu pour vous justifier ?*

— *J'implore la pitié.*

— *Dieu décide seul de ce qui arrive sur cette terre. Comprenez-vous ? Vous devez vous préparer en homme. Vous repentir sur la poussière et sur la cendre.*

Retour au Vieux Testament. Job. Cet homme était une véritable sauterelle, bondissant d'un texte à l'autre.

À peine Izzy avait-il fini de traduire, qu'Ochs se leva d'un bond. Son visage rond avait pris une expression inquiétante.

— Nous y voilà, murmura Izzy à l'attention de Nathan Lee.

Ochs contourna la table. Le clone se leva et recula contre le mur. Ochs le dépassait de trente bons centimètres et faisait le double de son poids.

— Il l'a terrifié. Eesho a cru sa dernière heure venue.

Pendant un instant, Nathan Lee partagea ce sentiment.

— *Ça suffit, reculez,* disait Izzy sur l'écran.

Au lieu de cela, Ochs tomba à genoux devant le clone, les bajoues tremblantes et les bras levés.

— *Que faites-vous ?* demandait Izzy. *Relevez-vous voyons.*

— On aurait dit qu'il avait attendu toute sa vie de s'agenouiller ainsi devant quelqu'un, commenta Izzy.

— *Pardonnez-nous*, implorait Ochs.

Eesho regardait Ochs et il était difficile de savoir qui convertissait l'autre. En un instant, l'expression d'Eesho passa de la terreur à l'incrédulité. Puis il fixa Ochs avec le regard d'un homme qui vient juste de gagner au loto.

— *J'ai entendu vos paroles*, dit-il. *Mais pas votre cœur.*

Il posa sa main sur le crâne chauve d'Ochs et le repoussa. Ochs s'écroula sur le côté et commença à pleurer de joie ou de soulagement.

Nathan Lee assistait là à un ensemble parfait. C'était comme de voir un virus trouver son hôte. Mais qui était le virus et qui était l'hôte, ça, il n'aurait su le dire.

Halloween arriva et les vilains monstres et les belles princesses envahirent les rues bordées de citrouilles rondes. La lune brillait, zébrée de nuages.

Tara, à qui on avait coupé les cheveux, portait maintenant la frange. Déguisée en Madeline[1], elle arborait une belle robe bleue sur son corps musclé. Nathan Lee et Miranda lui tenaient la main. Elle ne semblait pas remarquer l'intérêt qu'elle suscitait, et si elle entendait les remarques des autres enfants derrière son dos, elle ne s'en souciait guère, trop occupée à admirer son butin après chaque maison. De retour chez le Capitaine, ils dégustèrent du cidre chaud avec de la tarte au potiron pendant qu'elle comptait ses bonbons.

— Je n'avais encore jamais vu un tel Halloween, déclara le Capitaine. Regardez-moi ce sac plein.

— C'est parce que tout le monde aime bien Madeline, déclara sa femme.

Assise sur le sol avec ses bonbons, Tara leur adressa un grand sourire.

Depuis que la fillette les avait rejoints, le Capitaine et sa femme avaient rajeuni. Les photos encadrées de leur propre fille disparaissaient au milieu des œuvres de Tara qui remplissait la maison de chansons et de vie.

— … huit, neuf, dix…

Tara répartissait son butin entre cinq poupées assises l'une à côté de l'autre le long du mur. Elle ne cessait de jeter des œillades en direction de Nathan Lee à qui Miranda donna un coup de coude en simulant la jalousie.

Nathan Lee se sentait heureux, ce soir. Et triste aussi. Il ne dit pas ce qu'il pensait, à savoir que pour Los Alamos, la fin approchait. *C'était* le meilleur Halloween qu'il ait connu et pour une bonne raison. La grande mascarade

1. Héroïne d'une bande dessinée américaine de Ludwig Bemelmans.

avait commencé. Il avait vu la même chose dans toutes les villes américaines, les adultes gâtant leurs enfants pour leur faire croire que le bon temps ne finirait jamais.

* * *

Novembre arriva. Depuis l'arrêt des transports routiers en août, les citoyens s'habillaient de plus en plus mal, leurs manches et cols de chemise plus élimés et plus gras de jour en jour. Dans les magasins, la plupart des étagères étaient vides et les kiosques ne vendaient plus que de vieux numéros de magazines tels que *Newsweek*, *The Observer* ou *Scientific American*. Certaines éditions jaunies du *New York Times* dataient même des années 1990. Les boutiques de livres d'occasion fleurissaient.

La saison du basket-ball battait son plein et chaque vendredi soir, les tribunes se remplissaient pour les matchs opposant les deux écoles de Los Alamos. La ville bénéficiait toujours de l'électricité grâce au réacteur nucléaire et les rues et les porches restaient allumés toute la nuit.

La cité donnait l'impression de flotter.

Puis un matin, au réveil, ils se découvrirent assiégés.

En une nuit, le nombre de pèlerins le long du Rio Grande avait bondi de quelques centaines à vingt mille pour atteindre trente mille dès le surlendemain. Les citoyens de Los Alamos s'affolèrent. Des pestiférés campaient à leurs portes. Pour arranger les choses, Cavendish prédisait le début de la fin.

Bizarrement, les généraux ne bougeaient pas. Et plus bizarrement encore, leur retenue apaisa la ville mieux qu'une démonstration de force. En se rappelant comment ils avaient déjà chassé les pèlerins, les habitants se rassurèrent. Tant que la horde restait de l'autre côté de la rivière, il n'y avait rien à craindre.

Ces nouveaux pèlerins arrivaient par milliers après avoir traversé la Californie ou de vieux villages où les *santoses* se sculptaient encore dans le bois de peuplier et les cimetières dataient de la colonisation espagnole. Ils émergeaient des déserts du Texas et du Mexique, des forteresses dans les montagnes, des mines d'or désaffectées du Colorado et de l'Utah, des abris contre les tornades, des silos à grains ou des tunnels ferroviaires. Ils quittaient leurs cachettes pour rallier la cité des lumières.

Les caméras de surveillance les traquaient jour et nuit. Les campements de ces vagabonds rappelaient ceux des vieilles communautés hippies des années soixante-dix avec guitares, files d'attente pour la soupe et les *agapes*[1] – ce qui rassurait quelque peu les citoyens de Los Alamos.

D'ailleurs, ils ne manifestaient aucun signe de violence et, au contraire, signalaient leur volonté de paix. Ils se savaient observés et certains avaient même des parents dans la ville. Ils agitaient des pancartes en direction des caméras de l'autre côté du fleuve, sur lesquelles ils avaient noté des noms, des signes de paix ou des citations tirées des Évangiles. Le Rio était devenu leur Jourdain au bord duquel ils avaient planté leurs tentes sur la terre orange, polluée par des poisons datant du Vietnam. Ils affirmaient ainsi leur volonté de rester là. Ils voulaient un miracle, pas un bain de sang.

Les photos satellites montraient une grande tumeur rouge sur les rives du fleuve. Les détecteurs de gaz en décomposition donnaient les chiffres. Le virus brûlait le long du Rio.

À Thanksgiving, le campement atteignait trois kilomètres de long et continuait à s'étendre. Les militaires évaluaient le nombre de personnes à près de cent mille, une estimation qui serait doublée une semaine plus tard. Les photos prises de nuit à très haute altitude ne laissaient aucun doute. Les bougies et les feux brillaient très loin vers l'intérieur du pays, remontant comme de longues veines qui se scindaient, puis se recoupaient jusqu'à devenir de simples points de lumière pour les plus éloignés. Tout ce qui res-

1. En français dans le texte.

tait de l'Amérique confluait vers Los Alamos pour célébrer Noël.

Les pèlerins ne réclamaient rien. Ceux qui débarquaient en bonne santé étaient rapidement contaminés, mais n'avaient pas l'air de s'en soucier. Le Christ était ressuscité à Los Alamos.

Miranda convoqua une réunion d'urgence avec les généraux et les directeurs de laboratoire.

— Nous aurions dû partir quand il était encore temps, pleura un des chercheurs.

— Le moment n'était pas venu, répondit un général.

— Qu'attendons-nous ? renchérit un administrateur. Dans une semaine, ils seront deux fois plus nombreux que nous.

— Et quatre fois plus dans quinze jours, dit encore un autre. Comment travailler avec des gens qui meurent à nos pieds ?

— Nous contrôlons la situation, promit un général, assis à côté de ses collègues, mains croisées, indéchiffrables.

Nathan Lee s'étonna. Ils ne semblaient pas concernés.

— Ils pourraient prendre la ville d'assaut à n'importe quel moment. Vous êtes censés nous protéger.

— La situation est sous contrôle.

— Ils représentent un danger.

Le pasteur d'une paroisse locale frappa sur son micro. C'était un vieil homme avec des cheveux blancs et des rouflaquettes de montagnard.

— Ils sont les lis des champs, dit-il.

Ils attendirent la suite avec impatience.

— Ils ont faim et soif. Ce sont des chrétiens dans le besoin.

— Ce sont des pestiférés, cria une femme. Ils sont déjà morts. Il faut les chasser avant qu'il ne soit trop tard. Comment pourrons-nous évacuer s'ils bloquent les routes ?

Les généraux, tels des bouddhas, ne bougeaient pas, impassibles.

— Quand l'heure viendra, nous écarterons les eaux, déclara l'un d'eux.

— Que voulez-vous dire ?

Le général sourit.

— Je ne fais que citer la Bible.

— Nourrissez-les, insista le prêtre. Nous avons beaucoup de provisions. Offrez-leur le pain de la vie.

— Pour en encourager plus encore à venir ?

— Ils sont venus en paix.

On se serait cru dans le film *Le Jour où la Terre s'arrêta.*

— Ils sont peut-être venus en paix, mais ils ne repartiront jamais. Ils n'ont plus rien à perdre et nulle part où aller. Ils se contaminent les uns les autres. Los Alamos est leur destination finale.

— Manifestez de la pitié et ils agiront de même.

— Vous perdez la tête, révérend.

Miranda intervint.

— Que recommandez-vous ? demanda-t-elle aux généraux.

Les militaires posèrent leurs mains sur les micros et se concertèrent en hochant la tête. Finalement, l'un d'eux prit la parole.

— Il vaut mieux que nous sachions où ils sont plutôt que de chercher où ils se cachent. Qu'ils viennent tous. Tant qu'ils ne traversent pas le fleuve, nous sommes en sécurité.

— Vous ne comptez pas intervenir ? protesta un ingénieur. Mitraillez-les, lança-t-il.

Les autres le huèrent.

— Je voulais dire sur les bords. Lâchez quelques bombes de notre côté de la vallée. Effrayez-les pour qu'ils reculent.

— Notre travail n'est pas de faire semblant.

— Mais il faut réagir.

— Nous surveillons et nous attendons. Et nous les nourrirons.

— Quoi !

Le pasteur ferma les yeux.

— Le révérend a eu une bonne idée. Leur donner de la nourriture et des provisions. Pour les garder sous la main.

— Vous parlez comme les pacifistes à Santa Fe, dit un chef de laboratoire. Amour et paix. C'est une armée qui se constitue en ce moment même à nos portes. J'ai vu des armes et des soldats. Chaque jour, ils deviennent un peu plus forts.

Le général se pencha sur la table.

— Chaque jour, ils s'affaiblissent un peu plus, rectifia-t-il. S'ils restent assez longtemps, ils s'éteindront tout seuls.

Ils réfléchirent à cela. La charité serait leur arme. Cette perspective les rasséréna. Profondément.

Ils commencèrent donc à nourrir leurs ennemis.

32.

Pénitents

Décembre

La deuxième représentation annuelle de *Casse-noisettes* par le ballet du Bolchoï approchait. Les vestiges de l'Orchestre symphonique de Denver répétaient Tchaïkovski. Un célèbre producteur de Broadway se battait avec un célèbre producteur d'Hollywood pour la mise en scène, les lumières et le mérite de l'événement.

Des couronnes de sapins furent accrochées un peu partout et les arbres dans les parcs se parèrent de nœuds rouges et de sucres d'orge en polystyrène. Des milliers de *farolitos* avaient été pendus le long des rues – des sacs en papier lestés de sable et contenant une bougie. Nathan Lee n'aurait jamais cru qu'il pouvait rester autant de bougies à Los Alamos. Comme les enfants à l'école, Tara apprit tout ce qu'il y avait à savoir sur Hanoukka et les dreidels, kwanzaa, le petit Jésus dans la crèche ou le père Noël. Mais elle n'était qu'une petite fille timide, toujours sujette à de violents accès de colère, et restait donc à la maison où grâce à la collection de vieux disques du Capitaine, elle fredonnait les chants de Noël avec Perry Como.

Les chercheurs arrivaient au travail, emmitouflés dans de gros pulls épais, les joues roses. L'air fleurait bon le cidre et des piments rouges avaient remplacé le gui traditionnel au-dessus des portes. La bière distillée avec amour à la maison se buvait servie dans des éprouvettes de laboratoire. Tout le monde était déterminé à profiter des vacances.

Mais les envahisseurs s'incrustaient.

En l'espace de quelques semaines, le campement de pestiférés le long du Rio avait pris des proportions impressionnantes. Les premières estimations des militaires avaient été multipliées par dix et près d'un million de personnes étaient maintenant rassemblées là, sans parler de celles encore en chemin. Le dernier sursaut colonial d'une Amérique agonisante, squattant à l'entrée du pays d'Oz. D'en haut, cela rappelait une grande migration animale. Ou Woodstock.

La ville supportait de plus en plus mal cet état de siège. Après tout, les scientifiques travaillaient jour et nuit pour trouver un traitement et méritaient bien de fêter Noël en paix. Un Noël sans ce Christ primitif qui hantait les imaginations fébriles de ces pèlerins venus s'installer sur le pas de leurs portes. Des pèlerins armés de couteaux qui affichaient en outre une ferveur religieuse absolue et effrayante. Les caméras de surveillance montraient une ville composée de tentes rapiécées, d'appentis en tôle ondulée, de cabanons en carton, de pierres empilées en protection du vent et de trous creusés dans la terre. Et partout, des déjections. Cela rappelait à Nathan Lee un camp de base sur l'Everest en fin de saison, les cheveux fous et les yeux brillants des alpinistes. La nuit, la température tombait en dessous de zéro et les gens dormaient sous des pare-brise arrachés aux voitures abandonnées ou à ciel ouvert, certains pratiquement nus. Prisonnière au fond de la vallée sous le plafond d'air froid, la fumée des feux restait suspendue au-dessus de leur tête comme une couche de pollution brune. De Taos à Santa Fe, les collines avaient été totalement dénudées. Plus un seul arbuste ou buisson. Les villes elles-mêmes semblaient avoir été grignotées par des termites géants. La moindre brindille avait été utilisée comme combustible.

Ils brûlaient tout… sauf les croix. Les pèlerins les avaient plantées sur près de deux kilomètres le long du Rio Grande. Hautes et solides, fabriquées en bois de pin, les croix faisaient face à Los Alamos.

À cette époque de l'année, le fleuve se réduisait à la taille d'un gros ruisseau et le traverser aurait été facile. Pourtant, les visiteurs indésirables ne cherchaient pas à franchir cette frontière, au grand soulagement de la ville, ce qui suggérait peut-être un cerveau à la tête du camp. Les pèlerins se chargeaient en effet eux-mêmes du maintien de l'ordre. Ils se nourrissaient, subvenaient à leurs besoins et se partageaient les provisions. Une attitude qui suggérait qu'un chef, conscient de la notion de souveraineté, les guidait.

Mais ce chef était pour l'instant invisible. Les services de sécurité de Los Alamos étudiaient les images satellites, sans détecter de partie centrale au cœur de cette marée humaine. Pour une raison inconnue, leur leader demeurait caché, agissant sous couvert. Si seulement, l'homme voulait bien se présenter, la ville serait heureuse – impatiente même – de formaliser leur coexistence. Ils leur offriraient plus de nourriture. En retour, le ou les meneurs de ce rassemblement seraient certainement heureux d'entériner un traité reconnaissant le fleuve comme frontière et cimentant la paix.

Nathan Lee ne partageait pas cet avis. Il contemplait la longue rangée de croix en bois que ces gens frigorifiés auraient pu brûler pour se réchauffer, mais qu'ils se refusaient à toucher. Il regardait et ne voyait qu'une horde guidée par une idée, non par un chef. Personne ne les dirigeait. Ils obéissaient à une même émotion partagée. Comme une nappe de pétrole brut prête à s'enflammer.

Et les généraux ne bougeaient toujours pas.

Le 14 décembre, les caméras leur renvoyèrent un spectacle terrifiant du campement. Au cours de la nuit, des hommes vivants avaient été attachés sur une douzaine de croix. Les hommes se tordaient de douleur, leurs bras maintenus par des cordes, certains vêtus d'un T-shirt déchiré, d'autres nus.

Le Conseil fut choqué et le pasteur en resta sans voix.

— Ce sont sûrement des criminels punis pour avoir violé la loi, proposa quelqu'un.

— Ce qui signifie qu'ils ont des lois et des peines. Parfait.

Nathan Lee se rapprocha de l'écran et remarqua les petits supports sous les pieds des crucifiés.

— Ce sont des *penitentes*.

À ce moment-là, quelques hommes s'avancèrent. Les « crucifiés » retirèrent leurs bras des cordes et descendirent pour céder leur place. Los Alamos vit là une démarche logique.

— Ce ne sont que des comédiens, commenta un membre du Conseil.

— Comment peuvent-ils supporter le froid ?

— À quoi cela va-t-il les mener ? demanda une femme.

— C'est sans danger, répondit sa voisine.

— C'est violent. Même si cette violence est dirigée contre eux.

— Ce n'est que du théâtre, déclara un sociologue. Leur souffrance est simulée et la croix n'est qu'une scène.

Bien que d'avis contraire, Nathan Lee garda le silence. Ne voyaient-ils donc pas que les croix faisaient face à Los Alamos ? Le campement leur adressait un message de chair.

Le nombre de radicaux augmenta et, aux heures les plus chaudes de la journée, toutes les croix étaient occupées. Ce qui rappela à Nathan Lee la révolte des esclaves de Spartacus et la rébellion des juifs à Jérusalem. Des hommes sur des croix plantées au milieu des tentes, des familles en pleurs à leurs pieds et la fumée qui les enveloppait.

La fuite était peut-être une seconde nature chez lui. Les heures s'écoulaient et Nathan Lee imaginait les files de nouveaux arrivants s'étirant à travers toute l'Amérique pour venir grossir les rangs des pèlerins et bloquer la vallée. Il devenait de plus en plus évident que la ville ne pourrait jamais être évacuée et Nathan Lee regardait vers l'ouest où le volcan lui faisait signe. Les tentations naissaient surtout l'après-midi, apportées par la brise. *Prends ceux que tu aimes*, murmuraient le vent, *et va te cacher dans le désert.*

Il y avait des centaines de grottes anasazi[1] aux quatre coins de la région qu'il avait soigneusement notées sur une carte avec l'aide du Capitaine. Miranda et lui pouvaient s'enfuir, se cacher, éviter les hordes de fanatiques qui se dirigeaient vers Los Alamos, puis voyager à travers le monde et profiter du temps qui leur restait. Évidemment, cela reviendrait à trahir le père de Miranda, mais il ne se faisait guère d'illusions. Il avait en effet la conviction que Paul Abbot surveillait de près chacun de ses gestes. De plus, Miranda refuserait certainement de partir. Son dévouement à cette cité l'impressionnait et le frustrait à la fois. Elle se comportait comme si elle était née ici.

Nathan Lee se résignait donc pour l'instant et, à défaut de planifier sa fuite, élabora celle des clones – une idée qui le rasséréna tant les souffrances qu'ils avaient endurées le tourmentaient.

— Je crois qu'on devrait libérer les garçons, annonça-t-il au Capitaine un après-midi alors qu'ils surveillaient le parking sur les écrans.

Au fil des semaines, les prisonniers avaient lentement quitté leur cellule pour braver de nouveau le froid. Ben demeurait le plus fidèle, premier arrivé, dernier parti, marchant, alimentant le feu, marchant, marchant, marchant encore, entraînant ses muscles. Nathan Lee pouvait presque lire dans ses pensées. Il n'avait pas manqué une seule journée. Pendant des semaines, le parking lui avait appartenu. Aujourd'hui, il se repeuplait. Les sacrifices d'animaux reprirent, mais c'était la saison froide et ils avaient pratiquement exterminé tout ce qui bougeait.

1. Amérindiens du sud-ouest des États-Unis, disparus avant l'arrivée des Européens en Amérique.

Pour l'instant, Ben se promenait le long du mur à grandes enjambées. Des hommes le suivaient, les plus rapides à son rythme, les autres jacassant à la traîne.

Près du feu, Eesho pérorait sur l'imminence de l'apocalypse. Un mois s'était écoulé depuis qu'Ochs lui avait fait des courbettes, mais cette expérience continuait d'aiguiser son appétit de disciples. Empruntant à la Bible et aux manuscrits de la mer Morte, il s'était concocté une parabole hybride réunissant un démon géant – l'un des fils de l'Obscurité le suppliant de lui pardonner – une reine des morts – une femme aux yeux verts et aux cheveux d'or rouge du nom de Miranda – et deux de ses esclaves, Nathan Lee et Izzy. Chaque jour, ses sermons se faisaient plus hardis et plus compliqués.

— Il était temps que quelqu'un y pense, dit le Capitaine.

Nathan Lee fut surpris.

— Vous n'êtes donc pas opposé à ce qu'on leur rende leur liberté ?

— Je n'infligerais pas à un chien ce que nous leur avons fait subir.

— Mais vous êtes leur geôlier ? s'indigna Nathan Lee.

— Mieux vaut moi qu'un autre. Mais j'avais l'intuition que quelqu'un comme vous finirait par se montrer. Et que ce quelqu'un aurait besoin de quelqu'un comme moi, capable de dire oui.

— Vous acceptez de les laisser partir ?

— Pas tout de suite. Et pas moi. Mais quand le moment sera venu, je serai là pour vous aider.

— Très bien, dit Nathan Lee, ayant encore du mal à croire à sa chance.

— Et quand ce moment viendra-t-il ?

Apparemment, le Capitaine y avait déjà beaucoup réfléchi. Pendant les heures qui suivirent, ils discutèrent de ce qui ressemblait fort à la remise en liberté d'animaux de zoo. Les clones étaient trop sauvages et, en même temps, trop apprivoisés, dangereux, mais civilisés. Pas question de les relâcher près de la ville où ils pourraient revenir pour se venger. Les envoyer rejoindre les pèlerins reviendrait à les jeter dans des sables mouvants. Les raids ayant été annulés, impossible aussi de les transporter par hélicoptère dans un lieu éloigné.

En conclusion, leur libération ne pourrait intervenir que le jour de l'Évacuation. Mais Nathan Lee craignait que si, par miracle, ce jour arrivait, le chaos soit tel que les gardes les oublient dans leur cellule. Lors de sa traversée de l'Amérique, il avait entendu des histoires de prisons, remplies de cadavres de prisonniers morts de faim. Le Capitaine décida donc de programmer le système pour que l'ouverture automatique des portes des cellules s'opère une heure après l'évacuation de la ville.

En vue de cette éventualité, Nathan Lee voulait préparer les clones à cette époque étrange. Ils savaient comment exploiter des carrières de calcaire, semer du blé, travailler le cuir, forger le fer et élever des chèvres. Mais survivre dans les ruines de l'Amérique allait demander d'autres talents. Une boîte de conserve avariée suffirait pour les décimer avec le botulisme. Une mauvaise direction pouvait les conduire au cœur de l'hiver canadien. Les villes étaient peut-être mortes, mais toujours mécaniquement vivantes et mortelles. Les clones devaient recevoir une formation accélérée sur le XXIe siècle.

— Une tâche toute trouvée pour vous, dit le Capitaine.

Nathan Lee mit Izzy au courant, mais ce dernier trouva cette idée particulièrement mauvaise.

— Je te l'ai dit, ils savent que nous sommes les ennemis. Eesho les a convaincus de nous tuer si nous montrions notre nez.

— Nous n'en choisirons qu'un et nous lui apprendrons. Nous lui montrerons les ficelles. Quand le moment sera venu, il guidera les autres.

— Pourquoi l'un d'eux nous ferait-il confiance ? Ils sont contre nous maintenant. Je ne nous ferais pas confiance.

— Ce sont des prisonniers. Ils n'ont pas le choix.

— Parfait, grommela Izzy. Alors lequel ?

— Quelqu'un qui écoutera.

— Pas sa putain de majesté ! protesta Izzy. Pas question que je donne à Eesho les clés du royaume. Il se prend déjà pour Dieu le père.

— Je pensais à Ben.

— Je croyais que tu voulais un chef, dit Izzy après avoir réfléchi un instant. Ben est un solitaire. Quand l'occasion s'est présentée, il est parti seul.

— Les circonstances étaient différentes. Une chance s'est offerte et il l'a saisie. Mais regarde maintenant, ils le suivent qu'il le veuille ou non.

— Mieux vaut lui qu'un autre, j'imagine.

La classe débuta dès le lendemain.

Retiré du parking, Ben fut accompagné jusqu'à la salle où Ochs avait demandé à Eesho d'accomplir un miracle. Nathan Lee et Izzy l'attendaient assis à la table avec les leçons du jour devant eux : une mappemonde, une boîte de haricots et un ouvre-boîte.

La peau de Ben avait pris une teinte acajou sous le soleil et ses cheveux sentaient le feu de bois. Il ne montra aucune surprise à leur vue, ni hostilité. Il salua Izzy d'un signe de tête et s'adressa à Nathan Lee.

— Tu es revenu, dit-il.

Un accueil qui supposait un voyage quelconque.

— Oui, je suis revenu.

Eesho avait traité Nathan Lee et Izzy de laquais des enfers. Mais les micros avaient capté des discussions entre les clones sur la possibilité que leurs deux camarades se soient échappés ou aient été exécutés. Le crucifix dans l'arbre les hantait toujours.

Ben ne se mêlait pas à ces conversations. Il avait déjà exprimé son opinion deux mois plus tôt lorsqu'il avait parlé du Golgotha et déclaré qu'ils se ressemblaient, deux voyageurs dans un monde d'ombres et de lumière. Nathan Lee était reparti et revenu. Cela suffisait pour Ben. Il ne lui demanda pas où il était allé, ni ce qu'il avait vu. Ils auraient le temps d'en parler plus tard.

Ben observait Nathan Lee. Après s'être regardé dans un miroir, ce dernier avait été surpris de constater que son désespoir n'avait ni blanchi ses cheveux, ni ajouter de rides autour de ses yeux. Pourtant, Ben détecta quelque chose dans son visage.

— Ton voyage a été difficile, dit-il.

Il paraissait déçu. Rien de mystique. Aucun sous-entendu. Nathan Lee avait ressenti une telle désillusion en écoutant les récits de ses parents après certaines de leurs expéditions. Une connexion spéciale relie tous les explorateurs, qu'ils fouillent le fond des mers ou dans un livre. Quand l'un d'eux découvre un trésor, gravit un nouveau sommet ou résout une équation, ils en retirent tous un enrichissement parce qu'ils sont tous motivés par la même énigme. Mais que l'un d'entre eux rentre bredouille et tous ressentent alors une sensation de vide. Puis, un jour, la quête reprend sur de nouvelles bases, avec de nouveaux explorateurs. C'est inévitable parce que l'humanité ne s'arrêtera jamais de chercher.

Nathan Lee savait que les clones s'embarqueraient dans la même quête une fois leur liberté retrouvée. Ils traverseraient la planète pour retrouver leurs êtres chers. Jamais ils n'accepteraient la vérité, à savoir que deux mille ans – quatre-vingts générations ou plus – s'étaient écoulés et que leur femme et leurs enfants étaient depuis longtemps tombés en poussière. Nathan Lee n'avait aucune intention de leur dire quoi que ce soit. Il se contentait de leur repasser le flambeau, sans les prévenir de ce qu'ils allaient découvrir.

Il posa la mappemonde entre eux.

— Voici la planète. La terre et les mers, dit-il.

Il leva le poing d'un côté :

— *Suh-rraa. La lune.*

Puis il traça un cercle dans l'air, un peu plus loin.

— *Shim-shaa. Le soleil.*

Sur le globe, il indiqua différents points.

— Israël. Jérusalem. Égypte. Rome. *Baavil. Babylone.*

— Pourquoi me les montrer ? demanda Ben.

Mais sa voix calme et rauque et le masque de son visage ne pouvaient dissimuler son excitation et son envie.

— Parce que le moment est venu de te donner des *gool-paa-n'e*, répondit Nathan Lee. *Des ailes*. Tu pourras expliquer aux autres comment voler.

— Des ailes ?

— Il y a un monde dehors, dit Nathan Lee en faisant tourner la mappemonde.

— Ton monde.

Ben semblait avoir donné dans le tribalisme et considérer Nathan Lee comme un étranger, même s'il ne paraissait pas lui en vouloir.

— C'est ton monde également, dit ce dernier.

— Pff. Des mots, un piège.

— Il ne s'agit pas d'un piège. Quand le moment viendra, tu partiras, libre.

— Tu vas nous libérer ?

— Oui.

— Donc, nous t'appartenons.

— Pas à moi.

— Vous nous avez réduits en esclavage… pour rien ?

Nathan Lee ne corrigea pas le choix des mots. Ils étaient des animaux de laboratoire. Il n'y avait guère de moyens d'exprimer l'humilité de cet état.

— Ben, soupira-t-il. *u-saad. Sois libre.*

— Tu veux que nous croyions de nouveau.

En quoi, il ne le précisa pas. C'était universel. La foi requérait le doute et le doute, la foi. Los Alamos reposait sur de telles fondations.

— Je t'ai vu marcher dans la cour, reprit Nathan Lee. Regarder, sentir le vent. Tu as dit que nous nous ressemblions. Je sais que tu es prêt à partir.

Mais Ben ne paraissait toujours pas convaincu.

— Pourquoi ferais-tu cela ?

— Parce que cela me libère.

Apparemment satisfait de cette réponse, Ben n'insista pas.

Revenant au globe, Nathan Lee indiqua le Nouveau Mexique.

— Nous sommes ici, dans la ville de Los Alamos. Tout ceci est l'Amérique. Laisse-moi te parler un peu de ce pays.

Ben écouta la leçon pendant un moment, puis il reprit la parole.

— Conduis-nous, dit-il.

Nathan Lee hésita. Lui feraient-ils confiance ? Mais sa place était… ailleurs, sa quête, terminée.

— Pas moi. Mon cœur est ici.

— Emmène-la avec toi, lança brusquement Ben.

Nathan Lee en resta bouche bée. Il regarda Izzy qui haussa les épaules.

— De qui veux-tu parler ? demanda-t-il.

Miranda évidemment. Eesho l'avait décrite aux autres, la sorcière aux yeux verts.

— Ta fille.

Les murs s'écroulèrent.

— Quoi ?

— La petite fille.

Le froid envahissait Nathan Lee, le rendant muet.

Izzy voyant son trouble prit la suite.

— Qui t'a parlé de son enfant ? demanda-t-il.

— Personne. Je l'entendais chanter la nuit. Puis elle a changé. Elle criait. Elle est devenue sauvage et ses chants se sont transformés en sanglots.

Le fantôme de ma fille, pensa Nathan Lee.

— Je ne pouvais rien faire d'autre qu'écouter et cela me brisait le cœur. Puis tu es venu et tu lui as lu des histoires. Tu as chanté pour elle. C'est là que j'ai entendu ta voix pour la première fois. Je ne comprenais pas tes paroles, mais j'écoutais. Cela a duré des heures. Tu as chassé ses démons, l'un après l'autre. Et en la guérissant, tu m'as guéri moi aussi. La violence en moi.

Soudain, Nathan Lee comprit de qui il parlait. Il avait dû les entendre à travers les murs en acier.

— La fille, souffla-t-il. Tara. La Neandertal.

Izzy se détendit.

— Je ne t'en ai jamais parlé, conclut Ben dans sa propre langue. Tu m'as redonné espoir. C'était la première fois. La seconde, ce fut quand tu nous as sortis de la terre pour nous mettre au soleil. J'ai su que c'était toi dès que j'ai entendu ta voix. Et maintenant, tu veux nous donner des ailes. Comprends-tu ce que je dis ? Tu nous as déjà montré le chemin. Tu devrais venir avec nous.

À l'entendre, les choses paraissaient simples. Nathan Lee poussa la boîte de haricots devant lui et lui tendit l'ouvre-boîte.

— Tiens. Ouvre ça.

Les jours suivants, ils pénétrèrent dans le XXIe siècle et la pièce ne tarda pas à ressembler à un véritable débarras. Nathan Lee et Izzy récupéraient tout ce qui pourrait être utile aux clones dans l'Amérique en friche. Des torches électriques, des voltmètres pour tout type de batterie, des jumelles, un couteau suisse, des allumettes, une boîte à outils, des vis, du produit anti-moustique, des hameçons, des sachets de thé, de la soupe aux nouilles, une couverture de survie, des livres et des magazines, un atlas, des bouteilles en plastique, un kit pour tester les eaux polluées, des sacs à dos, un câble, une boîte de rations militaires avec des chaufferettes, un pantalon avec une fermeture Éclair, des crayons et un taille-crayon, du papier. Tout n'était pas indispensable. Le papier toilette par exemple ou une pendule.

Ils consacrèrent une journée complète aux serrures et une autre, à la façon d'utiliser une boussole. Ben apprit à faire du vélo dans un couloir désert. Quand il ne jouait pas avec des gadgets, Ben découvrait le sens des panneaux routiers, des symboles, apprenait à lire une carte ou les dates d'expiration sur les produits alimentaires. Izzy mit au point un petit dictionnaire anglais/araméen avec tous les termes génériques susceptibles de se rencontrer dans une rue : *Entrée interdite*, *Haute tension*, *Hôpital* et même *Interdiction de se garer, Interdiction de fumer* ou *Défense de tourner.*

La nuit, Ben bachotait dans sa cellule en feuilletant le *National Geographic* ou en s'entraînant à écrire l'alphabet.

Finalement, Nathan Lee décida qu'il était temps de se montrer. Un après-midi, Ben déboula sur le parking à vélo. Les clones s'immobilisèrent, sidérés. Ben fit trois tours de piste en zigzaguant entre les hommes ébahis et en klaxonnant, puis il s'arrêta près du feu. Tandis que le groupe se resserrait autour de cet engin magique, Nathan Lee observait dans l'ombre sur le pas de la porte. Lentement, il prit conscience d'un regard qui pesait sur lui. Accroupi près du feu et le fixant par-dessus les flammes, Eesho semblait prêt à tuer.

* * *

Chaque jour, de nouvelles personnes abandonnaient Los Alamos pour descendre rejoindre les pèlerins. Certains en avaient assez d'attendre l'inévitable, d'autres avaient entendu l'appel de la foi ou souhaitaient alléger les souffrances, d'autres enfin avaient appris que des membres de leur famille qu'ils avaient cru morts se trouvaient parmi les pèlerins. Tous savaient que la vallée était infectée et le sol empoisonné et qu'ils ne pourraient jamais remonter derrière les grilles ou gagner le sanctuaire. Mais ils étaient en paix avec eux-mêmes et partaient au volant de camions chargés de nourriture et de médicaments.

Los Alamos les laissait partir avec plaisir. D'une part, il aurait été inutile de les retenir et ces camions avaient besoin de chauffeurs. Mais surtout, ils espéraient qu'ils seraient accueillis comme des ambassadeurs de la ville de lumière. Beaucoup emportèrent leur téléphone portable et jusqu'à ce que leurs batteries soient à plat, restèrent en contact avec leurs amis sur la mesa. En général, ils donnaient l'impression d'être en forme et déterminés. Après tout, ils avaient pris seuls cette décision. Au bout de quelques jours, la communication se coupait et leur souvenir s'estompait.

Ces départs étaient traités comme des suicides assistés. Les gens sympathisaient avec les émigrés et acceptaient leurs arguments, organisaient de belles fêtes d'adieu, se rappelaient les bons moments, les accompagnaient jusqu'à la grille et agissaient même comme s'ils faisaient là un choix héroïque.

Mais en réalité, ils considéraient leur décision comme un beau gâchis de vie, voire une désertion, et personne n'envisageait de les imiter.

Puis, un matin, Izzy annonça lui aussi son départ.

— J'ai reçu un message de mon frère, dit-il. C'est incroyable, mais il est en bas, dans le campement.

— Non ! lâcha Nathan Lee.

— Je ne l'ai pas revu depuis quatre ans, tu sais, et il est malade.

Il s'excusait presque.

— Je sais qu'il reste beaucoup de travail, mais ton niveau d'araméen est maintenant suffisant. Tu n'as plus besoin de moi.

— Ce n'est pas ça.

— Je sais.

Une partie de lui voulait le convaincre de rester. Mais à sa place, il aurait fait la même chose.

— Nous avons fait du bon travail et couvert près de deux mille ans d'histoire. Pas si mal, dit Izzy.

— Au moins, va voir Miranda. Tu as entendu parler du Sera-III. Laisse-la t'immuniser.

— Cela prend trop longtemps pour faire effet. Quarante-huit heures. D'ici là, mon frère pourrait avoir disparu de nouveau.

Ce fut lui qui eut l'idée d'emporter une caméra – un petit appareil gros comme un rouge à lèvres qui transmettrait un signal micro-onde vers la ville. Ne sachant pas comment cet engin pourrait être interprété par les fanatiques, il fut dissimulé dans un vieux sac à dos et le petit objectif fixé au bout d'une cordelette flexible qui remontait dans les cheveux d'Izzy pour venir se cacher le long de sa branche de lunettes. Il se sentait dans la peau d'un agent secret. Tout ce qu'il verrait et entendrait serait vu et entendu sur la mesa.

Le temps manquait pour une fête de départ. Izzy craignait de perdre son frère et peut-être aussi, de changer d'avis. Miranda arriva à la grille juste à temps. Elle le serra dans ses bras.

— Es-tu sûr de toi ? demanda-t-elle en pleurant.

— Miranda, dit-il d'un air malheureux.

Avec un clin d'œil à Nathan Lee, il la serra une nouvelle fois dans ses bras et lui vola un baiser.

Par les yeux d'Izzy, ils descendirent la route 502 au volant d'un camion chargé de provisions. Puis le pont apparut et les croix.

— Souhaitez-moi bonne chance, lança Izzy dans le micro.

Au cours des jours suivants, la masse anonyme trouva une âme. Grâce à la caméra, des milliers de détails leur parvinrent. Jusque-là, il avait été facile d'imaginer le campement comme une cathédrale en plein air, pleine de passion, sale, mais vivable. En fait, les conditions étaient primitives. Les vivants côtoyaient les morts. Dans le micro, ils entendaient des cris, des prières, des supplications et des chants. Des visages barbus surgissaient devant la caméra hurlant de folles déclarations. Les corps restaient là où ils tombaient. Certains étaient entraînés par le Rio.

Izzy déambula pendant trois jours, sans se faire remarquer, mais sans trouver son frère. Il y avait plus d'un million de personnes. Finalement, au quatrième jour, il tourna la caméra vers lui et s'adressa à eux.

— Je crois que j'ai fait une erreur, dit-il simplement. Que personne ne suive mon exemple.

33.

Le prophète

C'était comme regarder une émission en direct de l'Enfer.

Izzy errait dans le camp avec sa caméra, anéanti. Il avait lui-même testé son sang et il était contaminé. Il aurait pu s'enfuir loin et trouver un endroit plus sain pour y mourir, mais il avait choisi de rester et de devenir les yeux de la ville. Sans lui, ils n'auraient jamais rencontré le prophète.

Deux semi-remorques, pleins de ravitaillement, brûlaient et la foule rassemblée autour les regardait passivement. Ils mouraient de faim et pourtant personne ne cherchait à sauver la nourriture. Izzy posa la question à un spectateur émacié qui se contenta de sourire.

Par-dessus le bruit du brasier, il entendit une voix qui résonnait au loin.

— *Maudit tu seras dans la ville et maudit tu seras dans les champs…*

Des gens répondaient en criant « amen ».

— *Le Seigneur accrochera à toi la peste jusqu'à ce qu'elle te consume du pays dont tu vas entrer en possession.*

Izzy se lança à la recherche du prêcheur. Alors qu'il se rapprochait, Nathan Lee sursauta. Même à travers le micro, il reconnaissait cette voix. Pourtant, lorsque la caméra se fixa sur l'homme, il faillit ne pas le reconnaître. Ochs.

Sa graisse avait fondu pendant sa longue errance. Réduit à l'état de squelette, il paraissait plus grand que jamais et dominait de la tête et des épaules la foule prosternée devant lui. Il arborait une barbe et des cheveux crasseux et emmêlés. Des chiens ou des snipers l'avaient estropié et il s'appuyait sur une sorte de piquet en métal. Il ressemblait à une longue flèche. Les pestiférés accueillaient ses demandes d'expiation les bras tendus. Autour de lui, des *flagellantes* fouettaient leurs dos avec des chaînes et du fil de fer barbelé. Tandis qu'Izzy reculait, Ochs pérorait au milieu d'une mare de sang.

Ils comprirent qu'Ochs devait être le chef mystérieux des pèlerins. Enfin, la ville crut avoir trouvé en lui quelqu'un avec qui négocier. Même s'ils l'avaient jeté hors de leurs murs, les gens reprirent espoir parce qu'il avait un jour été l'un des leurs. Ils demandèrent à Izzy de l'aborder et de le convaincre de parler avec Miranda et le Conseil de sécurité.

— Il va me manger tout cru, protesta Izzy qui s'acquitta quand même de sa mission.

À la surprise de tous, Ochs accepta de participer à une vidéoconférence en fin d'après-midi. Le Conseil mit les bouchées doubles pour préparer la rencontre.

Nathan Lee participait à la réunion en tant que consultant. La salle bourdonnait comme une ruche. Des équipes de techniciens installaient des caméras et des écrans et dans un coin, Miranda se disputait avec un général. Depuis quelque temps, ces derniers se montraient agressifs, contestant publiquement son autorité, et elle avait de plus en plus de mal à dormir, convaincue que son père ne l'avait mise à ce poste que pour apaiser la ville en attendant que le sanctuaire soit prêt. Nathan Lee n'en profitait pas – pas encore – convaincu que le moment venu, elle serait tellement dégoûtée de toutes ces intrigues qu'elle accepterait de s'enfuir avec lui.

Une femme vêtue d'un tailleur bleu vint le trouver. Elle se présenta comme une négociatrice du FBI et l'entraîna à l'écart de l'agitation.

— Nous avons deux heures, dit-elle. Notre survie dépend de la conclusion d'une trêve avec Ochs. Vous étiez amis.

— Je le connaissais.

— Qui est-il exactement ?

Elle ouvrit le dossier qu'elle tenait et le feuilleta. C'était la biographie d'un homme imaginaire. Les photos le montraient à chaque étape de sa métamorphose. En joueur de football musclé, en marchand d'art dans une vente aux enchères, en professeur devant sa classe et en explorateur bronzé lors de l'expédition archéologique sur l'Everest.

— C'est là que je l'ai rencontré pour la première fois, dit Nathan Lee. C'est mon père en arrière-plan. Et moi ici. J'avais dix-sept ans.

C'était incroyable. Nathan Lee avait supporté cet homme pendant presque la moitié de sa vie. D'autres photos montraient Ochs lors des fouilles de l'Année Zéro en Israël, pérorant au cours d'une cérémonie universitaire et l'air hébété, juste avant sa déportation de Los Alamos. Enfin, il y avait le plan filmé par Izzy. Il aurait pu être Jean vêtu d'une toile de bure déchirée, brandissant un sac plein de sauterelles et de miel.

— Je ne comprends pas très bien ce que vous attendez de moi, dit Nathan Lee. Appelez-le professeur, docteur, ou encore David, mais jamais Dave. Montrez-lui du respect, c'est important. Il a toujours eu une très haute opinion de lui.

L'agent du FBI prenait des notes.

Nathan Lee feuilleta le dossier, qui traçait le portrait d'une ambition. S'il en avait l'opportunité, Ochs prenait tout le crédit et rejetait le blâme sur les autres. Il faisait état de références qu'il n'avait jamais eues, cachait ses écarts de conduite et mentait même sur son poids. Il parlait de la découverte de la femme néandertalienne, sans nommer Nathan Lee. Pour la première fois, il vit les articles des journaux racontant l'incroyable découverte de la femme de glace.

Pourtant, Ochs n'avait pas totalement réécrit son passé. Un document d'Interpol révélait au moins quelques-uns de ses péchés, la plupart d'entre eux concernant le vol d'œuvres d'art.

Cela paraissait presque dérisoire aujourd'hui.

— Vous écoutera-t-il ?

— Non.

— Pourquoi pas ?

— Il sait que je veux le tuer.

La femme s'arrêta d'écrire.

— Vous parlez sérieusement ?

— C'est ce genre d'homme.

— Et pas vous ?

Nathan Lee ne savait plus du tout quel genre d'homme il était.

— Que veut-il ? reprit-elle. Un ministère ? De la nourriture pour son peuple ? Se venger ? Revenir dans la ville ?

Nathan Lee contempla la dernière photo du prophète fou. Il se rappela les camions de nourritures brûlés.

— Je crois qu'il a trouvé ce qu'il cherchait.

— Mais nous pouvons lui offrir du confort. Nous pouvons l'installer dans le Secteur Sud. Lui donner un lit d'hôpital dans le sous-sol du BSL-4. Il y serait très bien.

— C'est trop tard. Il fut un temps où il aurait donné n'importe quoi pour quitter ce campement. Mais je l'ai vu à la télévision et il est proche de la fin du voyage. Il ne lui reste plus beaucoup de temps.

— Il doit bien y avoir quelque chose qu'il désire.

— Aucun mystère. La même chose que vous.

— Soyez plus explicite.

— Ochs veut ce que nous voulons tous. Pas ici, maintenant, dans cette pièce chauffée, en bonne santé et vêtus de vêtements propres. Mais au milieu de la nuit.

Elle n'écrivit rien, persuadée qu'il s'agissait d'un problème de communication.

— Nous devons lui offrir quelque chose. Il s'agit d'une négociation.

Elle demanda à Nathan Lee de relire une nouvelle fois le dossier.

— Si vous pensez à quelque chose, n'hésitez pas à m'appeler, dit-elle avant de s'éloigner.

Pendant qu'il se replongeait dans la vie d'Ochs, Nathan Lee surprit une conversation entre trois généraux.

— Nous avons des snipers, disait l'un d'eux.

— Pitié, ne transformons pas ce salaud en martyr.

— Nous ne savons même pas si cette décapitation suffirait ? Peut-être n'est-il pas réellement leur chef.

Dix minutes avant l'heure de la vidéoconférence, ils installèrent Miranda à la table et lui fixèrent un micro. Le brouhaha se calma.

Leur reine était prête.

— Nous nous connecterons à l'heure juste, lui expliqua la femme du FBI. Voici une liste de sujets de discussion que nous avons trouvés. Adoptez un ton raisonnable. Traitez-le en égal. Ne le rabaissez pas, ne vous montrez pas soumise. Faites-lui comprendre que nous travaillons en son nom. Demandez-lui ce qu'il veut. Plus de nourriture ? Des médicaments ? Le clone du messie ?

— Négatif. Pas le clone, intervint le général avec lequel Miranda s'était disputée.

Ils avaient déjà bataillé comme des chiffonniers sur ce sujet.

— C'est notre joker. Ochs connaît les règles. Il a été l'un des nôtres.

Beaucoup hochèrent la tête, approuvant la sagesse du *Cold Warrior.*

— S'ils veulent le monstre, donnez-le-leur, lança un des civils. Mettez-lui un beau nœud rouge et envoyez-le.

— Il ne voudra pas y aller, intervint Nathan Lee.

— Mais c'est son peuple.

— Il n'est pas celui qu'ils veulent. C'est une mystification.

— Quelle importance ? Envoyez-leur n'importe quel clone. Mettez-lui une couronne d'épines et basta. Ils ne verront jamais la différence.

— Ochs si.

On en revenait toujours là. Passer un marché avec l'inconnu.

Miranda se redressa sur sa chaise, croisa les mains et releva le menton.

La négociatrice revint à sa liste.

— Dites-leur que vous êtes sur le point de trouver le vaccin.

— Il n'y a pas de vaccin. Ils le savent. Sinon, nous serions tous en bas en train de l'administrer.

— On pourrait essayer cela, suggéra quelqu'un.

— Trop tard de toute façon, répondit un chef de laboratoire. Ils ne partiront pas. Ils ne peuvent plus. Ils sont malades et ils n'ont aucun abri, pas de nourriture, ni de sanitaires. D'autres infections commencent à se déclarer et ils mourront bientôt les uns après les autres. Pour eux, c'est le bout du chemin.

— Parlez quand même du traitement, reprit la négociatrice. Promettons-leur un miracle. Nous avons juste besoin de temps. Ils comprendront cela.

— Si nous parvenons à gagner deux semaines, nous gagnerons cette guerre d'usure.

— Deux semaines ? Ils pourraient nous attaquer dans deux heures. Nous ne savons même pas contre quoi nous nous battons.

Le silence se fit.

— Nous ne devrions pas être ici, cria soudain une personne au fond de la salle. Vous devez ordonner l'évacuation immédiatement.

— Il y a longtemps que nous aurions dû être évacués.

Miranda, le visage très pâle, cherchait Nathan Lee du regard. Elle hésitait. Nathan Lee vit une petite fille qui avait peur pour eux. Qui avait peur d'elle et peur de se tromper.

Le général profita de son indécision.

— Négatif. Pas d'évacuation, dit-il. Le campement s'étend sur la I-84 jusqu'à Santa Fe.

— Offrons-lcur la ville, lança un chercheur. Ils pourront tout prendre. Tout ce qu'ils ont à faire, c'est nous laisser passer.

— Aucun camion ne pourrait passer, fit remarquer un général.

— Prenons l'autre route.

— Elle a été construite pour des véhicules légers. Nous parlons d'un convoi de camions lourdement chargés, des 16 roues. Elle ne résistera pas.

— Nous ne pouvons donc pas être évacués ? demanda Miranda.

Elle s'opposait à cette évacuation depuis des mois, mais n'en était pas moins aussi choquée que les autres.

— Pour l'instant, cette solution serait imprudente, confirma le général.

— Imprudente ?

Autour de la pièce, les militaires se regardaient.

— Le moment n'est pas propice. Pas maintenant.

— Trente secondes, annonça le technicien derrière la caméra.

Ochs apparut sur les différents écrans, marchant de long en large, hirsute, éclairé par un feu derrière lui. Izzy avait du mal à le suivre et Ochs entrait et sortait du champ. La seule constante était un groupe de croix de *penitentes* en arrière-plan.

— Contentez-vous de le faire parler, conseilla la négociatrice. Encaissez les coups, ne le provoquez pas. Souvenez-vous : le dialogue, un engagement. Aujourd'hui, demain, la semaine prochaine. Aussi souvent que possible. Nous sommes là pour lui, vingt-quatre heures sur vingt-quatre, sept jours sur sept.

Tout le monde se dispersa de chaque côté comme si Miranda se trouvait dans la ligne de mire. Son image solitaire apparut sur l'écran, avant d'être de nouveau remplacée par celle d'Ochs qui frappait le sol de sa canne métallique.

— Cinq, quatre, trois… énonça le caméraman.

Deux doigts, un. Il pointa l'index vers Miranda.

— Ochs, dit-elle. Vous m'entendez ?

Ochs se rapprocha et fixa la caméra d'Izzy.

— Mystère, dit-il. C'est vous ?

Miranda fut déconcertée et regarda autour de la table.

— Mystère ? murmura quelqu'un, étonné.

— La mère des prostituées et des abominations de la terre, expliqua Ochs.

Ils avaient donné une ardoise à Nathan Lee pour écrire des messages. Il écrivit : *la Bible/l'Apocalypse* et la leva pour que Miranda puisse lire.

— Exprimez-vous normalement, lança Miranda à Ochs. Et épargnez-nous les citations de la Bible.

La négociatrice fit la grimace.

— On dirait que vous avez été très occupé.

— Beaucoup de travail.

— Nous aussi.

— Les choses que j'ai vues, marmonna-t-il.

— Vous vous êtes blessé à la jambe ?

— Oh ça, dit-il avec un geste de la main.

— Laissez-nous vous aider. Vos disciples souffrent.

Ochs regarda autour de lui.

— Ils n'ont pas peur. Ils se préparent pour le grand jour.

Le jour du Jugement. Ils retinrent tous leur souffle.

— Quand arrivera-t-il ?

— Bientôt.

— Que se passera-t-il alors ?

— Vous venez de me demander de ne pas citer la Bible.

— Faites-vous plaisir.

— Deuté 18, dit-il.

Certains regardèrent leur montre comme s'il avait donné l'heure. Nathan Lee attrapa la Bible.

— Allez-vous traverser le fleuve ? demanda Miranda.

Un des généraux passa frénétiquement le doigt en travers de sa gorge pour lui demander de se taire. Et la négociatrice lui chuchota de ne pas le provoquer. *Trop tard*, pensa Nathan Lee. Ochs avait dû prendre la décision de lever une armée le jour où ils l'avaient expulsé. Puis il se rappela les paroles du père de Miranda prédisant son retour. Ils avaient deviné qu'il s'en irait prêcher. Ils avaient calculé le temps qu'il lui faudrait. Mais cela n'avait aucun sens. Pourquoi lâcher un fou dans la nature si vous savez qu'il reviendra vous hanter ?

— Les esprits nous guident ici, répondit Ochs.

— Mais vous guidez les esprits. Je peux comprendre que vous nous haïssiez, mais ces gens croient en vous. Montrez-leur un peu de pitié. Pourquoi brûler leur nourriture ?

Ochs se baissa pour que son visage soit à la hauteur de la caméra.

— Vous vous trompez, Miranda. Et vous perdez votre temps. L'épée est tombée sur mes disciples. Maintenant, ils sont l'épée. Gardez votre nourriture. Et vos espions également.

Ochs se releva et sortit du champ de la caméra. C'était terminé.

— Ochs ? appela Miranda.

Son brusque départ les avait tous sidérés. Tout le monde se mit à parler en même temps.

— Il n'a même pas parlé du clone de Jésus.

— Et dire que nous voulions lui offrir l'amnistie.

— Quel espion ? Nous l'avons approché de bonne foi.

Et Izzy ? pensa Nathan Lee. Ils avaient joué avec lui et maintenant, ils semblaient l'avoir oublié.

— Je crois que tout va bien, dit une femme. L'homme en est au stade 1. Délire fonctionnel. Il a probablement déjà oublié qu'il nous a parlé.

Et ils continuèrent ainsi, analysant cet échange bref et étrange.

— Deutéronome 18, lança Nathan Lee.

Ils se tournèrent vers lui et le silence se fit. Il résuma le passage pour eux.

— *Quand tu seras entré dans le pays que l'Éternel, tu n'apprendras point à imiter les abominations de ces nations-là. Qu'on ne trouve chez toi personne... qui consulte ceux qui invoquent les esprits ou disent la bonne aventure, personne qui interroge les morts. Car quiconque fait ces choses est en abomination à l'Éternel.*

Les fronts se plissèrent sous la concentration.

— Mais nous sommes des scientifiques, protesta quelqu'un.

— Charabia, déclara sèchement un général.

— Interprétation biblique, renchérit la négociatrice du FBI. Il divague. Et ils sont probablement des milliers comme lui là en bas. Je crois que tout va bien. Ils vont se convaincre mutuellement de se suicider.

La caméra continuait de fixer le vide. Les bruits du campement leur parvenaient : des pas, une pierre frappant le bois, des gens allant et venant. Il leur fallut plusieurs minutes pour remarquer ce qu'ils n'avaient pas vu. Nathan Lee savait quoi chercher. Il connaissait Ochs. Il fixait l'écran.

— Là ! fit-il.

La preuve de leur destin leur crevait les yeux. La caméra n'était pas posée au hasard. Utilisant la télécommande, un des techniciens zooma lentement sur la zone. Les croix se rapprochèrent. La fumée faussait les distances, mais soudain le soleil se leva et les croix s'embrasèrent. Elles étaient nues, sauf une. Un homme tentait de trouver une position plus confortable, mais c'était difficile. Il souffrait tellement. Aucune corde ne liait ses bras ou ses jambes. Il ne s'agissait pas d'un *penitente*. Ils l'avaient vraiment cloué sur le bois.

— Izzy ! s'écria Nathan Lee.

Le silence se fit dans la pièce. Tous les yeux fixaient ce spectacle macabre. Une femme commença à pleurer et le pasteur se signa.

— Des animaux, siffla un biologiste.

— Ochs, dit un autre.

— Je ne comprends pas, intervint la négociatrice. Veut-il préparer le terrain pour le Messie ou se prend-il pour le

Messie ? Il utilise la crucifixion, mais ce n'est pas lui le crucifié. En punissant quelqu'un d'autre, il lui donne le pouvoir du Messie. C'est ça ? Un chrétien qui se déteste... mais...

Elle se tut.

— Ils ne tarderont plus à venir ici, dit Nathan Lee.

— Quand ? demanda le biologiste. Comment pouvez-vous le savoir ?

— L'histoire. Ochs est un fan de lettres classiques.

— Lettres classiques ? grommela un général. Et alors ?

— Plutarque. L'histoire de Spartacus. Il avait fait crucifier un soldat ennemi au milieu de son camp, un message destiné à ceux qui le suivaient. Il a maintenu l'homme en vie pendant une semaine.

— Le parallèle est léger, fit remarquer la négociatrice. L'histoire de Spartacus nous parle de la motivation d'Ochs, pas de son timing. Ceci est un acte de terrorisme pur et simple. Il ne nous apprend rien sur le jour qu'il a choisi pour attaquer la ville.

— Spartacus n'a pas utilisé la crucifixion pour terroriser ses ennemis, expliqua Nathan Lee. Et Ochs non plus, à mon avis. Cet avertissement est destiné à ses disciples, pas à nous. Spartacus s'était servi de cette exécution pour préparer son armée. Pendant une semaine, le message était resté sous leurs yeux. Ils étaient nés dans la souffrance. Par la souffrance, ils se libéreraient.

— Je ne vois toujours pas...

— Spartacus a attendu que le prisonnier meure. À ce moment-là, son armée était prête.

Tous les yeux vinrent se fixer sur Izzy, si petit, si mortel...

— Suis moi, dit Nathan Lee.

Il était près de minuit et il n'y avait rien qu'ils puissent faire. Le problème avait été soumis aux médecins pour essayer de déterminer la résistance d'Izzy, aux experts en optique pour améliorer la qualité de l'image, aux météorologistes pour estimer l'intensité et la durée de la période de froid et aux techniciens pour capter par satellite la signature thermique individuelle d'Izzy au milieu des millions d'autres. Leur survie dépendait maintenant de celle de ce dernier.

Miranda lui emboîta le pas et ils sortirent dans la nuit. Elle se sentait bien trop énervée pour rentrer. Personne ne dormirait ce soir. Ils se dirigèrent vers Alpha Lab sous un dôme de constellations immobiles. Pas de lune, seulement l'éclat des étoiles indifférentes. Au moins, il n'y avait pas de vent. Izzy était nu. Nathan Lee ne cessait de penser à lui.

Ils pénétrèrent dans la chaleur du laboratoire et prirent l'ascenseur pour rejoindre le bureau de Miranda. Un matelas reposait contre un mur pour les nuits blanches. Elle se laissa tomber sur sa chaise.

Nathan Lee resta debout près de la fenêtre qui donnait sur les bassins d'incubation. La pièce baignait comme toujours dans une lueur bleutée et une humidité tropicale humidifiait l'autre côté de la vitre. Il appuya la main sur le verre. Il avait toujours l'impression de regarder le monde de l'extérieur, sans jamais vraiment savoir où se trouvait sa place.

— Miranda, nous devons partir, dit-il.

Il voyait son reflet dans la vitre. Elle ne bougea pas. Il se retourna, la rejoignit et prit ses mains dans les siennes. Elle le regarda sans réagir.

— Je peux nous faire sortir d'ici, reprit-il. Nous passerons par la montagne. Il est encore temps.

Brusquement, elle sourit.

— Paris ?

— Quelque part.

— Et ensuite, quoi ? demanda-t-elle en touchant son visage.

Toute la soirée, il avait regardé ces hommes et ces femmes s'habituer à l'idée d'une invasion imminente. D'un seul mouvement, les généraux s'étaient levés et retirés pour mettre au point leur stratégie. Les autres étaient restés et avaient soupesé leurs options, exprimant leurs espoirs, leurs responsabilités et leurs idées folles. Finalement, ils s'étaient tus. Miranda avait présidé au milieu de cette confusion. Ils étaient bloqués sur la mesa et la seule question était de savoir combien de temps Izzy résisterait et quand la fin arriverait.

— Trois ans, lui dit-il. Le Sera-III. Donne-nous cette chance à toi et à moi.

— Nous avons déjà abordé ce sujet. Sans la ville, aucun espoir. Tout se trouve ici.

— C'est trop tard, Miranda. Ton père arrivera trop tard avec son royaume souterrain. Ta magie arrivera trop tard. La peste nous a rattrapés. Pense à nous.

— Je ne fais que cela.

— Alors, arrête de vouloir sauver le monde.

— Arrêter ? Nous ne pouvons pas arrêter. Tu m'as appris cela. Ne jamais abandonner.

— C'est terminé.

— Non !

Mais il ne s'agissait pas d'un entêtement stérile. Elle sourit. Un sourire plein de mystères.

— Nous y sommes presque.

— Tu rêves.

Il lâcha ses mains.

— Oui, je rêve.

— À quoi rêves-tu ?

Il montra le laboratoire autour d'eux.

— À des tubes à essai ?

— La jungle. Chercher des enfants dans la jungle. Les appeler et les trouver. Ils descendent des arbres.

— Alors, nous irons dans la jungle. Mais nous ne pouvons pas rester.

— Je dois rester.

— Arrête ! cria-t-il.

Il en resta bouche bée. Ils ne s'étaient jamais disputés.

— Pars, dit-elle au bout d'un moment.

— Je suis désolé.

— Tu devrais partir, répéta-t-elle.

— Pas sans toi.

— Je n'ai pas le choix, crois-moi.

— Si tu l'as.

Elle ferma les yeux, puis les rouvrit.

— Tu te rappelles le jour où je t'ai appelé en décontamination ? Tu as cru que j'étais enceinte.

— Je voulais que tu le sois.

— Et tu te souviens de ma surprise ?

— Tu as dit, impossible…

— J'ai demandé ce qui te faisait croire ça.

Une longue minute s'écoula.

— Je ne sais toujours pas comment tu as su, dit-elle doucement.

Elle prit sa main et la posa sur son ventre. Elle semblait stupéfaite par ce qui lui arrivait.

— J'ai toujours été parfaitement réglée. Jamais de problèmes. Alors, j'ai fait le test. J'en suis à onze semaines maintenant. Cela date probablement de notre toute première fois. Dans les bois.

Assommé, Nathan Lee voulait ressentir de la colère. *Donner naissance à un enfant dans un monde pareil* ? Mais devant le visage de Miranda, les mots s'étranglèrent dans sa gorge. Elle rayonnait, illuminée de l'intérieur.

— Tu voulais tellement partir, dit-elle. Je ne voulais pas que tu te sentes obligé de rester.

— Mais j'ignorais.

— Maintenant, tu sais.

Et soudain, à cet instant, il sut. Il prit ses mains dans les siennes.

— Tu peux encore partir, dit-elle d'une toute petite voix.

— Miranda, je ne te quitterai jamais.

34.

Les âmes perdues

7 h 30 du matin

Elle dormait encore quand il partit. Autour de lui, sur la route 502, les décombres et la fumée transformaient le paysage en un tableau de Jérôme Bosch : médiéval, sulfureux et étrange. L'appaloosa n'appréciait guère le décor et passait son temps à renâcler et à se cabrer devant les obstacles. Nathan Lee devait la talonner pour l'obliger à avancer. À différents endroits, de l'autre côté de la rivière, les pèlerins avaient entassé de gros pylônes électriques comme d'immenses bûchers dont les flammes dégageaient une odeur acre.

Les croix sur la berge se dressaient, nues et de guingois, certaines formant des angles bizarres, comme des mâts sur un navire en perdition. Les *penitentes* avaient abandonné leurs perchoirs. Peut-être les pèlerins s'étaient-ils lassés de ce spectacle. En approchant du pont, Nathan Lee se remémora son arrivée et sa traversée tranquille, au pas du cheval. Il passa devant l'arbre dans lequel il avait accroché les sacoches du Smithsonian. Le même arbre, mais méconnaissable avec ses branches mortes, brûlées par les défoliants. Aussi loin que se portait le regard, la même couleur orange recouvrait tout. Il se rappelait la lumière de juillet, aujourd'hui disparue. Il se rappelait ses espoirs fous, envolés eux aussi. Non, modifiés plutôt. Redéfinis, au mieux. Transformés sans aucun doute. Et cela le terrifia. Soudain, il ne comprenait plus ce qu'il faisait là. Son idée était si confuse et périlleuse qu'on ne pouvait même pas appeler ça une idée. Une vision, peut-être. *Et s'il se trompait ?* Il voulait chasser Miranda de ses pensées. Il lui avait promis. Et maintenant, voilà…

La puanteur du camp le frappa à plus d'un kilomètre de distance et la jument se rebiffa. Ses naseaux crachèrent de la fumée dans le froid et elle tira sur ses rênes. Nathan Lee la calma.

— Je sais, dit-il en caressant son encolure tachetée.

Ils passèrent au milieu d'une véritable décharge de voitures et de camions entassés sur les bords de la route, leurs carcasses tordues après avoir explosé sur des mines, leurs pare-brise criblés de balles. Des corps gisaient, abandonnés, en tenues blanches, oranges, bleues ou vertes. Nathan Lee réalisa soudain que la bataille de Los Alamos durait depuis des semaines, de petites escarmouches dans ce *no man's land*. Les généraux n'en avaient rien dit et personne n'avait eu conscience de la proximité du danger.

Il aperçut les tranchées abandonnées. De chaque côté, des chemins conduisaient à ces bases de tir pour l'heure désertes, des fossés creusés dans le sol et protégées par des monticules de terre. Au cours des derniers jours, les généraux avaient dû retirer leurs troupes. Nathan Lee n'avait pas croisé le moindre soldat depuis qu'il avait franchi les grilles à l'aube.

À quatre cents mètres devant lui, il aperçut le pont. Dans le ciel, des oiseaux survolaient le camp et sur la berge du fleuve, des ombres noires observaient son approche. Perché sur le dos de son cheval, Nathan Lee se sentait vulnérable et comme suspendu dans l'air.

Un phare éclata soudain sur le véhicule devant lequel il passait et l'appaloosa fit un bond de côté en hennissant. Il dut lutter pour la retenir. Puis quelqu'un cribla de balles le pare-chocs en guise d'avertissement. Les balles ne firent pas de petits trous dans le métal, elles le déchirèrent littéralement aussi coupantes que des lames de rasoir.

Nathan Lee essayait de maîtriser les battements de son cœur, mais en vain. Il se sentait nauséeux. Dingue. *Il n'est pas trop tard*, chuchotait une petite voix dans sa tête. Il pouvait encore se cacher dans les décombres, attendre la nuit et remonter. *Rentrer à la maison*. Ils le laisseraient peut-être entrer, le jetteraient en décontamination et lui rendraient sa vie. C'était tentant.

Mais il savait très bien à quoi s'en tenir. Les grilles resteraient fermées. Il connaissait les règles et il ne portait pas de combinaison de protection. Plus jamais il ne s'approcherait de la ville. Ils le descendraient à vue. Sortir sans protection avait été son choix. Tout comme sa décision de ne pas s'injecter le Sera-III. Les deux lui auraient procuré une certaine protection contre le virus, mais tous les deux l'auraient également tué tôt ou tard. Et de toute évidence, les pèlerins n'appréciaient guère les combinaisons. Quant au Sera-III, il lui donnait trois ans de vie alors qu'il ignorait s'il pourrait survivre aux prochaines minutes et encore moins, à une année. Et surtout, il ne pouvait pas se permettre d'attendre les quarante-huit heures requises pour que son organisme fabrique les anticorps. Sans compter que son courage n'aurait certainement pas résisté aussi longtemps. Quarante-huit heures représentent une longue période quand on tient un couteau sur sa gorge.

La combinaison tout comme le vaccin représentaient de toute façon de mauvais choix. Avec ou sans eux, il pénétrait sur le territoire des morts. Le vrai choix avait été de décider de rester à l'abri ou de descendre dans la vallée. Et même là, il n'y avait pas vraiment eu de choix. Parce que rester aurait été prier pour qu'Ochs et les généraux fassent preuve de pitié. Or le mot « pitié » n'était plus d'actualité. Non pas qu'ils soient tous foncièrement mauvais. Depuis quelque temps, Nathan Lee avait revu sa notion de monstre. Il n'avait jamais cru en Dieu et aujourd'hui, pire encore, il ne croyait plus au Diable. Le démon faisait un excellent bouc émissaire, mais le Prince des Faussaires s'avérait n'être qu'une déception, une tentative de plus d'enfermer l'univers dans une boîte à chaussures. L'échelle humaine suffisait pour mesurer une porte, mais ne pouvait rien contre la misère. Finalement, la fin du monde n'était pas le fait de l'homme, ni écrite au ciel ou préparée en enfer. Elle se résumait à un simple petit bout de protéine.

Nathan Lee avançait donc vers le camp, sans défenses, sans explications, ni ticket de retour. Terrifié. Et si seul. Jamais – même perdu au milieu du Tibet – il n'avait ressenti une telle solitude. Il savait ce qu'il avait à faire, mais il ignorait encore pourquoi. Il écrivait le scénario au fur et à mesure, s'incluant et s'excluant tour à tour de son propre film. En approchant du pont, il eut l'impression de plonger dans un puits sombre.

L'appaloosa progressa encore de quelques dizaines de mètres, renâclant, mais obéissant. Ses yeux roulaient, affolés par l'odeur de la viande en décomposition. Il aurait pu la forcer à continuer – sa chaleur le rassurait et il n'était pas certain que ses jambes acceptent de le porter – mais elle était si belle et son encolure si douce. Des rêves se formaient sûrement sous sa belle tête.

Finalement, il tira sur les rênes. Assez. Ils allaient la dépecer et accrocher sa viande au-dessus du feu. Leur faim était plus grande que la chair qu'elle avait à offrir. Nathan Lee descendit lentement, en pleine vue et avec des mouvements amples, offrant son dos aux tireurs pendant qu'il ôtait la selle et la jetait avec les rênes sur la route. Sur une impulsion, il garda la couverture.

Ensuite, de la main, il montra la route qui montait vers Los Alamos. Pas au cheval, mais aux snipers pour qu'ils comprennent son intention. Puis il resta là tandis que le cheval repartait sur ses pas.

L'appaloosa ne s'attarda pas – il n'y avait pas d'herbe – mais elle ne partit pas non plus au galop et Nathan Lee s'en réjouit. Il ne voulait pas que les snipers se sentent pressés de réagir.

Ses sabots claquaient sur la chaussée et elle se fondit bientôt dans la brume comme un fantôme. Il se rappela sa barque en Alaska qui s'était volatilisée dans le brouillard à l'instant même où il avait détourné le regard. Finalement, la jument disparut au détour de la route.

Alors, Nathan Lee roula la couverture et commença à marcher. Il gardait la tête baissée, repoussant de son esprit l'image de sa tête dans leurs lignes de mire. Personne ne cria « Halte » lorsqu'il arriva sur le pont. Des silhouettes décharnées attendaient de l'autre côté, armées de fusils, d'arcs et de flèches, de haches et même de marteaux. Certains portaient des casques de moto ou de football, d'autres des masques à gaz. Difficile de croire qu'un seul homme, même un prophète fou, puisse commander une telle horde.

Tournées vers Los Alamos, les créatures chimériques se tenaient prêtes au combat… sans un seul ennemi en vue.

Le pont n'était pas long, il s'en souvenait maintenant. Pendant des semaines, il s'était étiré, encore et encore dans l'esprit des citoyens de Los Alamos, véritable frontière entre deux mondes. En fait, il ne faisait que quelques mètres de long.

— Pas de cadeaux ? ironisa quelqu'un. Aucune belle promesse ?

Nathan Lee s'efforça d'offrir un visage impassible malgré sa bouche sèche et son cœur battant la chamade.

— C'est quoi ça ? demanda une voix.

Nathan Lee abandonna sa couverture sans protester.

On le poussa par-derrière. Ils ne lui demandèrent pas son nom, superflu, tout comme le but de sa visite. Ils s'en moquaient. Il n'avait d'ailleurs aucune réponse à leur apporter. Il avait cru qu'ils lui poseraient des questions sur Los Alamos, ses moyens de défense, ses richesses, ses peurs. Mais dans leur esprit, la ville leur appartenait déjà.

Un des soldats s'approcha de lui avec un grand sourire.

— Où sont nos bonnes manières ? lança-t-il. Un homme

descend de la montagne, tout propre et bien rasé. Intrépide. Venu pour sauver le petit peuple, je me trompe ?

Un sourire sans joie. L'homme cherchait la bagarre. Nathan Lee attendit. L'homme lui cracha au visage.

Ce n'était que le début, il le savait. Il essuya sa joue, regarda ses doigts, puis le soldat. Il pouvait reculer ou le frapper à son tour et ce qui s'en suivrait aurait de toute façon la même violence. Une fois qu'ils commenceraient à le frapper, ils ne pourraient plus s'arrêter. Il entendit l'eau qui coulait sous le pont et vit son corps emporté par le courant au milieu des centaines de cadavres qui flottaient là.

Pendant un moment, cela lui parut inéluctable. Puis il eut une inspiration. Car tous ces hommes armés de fusils et prêts à tout, ces hommes n'avaient pas abattu l'appaloosa. Une petite lueur de poésie subsistait au fond de leur âme.

Le sourire fourbe du soldat s'élargit. Ils se rapprochèrent et des rires gras éclatèrent. Puis Nathan Lee les surprit. Il se surprit d'ailleurs lui-même. Sans réfléchir plus longtemps, il lécha ses doigts. Il se contamina.

Le soldat sursauta. Le silence se fit. Devant leurs yeux, Nathan Lee venait de se damner. Il était devenu un des leurs.

Une minute passa, puis un homme recula et les autres l'imitèrent. Ils le laissèrent passer. Et personne ne remarqua son couteau.

La voix du Capitaine la réveilla.

— Êtes-vous en train de regarder ? demanda-t-il.

Miranda serra le récepteur contre son oreille. Elle passa la main sur son visage pour se réveiller.

— Regarder quoi ?

Elle se leva du matelas étendu sur le sol de son bureau.

— Vous ne regardez pas ?

— J'ai dû m'endormir, dit-elle. *Regarder quoi* ?

— Il a traversé.

— Parfait.

L'horloge annonçait neuf heures. *Du matin ou du soir ?*

— Au début, il y a eu quelques problèmes. Je ne sais pas ce qu'il leur a dit, mais ils l'ont laissé passer. Nous avons pu suivre la scène grâce aux caméras.

Soudain, elle eut l'impression que la température de la pièce chutait brusquement pour devenir glaciale.

— Nathan Lee ? murmura-t-elle.

— Il ne vous avait rien dit, conclut finalement le Capitaine après un long silence.

Puis elle l'aperçut sur son bureau.

Son livre de contes.

Nathan Lee pénétra dans le camp. Avec tout ce qu'il avait déjà vécu, il s'était cru préparé au pire. Mais, malgré toutes ces horreurs, le désert asiatique avait au moins l'avantage d'être immobile. Ici les morts se déplaçaient, parlaient, chantaient, psalmodiaient. Ils rampaient, pleuraient, priaient Dieu. Assis sur des carcasses, ils répétaient inlassablement les mêmes noms. Ils lui rappelaient les clones de l'Année Zéro dans leurs cellules.

Le virus se manifestait partout, dans les chairs transparentes, dans les yeux vides. Les amoureux se serraient les uns contre les autres, veillant à tour de rôle tandis que leur conscience partait et revenait. Des parents traînaient leurs enfants derrière eux, attachés comme des animaux. D'autres avaient ligoté les membres de leurs familles pour leur éviter d'errer pendant la nuit, puis touchés eux-mêmes par la maladie les avaient oubliés, les laissant mourir de faim dans la boue. De toute façon, il n'y avait plus de nourriture. Mais si, la nourriture était là. Ils ne cherchaient même pas à cacher leurs boucheries. Les os traînaient partout. Ils étaient devenus leur propre festin ambulant.

Le virus était loin d'en avoir terminé avec eux. Si les pèlerins avaient péri par dizaines de milliers, des centaines de milliers d'autres subsistaient. Ils l'observaient pendant qu'il passait parmi eux, cachés sous des couvertures, les cheveux crasseux, les visages maculés, les yeux rougis par la fumée. Ils frissonnaient de fièvre et toussaient, atteints de pneumonie, de grippe ou de tuberculose. Des blessures les faisaient boiter. Leurs vêtements étaient raides de crasse. Comme des Croisés en route pour Jérusalem.

Presque chaque main tenait une arme et, le long de la route, Nathan Lee croisa des groupes de guerriers qui nettoyaient leurs armes en discutant. Ils ressemblaient à des squelettes vêtus de cartouchières. Nathan Lee évitait leurs regards parce qu'ils le terrifiaient. Qu'était-il venu faire ici ? Cela semblait tellement ridicule, dérisoire. Une tentative vouée à l'échec. Même le visage des enfants était barbouillé de graisse de moteur et de boue.

Personne ne le connaissait, mais tous voyaient en lui un visage familier. Il était propre, en bonne santé et indemne, un miracle à l'américaine. Il les surprenait. Un visage lavé, bien rasé, avec toutes ses dents. Ils s'écartaient devant lui. Il représentait une relique de leur passé. Curieux, ils finirent par lui emboîter le pas.

Quelques personnes d'abord, puis de plus en plus au fur et à mesure de sa progression. Il les sentait derrière lui, devinait leur étonnement. De toute évidence, ils attendaient que quelque chose ou quelqu'un brise cette horrible et écrasante monotonie. N'importe quoi.

Nathan Lee avait prévu qu'une fois le pont franchi, il se fondrait dans la masse. Mais son avancée générait une vie en elle-même et la rapidité avec laquelle elle se développait l'affolait. Il n'avait aucun contrôle sur eux. Se relevant de la boue glacée, ils marchaient sur ses traces. Il avait envie de courir et de se cacher, de leur crier de le laisser tranquille, mais cela n'aurait fait qu'attirer un peu plus l'attention sur lui.

Piégé avec nulle autre alternative que d'avancer, il continua donc, affichant un air assuré bien qu'il ignorât complètement où il se trouvait. Il n'osait pas s'arrêter, montrer une hésitation ou poser des questions.

Il fouillait du regard les alentours, cherchant une croix avec un homme dessus. Il passa devant des bûchers funéraires si grands que leurs fumées s'élevaient à plus de trente mètres de haut et qu'ils grondaient comme des petits feux de forêts. Des croix dépassaient ici et là, mais vides et différentes de celle d'Izzy avec son long poteau et sa haute traverse – il l'avait mémorisée avec l'espoir de la repérer de loin.

Bizarrement, la foule le guidait mentalement. Personne ne lui montrait la route, mais devant lui, la multitude s'ouvrait, formant un couloir qu'il n'avait plus qu'à suivre. Et c'est ainsi qu'il progressa sur près de huit cents mètres pour parvenir enfin, après un carrefour d'autoroutes, au cœur du campement – une clairière en contrebas de la route. La croix se trouvait là et Ochs également.

Nathan Lee s'était douté qu'Ochs ne serait pas loin. La croix marquait sa tanière et le corps dessus témoignait de sa domination.

Au bord du trou, la foule s'arrêta comme s'il s'agissait d'une arène dans laquelle Nathan Lee descendit seul, sans pouvoir ralentir, ni même s'arrêter. Il avait l'impression d'être poussé. La horde représentait son fléau, mais aussi sa seule chance de salut, des témoins de ce qui allait se passer.

Izzy était toujours vivant.

Ochs, de dos, faisait face à une troupe de guerriers et prêchait d'une voix profonde. Un prêtre devant ses fidèles.

Un soldat leva la tête à l'approche de Nathan Lee. Une croix tracée à la peinture rouge barrait son nez et son front. Le nouveau venu dut lui paraître familier parce qu'il retourna son attention vers Ochs.

Nathan Lee progressait d'un pas décidé. Ses pieds touchaient à peine le sol. La croix était très haute et pas d'échelle en vue. Les bourreaux l'avaient enfoncée dans un trou et bloquée avec des cailloux et des morceaux de bois.

La bouche d'Izzy était tellement crispée par la souffrance que ses lèvres remontaient, dénudant ses dents. Les veines de son cou rappelaient celles d'un haltérophile. Il luttait de toutes ses forces, remontant de quelques centimètres pour les perdre aussitôt, chaque mouvement plus douloureux que le précédent, la tête appuyée contre le bois pour tenter de se retenir et de respirer.

Ralentissant à peine, Nathan Lee se baissa et glissa la main sous la jambe de son pantalon où il récupéra le couteau qu'il avait collé le long de sa cheville. Il s'attendait à un cri dans la foule, mais pas une voix ne retentit.

Ochs agitait ses longs bras, invoquant l'Apocalypse. Son dos large et nu était strié de cicatrices de coups de fouet – du cuir tendu sur des os. Sous sa peau lumineuse, ses omoplates ressortaient comme des ailes. Les hommes étaient agenouillés sur la terre gelée autour de la croix. Ochs invoquait les souffrances d'Izzy et le remerciait de son exemple.

L'espace d'un instant, Nathan Lee ressentit comme un glissement dans le temps, le passé devenait le présent. Sa tête se mit à tourner.

Sous une plaque d'immatriculation blanche et noire du Texas, les orteils d'Izzy dépassaient, crispés, puis s'écartant soudain sous le coup de la douleur. Crucifier un homme était tout un art aujourd'hui disparu. Ils avaient donc dû improviser et enfoncer les clous à travers des joints en acier et de vieilles plaques d'immatriculation pour que la chair des poignets et des chevilles ne se déchire pas sous le poids du corps.

Ochs se tut. La croix bougeait sous les mouvements d'Izzy et dans le silence, le bois gémissait.

Nathan Lee accéléra. Les autres remarquèrent son approche, mais sans manifester la moindre inquiétude. Chaque nouveau pas le rendait un peu plus sûr de lui.

Sur la croix, Izzy ouvrit les yeux et fixa le ciel où des oiseaux noirs tournoyaient. Puis il baissa la tête et aperçut Nathan Lee et ses yeux s'illuminèrent.

Ochs surprit cet éclair d'espoir là où nul espoir ne subsistait et comprit. Il fit le geste de se retourner.

Nathan Lee n'eut pas conscience de bondir, pourtant, il se retrouva en l'air et s'écrasa contre le dos d'Ochs. Ce dernier se débattit, mais pour une fois, Nathan Lee eut l'avantage. Il entraîna le géant en arrière. Il n'avait jamais fait une chose pareille, jamais brandi un couteau sous le coup de la colère. Pourtant, le geste se fit naturellement.

Emporté par son poids, Ochs tomba à genoux et Nathan Lee se retrouva brusquement face à la bande de guerriers, la tête d'Ochs bloquée dans le creux de son bras, ses doigts serrés autour du couteau qu'il tenait sous la grosse mâchoire d'Ochs.

Pendant quelques instants, rien ne bougea. Ni la foule au bord de l'arène, ni les soldats incrédules. Le silence se prolongea, seulement troublé par les cris des corbeaux et les râles d'Izzy.

Nathan Lee releva la tête d'Ochs vers la croix et resserra son emprise sur le couteau. Un des soldats tenta de s'approcher de côté, mais il l'aperçut.

— Ne me tentez pas, dit-il. Reculez et posez vos armes.

Ses paroles sortaient, noyées dans un nuage de vapeur.

Comme personne n'obéissait, Nathan Lee appuya le couteau un peu plus fort, juste assez pour entamer la peau. Le sang d'Ochs coula le long de la lame, chaud sur ses doigts.

Aussitôt, ils s'exécutèrent et reculèrent.

— Plus ! ordonna Nathan Lee.

L'espace s'agrandit et bientôt le sol fut jonché de fusils et de pistolets.

— Ils vous ont envoyé, dit un homme. La ville.

— Ils n'ont pas eu à le faire. C'est personnel.

— Tu es venu, dit Ochs dans un souffle.

Il avait l'air heureux.

Il voulait que je vienne, comprit Nathan Lee. De nouveau, ce vertige, ce sentiment de n'être qu'une brindille ballottée par un courant trop fort.

— Vous vous connaissez ? demanda un guerrier.

Nathan Lee remarqua leurs yeux. Des yeux en colère, mortels et calculateurs, mais tous fixés sur lui, pas sur Ochs. Son assaut les avait choqués, eux, les hommes d'action. Certains éprouvaient sûrement une espèce de loyauté rustre envers Ochs. Pourtant, l'essentiel de leur indignation provenait de leur fierté blessée plus que de leur détresse.

Le prophète n'était pas très aimé. En fait, tandis que leur surprise diminuait, Nathan Lee surprit des échanges de regards conspirateurs. La valeur de son otage diminuait à vue d'œil.

— Allez-y, faites votre discours ou tuez-le ! cria un homme. Vous ne pouvez rien contre nous.

Nathan Lee regarda Izzy. Il y avait peu de sang. Quelqu'un avait accroché une bouteille en plastique au bout d'une perche pour lui donner à boire. Ils le maintenaient en vie. Mais ses forces finiraient par l'abandonner et il suffoquerait.

— Je suis venu le chercher, dit-il.

Il parla d'une voix forte pour que tous l'entendent. La foule au bord de l'arène tressaillit, mais il ne put deviner si c'était bon ou mauvais signe.

— Il est cloué là-haut, espèce d'idiot.

L'idée de revenir sur la sentence les surprenait. Izzy avait été jugé. Point final.

— Regardez-le. Il n'en a plus pour longtemps.

— Cela ne change rien au fait que c'est injuste.

Ochs tira sur son bras. Nathan Lee planta ses pieds dans le sol et se repoussa en arrière. La colonne vertébrale d'Ochs plia et ses vertèbres craquèrent. Il cessa de lutter.

— Vous ne repartirez jamais vivant, lança une voix.

— Ce n'est pas mon intention.

— Pas d'échelle. Pas de marteau. Il doit y avoir un truc, railla quelqu'un.

La croix le dominait. Elle devait peser près de cent kilos. Il ne pouvait pas s'en sortir seul.

— Aidez-moi, dit Nathan Lee.

C'était sorti tout seul.

Ils en restèrent bouche bée. L'absurdité de la chose les stupéfiait. L'assassin voulait une faveur.

— Je peux achever votre ami, proposa un soldat d'une voix tranquille. C'est ce que vous voulez ?

La proposition était dénuée de méchanceté.

— Il mérite mieux que cela.

— Comme nous tous, plaisanta un homme.

— Oui, comme nous tous.

C'est alors qu'il commença à neiger. Tout le monde releva la tête vers le ciel. Les flocons tombaient en petites boules mouillées. Pendant une minute, cela les préoccupa. Le sol était glacé. La neige ne fondait pas et peignait en blanc le paysage.

— Et lui ? demanda un guerrier en indiquant Ochs du menton.

Nathan Lee regarda autour de lui. Ils attendaient, les yeux durs. *Ils veulent que je le fasse*, comprit-il. Ils avaient offert de tuer Izzy s'il tuait Ochs.

Ochs les avait tyrannisés, bénis et séduits. Le géant avait envahi le lac sombre de leurs âmes et leur avait renvoyé l'image de leurs pires terreurs et haines. Il avait transformé leur confusion en chaos et le chaos en massacre. Ils étaient fatigués, blessés, mourants. Ils ne voulaient plus être les victimes d'Ochs, à sa merci et incapables de lui échapper.

Nathan Lee sentait la grosse tête chauve devenir glissante contre son bras. Avant qu'il soit trop tard, il pouvait remettre les pendules à l'heure, se venger de tout le mal qu'Ochs lui avait fait. Un simple mouvement du poignet et le monde serait débarrassé de cette créature. *Et ensuite ?*

Nathan Lee offrit son visage à la neige. Elle glissa sur ses joues, sur ses lunettes et le monde se brouilla. Il était aveugle. Et tout aussi soudainement, tout devint évident.

Le sang pour le sang. Nathan Lee le savait. Il le sentait au plus profond de son âme.

L'ordre des choses lui apparut avec une pureté cristalline. Ces pèlerins ravagés l'ignoraient encore, mais le couteau serait leur signal. Pendant des semaines, Ochs avait prêché l'invasion.

Mais ils ne voulaient pas partir. Ils attendaient tous quelque chose, un signe ou un événement. Maintenant, ils l'auraient. Son sang allait les libérer. Sa mort seule pouvait lancer l'invasion et il le savait. Ce qui expliquait sa joie à la vue de Nathan Lee. Ochs devait mourir. Et comme une prophétie qui s'accomplit, Nathan Lee était descendu de la montagne pour faire le travail et le transformer en martyr.

Nathan Lee baissa la tête. Il avait l'impression de voir à des centaines de kilomètres. Il se contemplait lui-même de haut. Le plus grand danger pour la ville n'était pas Ochs, mais lui, Nathan Lee. Sa haine et son couteau constituaient les armes d'Ochs. Sa délivrance.

— Décidez-vous, pressa le soldat.

La prise de Nathan Lee se relâcha. Ochs le sentit hésiter. Il poussa sa gorge contre le couteau.

— Grace, dit-il entre ses dents serrées.

Toute sa vie, Nathan Lee avait gravi des montagnes, creusé, fouillé, cherché dans le monde sans jamais obtenir la moindre réponse. Sans jamais abandonner. Et, pour la première fois, il cessa de lutter. Il abandonna.

— Je ne peux pas te sauver, murmura-t-il.

Le soldat fronça les sourcils. D'autres autour de lui manifestèrent également leur déception. Ochs allait leur retomber dessus.

Nathan Lee ouvrit ses mains. Le couteau tomba sur le sol. Il libéra son ennemi.

Ochs se releva d'un bond avec un grand rugissement. Il dominait Nathan Lee, les yeux fous, sa poitrine nue et lacérée. Dans une crise d'ascétisme, il s'était coupé ses propres mamelons – ce qui effraya Nathan Lee plus que tout le reste. Au nom de Dieu, il n'avait pas hésité à couper sa propre chair.

— Maintenant ! lança Ochs.

Ce fut sa dernière parole.

Comme animé d'une vie propre, le couteau surgit et se planta dans le cou d'Ochs. La lame bougea plusieurs fois de gauche à droite. Ochs grimaça, une grimace pleine de douleur, mais aussi de questions. Comme s'il demandait à Nathan Lee de lui expliquer ce qui se passait. Puis, sa gorge s'ouvrit. Son souffle chaud s'échappa de sa trachée dans un nuage de vapeur et son sang brillant se répandit sur le sol blanc, éclaboussant Nathan Lee. Les mains d'Ochs se portèrent à son cou, donnant l'impression qu'il s'étranglait tout seul.

Il ne bascula pas pour aller s'écraser par terre, il se tassa simplement sur lui-même. Ses jambes cédèrent et il tomba assis, sa colonne pliée en avant et sa tête posée sur ses jambes, immobile à jamais.

Nathan Lee leva les yeux. Le soldat se dressait derrière le corps d'Ochs, le couteau à la main. Nathan Lee ne chercha pas à s'enfuir. Il resta sur place tandis que les Croisés se rapprochaient.

— Que lui font-ils ? demanda Miranda, toujours en état de choc.

Pendant son sommeil, son amoureux avait traversé la rivière et disparu. Et voilà qu'il réapparaissait sur l'écran de télévision.

Plantée quelque part au milieu du camp, la caméra d'Izzy n'avait cessé de transmettre sans que la foule se doute de sa présence.

Le cœur de Miranda pesait une tonne. Son amour n'avait pas suffi. Finalement, Nathan Lee avait succombé à son passé. Il avait été incapable de résister à l'appel du camp. Sa vengeance paraissait tellement insignifiante.

En compagnie du Capitaine, elle avait assisté à toute la scène. L'arrivée de Nathan Lee qui avait sauté sur Ochs comme un tigre, face à une armée de guerriers. Les pourparlers, Ochs qui se redressait et la foule qui se resserrait, obstruant la vue.

— Maintenant quoi ? dit-elle.

— Là ! cria le Capitaine. Au-dessus des têtes. Vous voyez ?

Elle regarda.

La croix qui portait Izzy descendait lentement vers le sol.

35.

Paix sur la terre

Minuit

La silhouette d'Izzy passa au noir sur l'image satellite. Personne ne savait vraiment s'il s'agissait bien de lui et de Nathan Lee. À travers les voiles de l'orage et de la nuit, les images en haute résolution se résumaient à des infrarouges thermiques. Mais Miranda n'avait aucun doute. Cela ressemblait bien à Nathan Lee de rester pour serrer son ami dans ses bras et le protéger du vent.

Des dizaines d'images différentes défilaient sur les écrans de la pièce. Les vues en résolution moyenne montraient de grands rassemblements de chaleur humaine qui paraissaient immobiles, mais en compilant toutes les images des dernières douze heures et en les faisant passer à grande vitesse, les experts en technologie ASTER[1] avaient été capables de montrer les signes d'une retraite massive. Des centaines de milliers de personnes s'éloignaient de l'épicentre. Ces déplacements en troupeaux, très actifs avant le

1. Instruments de radiométrie spatiale perfectionnée pour la mesure de la réflectance et des émissions thermiques terrestres.

coucher de soleil, avaient stoppé avec l'obscurité, la baisse de la température et la neige qui s'intensifiait.

La plupart n'avaient pas fait plus d'un kilomètre avant de s'arrêter pour la nuit, mais les signes ne trompaient pas. Les pèlerins partaient. Ils levaient le siège. Personne ne comprenait encore les raisons d'une telle débâcle. Une seule certitude : elle coïncidait avec l'arrivée de Nathan Lee dans la vallée. Peut-être avait-il réussi à convaincre Ochs de renvoyer les pèlerins chez eux ou les avait-il prévenus des terribles conséquences qui les menaçaient. Quoi qu'il en soit, quelque chose s'était passée dans ce camp.

Dans tout Los Alamos, les gens célébraient l'événement comme une victoire. Un service réunissant toutes les confessions avait été célébré au centre Oppenheimer, retransmis à la télévision pour ceux qui ne pouvaient y assister. Miranda en avait capté quelques instants. Entrecoupés d'images de la retraite des pèlerins, les prêtres, pasteurs, rabbins et même un moine bouddhiste avaient à tour de rôle remercié leur dieu de cette libération. Des prières furent dites pour ces pauvres gens maintenant bloqués dans le blizzard. La miséricorde s'avérait beaucoup plus facile quand l'ennemi était mourant à vos pieds.

Bizarrement, les généraux n'étaient pas contents et protestaient sèchement.

— C'est pire qu'avant, déclara l'un d'eux à Miranda. Cet idiot a failli tout faire rater.

L'idiot étant bien entendu Nathan Lee.

— Que voulez-vous de plus ? s'indigna-t-elle. Il a sauvé nos vies. Et fait votre travail, c'est ça le problème ?

— Nous avions des ordres.

— Quels ordres ?

Immédiatement, elle devina que son père, le roi des profondeurs, se cachait derrière leur attitude pour le moins bizarre. Ils croyaient en lui et en sa forteresse invincible.

— Quelle est donc cette formidable stratégie que Nathan Lee aurait réduite à néant ? Ils s'en vont.

— Justement.

Ce fut leur seule explication. En quoi le départ des pèlerins pouvait-il gêner leurs plans ? Miranda renonça bientôt à deviner. De toute évidence, ils avaient prévu une action d'envergure que Nathan Lee avait contrariée. Pourtant, s'ils étaient vexés, ils n'affichaient pas un air battu. Comme si les événements du jour les avaient gênés, mais qu'ils s'adaptaient déjà à la situation et modifiaient leur stratégie en conséquence, sans la remettre en cause.

— Vous voulez la guerre, comprit-elle.

— Nous voulons la sécurité maximum.

— Vous l'avez maintenant. À cette heure, demain, les pèlerins seront partis. Vous pouvez rengainer vos épées.

— Ce n'est qu'une ruse. Ils retournent dans la forêt, dans leurs tunnels. Ils prennent position.

— Quelle forêt ? Quels tunnels ?

Et soudain, elle comprit. Le Vietnam, l'Afghanistan. Pour eux, les barbares n'étaient que des sauvages.

— Au moins, nous les avions tous en un seul endroit. Aujourd'hui, nous ignorons où ils vont se cacher. Ils se dispersent.

— Et alors ? Nous n'avons plus besoin de partir.

Les militaires quittèrent la pièce, laissant le soin à leurs officiers, penchés sur les ordinateurs, de prendre des notes. De temps en temps, l'un d'eux sortait pour téléphoner. Leurs expressions sombres contrastaient avec la liesse ambiante. Visages hilares, tout le monde fêtait la fin des hostilités.

Miranda restait à l'écart, ne voulant pas gâcher leur joie. Ils respectaient son deuil et leurs sourires s'effaçaient quand ils la regardaient. Elle surprit de profonds soupirs. Sans l'écran numéro huit, elle serait rentrée chez elle depuis longtemps pour pleurer. Mais il était toujours vivant quelque part en bas et elle suivait son suicide en direct sur l'écran.

Sa tête lumineuse tourna et se pencha sur Izzy. Miranda toucha l'écran. Si seulement elle pouvait lire dans ses pensées. Elle aurait aimé le prendre dans ses bras, l'envelopper de son amour, ordonner son arrestation. Mais en le sauvant, elle aurait signé la perte de la ville. Il lui avait offert ce qu'elle voulait.

Los Alamos avait conscience de son sacrifice. Quoi qu'il ait fait, il l'avait fait pour eux. Vrai ou non, ils le croyaient. Elle positionna sa chaise de façon à tourner le dos à la pièce. Elle avait l'impression d'être assise à côté de lui, à quelques centimètres de l'écran. Mais il était si petit. Son crâne se résumait à quelques pixels qu'elle couvrait du bout de son doigt. L'image pulsait.

Le nombre de capsules dans le congélateur n'avait pas changé – elle avait vérifié. Nathan Lee ne s'était donc pas injecté le Sera-III. Ce qui ne l'étonna pas. Les quarante-huit heures nécessaires au produit pour faire effet auraient signé l'arrêt de mort d'Izzy et donné à Ochs le temps d'attaquer. En agissant immédiatement, Nathan Lee avait devancé les événements.

Izzy était mort, mais elle ignorait si Nathan Lee en avait conscience. Elle avait vu l'obscurité envahir lentement son corps qui n'était plus qu'une ombre entre les bras de Nathan Lee.

À côté d'elle, sur un autre ordinateur, l'économiseur d'écran affichait une succession de paysages : un coucher de soleil sur le grand canyon, une chute d'eau à Hawaï, des champs de coquelicots rouges. Des paysages de rêve, mais sans la moindre vie. Le paradis avant l'homme. Miranda se pencha et éteignit l'appareil.

Ils avaient assez de provisions pour tenir dix années et probablement pour toujours s'ils faisaient attention. Si la peste se manifestait de nouveau, il y avait le sérum qui leur donnerait trois ans. Toute une vie.

Elle revint à l'écran et au spectre de son amoureux. *Combien de temps comptes-tu rester assis là* ? lui demanda-t-elle silencieusement. Elle voyait ses mains perdre progressivement de la lumière. Il gelait sur place et elle lui en voulait. Il savait comment se protéger. S'il avait pu traverser le Tibet en plein hiver, survivre ici représentait pour lui un jeu d'enfant. Pourtant, il ne bougeait pas.

Finalement, elle ne put plus supporter de rester ainsi. Elle se leva, sa décision prise.

Elle porterait une combinaison protectrice. Elle prendrait un des véhicules tout terrain de l'armée avec des chaînes pour affronter les routes enneigées. Elle pouvait aussi marcher. Il n'y avait pas plus de vingt kilomètres.

Le Capitaine l'arrêta à la porte.

— Oubliez ça, dit-il. Un sacrifice suffit.

— Je vais le ramener. Il pourra finir sa vie au chaud dans un lit du Secteur Sud.

— Ce n'est pas ce qu'il veut.

— Oh, il vous l'a dit ?

— J'ai des yeux pour voir.

— Je ne l'abandonnerai pas.

— Nous avons besoin de vous ici, Miranda.

— Alors, envoyez des hommes le chercher.

— Ne gâchez pas tout.

— Gâcher ? cria-t-elle. Il se suicide.

— Vous savez bien que non.

Il passa un bras autour de ses épaules. Elle crut qu'il voulait la serrer dans ses bras pour lui remonter le moral.

— Épargnez-moi votre pitié, dit-elle.

Mais il se pencha pour approcher sa bouche de son oreille.

— Il a fait son travail, murmura-t-il. Faites le vôtre.

La réprimande lui coupa le souffle, mais il n'en avait pas fini. Il posa la main sur son ventre.

Elle rougit. Il savait.

— Il vous a mis au courant avant de partir, chuchota-t-elle.

— Non. J'ai des yeux. Ma femme savait depuis longtemps que vous étiez enceinte. Moi, je n'étais pas certain. Je le suis aujourd'hui. Vous devez réfléchir. Que direz-vous à la ville demain matin ? Ils voudront savoir ce qui va se passer maintenant.

Elle n'y avait pas pensé. Elle allait devoir les rassurer.

— Que suis-je censée leur dire ?

— Racontez-leur une histoire. Parlez-leur de l'avenir. Inventez un nouveau monde.

Il lâcha son épaule et elle eut l'impression de tomber dans le vide. Elle appuya une main contre le mur pour se retenir. Posant son front contre la paroi, elle respira et les larmes inondèrent ses joues. Ses premières larmes. Elle tremblait. C'était le bon moment pour le Capitaine de la serrer dans ses bras, mais il n'en fit rien. Pas de pitié. Il se contenta de rester à côté d'elle, face à la salle, la protégeant.

Et d'un seul coup, les sirènes retentirent.

Essuyant ses larmes, Miranda regarda autour d'elle. Toutes les têtes se relevaient. Les gens hésitaient, presque certains que le bruit allait cesser.

— Que se passe-t-il ? demanda Miranda.

Elle chercha des yeux les militaires, mais ils avaient disparu.

— Ce doit être une fausse alerte, dit quelqu'un. Il n'y a aucun mouvement dans la vallée.

Pourtant, ils se dirigèrent vers la porte, hésitant à abandonner leurs ordinateurs, mais obéissant à l'appel des sirènes. Ils ne savaient plus qui croire.

Dans tous les couloirs, les habitants de Los Alamos avançaient vers les sorties de secours, enfilant un vêtement, râlant contre le dérangement. Le Capitaine suivit Miranda qui grimpa deux à deux les marches de l'escalier.

Le toit du bâtiment était inondé de lumière. La neige brillait comme un champ de diamants et montait déjà jusqu'aux genoux. Dans l'air, les flocons épais tournoyaient. Miranda s'approcha du bord et regarda en direction de la ville magnifiée par toutes les lumières. Des colonnes de soldats envahissaient les rues, les sirènes continuaient de hurler réveillant les morts.

Les généraux, pensa-t-elle. Ils n'en avaient pas encore fini.

Nathan Lee releva la tête. Il entendait une chanson. Il ouvrit les yeux et ne vit rien qu'un noir d'encre.

Il avait commencé à sombrer. Hypothermie, son nouveau royaume. Maintenant, il reprenait conscience. Qui chantait ? C'était magnifique.

Il lui fallut une bonne minute pour se rappeler où il se trouvait. Il ne voyait pas la neige. Il ne sentait pas le poids sur ses jambes, ni ses bras en pierre. Il était comme enraciné dans le sol. Aussi vieux qu'une relique.

Je suis aveugle, pensa-t-il avant de distinguer une très légère lueur à l'horizon. *L'aube.* Il sourit. La nuit s'achevait.

La chanson n'avait pas de paroles. Il écouta avec attention. Puis, cela lui revint. *Le chant des anges.*

Et la lumière fut.

36.

L'exode

Une lumière blanche inonda la vallée.
Miranda recula sous la clarté aveuglante.

Les montagnes au loin s'assombrirent avant de ressurgirent oranges et rouges sous le rassemblement de gaz incandescents. Et les sirènes se turent.

Tout ce que Miranda en savait, elle l'avait vu dans des films. Un raz-de-marée de vent et de feu allait les frapper. Les immeubles s'enflammeraient, les vitres exploseraient, les forêts se coucheraient. Leur chair fondrait.

Le Capitaine pensa de même.

— À terre ! hurla-t-il. Tout le monde se coucha dans la neige.

Mais rien. Pas une brise.

Les militaires avaient dû planifier cela pendant des jours. La bombe, calibrée au plus près, avait été déposée à un endroit stratégique à la base de la mesa. Avec la paroi comme point d'ancrage, le souffle nucléaire avait traversé la vallée vers le nord, l'est et le sud… loin de la ville.

Finalement, le bruit de la déflagration explosa au-dessus de la cité avant de s'éloigner vers l'ouest pour se perdre dans la nuit.

Miranda rampa dans la neige jusqu'au bord du toit. Le nuage en forme de champignon s'élargissait au sud et à l'est, à mi-chemin de Santa Fe. Il était rose. Son sommet atteignit leur hauteur, puis continua à s'élever vers les étoiles visibles à travers le trou que l'explosion avait creusé dans le ciel.

Le Capitaine la rejoignit. Côte à côte, ils observèrent la vallée.

— Qu'avez-vous fait ? murmura Miranda.

— Je n'étais pas au courant, répondit-il d'une voix choquée.

Elle ferma les yeux.

— Pas vous. Maudit soit mon père.

Elle comprenait tout. Ochs avait été relâché pour aller prêcher. Involontairement, il avait rassemblé les hordes de croyants en un seul endroit. Son père avait retourné la foi des pestiférés contre eux. Après avoir fait miroiter la ville devant leurs yeux, il avait frappé vite et fort. L'ennemi avait été exterminé.

— Ne dites pas ça, dit tranquillement le Capitaine. Il s'agit de votre père.

Elle vomit.

— C'était de l'autodéfense, reprit-il d'une voix blanche.

— Ils partaient.

— Je sais.

— Une bombe nucléaire contre des enfants ?

— Qu'espéraient-ils ? Nous sommes à Los Alamos.

— Ils n'ont reçu aucun avertissement.

— Cela n'aurait rien changé.

— Pour certains, peut-être.

— Ils étaient déjà morts. Tous.

— C'est monstrueux.

— Ils ne faisaient déjà plus partie de ce monde. Ils avaient dit leurs prières. Le siège pour eux ne constituait qu'un autre moyen de mourir. Plus rapide.

— Vous voulez dire que la bombe est une chance pour eux ?

— Nous sommes sauvés. Pas d'une façon agréable. Mais nous ne craignons plus rien.

— Un million de personnes.

— Maintenant, nous avons un avenir. L'avenir que vous désiriez.

— Pas comme ça.

Elle regarda le Capitaine dont le visage trahissait l'horreur qu'il ressentait. Il avait vieilli. Il ne croyait pas en ses propres paroles. Elle se redressa.

— Descendons.

Il avait l'air si fragile. Il tremblait et elle dut l'aider à se relever.

Ils prirent l'escalier. Le long des couloirs, tous les téléphones sonnaient. Le signal. Les autorités utilisaient le 911, le numéro d'appel d'urgence, à l'envers. Chaque appareil, dans tous les bureaux et toutes les maisons de Los Alamos, recevait le même message enregistré.

L'exode avait commencé.

Dans son bureau, Miranda décrocha. Une voix agréable énonçait le programme.

« … votre point d'évacuation. Ceci n'est pas un exercice. Veuillez immédiatement rejoindre… »

— Je rêve, dit Miranda. Ils viennent juste d'incinérer tous les êtres vivants de la vallée.

Soudain, elle comprit. Les paroles du général lui revinrent en mémoire. *Quand l'heure viendra, nous écarterons les eaux.* Ils avaient exterminé l'ennemi pendant qu'il était encore en vue. Maintenant, son père pouvait les accueillir.

— Je dois y aller, dit le Capitaine. Ma femme…

— Bien sûr.

Miranda remonta le couloir, encore étourdie. Par les portes ouvertes, elle aperçut les chercheurs qui se serraient tranquillement la main et prenaient quelques photos de dernière minute de leur laboratoire et bureaux. Aucune panique. Ils accrochaient calmement leurs blouses et partaient. Elle pouvait deviner leurs pensées. Après avoir redouté ce moment pendant des années, ils se sentaient soulagés de son arrivée. La chasse au virus continuerait, mais dans des conditions plus raisonnables, à l'abri et sans être pressé par le temps.

Un homme tapota son bras.

— Belle bataille, dit-il.

— Ce n'est pas terminé. Rien n'a changé, répondit-elle.

Il lui lança un regard bizarre avant de s'éloigner rapidement.

Miranda sortit du bâtiment et se dirigea vers la ville. Il était une heure du matin. Les gens se précipitaient chez eux pour rejoindre leur famille. Il restait encore pas mal de détails à régler. Empoisonner les animaux domestiques ou les relâcher.

Par les fenêtres, Miranda les vit faire leurs lits, redresser des cadres sur les murs, s'assurer que tout était bien rangé. Ils abandonnaient leurs arbres de Noël et leurs bougies de Hanoukka. Leurs sacs étaient prêts depuis longtemps. Aucun adieu à faire. Ils se retrouveraient tous en bas. C'était le plan. Certains fermaient leurs portes à clé pour la dernière fois avant de laisser la clé dans la serrure...

La neige avait cessé, le ciel s'était dégagé et il faisait très froid. Tirés de leur sommeil, les enfants pleuraient. À chaque coin de rue, l'exode prenait forme. Depuis deux ans, ils répétaient cette procédure une fois par mois. Le choc de l'évacuation atténuait le choc de la bombe. Leurs visages exprimaient la peur et l'étonnement.

Miranda se sentait comme un fantôme en passant parmi eux. Ils se montraient ordonnés malgré leur excitation. Sous leurs vestes et leurs polaires, certains portaient des tenues de vacances : chemises hawaïennes, robes d'été, t-shirts, jeans. Le sanctuaire dans sa montagne de sel les attirait comme un paradis tropical.

Tous portaient ou traînaient leur « paquetage » – dix kilos de possessions personnelles par personne, homme, femme ou enfant. Rien de plus. Libre à eux de choisir ce qu'ils souhaitaient emporter : livres, logiciels, ours en peluche, chaussettes. N'importe quoi qu'ils jugeaient indispensables pour tenir pendant les dix, vingt ou quarante prochaines années, enfermés à six cents mètres sous la surface de la terre. Depuis que Miranda vivait ici, le contenu du paquetage avait toujours constitué un des principaux sujets de conversation, de ragot ou même de plaisanterie. La sélection des objets ne se résumait pas à une affaire de goût. Elle en révélait beaucoup sur l'être humain que vous étiez. Nathan Lee qualifiait le contenu du paquetage d'objets funéraires. Des reliques que les gens emportaient dans l'autre monde.

Chaque quartier de la mesa avait son propre site d'embarquement où les futurs passagers attendaient patiemment en tapant du pied dans le froid. L'air pur des montagnes empestait les gaz d'échappement des camions à seize ou dix-huit roues qui reculaient vers eux. Les véhicules blindés étaient emballés dans une triple couche de toile caoutchoutée généralement utilisée pour la protection des toitures, avec des pare-brise à l'épreuve des balles. Chaque rivet était scellé avec de la résine époxy. Les chauffeurs portaient des combinaisons de protection. En fait, les camions ressemblaient plus à des sous-marins qu'à des Peterbilts[1].

Dans les remorques, des sangles pendaient au plafond comme des crochets à viande. Aucune fenêtre, aucun siège. Ils allaient devoir rester debout pendant les douze, vingt ou trente heures suivantes. Les soldats entassaient les paquetages sur le côté.

À chaque dépôt, les gens l'appelaient.

— Miranda, venez dans notre camion.

Ils la voulaient tous avec eux.

— Je reste, répondait-elle.

— Mais vous ne pouvez pas. C'est trop tard maintenant.

— Cela ne fait que commencer.

Elle ne leur demanda pas de rester. Ils avaient peur. La bombe leur avait rappelé leur mortalité. Jusque-là, Miranda

1. Société américaine fabriquant des camions.

n'avait entendu personne parler de l'holocauste déclenché par son père. Il lui suffisait de lire dans leurs yeux. Oubliées les belles déclarations de tenir le fort, de résister… Mais elle ne leur en voulait pas.

Une femme s'approcha d'elle.

— Nous ne pouvons pas vous laisser. Venez avec nous. Réfléchissez. Vous serez toute seule.

Miranda sourit, ce qui la surprit. Elle pouvait encore sourire.

— Nous penserons à vous, dit alors la femme en reculant.

— Merci.

Plusieurs fois, elle entendit le nom de Nathan Lee. Ils la regardaient passer avec pitié comme on regarde une veuve éplorée. *C'est de cela qu'il s'agit ?* se demanda-t-elle. *Un suicide romantique* ? Elle repoussa ses doutes. Non, c'était plus que cela. Sa grande idée l'habitait et la portait. Même si, en fait, elle avait déjà atteint sa destination.

Toutes les lumières brillaient – dans chaque rue, chaque pièce – comme si la ville voulait s'assurer qu'aucune ombre ne restait en arrière. Une luminosité qui obscurcissait les étoiles dans le ciel. Pourtant, ils voulaient tous revoir les étoiles une dernière fois.

En une demi-heure, le convoi fut chargé.

Les bulldozers partirent devant pour dégager les routes des débris. Il n'y aurait pas de neige dans la vallée – la bombe l'avait fait fondre sur des kilomètres – ni de dégradation des voies de communication. Pas de cratères dans l'asphalte. Les généraux connaissaient leur affaire.

Des hélicoptères décollèrent pour escorter l'avant-garde. Et, finalement, des centaines de camions s'ébranlèrent et quittèrent lentement Los Alamos, l'un à la suite de l'autre, une longue ligne noire qui descendait dans les profondeurs de la vallée. Le convoi croisa Miranda qui retournait vers Alpha Lab.

La ville se vida en moins d'une heure et le silence retomba. Sur le seuil de sa porte, Miranda regarda autour d'elle. Los Alamos ressemblait à un royaume de glace, immobile et inondé de lumière. Après un moment, les chiens se mirent à aboyer.

Miranda ne sachant trop quoi faire décida de se préparer un chocolat chaud. Elle n'aimait pas particulièrement le chocolat chaud, mais elle avait froid et cela lui parut une bonne idée.

Elle traversa le laboratoire étrangement vivant. Les écrans brillaient dans les salles sombres, les moteurs ronronnaient. Dans un coin, les robots de PCR continuaient à dupliquer des séquences d'ADN et une centrifugeuse entraînait ses échantillons de sang dans une orbite infinie. Tout cela constituait son héritage.

À l'étage C, elle se dirigea vers la petite cuisine, mit de l'eau à chauffer et fouilla dans les placards à la recherche d'un paquet de chocolat en poudre. Puis elle lava un bol. Des tâches simples qui l'empêchaient de réfléchir.

Elle se sentait lasse, étourdie, coupable. Quel monde ignoble. Pourtant, elle ne pouvait nier que la bombe avait résolu tous leurs problèmes comme un coup de baguette magique, éliminant leurs ennemis et débarrassant la vallée de toute menace immédiate de peste. En elle, reconnaissance et remords se mêlaient.

Elle posa son téléphone portable près de sa tasse le temps de décider si elle appelait son père ou pas. Pour le punir. Avant même que le convoi n'atteigne le sanctuaire, elle voulait lui dire de vive voix qu'elle le reniait à jamais. Elle voulait le haïr, elle voulait pleurer et elle voulait cesser d'y penser.

Le chocolat boosta sa glycémie et elle moucha son nez. Le moment était venu. Qu'il récolte ce qu'il avait semé. Elle attrapa son téléphone et appuya sur le bouton.

Pas de réseau, annonça l'écran. Bizarre. Les téléphones fonctionnaient toujours, même au cinquième sous-sol. Elle essaya avec un téléphone fixe. Une tonalité. Elle composa le numéro de son père, mais n'obtint qu'un message enregistré. *Toutes les lignes sont occupées. Merci de réessayer plus tard.*

Elle put joindre des numéros locaux de Los Alamos où ses appels tombèrent sur des répondeurs avec les voix enregistrées de personnes qu'elle ne reverrait jamais. Seul le réseau longue distance affichait hors service. Elle s'approcha ensuite d'un ordinateur pour vérifier l'avancement du convoi. Elle s'était attendue à découvrir une longue chaîne d'images thermiques et ne vit... rien du tout. Aucune image sur les écrans. Finalement, elle comprit. Les lignes avaient brûlé. Tout avait été anéanti par le pouls électromagnétique de la bombe. Elle était encore plus seule qu'elle ne le croyait.

Une solitude dont elle prit brutalement conscience. Sans y avoir vraiment réfléchi, elle avait escompté entretenir une certaine relation avec le sanctuaire. Et voilà qu'elle n'avait plus aucun moyen de communication. Serait-elle assez forte pour supporter un tel isolement ? Elle risquait de devenir folle, d'errer dans les rues en parlant à des fantômes. La ville était petite, mais suffisamment grande pour se transformer en un labyrinthe. Le réacteur fournirait l'électricité pendant des dizaines d'années, mais l'une après l'autre, les ampoules brûleraient. Elle ne pouvait espérer entretenir seule le complexe et encore moins se lancer à la recherche de survivants. Elle n'avait pas réfléchi. Pendant un instant, sa résolution s'effondra. Peut-être n'était-il pas trop tard. Avec une combinaison de survie, un véhicule tout terrain, elle pouvait rattraper le convoi, descendre dans la terre, implorer le pardon de son père...

Puis son accès de panique se calma. Elle était trop fatiguée. Elle avait froid et ne parvenait pas à se réchauffer. Une couverture et un bon somme, voilà ce qu'il lui fallait. Ensuite, elle entreprendrait l'inventaire de son paradis.

Le bruit des portes d'ascenseur qui s'ouvraient et se fermaient au bout du couloir la réveilla. Quelqu'un était-il revenu ? Elle faillit allumer. Puis elle entendit un fracas de verre brisé. Une porte claqua. Des voix d'hommes.

Elle entrouvrit la porte et jeta un œil dehors. Au bout du couloir, prudent comme un chasseur, un homme avançait armé d'un morceau de tuyau. Il disparut dans un angle. *Des survivants.*

Il était presque sept heures du matin. Ce qui leur avait donné suffisamment de temps pour remonter de la vallée. Les paroles de Nathan Lee flottaient dans sa tête. *Fais attention à ce que tu souhaites. Tu t'attends à des agneaux. Et s'il venait des loups* ?

La bombe devait avoir épargné des centaines, sinon des milliers de pèlerins cachés au fond de canyons ou de trous. Le souffle avait dû passer au-dessus d'eux et aujourd'hui, ils venaient pour leur *hajj*. Ils allaient détruire la ville. *Tu t'es détruite toi-même*, se dit-elle avec amertume.

Elle les entendait ouvrir brutalement les portes, renverser les meubles. Le saccage s'intensifiait.

Des pas approchaient. Une seule personne, semblait-il. Elle boitait. Des images d'Hiroshima lui traversèrent l'esprit. Des victimes brûlées, les chairs calcinées.

Une grande silhouette passa devant la vitre opaque de la porte et s'éloigna. Miranda attendit une minute, puis entrouvrit la porte de quelques centimètres et découvrit des traces de pas ensanglantés sur le sol.

La porte vitrée d'un bureau explosa et des cris sauvages retentirent, un brouhaha de paroles. Ils finiraient par la découvrir. Cherchant une arme, elle s'empara d'une bouteille de champagne, vestige d'une fête passée, puis la reposa.

Sa seule chance était l'ascenseur. Les pensées s'entrechoquaient dans sa tête. Une fois parvenue au premier étage, elle pourrait courir jusqu'à la sortie à l'arrière du bâtiment et se cacher dans la forêt ou dans une grotte – les parois de la mesa en étaient criblées. Elle attendrait le départ des envahisseurs, viendrait chercher de la nourriture et ferait du feu la nuit. De la nourriture ! Elle bourra ses poches de petits paquets de crackers et de bonbons et trouva une boîte d'allumettes, ce qui lui donna une idée.

Elle gratta une des allumettes et maintint la flamme sous le détecteur de fumée. Elle attendit ainsi pendant ce qui lui parut une éternité, mais finalement, le système d'arrosage se déclencha. Les lampes s'éteignirent remplacées par des lumières stroboscopiques et l'alarme se mit à hurler.

Elle entendit les hommes courir, leurs pieds nus frappant lourdement le sol. L'un d'eux dérapa et vint s'écraser contre la porte. Puis son ombre se redressa et repartit.

Enfin, les voix s'éloignèrent. Miranda ouvrit la porte. L'ascenseur se trouvait à une quinzaine de mètres. *Marcher ou courir* ? Elle fit les deux, par étape. Les portes vitrées pendaient comme des mâchoires déboîtées révélant les salles dévastées. Les chaises et les bureaux avaient été jetés contre les murs avec une telle force qu'ils avaient éclaté. Le sol disparaissait sous les papiers et les pages des livres qu'ils avaient déchirés. Ce spectacle témoignait d'une telle rage qu'elle sentit ses jambes flageoler.

Enfin, elle atteignit l'ascenseur, les cheveux ruisselants, et appuya sur le bouton d'appel. Puis elle recula dans une encoignure de porte pour attendre.

Les sprinklers continuaient leur arrosage et l'alarme beuglait, assourdissante. Miranda s'avança et poussa plusieurs fois les boutons.

Soudain, un homme cria au bout du couloir. Il l'avait vue. Deux autres apparurent. Miranda dut se faire violence pour rester immobile.

Les trois hommes se mirent à courir, une véritable course à qui l'atteindrait le premier. Ils brandissaient des armes – couteaux, hache, club de golf.

Miranda appuya frénétiquement sur les boutons. Où était ce maudit ascenseur ? Trop tard, elle vit le panneau : *En cas d'incendie, emprunter l'escalier.* Évidemment. L'alarme en se déclenchant avait automatiquement coupé le courant. Son cœur se serra. Pourtant, les boutons étaient toujours allumés. Elle les frappa à nouveau du plat de la main, puis se retourna, dos aux portes, pour faire face à ses assaillants.

Quand ils furent à quelques mètres, elle distingua leurs visages et, l'espace d'un instant, sa terreur se changea en surprise. Il ne s'agissait pas de survivants. Comment avait-elle pu les oublier ?

— Eesho ? souffla-t-elle.

C'était lui qui menait la charge, le faux messie. Ses yeux s'élargirent. Lui aussi venait de la reconnaître. La femme qui l'avait humilié et terrorisé, la fausse mère.

Le mot de son père lui revint en mémoire, celui d'Ochs également : *abominations*.

Comment étaient-ils sortis de leurs cellules ? Aucune importance. Elle se retrouvait piégée par son œuvre. Elle ressentit de la pitié. Pour eux, pour ces hommes arrachés de la tombe, pour elle-même, mais plus que tout, pour la vie qui se développait dans son ventre. Son monde venait de voler en éclats et de quitter sa petite orbite tranquille. Une seule leçon à en tirer, la plus vieille de toute : une fois en mouvement, ses créations avaient acquis une vie propre.

D'autres clones arrivèrent, trempés par les asperseurs, leurs bras et leurs pieds lacérés par les éclats de verre, les yeux écarquillés par l'adrénaline, armés de couteaux de cuisine et de différents outils. L'un d'eux tenait un hachoir dont Miranda reconnut la poignée abîmée. Il l'avait pris dans le laboratoire des os. Sans le savoir, les clones avaient trouvé leur propre squelette.

Eesho leva sa hache. Elle aurait voulu le supplier pour son enfant, mais il était trop tard. Pour lui, elle représentait le mal et même si elle avait pu parler sa langue, elle aurait eu du mal à le convaincre du contraire. Sa fertilité n'aurait été qu'une malignité de plus à éliminer.

Le temps se ralentit. Eesho braillait sur elle, probablement quelques imprécations. Puis son discours se fit indistinct et chaque détail s'amplifia. Miranda vit les veines gonfler le long de son cou et leva instinctivement un bras pour se protéger.

Elle ne pouvait pas quitter la hache des yeux. L'arme atteignit le haut de sa course et s'arrêta. Soudain, au milieu des hurlements de l'alarme incendie, un son ridicule et joyeux retentit : *ping*.

Eesho releva la tête. Les portes de l'ascenseur s'ouvrirent derrière Miranda qui recula vivement dans la cabine sèche et faiblement éclairée où elle trébucha en heurtant les pieds d'un homme à l'intérieur.

La vue de son visage couturé et déformé lui coupa le souffle. Il la considéra avec un détachement reptilien avant de tourner la tête vers les clones. Puis, il posa la main sur la tête de Miranda et approcha son visage pour mieux l'étudier.

— Miranda, dit-il en tapotant ses cheveux.

Elle lui appartenait maintenant.

Elle n'avait jamais rencontré Ben. En fait, elle avait refusé de le rencontrer. Mais elle le connaissait. Comme tout le monde à Los Alamos. De tous leurs monstres, c'était lui qui avait le mieux incarné leurs terreurs et justifié les douleurs qu'ils leur avaient infligées. Son visage était à peine humain. Pourtant, il avait été le préféré de Nathan Lee et il connaissait son nom. Que lui avait raconté Nathan Lee ?

Eesho se lança dans une longue tirade furieuse. Ben répondit tranquillement. Miranda ne comprenait pas un mot. Les alarmes résonnaient comme un battement de cœur géant et les lumières stroboscopiques pulsaient. Les clones tendaient l'oreille pour saisir les paroles de Ben qui semblait contrer les ultimatums d'Eesho par une proposition.

Finalement, un homme s'avança. Eesho tenta de le retenir, mais l'homme se dégagea et entra dans l'ascenseur. Un autre lui emboîta le pas, repoussant violemment Eesho qui tomba par terre. Les autres suivirent.

Une odeur de sueur et de produits chimiques emplit la cabine. Ils se serrèrent les uns contre les autres pour faire de la place et cette paix soudaine parut ridicule à Miranda. Un instant, ils bavaient, fous de rage, et l'instant suivant, ils se montraient calmes et patients. Les portes se refermèrent sur Eesho qui hurlait sous les asperseurs.

Pendant un instant, l'ascenseur ne bougea pas, puis Ben appuya délicatement sur le bouton du premier étage. Nathan Lee l'avait bien entraîné. Les autres avaient vu le geste. Il les guidait vers la sortie.

La remontée fut rapide. Personne ne parla. La cabine s'arrêta.

Quand les portes s'ouvrirent, Miranda aperçut les corps étendus sur le sol du hall d'entrée et les armes de fortune empilées à côté. Plus loin, cachés derrière les colonnes, protégés par des boucliers, des soldats pointaient leurs fusils sur l'ascenseur.

— Coupez le courant, cria l'un d'eux ! Bloquez la porte. Nous avons une cabine pleine cette fois.

Les lumières s'éteignirent dans la cabine.

— Ben ! cria une voix. Tu es là ? Quelqu'un peut-il le voir ? Je ne vois rien d'ici.

Avec un cri de terreur, les clones se blottirent les uns contre les autres, reculant dans les coins et loin des portes, bloquant Miranda derrière eux. Mais elle était grande et voyait par-dessus leurs épaules. L'entrée était si brillamment éclairée que c'en était aveuglant.

En fait, les portes vitrées d'Alpha Lab, orientées à l'est, recevaient de plein fouet les rayons du soleil d'hiver qui venait juste de se lever. Miranda aperçut au-dehors une foule de personnes, leurs silhouettes illuminées par l'arrière, comme en surimpression.

D'un seul coup, elle comprit. Le convoi avait dû faire demi-tour. Sa ville était revenue !

— Ben ! Fais-les sortir, un à la fois. Lentement. Nous ne voulons plus de sang. Dis-leur.

— Il ne comprend pas l'anglais, protesta quelqu'un.

— Si, un peu.

Les corps sur le sol étaient des clones, pieds et poings liés avec des cordelettes en plastiques. L'un deux baignait dans une mare de sang. L'entrée empestait la cordite et les gaz lacrymogènes. Les soldats avaient maîtrisé la mutinerie. Un étage à la fois, ils reprenaient possession du bâtiment avec l'aide de Ben. Leur ver dans la pomme, celui qui attirait les monstres hors de leur tanière.

Dans le hall, l'atmosphère se tendit.

— Tuez-en un, lança un militaire. Ils sortiront.

— Non ! cria Miranda.

Le silence se fit dans l'entrée.

— Miranda ?

Une nouvelle voix, vieille, lasse. Le Capitaine avait dû la chercher toute la nuit.

— Capitaine.

Elle parlait d'une voix calme.

Il sortit de derrière une colonne.

— Ne tirez pas !

Il portait une tenue de combat et un casque à la visière relevée. Ses longs cheveux tombaient sur ses épaules.

— Pouvez-vous courir ? demanda-t-il.

Il suffisait d'un seul pas pour se mettre à l'abri et laisser ses ravisseurs derrière elle. Ils seraient raccompagnés dans leurs cellules. Les violents comme Eesho seraient neutralisés. Tout serait terminé.

Leur fuite s'achevait là et ils le savaient. Elle surprit le regard de Ben qui l'observait. Ses yeux n'exprimaient aucune crainte. Seulement de l'espoir. Mais pas un espoir désespéré. Il semblait attendre sereinement la suite des événements. Il parla et les autres s'écartèrent devant Miranda.

Miranda réalisa soudain que bien que Nathan Lee l'ait choisi et entraîné pour emmener ses camarades loin de Los Alamos, il était resté. Le fugitif avait choisi de collaborer avec ses geôliers… pour la retrouver. Il avait pris de gros risques… pour la sauver. Mais pourquoi ? La réponse s'imposa à elle. Parce que Nathan Lee le lui avait demandé. Avant de descendre vers la mort, il avait dû parler à Ben. Oui, c'était cela. Parmi tous les autres, Nathan Lee avait choisi ce fugitif, cet évadé au visage de sphinx, pour lui faire part de sa décision. Elle ignorait comment il s'y était pris, mais Ben avait fait une promesse. Envers elle… Non, envers *son enfant*. L'enfant de Nathan Lee.

Elle sortit de l'ascenseur.

— Écartez-vous, dit le Capitaine. Vous êtes dans la ligne de tir.

Elle se tourna vers l'ascenseur et constata les traces de la bagarre. Les murs et le métal étaient troués de balles. Du sang avait giclé au plafond. À l'entrée, un des clones avait tenté de s'échapper par les portes vitrées. Son corps gisait au milieu des éclats de verre.

— Miranda ! cria le Capitaine. Ils sont dangereux. Laissez-nous faire notre travail.

Où avait-elle déjà entendu ces paroles ? Au lac, il y avait longtemps de cela. Prononcées par son père. Plus jamais. Elle ne bougea pas et regarda dehors.

— Vous êtes revenus, dit-elle.

Le Capitaine fronça les sourcils et suivit son regard.

— Eux ? Ils ne sont jamais partis. Nous sommes restés.

— Mais la ville était vide. Je l'ai constaté par moi-même.

— Les gens se cachaient dans les maisons. Il faisait nuit. Une nuit terrible. Nous attendions le lever du jour. Pas vous, évidemment. J'aurais dû m'en douter.

Le convoi était donc parti.

— Combien sont-ils ?

— Quelques centaines. Des chercheurs essentiellement. Nous faisons le tour des maisons. Les gens sont en état de choc. Ils ne parviennent pas à croire ce qu'ils se sont fait à eux-mêmes. Ils ont peur. Nous ne savons pas encore exactement qui est parti et qui est resté. Nous commencions à croire que vous étiez partie, vous aussi.

— Pourquoi ? Pourquoi êtes-vous restés ?

Le Capitaine fronça les sourcils.

— Vous nous l'avez demandé.

Il fit un geste avec son fusil, étonné.

Les yeux de Miranda piquaient. Ce devait être les gaz ou la neige si brillante. *Ils l'attendaient.*

— Nous recommencerons, dit-elle soudain.

— Oui, l'encouragea le Capitaine. Maintenant, voulez-vous bien vous pousser de là.

Il ne comprenait toujours pas.

— Nous tous, tous ensemble ! reprit-elle plus fort pour que tous entendent. Nous allons reprendre au début. Mais nous ne sommes pas nombreux.

D'un geste de la main, elle montra les traces de violence, le corps près de la porte.

— Nous ne pouvons plus nous permettre ce genre de choses. Nous avons besoin de tout le monde.

— Miranda, supplia le Capitaine. Écartez-vous.

Ils ne comprenaient toujours pas. Alors, elle retourna dans la cabine, prit la main de Ben et celle d'un autre homme et ressortit, s'avançant vers ce jour nouveau avec leurs ancêtres – leurs monstres, mais aussi leurs enfants.

37.

Drôle d'association

Le 31 décembre

L'homme sifflait en travaillant, déposant soigneusement ses outils : la lame de rasoir et la serviette, l'aiguille et le fil. Haendel. *Le Messie*. Quoi d'autre ?

— Ferme-là, grogna quelqu'un dans une couchette inférieure.

Ce n'était que le dixième jour et, déjà, l'irritation montait. Dormir s'avérait précieux. Le sanctuaire ne correspondait pas vraiment à leurs attentes.

Leur saint des saints n'était qu'un cabinet de travail en chlorure de sodium avec des plafonds de quatre mètres de haut. Les étages cinq à huit étaient en travaux après un nouvel effondrement et ne seraient pas terminés avant des mois. Jusque-là, la colonie se relayait pour dormir. Chaque personne disposait d'une couchette – et de la petite intimité qui l'accompagnait – pour douze heures d'affilée. Comme un refuge de sans-abri : un repas, un lit, puis dégage, mec.

Il avait tiré le rideau et disposait de juste assez de place en hauteur pour s'asseoir sans se cogner la tête. Chaque couchette était pourvue d'une petite lampe individuelle.

Après avoir ôté sa combinaison, il examina ses cicatrices. La plaie de sa cuisse avait joliment cicatrisé au cours des trois derniers mois. Il palpa la longue couture.

Les murs de la salle commune étaient en plastique fin et il pouvait entendre une femme pleurer dans l'alcôve voisine et un homme chuchoter d'une voix coléreuse. Le choc des cultures n'épargnait personne. Des gens se promenaient à l'extérieur de la caserne, attendant leur tour. Leurs pas traînants avaient commencé à creuser une rigole dans le sol en sel.

L'air était terriblement sec. En l'espace de quelques jours, leurs lèvres et leurs cuticules s'étaient fendues, leurs yeux avaient rougi. Ils souffraient d'une soif inextinguible. Ils se trouvaient dans un désert très loin en dessous d'un autre désert. Une élite cachée. Ils devenaient littéralement le sel de la terre. Quand c'était très calme, on pouvait entendre le chuchotement des cristaux de sel qui s'effritaient. Le sanctuaire était vivant et se resserrait autour d'eux.

Il frotta sa cicatrice.

À Los Alamos, quarante ans n'avaient pas semblé insurmontables. Ce ne serait pas facile, tout le monde en avait conscience. Il risquait d'y avoir quelques périodes de mauvaise humeur. Des carences. Des ajustements. Des querelles internes. Mais l'un dans l'autre, ils avaient imaginé une longue nuit avec de longues périodes d'inactivité. Finalement, ils pourraient se rapprocher de leurs familles, enseigner et apprendre, se reproduire et élever leurs petits-enfants. Assurer l'espèce. Quand ils ressortiraient, ils seraient vieux et les générations futures se souviendraient d'eux comme des géants. C'était l'idée.

Mais déjà, leurs rêves s'effondraient. Le voyage à travers le Nouveau Mexique jusqu'à ce coin du Texas avait représenté en lui-même un enfer de soixante-sept heures passées enfermés dans des camions, les pieds enfoncés dans leurs déjections, les plus faibles s'effondrant. Sur les six cents camions du convoi, près de la moitié n'était jamais arrivée. Il y avait eu des pannes, une terrifiante tempête de poussière et une abondance de mines terrestres. À travers la triple couche de caoutchouc, ils avaient entendu les explosions autour d'eux. Pas un voyage agréable. Mais tout cela n'expliquait pas cette perte de cinquante pour cent de la population. La rumeur courait qu'ils avaient été sacrifiés. L'homme dans la couchette n'y croyait pas, mais les faits confortaient la rumeur. Comme par hasard, il y avait juste assez de place pour ceux qui restaient.

Il regrettait les camions disparus et les dizaines de milliers de passagers. Il avait espéré accueillir chacun d'entre eux. Maintenant, personne ne savait exactement qui avait ou non survécu. Paul Abbot, leur roi, errait dans les couloirs, appelant sa fille.

Les naufragés du convoi étaient maudits, aucun doute là-dessus. Les plus chanceux qui auraient pu s'échapper des camions n'auraient eu nulle part où aller. Il en tirait un certain réconfort.

L'homme examina la lame de rasoir. Elle n'était pas aussi aiguisée qu'il aurait aimé. Au cours des derniers jours, avant qu'il s'approprie le rasoir de contrebande, quatre personnes avaient admis l'avoir utilisé. Avec maladresse, ils l'avaient émoussée sur leurs tendons fléchisseurs et leurs os. Mais cela avait marché pour eux et il n'avait rien de mieux.

Il posa le bord de la lame juste sur la cicatrice, appuya et tira. Les lèvres de la plaie s'ouvrirent. Comme la première fois, il n'y eut pas beaucoup de sang. Les couches de la peau étaient blanches, la chair rouge.

Il creusa la plaie plus profondément, parallèlement aux fibres musculaires qui – quelques mois plus tôt – lui avaient fourni une cachette profonde sans l'estropier pour autant. Mais avec le temps, la gravité et les mouvements, la fiole s'était enfoncée entre les quadriceps et il dut fouiller avec la lame. C'était douloureux et pénible à supporter.

La purification finale avait été l'ultime étape de la procédure. Ils avaient tous été soumis à des tests d'urine et sanguins. Puis ils s'étaient déshabillés, frottés et avaient traversé un tunnel d'ultraviolets au bout duquel des combinaisons stérilisées les attendaient. Leurs sacs et leurs valises n'avaient jamais quitté la mesa. Nus comme des bébés, ils étaient entrés dans leur paradis de cristal. La quarantaine était absolue. Le virus n'avait aucune chance ici-bas.

Il entendait une famille à côté, préparant les plus jeunes à dormir. Une histoire. Puis une prière. « *Notre Père qui êtes aux cieux...* »

Je leur apprendrai comme il faut, pensa-t-il. *En araméen. Je pourrais le chuchoter à travers les murs pendant leur sommeil. Pourquoi pas ?*

Dans sa courte vie, il avait été beaucoup de choses pour beaucoup de gens. Un mentor pour des chercheurs perdus, un psychiatre pour des soldats délirants, un ami pour les solitaires, un guide pour les fourbes. Il avait distillé de faux espoirs, de fausses affections, de faux rêves et même de faux messies. Petit à petit, il les avait conduits au bord du gouffre.

Finalement, il la trouva. Le verre était glissant. Il mit la fiole dans sa bouche par précaution avant d'essuyer ses doigts et d'entreprendre de recoudre la plaie. Son kit de suture était resté dans son bagage. Il aurait pu protester, étant un Cavendish, mais Adam ne voulait absolument pas profiter de son autorité. L'anonymat restait son meilleur atout. Et donc, il ne disposait que d'une banale aiguille et d'une bobine de fil de coton vert ordinaire. La plaie risquait de s'infecter, mais pas assez tôt pour les sauver. Il ferait des kilomètres et des kilomètres avant qu'ils le découvrent. Il voulait couvrir chaque centimètre carré du sanctuaire.

Il mordit dans la capsule et le verre cassa. Le liquide était chaud, plus chaud que la température de son corps. C'était dans l'ordre des choses puisqu'il s'agissait de la souche la plus virulente récupérée à Los Alamos. À sa grande surprise, le virus avait un goût agréable. Un goût d'orange, avec un soupçon de sel marin. *Non, non*, décida Adam. Cela ressemblait plutôt à une goutte de sueur d'une amante à l'instant crucial, au bord de l'extase, quand elle le suppliait de venir en elle.

ÉPILOGUE

Récolter le vent...

Mai

Une paire de jumelles à la main, les yeux protégés du soleil par la visière d'une casquette de base-ball, Miranda était installée sur une grande chaise en fer forgé posée sur une dalle de grès à l'extrême bord de la mesa. Sous la chaleur de la mi-journée, de la buée de condensation perlait sur son verre d'eau glacée.

L'été arrivait, une venue que Miranda avait appelée de toute son âme. La neige avait fondu et le soleil dominait la ville qui cicatrisait doucement. Près de trois cents personnes étaient restées. Toutes sortes de gens qui apprenaient à concilier leurs différences : les chercheurs et les soldats travaillant de concert, la Croix et l'Épée, la foi et l'acier. Chaque jour les trouvait un peu plus forts, prêts à affronter ensemble les épreuves qui se présenteraient.

Chaque jour, son corps s'épanouissait un peu plus et elle contemplait ses seins avec ahurissement dans le miroir. Ils ressemblaient maintenant à ceux du nu de Matisse qu'elle avait conservé parmi ses autres trésors : le collier en or de sa mère, un coquillage, une photo des papillons monarques et sa carte du chromosome 16.

Tara adorait les mouvements du bébé dans son ventre. La femme du Capitaine avait prédit que ce serait une fille et même si l'idée d'avoir une petite sœur ne remplacerait jamais le cheval dans l'esprit de Tara, cela aidait. Ce qui n'aidait pas, en revanche, c'était le cheval lui-même qui ne se décidait ni à partir ni à se laisser approcher.

En contemplant le paysage du haut de la mesa, Miranda n'y voyait plus une vallée de la mort. Il était encore trop tôt dans la saison pour avoir des fleurs à cette hauteur, mais les premières expéditions parties depuis cinq semaines maintenant avaient raconté que l'herbe montait jusqu'aux genoux dans les plaines, que le bétail sauvage vêlait et que les rivières grondaient de trop-plein. Les messages expédiés sur ondes courtes rappelaient les radios des temps anciens ou des émissions de Mars, pleines de craquements statiques et de sifflements cosmiques. Mais cela faisait maintenant deux semaines qu'ils n'avaient pas capté un seul mot de « là-bas ». Heureusement, ils parvenaient encore à suivre par satellite l'avancée des explorateurs. Trois des expéditions avaient atteint leurs buts et prirent le chemin du retour. Tout le monde attendait avec impatience d'entendre ce qu'elles auraient à raconter.

Pour des condamnés, les habitants de Los Alamos se montraient particulièrement joyeux et actifs. Tous entraient maintenant en phase terminale. Après s'être volontairement inoculés le Sera-III, ils entamaient à présent leur compte à rebours de trois ans. À l'issue de cette période, sauf à découvrir un vaccin, le virus les tuerait. Mais c'était là que la foi entrait en jeu. Ils avaient réussi à contacter des survivants qui arrivaient – lentement. La récolte avait commencé. La réponse ne tarderait plus. Ils y croyaient.

Ce n'était pourtant pas une foi facile à entretenir. Tout l'hiver, des hommes de glace, comme Tara les avait surnommés, avaient erré dans Los Alamos – des pèlerins et des voyageurs attirés par les lumières de la ville, mais aussi certains de leurs anciens voisins et collègues, échappés du convoi funeste et revenus à pied. De nouvelles victimes de la peste donc – pas les survivants que Los Alamos espérait. Provisoirement immunisés, Miranda et les autres ne craignaient rien. Ils avaient donc installé un hôpital pour nourrir et prendre soin des victimes jusqu'à leur dernier souffle.

Soigner ces malades s'était avéré difficile, mais bienfaisant en même temps. En regardant leurs os apparaître progressivement sous leur peau transparente, en voyant leur cœur battre et leur mémoire s'effacer, ils en étaient venus à accepter qu'un jour ils connaîtraient peut-être le même destin. Fin avril, tous les réfugiés étaient morts et enterrés sur le terrain de golf transformé en cimetière. Leur passage avait néanmoins marqué la fin de la grande hécatombe et, peu après, cinq expéditions avaient pris la route à travers l'Amérique.

En attendant le retour des explorateurs, les citoyens de Los Alamos prenaient soin de leur ville. Il y avait tant à faire, les biens à inventorier, les recherches à répertorier, des serres à construire, les réacteurs à mettre au point, les satellites à diriger, les signaux à émettre. Répandre le message. Le simple fait de changer les ampoules représentait une lourde tâche, mais Miranda insistait. La ville devait rester un phare qui, chaque nuit, s'illuminait pour repousser l'obscurité.

Dans l'espoir que Cavendish avait peut-être laissé des indices derrière lui, Miranda avait fouillé son bureau, trois mois plus tôt, quand elle se déplaçait encore normalement. Elle avait voulu revoir chacun de ses dossiers, tout ce qu'il avait fait pendant son règne, pour tenter de comprendre ce qui se passait dans sa tête.

— Il y avait quelque chose qui clochait chez lui, avait-elle dit au Capitaine qui l'avait accompagnée. Il en savait plus qu'il ne voulait le dire, j'en suis certaine.

La première chose qui les avait frappés en entrant avait été l'odeur. Sur le fauteuil roulant, ne restait plus du chercheur qu'une masse desséchée. Des pipettes en verre sortaient de chacun de ses yeux. Le fait qu'elles ne se soient pas cassées malgré leur extrême fragilité prouvait que celui qui les avait enfoncées avait agi lentement et avec beaucoup de soin. Le meurtrier pouvait être n'importe qui.

Le meurtre de Cavendish resterait l'un des nombreux mystères de Los Alamos. Chaque jour, les équipes qui fouillaient la ville faisaient de nouvelles découvertes : des entrepôts bourrés de nourriture et de fournitures, des notes de laboratoires, des tableaux couverts de hiéroglyphes. Près de cent mille personnes avaient disparu une nuit de décembre et pourtant, elles continuaient à chuchoter dans les oreilles de ceux qu'elles avaient laissés derrière. Dans chaque ordinateur, ils découvraient une personnalité insoupçonnée, dans chaque appartement, des lettres d'amour ou des journaux intimes qui dévoilaient impudiquement leurs secrets. Los Alamos avait toujours été une ville de rêves, bons et mauvais – c'était dans la nature de la science. Mais qu'elle ait pu contenir autant de désirs surprenait tout le monde. Ils en venaient à regretter leurs compagnons partis s'enfouir sous la terre.

Quelques semaines plus tôt, l'expédition de la Nouvelle-Orléans avait rendu visite au sanctuaire, espérant reprendre contact avec leurs frères perdus. Mais à l'entrée du fort, ils n'avaient trouvé que des momies en sentinelle et la fosse de l'ascenseur ne leur avait renvoyé que l'écho de leurs cris. Découvrir la cause de la disparition de la colonie était impossible – ils n'avaient pas de cordes suffisamment longues pour descendre à la verticale sur près de huit cents mètres. Alors, ils se contentèrent de lancer des messages enfermés dans des boîtes avant de reprendre leur route. Leur mission était de chercher des vivants, pas de communiquer avec les morts.

Et il restait des survivants. Leur recherche avait débuté en février, par satellite, quand les dernières grandes villes avaient rendu leurs derniers souffles de mort rouge. L'imagerie thermique avait été programmée pour détecter tout corps à 37° et les équipes de surveillance n'avaient pas tardé à capter des traces d'activité humaine. Au dernier comptage, vingt-six personnes subsistaient dans un rayon de mille six cents kilomètres – limite prévue pour la première vague d'expéditions.

Les survivants demeuraient évidemment près des sources d'alimentation, les villes, mais également les fermes et les montagnes. Ce mois-ci, Los Alamos avait regardé un homme labourer et semer un champ de quatre cents hectares près de Cortez Heights, au Kansas. L'expédition du Milwaukee n'était pas encore parvenue jusqu'à lui. Si cela se trouvait, ce fermier se croyait le dernier homme vivant sur terre et n'avait aucune conscience de son immunité. Et pourtant, tout seul, avec un avenir passablement sombre, il avait décidé de planter du maïs. Pour Miranda, cela s'appelait l'espoir et elle était impatiente de lui serrer la main.

Ce ne serait plus long maintenant. Les expéditions avaient pris le chemin du retour et celle de Billings ne tarderait plus. La nuit dernière, les images satellites avaient surpris les explorateurs près de Raton Pass, où ils campaient à la frontière du Colorado, sur la vieille I-24. Tout le monde les attendait et Miranda n'était pas la seule à surveiller la route.

Selon les conditions, leur arrivée se ferait aujourd'hui ou demain. Depuis l'aube, le satellite avait perdu leurs traces à cause de l'effet albedo – il arrivait que les satellites deviennent aveugles à la lumière du jour, ce qui permettait aux équipes de surveillance de dormir un peu.

Miranda but une gorgée d'eau et ferma les yeux un instant. Puis elle reprit ses jumelles et scruta la route. Quelque chose attira son regard. Une forme se mouvait à distance, au sommet d'une mesa. Une forme blanche, rapide. L'appaloosa. La jument s'en donnait à cœur joie et galopait à toute allure.

Ils savaient, grâce à la caméra, que Nathan Lee l'avait montée le jour de son départ pour descendre jusqu'à la rivière, mais qu'il avait traversé à pied. Dans la pagaille qui avait suivi la bombe et l'évacuation, tout le monde avait oublié le cheval. Puis un jour de janvier, elle était réapparue. Il faisait froid, mais l'animal avait refusé de s'abriter. La bombe l'avait terrorisé et son dos portait de nombreuses traces de brûlures. La jument ne laissait personne l'approcher. Pendant tout l'hiver, chaque semaine, quelqu'un s'était chargé de lui jeter une botte de paille, ce qui lui avait sauvé la vie. Tara avait tenté de l'apprivoiser en déposant des pommes et en se cachant, mais l'animal était devenu à moitié fou dès qu'elle était sortie de sa cachette. Elle semblait apprécier leur proximité, mais pas au point de se laisser attraper.

Miranda la suivit des yeux pendant un moment. La jument galopait entre les arbres bas, soulevant derrière elle un nuage de poussière qui brillait sous le soleil. Certains prédisaient qu'elle finirait par tomber d'une falaise. D'autres, qu'elle mourrait d'épuisement. Mais ils n'avaient pas compris le vrai mystère. La question n'était pas de savoir où courait la jument, mais plutôt ce qu'elle fuyait.

Un cri retentit. Aussitôt, Miranda pointa les jumelles vers la route. Et ils étaient là. Ils venaient de déboucher au détour du chemin.

Sous le coup de l'émotion, son souffle s'accéléra, son cœur s'emballa et un rush d'adrénaline la traversa qui réveilla le bébé, lequel se vengea en lui donnant un coup de pied.

Miranda régla l'image et découvrit les explorateurs. La route les avait transformés. Bronzés par le soleil, ils arboraient de belles barbes. Ben avançait parmi les premiers. Miranda observa les différents visages et en reconnut certains. Les autres étaient nouveaux avec, parmi eux, des femmes et des enfants. *Des survivants !*

Brusquement, un virage de la route les dissimula à sa vue. Tout le long de la mesa, les gens criaient d'excitation et quittaient leurs différents postes d'observation pour courir à leur rencontre et les accueillir à l'entrée de la ville. Le canyon retrouva son silence.

Miranda se leva pour les rejoindre, mais le sang lui monta à la tête et elle dut se rasseoir.

Ce n'était pas qu'elle se sente lourde ou lente. Bien au contraire. Elle n'avait jamais été plus forte et elle devait se forcer pour rester tranquillement assise et se reposer. Avec l'arrivée des survivants et de son propre enfant, sa vie allait bientôt devenir particulièrement animée et elle ne connaîtrait plus un tel luxe avant longtemps. Des années peut-être.

La sauge bourgeonnait et l'air embaumait des odeurs du désert. Miranda respira un grand coup. Son malaise se dissipa. Le monde avait suspendu sa course l'espace d'un instant, mais aujourd'hui, il reprenait sa marche. Elle offrit son visage au soleil, savourant sa caresse. Puis son regard suivit le cheval qui galopait toujours comme s'il avait le diable aux trousses et cette vue lui arracha un sourire.

REMERCIEMENTS

Avec *Année Zéro*, mon intention était d'écrire un roman policier dans le milieu médical dont l'intrigue se situait à Los Alamos. Mais en cours de route, le scénario a changé. En effet, lors de mes recherches, j'ai commencé à entrevoir comment la vieille analogie de « la religion, un fléau » trouvait son contrepoids dans « la peste comme religion ».

En bref, l'incroyable entrecroisement de la science et de la foi m'a détourné de mon idée originale. Les personnes que j'ai consultées au Laboratoire national de Los Alamos au tout début de mes recherches ont ainsi entendu une certaine histoire et la version finale de *Année Zéro* risque donc fort de les surprendre. Parmi eux, le Dr Lawrence Deaven, directeur adjoint du Centre d'études sur le Génome humain, qui m'a généreusement fait part de son expérience et de ses réflexions sur mon projet, et Todd Hanson du bureau des Affaires publiques qui m'a guidé « derrière les grilles », comme on appelait autrefois les lieux. Un remerciement tout particulier à Cliff Watts et Charles Clark qui ont patiemment tenté de m'inculquer quelques notions médicales au cours des années. Toute ma reconnaissance à Marcia Hamilton qui m'a servi de guide lors de notre excursion dans le cerveau humain. Il va sans dire que toute erreur scientifique dans cette œuvre de science-fiction ne relèverait que de ma seule responsabilité.

Tous mes remerciements à mes éditeurs, Jason Kaufman, un formidable éditeur, jeune, mais de la vieille école, et Mitchell Ivers, toujours imperturbable dans la tempête.

Une reconnaissance toute particulière pour Bill Gross, mon agent, mon ami et mon inspiration. S'il existe une muse avec des *cojones*, c'est bien lui.

Enfin, merci à Barbara et à Helena pour avoir partagé avec moi ce monde de rêves.

Dans la même collection

Le Secret de l'Alchimiste

Scott Mariani

Ancien membre des commandos d'élite, Ben Hope est hanté par les drames de son passé et il voue sa vie à la recherche d'enfants disparus. Lorsqu'il est contacté par un mystérieux employeur pour localiser un manuscrit dont le contenu pourrait sauver une petite fille, il accepte de se lancer dans l'aventure la plus périlleuse de son existence. Ce document révélerait la formule de l'élixir de longue vie découverte par l'alchimiste Fulcanelli ! Mais Ben n'est pas le seul à vouloir tout risquer pour cet incroyable trésor. Depuis les Nazis pendant la guerre, jusqu'à la puissante société secrète catholique Gladius Domini, tous ont tenté de s'emparer du mythique secret de l'immortalité. Ben Hope fait équipe avec une scientifique pour suivre les traces des anciens cathares dans le Languedoc, où le secret – s'il existe – pourrait bien être dissimulé depuis des siècles…

Un thriller haletant dans la plus pure tradition de Dan Brown et Kate Mosse.

ISBN : 978-2-35288-150-6

www.city-editions.com